JN151310

編集復刻版

牧野邦昭　編

「秋丸機関」関係資料集成

第17巻

不二出版

〈編集復刻にあたって〉

一、使用した底本の所蔵館については、「全巻収録内容」に記載しております。ご協力に感謝申し上げます。

一、本編集復刻版の解説（牧野邦昭）は、第5回配本以降に別冊として付します。

一、資料の収録順については、牧野邦昭と不二出版の判断により分類毎に分けた上で、資料のシリーズ、作成年月日を元に整序しました。

一、本編集復刻版は、原本を適宜縮小し、白黒、四面付方式にて収録しました。ただし資料中、色がついていないと内容を理解することが出来ない部分に関してはカラーで収録しました。

一、本編集復刻版は、できるかぎり副本を求めましたが、頁の欠落、破損などを補充できなかった部分があります。また、より鮮明な印刷になるよう努めましたが、原本自体の状態によって、印字が不鮮明あるいは判読不可能な箇所があります。判読不可能な箇所については、不二出版の組版によって内容を補った場合があります。

一、資料の中には、人権の視点から見て不適切な語句・表現・論もありますが、歴史的資料の復刻という性質上、そのまま収録しました。

（不二出版）

［第17巻　収録内容］

資料番号——資料名●発行年月——復刻版頁

〔全巻収録内容〕

Ⅰ　機関動向・総論

配本	巻	資料番号	資料名	分類	発行年月	底本所蔵館
第１回配本	第１巻	一	秘　経研目録第一号　資料月報	機関動向	一九四〇年　四月	福島大学食農学類
		二	経研目録第三号　資料目録	機関動向	一九四〇年　六月	福島大学食農学類
		三	経研目録第四号　資料目録	機関動向	一九四〇年　七月	福島大学食農学類
		四	経研目年第一号　資料年報	機関動向	一九四〇年一二月	牧野邦昭所有
		五	秘　班報　第一号	機関動向	一九四〇年　八月	福島大学食農学類
		六	秘　班報　第二号	機関動向	一九四〇年　九月	福島大学食農学類
		七	班報　第三号	機関動向	一九四〇年一〇月	福島大学食農学類
		八	秘　経研訳第四号　マックス・ウエルナア著　列強の抗戦力	総論	一九四〇年　七月	牧野邦昭所有
		九	経研資料工作第二号　第一次欧州戦争ニ於ケル主要交戦国経済統制法令輯録	総論	一九四〇年　八月	東京大学経済学部資料室
	第２巻	一〇	経研資料工作第二号　第二次欧州戦争ニ於ケル交戦各国経済統制法令輯録	総論	一九四〇年　八月	東京大学経済学部資料室
		一一	極秘　第一　物的資源カヨリ見タル各国経済抗戦力ノ判断	総論		福島大学食農学類
		一二	経研資料工作第一号　第二次欧州戦争に於ける経済戦関係日誌　第一年度（自一九三九年九月一日至一九四〇年八月三一日）	総論	一九四〇年　九月	東京大学経済学図書館
第２回配本	第３巻	一三	経研資料工作第一号ノ二　第二次欧州戦争に於ける経済戦関係日誌　第二年度（自一九四〇年九月一日至一九四一年八月三一日）	総論	一九四一年　九月	東京大学経済学図書館
		一四	経研資料工作第一号ノ三　第二次欧州戦争に於ける経済戦関係日誌　第三年度（自一九四一年九月一日至一九四二年八月三一日）	総論	一九四二年　九月	東京大学経済学図書館
		一五	経研資料調第四号　主要各国国際収支要覧	総論	一九四〇年一一月	国立公文書館
		一六	秘　経研報告第一号（中間報告）　経済戦争の本義	総論	一九四一年　三月	防衛省防衛研究所
		一七	重要記事索引上ノ準拠項目一覧表（七、二九）	総論		防衛省防衛研究所
	第４巻	一八	極秘　経研資料調第十一号　抗戦力より観たる各国統治組織の研究	総論	一九四一年　四月	東京大学経済学部資料室
		一九	秘　抗戦力判断資料第一号　抗戦力より観たる列強の統治組織	総論	一九四一年　四月	北海道大学附属図書館
		二〇	部外秘　経研情報第一七号　海外経済情報　昭和十六年四月十五日	総論	一九四一年　四月	国立公文書館
		二一	部外秘　経研情報第二二号　海外経済情報　昭和十六年六月三十日	総論	一九四一年　六月	国立公文書館
		二二	部外秘　経研情報第二三号　海外経済情報　昭和十六年七月十五日	総論	一九四一年　七月	国立公文書館
		二三	経研資料調第二十七号　レオン・ドーデの「総力戦」論	総論	一九四一年　九月	東京大学経済学部資料室
		二四	経研資料調第三七号　経済戦争史の研究	総論	一九四一年一二月	防衛省防衛研究所

Ⅱ　連合国

配本	巻	資料番号	資料名	分類	発行年月	底本所蔵館
第３回配本	第５巻	二五	英国の農産資源力	イギリス		福島大学食農学類
		二六	経研資料工第五号　第一次大戦に於ける英国の戦時貿易政策	イギリス	一九四一年一月	東京大学経済学部資料室
		二七	極秘　経研資料調第十四号　英国に於ける統帥と政治の連絡体制	イギリス	一九四一年五月	東京大学経済学部資料室
		二八	秘　抗戦力判断資料第二号（其一）　経済的抗戦要素としての印度及緬甸	イギリス	一九四一年八月	防衛省防衛研究所
	第６巻	二九	秘　抗戦力判断資料第二号（其二）　経済的抗戦要素としての印度及緬甸	イギリス	一九四一年八月	防衛省防衛研究所
		三〇	秘　抗戦力判断資料第二号（其三）　経済的抗戦要素としての印度及緬甸	イギリス	一九四一年八月	防衛省防衛研究所
		三一	秘　抗戦力判断資料第二号（其四）　経済的抗戦要素としての印度及緬甸	イギリス	一九四一年八月	防衛省防衛研究所
		三二	極秘　第一部　物的資源力ヨリ見タル英国ノ抗戦	イギリス	一九四〇年一一月	福島大学食農学類
		三三	［英国　綿花・大麻・亜麻・黄麻・ヒマシ油・桐油・生綿・生護謨］	イギリス		福島大学食農学類
	第７巻	三四	秘　抗戦力判断資料第四号（其一）　第一編　物的資源力より見たる英国の抗戦力	イギリス	一九四一年一二月	東京大学経済学部資料室
		三五	秘　抗戦力判断資料第四号（其二）　第二編　人的資源より見たる英国の抗戦力	イギリス	一九四二年二月	東京大学経済学部資料室
		三六	抗戦力判断資料第四号（其三）　第三編　資本力より見たる英国の抗戦力	イギリス	一九四二年九月	北海道大学附属図書館
第４回配本	第８巻	三七	抗戦力判断資料第四号（其四）　第四編　生産機構より見たる英国の抗戦力	イギリス	一九四二年一月	北海道大学附属図書館
		三八	部外秘　抗戦力判断資料第四号（其五）　第五編　貿易及び配給機構より見たる英国の抗戦力	イギリス	一九四二年七月	防衛省防衛研究所
		三九	抗戦力判断資料第四号（其六）　第六編　交通機構より見たる英国の抗戦力	イギリス	一九四二年八月	北海道大学附属図書館
	第９巻	四〇	秘　経研資料調第三九号　濠洲の政治経済情況	イギリス	一九四二年一月	国立公文書館
		四一	秘　経研資料調第四〇号　生産機構ヨリ見タル濠洲及新西蘭ノ抗戦力	イギリス	一九四二年一月	国立公文書館
		四二	秘　経研資料調第六九号　南阿連邦経済力調査	イギリス	一九四二年四月	国立公文書館
		四三	秘　経研資料調第七〇号　南阿連邦政治経済研究	イギリス	一九四二年四月	東京大学経済学部資料室
		四四	アメリカ合衆国の農産資源力	アメリカ		福島大学食農学類
		四五	極秘　経研資料調第十六号　一九四〇年度米国貿易の地域的考察並に国別、品種別	アメリカ	一九四一年五月	東京大学経済学部資料室
		四六	極秘　第一部　物的資源力ヨリ見タル米国ノ抗戦力	アメリカ	一九四〇年一一月	福島大学食農学類
		四七	抗戦力判断資料第五号（其一）　第一編　物的資源力より見たる米国の抗戦力	アメリカ	一九四二年三月	東京大学経済学部資料室
	第10巻	四八	抗戦力判断資料第五号（其二）　第二編　人的資源より見たる米国の抗戦力	アメリカ	一九四二年三月	東京大学経済学部資料室
		四九	秘　抗戦力判断資料第五号（其三）　第三編　生産機構より見たる米国の抗戦力	アメリカ	一九四二年四月	防衛省防衛研究所
		五〇	抗戦力判断資料第五号（其四）　第四編　資本力より見たる米国の抗戦力	アメリカ	一九四二年六月	北海道大学附属図書館
		五一	抗戦力判断資料第五号（其五）　第五編　配給及貿易機構より見たる米国の抗戦力	アメリカ	一九四二年六月	北海道大学附属図書館
		五二	抗戦力判断資料第五号（其六）　第六編　交通機構より見たる米国の抗戦力	アメリカ	一九四二年八月	北海道大学附属図書館
		五三	経研報告第一号　英米合作経済抗戦力調査（其一）	英米	一九四一年七月	東京大学経済学部資料室
		五四	極秘　経研報告第二号　英米合作経済抗戦力調査（其二）	英米	一九四一年七月	東京大学経済学部資料室
		五五	極秘　経研報告第二号別冊　英米合作経済抗戦力戦略点検討表	英米	一九四一年七月	大東文化大学図書館

区分	配本	巻	資料番号	資料名	分類	発行年月	底本所蔵館
Ⅱ　連合国	第５回配本	第11巻	五六	極秘　蘇連経済抗戦力判断研究関係書綴	ソ連	一九四一年二月	防衛省防衛研究所
			五七	極秘　経研資料工作第十三号　極東ソ領占領後ノ通貨・経済工作案	ソ連	一九四一年八月	防衛省防衛研究所
			五八	極秘　経研資料工作第一八号　東部蘇連ニ於ケル緊急通貨工作案	ソ連	一九四二年三月	防衛省防衛研究所
			五九	極秘　経研資料調第七二号　蘇連邦経済力調査	ソ連	一九四二年五月	防衛省防衛研究所
			六〇	極秘　経研資料調第七三号（其二）　蘇連邦経済調査資料（下巻）	ソ連	一九四二年四月	石巻専修大学図書館
			六一	部外秘　経研資料調第七四号　ソ連農産資源の地理的分布の調査	ソ連	一九四二年五月	防衛省防衛研究所
		第12巻	六二	経研資料工作第四号　支那事変経済戦関係日誌　第一輯	中国	一九四一年三月	一橋大学経済研究所資料室
			六三	経研資料工作第一六号　支那事変経済戦関係日誌　第二輯	中国	一九四二年一月	静岡大学附属図書館
			六四	極秘　経研資料調第十二号　支那民族資本の経済戦略的考察	中国	一九四一年四月	東京大学経済学部資料室
			六五	秘　経研資料調第二〇号　支那沿岸密貿易の実証的研究	中国	一九四一年六月	国立国会図書館
			六六	秘　経研資料工作第一七号　上海市場ノ再建方策	中国	一九四二年三月	防衛省防衛研究所
Ⅲ　枢軸国	第６回配本	第13巻	六七	極秘　［「独逸組」研究項目、分担者、委嘱者の表］	ドイツ		福島大学食農学類
			六八	独逸の農産資源力	ドイツ		福島大学食農学類
			六九	極秘　第一部　物的資源力ヨリ見タル独逸ノ抗戦力	ドイツ	一九四〇年一一月	福島大学食農学類
			七〇	抗戦力判断資料第三号（其一）　第一編　物的資源力より見たる独逸の抗戦力	ドイツ	一九四一年一〇月	東京大学経済学部資料室
			七一	秘　抗戦力判断資料第三号（其二）　第二編　人的資源力より見たる独逸の抗戦力	ドイツ	一九四二年二月	東京大学経済学部資料室
			七二	秘　抗戦力判断資料第三号（其三）　第三編　資本力より見たる独逸の抗戦力	ドイツ	一九四二年一月	牧野邦昭所有
		第14巻	七三	秘　抗戦力判断資料第三号（其四）　第四編　生産機構より見たる独逸の抗戦力	ドイツ	一九四二年二月	東京大学経済学部資料室
			七四	秘　抗戦力判断資料第三号（其五）　第五編　配給及び貿易機構より見たる独逸の抗戦力	ドイツ	一九四二年一月	東京大学経済学部資料室
			七五	秘　抗戦力判断資料第三号（其六）　第六編　交通機構より見たる独逸の抗戦力	ドイツ	一九四二年三月	東京大学経済学部資料室
		第15巻	七六	経研資料調第一七号　独逸食糧公的管理の研究（要約篇）―戦時食糧経済の防衛措置―	ドイツ	一九四一年六月	国立公文書館
			七七	経研資料調第一八号　独逸食糧公的管理の研究	ドイツ	一九四一年六月	東京大学経済学図書館
			七八	経研資料調第二一号　独逸の占領地区に於ける通貨工作	ドイツ	一九四一年七月	東京大学経済学部資料室
			七九	極秘　経研報告第三号　独逸経済抗戦力調査	ドイツ	一九四一年七月	静岡大学附属図書館
			八〇	経研資料調第二十八号　独逸戦時に活躍するトツド工作隊	ドイツ	一九四一年一〇月	東京大学経済学部資料室
			八一	経研資料調第三五号　第一次大戦に於ける独逸戦時食糧経済	ドイツ	一九四一年一二月	東京大学経済学部資料室
			八二	秘　経研資料調第六五号　独逸大東亜圏間の相互的経済依存関係の研究―物資交流の視点に於ける―	ドイツ	一九四二年三月	東京大学経済学図書館

Ⅲ　枢軸国

配本	巻	資料番号	資料名	分類	発行年月	底本所蔵館
第７回配本	第16巻	八三	部外秘　経研資料調第六八号（其一）　独逸に於ける労働統制の立法的研究（上巻）	ドイツ	一九四二年　四月	東京大学経済学図書館
		八四	部外秘　経研資料調第六八号（其二）　独逸に於ける労働統制の立法的研究（下巻）	ドイツ	一九四二年　四月	東京大学経済学図書館
	第17巻	八五	部外秘　経研資料調第八九号　ナチス独逸に於ける人口並に厚生政策立法の研究	ドイツ	一九四二年一一月	昭和館
	第18巻	八六	秘　経研資料調第三三号　伊国経済抗戦力調査	イタリア	一九四一年一二月	国立国会図書館
		八七	経研資料調第八八号　ファシスタイタリアの国家社会機構の研究　第二部　政治編	イタリア	一九四二年一一月	東京大学経済学図書館
		八八	経研資料調第二三号　全体主義国家に於ける権利法の研究	独伊	一九四一年　七月	東京大学東洋文化研究所
		八九	経研資料調査第一号　貿易額ヨリ見タル我国ノ対外依存状況	日本	一九四〇年　九月	東京大学経済学部資料室
		九〇	秘　経研資料調第二四号　日米貿易断交ノ影響ト其ノ対策	日本	一九四一年　七月	東京大学経済学図書館
第８回配本	第19巻	九一	経研資料調第三〇号　南方諸地域兵要経済資料	日本	一九四一年一二月	防衛省防衛研究所
		九二	極秘　経研資料調第五一号　占領地幣制確立方策	日本	一九四二年　二月	東京大学経済学図書館
		九三	部外秘　経研資料工作第二三号　南方労力対策要綱	日本	一九四二年　六月	東京大学東洋文化研究所
		九四	極秘　経研資料調第七九号　昭和十七年度ニ於ケル南方物資流入ニヨル帝国物的国力推移ノ具体的検討	日本	一九四二年　六月	防衛省防衛研究所
	第20巻	九五	経研資料調第九〇号ノ一　東亜共栄圏の政治的経済的基本問題研究（上巻）	日本	一九四二年一二月	一橋大学附属図書館
		九六	経研資料調第九〇号ノ二　東亜共栄圏の政治的経済的基本問題研究（下巻）	日本	一九四二年一二月	一橋大学附属図書館
		九七	経研資料調第九一号　大東亜共栄圏の国防地政学	日本	一九四二年一二月	昭和館

※極秘、秘等の表記については、底本とした資料の記載に拠りました。
※収録順は、牧野邦昭と不二出版の判断により分類毎に分けた上で、資料のシリーズ、作成年月日を元に整序しました。
※第五回配本、第六回配本の巻割りに一部変更がございます。

二部

經研資料調第八九號

ナチス獨逸に於ける人口並に厚生政策立法の研究

昭和十七年十一月
陸軍省主計課別班

前言

ドイツ抗戰力の隘路は人的資源の不足にありとされてゐる。この隘路を克服し對反樞軸長期戰を完遂せんが爲、ドイツは從來如何なる人口並に厚生政策の手を打ち來つたかを研究しこれにより大東亞戰下次第にその焦眉の急を加へつゝある我が人的資源問題の解決に資さんとするのが本研究の目的である。

尚ほ本稿は京大敎授石田文次郎博士他十氏の協同勞作によるものである。

昭和十七年十一月

陸軍省主計課別班

ナチス獨逸に於ける人口並に厚生政策立法の研究

序

本稿はナチス・ドイツに於ける人口竝に厚生政策立法の研究である。第一編としてナチス・ドイツの人口政策立法を研究した。第一次欧洲大戰以來、出産率が非常に低下したがために、人口問題が重大化されて來たのであるが、ナチス政權時代以前は一個の社會政策にすぎなかつた。然るにナチスが政權を獲得して以來、人口政策に力を注ぎ、其の積極政策として、結婚奬励・多子家族の保護の方法により非常なる效果を現はして來た。この問題を第一章として論述したのである。

然し、積極政策は主として人口量の問題として考へられたのであるが、それと同時に、人の質の向上を図らねばならない。この問題が本稿第二章の消極政策であつて、其の一は断種法、其の二は結婚健康法、其の三は民族の混血を防ぐための血統保護法である。

之等の人口政策立法は既に我國に於ても一部は法制されてゐるが、更に完備

一

した立法を定立するの要がある。

第二編は人口政策の続編として厚生政策立法の研究である。先づ第一章に於て軍事扶助法を取上げた。ドイツに於ては、兵役は國民の國家に對する名誉勤務と考へられてゐるが故に、之に對應して、軍事扶助は國家の軍人に對する名誉義務との趣旨に於て徹底したる政策を樹立してゐる。即ち除隊軍人の救護並に扶助、傷疾軍人の医療・救護並に扶助、軍人遺族の救護扶助、應召軍人の家族扶助、除隊軍人の職業保障、戰爭に因る一般國民の死傷に對する國家補償等につき能ふ限り詳細な研究を遂げた。

第二章は困窮者の救護法の研究であつて、病氣・貧困等に因る困窮者に對する國家的施設と私的施設とに區分し、其のナチス的運営方法を説明してゐる。

第三章は労働保護法の研究である。労働の時間保護法、空襲と賃金、経営の安全衞生法、労働環境の整備並に餘暇の利用の如き文化的政策立法を説明し、尚、家内労働の保護にも言及してゐる。

最後に餘編として俘虜の労働配置に関する研究を附加した。我國に於ても意

義ある問題と思はれる。

以上、ナチス・ドイツに於ける人口並に厚生政策立法の研究は十名の研究者が六ケ月の日時の苦しき研究によつた成果である。関係法規の莫大な数量のために、或は見落した法規もあるであらうが、其等の基礎法規は詳細な研究を遂げた積りである。本研究がこの問題に對する我國の政策に多少でも貢献することを得ば、本研究者一同の喜びこれに過ぎるものはない。

昭和十七年十一月

目次

第一編　人口政策立法

第一章　緒　論

今迄世界列強の一として自他共に認められてゐた佛蘭西が今次の歐洲大戰に於て独逸のために余りにも脆く打破られたことは吾人に何を教へ又何を考へさせるであらうか。人或は独逸軍の武器の優秀さを讃へ、又所謂電撃的作戰の妙を歎ずるであらう。佛敗退の原因を探究するに於ては固より斯る事実も看過さるべきではなからう。現にまた佛軍の作戰用兵の誤りも色々に云々されてゐる所である。然し乍ら「民強ければ兵強し」と言はれる如く、佛蘭西は既に戰はざる以前に於て独逸の前に屈服せざるを得ない状態にあつたと言へないであらうか。即ち、之を両國の國勢より見て、戰前既に佛は独の敵ではなかつたと言へないであらうか。と云ふのは今から数年も前に佛蘭西には実に驚くべき事が起つてゐたからである。それはこの國の出生率の曲線が死亡率の曲線に突破され、従つて佛蘭西の全人口は次第に減少の過程を辿つてゐたといふことである。而して、このことほど、佛蘭西の将來にとつて、不吉な徴候はなかつたと云へよう。然らば独逸は如何にと云ふに、この國の人口動態には、希に於けるよりもさらに驚くべきことが現はれてゐたのである。それは、後に詳く示すごとく、それ迄急速度に低落をつゞけてゐたこの國の出生率曲線が、ナチス政府となつてから突如方向を轉じて上昇するに至り、人口の自然増加率は漸次高まりつゝあつたといふことである。我々は、独佛間に於ける人口動態の斯る事情を観たゞけでも、戦争の結果は豫測するに難からず、佛蘭西としては敗退しなければならぬ原因を遠くこゝに存してゐたと思ふのである。

元來出生率曲線などと云ふものは、その國の経済機構や文化形態等に密接に結びついて居り、一朝一夕に方向を轉ぜしむるなどといふことは容易に出來るものではないこと敢て説く迄もなからふ。然るにナチス独逸に於ては、この一大難事が極めて短日月の間に處理され、而も誇り得べき成果を見てゐるのであつて、これ吾人の驚嘆措く能はざるところである。

今や我國は大東亜戦争の最中にあり、國家存立の根本問題として昨今頓に人口問題が採り上げられつゝあるこの際、ナチス独逸に於ける人口政策を究明することは極めて必要なことゝ思ふのである。以下之に関する立法の研究も期するところはこれが一助ともならば幸ひと念ずるに他ならないのである。

十九世紀の終りから二十世紀の初めにかけて、欧羅巴の國々には例外なく、從前に比べて子供の生れ方が減退して來て居るのであるが、この「子供の生れ方の減退」即ち出生率の低下といふことは、當時大して問題にもならずに済まされてゐたのである。殊に佛蘭西や英吉利に於ては、このことが却つて産業革命の副産物として當時盛んに発生してゐた失業者の救濟、或は就職難の緩和に役立つとさへ考へられ、またこの出生率の低下は醫学・衛生学の進歩による死亡率の引き下げによつて優に償ひ得るものと考へられてゐた程である。

然るにその後、例の第一次世界大戦の勃発を見るに至つたのである。而してこの大戦による死者の数は欧洲全体では六百数十万を算するに至り、これが各國の所謂人的資源に及ぼした影響は蓋し大なるものがあつたこと言を俟つまでもあるまい。かくして大戦の直後各國とも出生率は幾分良好といふ結果を見た

けれども、直ちにまた從前にもまして低下しつゞけたのであつた。こゝに於て何れの國もこの出生率の激減に反省を加へ、之が対策に腐心せざるを得ない状態になつたのである。独逸も亦、固よりこの例に洩れなかつたのである。具体的に出生率の低下を示せば次の如くである。

先づ之に関する統計を掲げやう。

ドイツの出生率死亡率及び自然増加率（人口千に付）

	出生率	死亡率	自然増加率
一九〇〇年	三七・〇	二二・〇	一七・〇
一九〇六年—一九一〇年	三一・六	一七・五	一四・一
一九二〇年	二五・八	一五・一	一〇・一
一九二五年	二〇・七	一一・九	八・八
一九二六年	一九・五	一一・七	七・八
一九二七年	一八・四	一二・〇	六・四
一九二八年	一八・六	一一・六	七・〇
一九二九年	一七・九	一二・六	五・三
一九三〇年	一七・五	一一・一	六・四
一九三一年	一六・〇	一一・二	四・八
一九三二年	一五・一	一〇・八	四・三
一九三三年	一四・七	一一・二	三・五

右表によつて明かな如く、第一次世界大戦前に於ける独逸の出生率は三〇以上であつたものが低下しつゞけて一九三三年にはその半分以下に激減してゐるのである。尤も人口千人につき三〇人以上の出生率を示してゐる當時にあつては死亡率も相當に高かつたといひ得るのであるが、これを一九〇六年乃至一九一〇年の自然増加率について見るならば、一四・一といふ高率を示してゐるのである。その後、死亡率も亦同じやうに逐年低下して、一九〇〇年には人口千に

つき二二人であつたものが、一九三三年には一一・二人になつてはゐるが、出生率の低下が一層大であつたためにその自然増加率は著しく減少を示してゐることを知るのである。即ち一九三二年に於ける自然増加率四・三を、一九〇六年乃至一九一〇年の自然増加率に比較すれば、その三分の一にも達してゐないのである。而も尚、この一九三二年に於ける出生率の一五・一は、従来出生率の最も低い国として著名である佛蘭西に於ける同年の出生率一五・三にさへも劣るものであつて、独逸にとつて甚だ憂慮すべき状態に至つたものと言はざるを得ないのである。

然らばこの出生率の激減は何によつて招来せられたのであらうか。その直接の原因としては産兒制限によるものとされてゐるのである。即ち、家族意識が缺けてゐるために、家族の数の増加を拒否し、男も女も結婚することを好まないと同時に、結婚しても子供を生まんとする熱意を有たなくなつた結果によると云はれてゐるのである。而してこのことは都市に於けると農村に於けるとを問はず、またその家庭が新教であると舊教であるとを問はず、人口のあらゆる

六

階層に亘つて認められたといふことである。之蓋し欧羅巴文明の進展に伴ひ所謂自由主義・平等主義の禍ひするところ、人心の極度の廃頽に基因するものと云へよう。独逸國プロイセン内務省局長アルツール・ギユツト氏の説く所に依れば、「二兒制度が廣く行はれてゐるといふだけではなくして、今日では廣い範囲に亘つて既に一兒制度が普及してゐる。子供の多い家族、即ち四人以上の子供を有する家庭は全体の一〇％に過ぎない」とし、若し「民族の凡てが二兒制度を行ふやうになつた場合には、その民族は三百年にして殆んど死滅して終ふことになるだらう」としてゐるのである。

かくの如く、出生率の減退が憂慮すべきであることは勿論であるが、それよりも、なほ一層憂慮すべきことは人口の素質が低下するといふことである。人口数の減少する場合にはたゞ單に量の問題だけでなく、その質にも関係するからである。即ち、所謂、文明國に出生率の減退といふ現象が起る時には必ず社會の上層部、殊にその國文化の推進力となつてゐる優良な素質を有つ國民層の出生が先づ低下し、その反面に於て精神的にも、肉体的にも病的な遺傳素質を

七

有つた人間や、犯罪者の如き、換言すればあまり殖えて欲しくない様な階層の出生力は一向に減らない、その結果は良い種が減つて好ましからぬ種が増すといふ、所謂「逆淘汰」の現象が起つて来るからである。産兒の制限などといふことは、却つて有能な教養のある上層部の人々に行はれ易いことを思ふならば、独逸に於ける當時の状態が如何に憂ふべきものであつたかは敢て説くまでもないであらう。これが第一次世界大戦後、独逸が窮乏のどん底に叩き落された時の人口動態の概況である。

この憂慮すべき人口的、民族的危機に直面した独逸が、人口増強の計画を樹立し、これが実施を決意せんとしたことは、蓋し當然の帰結であるといはねばなるまい。かくして、識者の間では、独逸の人口動態に関する研究などが大いに高まり、これに関する多くの著書論文等も発表せられ、既に大戦の前後に於ても各種の社會政策的・家族政策的措置が講ぜられたことであつた。然し乍らこれらの政策は間接的に人口増加に若干の影響を及ぼし得る程度のものに過ぎないのであつて、人口の増強を直接の目的としてゐるものではなかつたのである。例へば家族手當制度の如きものも、大戦直後、多くの産業部門に於て実施せられたところであるが、その目的は個人の保護といふ従来の社會政策的範囲を脱せず、出産の奨励などを目的としてなされたものではなかつたのである。

八

ところが、一九三三年ヒツトラー総統が政権を掌握するや、彼は先づ何を措いても、家族生活が昔の状態に立戻らねばならぬことを痛感したのである。独逸國民のために、より輝かしき将来を有つためには、これは不可欠の措置であると考へたのである。こゝに於てナチス政府は、それまで採用されてゐた放任主義政策を断然一擲して、ナチス独特の人口政策実施に乗り出したのである。ヒツトラーが政権を握つた當時「世界史を変更するものは民族問題であり、人類文化の鍵を握るものも亦民族問題である」と喝破したこと、また國農業大臣ダレエが「國家の至寶はたゞ民族の血液の萠芽のみである」と云つたことは、この國の指導者達の、この問題に關する見識を示すものとして敬服に値するところである。

斯くして、ナチス独逸に於ける人口政策は先づ従来の自由主義と平等主義の

九

イデオロギーの轉換といふところから出發し、その成功を納めるために、次の二つの必要條件を充たすべく努力したのである。その第一は、政府は適當な立法によつて干渉を行ふこと、第二は、國民の一人一人に対して、自己の出生について國家に義務を負つてゐることを、誤りなく自覚せしめんとしたことである。

一九三三年六月、國内務大臣フリック博士は、「國民革命を遂行すべき政府に課せられた最大の任務は、我が國民の民族的刷新を確保し、ヨーロツパの中央に於て、その数的勢力を保持することである」といひ、さらに、「新興ドイツに於ては、國民も、都市も、地方団体も、人口政策的観点から、施政の全領域を検討し、必要に應じてその施政に改革を加へなければならない」と宣言してゐるが、この宣言を契機として、各種の人口増加策並びに人種改良策が逐次実施せらるゝこととなつたのである。

かくて、一九三三年以降公布せられ、或ひはまた改正せられたナチスの人口政策に関する法令は、後に解説する如く、多くの数に上つてゐるが、こゝに一

言して置かねばならないことは、これ等の法令には、たゞ単に人口の量的増加を目的にするもののみを以て満足せず、人口の量を増加すると同時に、血の純潔性と血の健全性を保持して、その質的向上をも目的とするものが含まれてゐると云ふことである。従来人口政策と云へば、主として量の問題のみを取扱ひ、質の問題は優生学の研究領域とせられてゐたが、実際には、量と質との問題は密接不可分の関係にあり、両者を切離しては考へられないであらう。何となれば民族の平均素質の低下といふことは、個々の人間の素質が一様に低下するために起るのではなく、前にも一言したやうに、寧ろ民族を構成する人口中の優良分子の出生が下り、その結果として民族全体の平均素質が下るために起ることだからである。されば、ナチス独逸に於ける人口政策は量の問題を解決すると同時に、質の問題をも考慮してゐるのであつて、こゝに、ナチス独逸の人口政策の特色があるといへよう。故に若し用語の厳格を期するならば、人口政策と云ふよりも寧ろ民族政策とでも云ふ方が或は適當かも知れない。しかしこゝではたゞこの事を念頭に置いて貰へば、それで充分であらう。以下には之を二つ

に分け、主として量の問題に関係あるものを積極的政策の章の下に、主として質の問題に関係あるものを消極的政策の章の下に説くこととしやう。

第二章　積極的政策立法

第一節　総　説

前にも一言した如く、独逸に於ける出生率は急速度に低下しつゞけたのであるが、ヒツトラーが政権を獲得した頃の独逸にあつては、政治・経済・社會あらゆる部面の混乱を反映して、出生率はまさに衰退のドン底にあつたのである。かつて一九〇〇年頃には、全人口約五千七百万に対して毎年二百万以上の出生数を見てゐたのに、一九三三年には全人口は約六千五百万となり約八百万の増加を見てゐるにも拘らず、これに対する出生数は僅かに九十五万七千に過ぎず、実に百万以下にまで落ちてゐるのである。この数字によつて独逸民族の前途を思ふならば、実に暗澹たるものと云はねばならず、死滅的民族の相貌を呈してゐると云ふも過言ではなからう。

この衰退のドン底から、ナチス政府はその強力な人口政策を実施しはじめたのである。然らばこの衰退を挽回するために如何なる対策に出たことであつたらうか。この点前にも少しく触れた如く、先づナチス世界観に基く思想教育対策からはじめたのである。出生の低下と云ふことは、経済問題に基因するといふよりは寧ろ思想の問題に基因するといふのが、ナチス独逸の指導者達の解釈であつたのである。そこで彼等はフランス革命以來、全ヨーロッパ人の生活と政治の指導原理となつてゐた自由主義と平等主義とを徹底的に清算しないことには、到底出生の増加は期し得ないことを痛感し、この故に従來の放任主義を一擲して、新たな理念の下に人口増強の政策を考慮したのである。この点に於て、我々は単なる出生奨励の対策に終始してゐるフランスやその他の國とは比べものにならないことを忘れてはならないのである。

斯くして思想教育対策を実施する一面に於て、ナチス政府は適當なる立法によつて干渉を試み、以て出生率の上昇を企図せんとしたのである。元來、人口の自然増加数を大ならしめるには、出生率の上昇を図ると共に、死亡率の低下を策することが當然考へられるところである。さり乍ら出生率と死亡率とは原則として並行するものではない。これを高度の文化國家について見るならば、出生率はドンドン下るが、死亡率は次第に停止に近づいて來るのが普通である。このことは前に掲げた統計表に於ける独逸の死亡率低下の傾向を一見しても肯けるところであらう。されば死亡率の低下を企図することは、飽くまでも消極的方策たるに過ぎないのであつて、人口の増加を図らんとすれば、どうしても出生数の増加を図らねばならず、この点に一段と力瘤を入れねばならないこと云ふまでもあるまい。

こゝに積極的政策立法とは、この意味に於て、直接・間接に出産数の増大を目的とし、或はこれに影響を及ぼす立法を意味するのである。

然らば、積極的政策立法には如何なるものがあるであらうか。主なるものを列挙しやう。

一九三三年六月一日附「結婚ノ奨励ニ関スル法律」（一九三三年六月一日附の「失業ノ緩和ニ関スル法律」の第五章）

一九三三年六月二〇日附「結婚資金貸付許可ニ関スル施行令」
一九三三年七月二六日附「結婚資金貸付許可ニ関スル第二次施行令」
一九三三年八月二二日附「結婚資金貸付許可ニ関スル第三次施行令」
一九三三年一二月二日附「結婚資金貸付許可ニ関スル第四次施行令」
一九三四年三月二八日附「結婚ノ奨励ニ関スル法律ノ改正法」
一九三四年一〇月一六日附「所得税法中ノ改正法律」
一九三四年一〇月一六日附「相続税法中ノ改正法律」
一九三五年一月二四日附「結婚ノ奨励ニ関スル法律ノ第二次改正法」
一九三五年九月一五日附「多子家族ニ対スル育児補助金ノ許可ニ関スル命令」
一九三五年九月二六日附「多子家族ニ対スル育児補助金ノ許可ニ関スル命令ノ施行細則」
一九三五年一二月二七日附「多子家族ニ対スル育児補助金ノ許可ニ関スル命令ノ第二次施行細則」
一九三六年三月二四日附「結婚資金貸付許可ニ関スル第五次施行令」
一九三六年三月二四日附「多子家族ニ対スル育児補助金ノ許可ニ関スル命令ノ変更令」
一九三六年三月二四日附「多子家族ニ対スル育児補助金ノ許可ニ関スル命令ノ第三次施行細則」
一九三六年六月一〇日附「多子家族ニ対スル育児補助金ノ許可ニ関スル命令ノ第四次施行細則」
一九三六年七月二八日附「結婚資金貸付許可ニ関スル第六次施行令」
一九三六年八月二〇日附「多子家族ニ対スル育児補助金ノ許可ニ関スル命令ノ第五次施行細則」
一九三七年三月一〇日附「結婚資金貸付許可ニ関スル第七次施行令」
一九三七年八月三一日附「多子家族ニ対スル育児補助金ノ許可ニ関スル命令ノ第六次施行細則」
一九三七年一一月三日附「結婚ノ奨励ニ関スル法律ノ第三次改正法律」

一九三八年三月一三日附「多子家族ニ対スル育児補助金ノ許可ニ関スル命令ノ第七次施行細則」
一九三八年三月三〇日附「結婚ノ奨励ニ関スル規定及ビ多子家族ニ対スル育児補助金ノ許可ニ関スル規定ヲオーストリヤ州ニ施行スルコトニ関スル命令」
一九三八年六月一日附「多子家族ニ対スル育児補助金ノ許可ニ関スル命令ノ第八次施行細則」
一九三八年七月六日附「オーストリヤ州及ビ其ノ他ノ地域ニ於ケル婚姻及ビ離婚法ノ統一ニ関スル法律」（婚姻法）
一九三八年七月七日附「農村地方人口ノ奨励ニ関スル命令」
一九三八年七月二七日附「婚姻法ノ施行及ビ補充ノタメノ命令」
一九三八年九月二八日附「新婚姻法ノ施行及ビ補充ノタメノ第二次命令」
一九三八年一一月二〇日附「多子家族ニ対スル育児補助金ノ許可ニ関スル命令ノ第九次施行細則」
一九三九年二月一七日附「所得税法中ノ改正法」
一九三九年三月一七日附「所得税法施行規則」

右に掲げた立法によつても判る如く、積極的政策としては、結婚の奨励並に多子家族の扶助に力が注がれてゐるのである。以下之に就て述べることゝしやう。

尚積極的政策が如何なる效果をもたらしたかに就ては後に改めて述べることとしたい。

第二節　結婚奨励法

第一項　立法理由

こゝに結婚奨励法とは、一九三三年六月一日附「失業ノ緩和ニ関スル法律」

（Gesetz zur Verminderung der Arbeitslosigkeit）の第五章に規定せられた「結婚ノ奨励」に関する條規（その後の改正補充等に於ては、この條規を指して特に「結婚ノ奨励ニ関スル法律」Gesetz über Förderung der Eheschliessungen と呼んでゐる）並びに本法に依つて認められた結婚資金貸付（Ehestandsdarlehen）の制度に関する法令をいふものとする。

本法の制定せらるゝに至つた理由が奈辺に存するかは、既に述べたところでも大体想像せられるところであらうが、周知の如く、第一次世界大戦後、独逸には一大インフレが起り、政治・経済・社會のあらゆる部面に混乱を来し、之が反映して出生率は急速度の低下を続けつゝあつたことに因るものである。極度にまで衰退しつゝある人口状態を立直さんがためには、何としても出生率を高めねばならない。出生率を高めんとするには、結婚を奨励し、併せて姙孕年齢にある婦人に子を有つことの多きを願ふ以外に途はないのである。然るに當時の状態はインフレのために、総べての財産は犠牲となり、婚姻の為に要する費用に充つべき金等は無くなり、或は又、青年がその收入によつて結婚生活はこれを継続することが出来るやうな場合に於てさへも、差當つて世帯の基礎を作るために必要とする金が無いなどのために、遂、結婚を失敗するといつた有様であつたのである。のみならず、若い婚姻年齢にある娘が、多数職業戦線に従事して居り、従つて益々晩婚の風潮を高くしてゐたのである。

また他の一面に於ては、ナチスが政権を獲得したる當時は、労務者の失業が甚しく、その数実に約七百万とまで稱せらるゝ程の多数に上り、これが救済のための方策如何はナチス政府にとつて焦眉の急務であつたのである。この故に、前掲の「失業ノ緩和ニ関スル法律」が制定せられたのであつて、その第五章にある結婚奨励に関する規定も亦、たゞ単に結婚数を増加し、之によつて健康なるドイツ人血統の國民の出生数の増加を企図したばかりでなく、職業戦線にある婦人を家庭に帰らしめて、以て労働市場の負担を軽減せんとしたものであるのである。

尚、職業に就てゐる娘の結婚を可能ならしめて家庭に入らしむることは、労働市場の負担軽減といふ点からすれば二重の意味を有つことを注意しなければならない。何となれば、結婚の減少することは、結婚に際して必要とする通常の品々に就て云ふも夫々之に要する手工業や工業に対する注文が杜絶することゝなり、そのために労働市場へは間接的に負担をかけることゝなる。それが職業に就てゐた娘の結婚により、今迄彼女達によつて占められてゐた職場があき、併せて彼女等の世帯を築くために必要な注文が増大して、一段と男子労務者の需要に影響して来るからである(註)。

併し、以上の如く本法の立法理由を純粋に経済的見地よりのみ観ることは、ナチス世界観に基く本来の趣旨に幾分矛盾することゝもなるであらう。されば本法は、以上の目的を達成せんとすると同時に、飽くまで健康な結婚を作り、且つその子孫が独逸國民構成の真の増加を招来するやうに、遺傳保護の手段と結びつけられてゐるのである。次に本法の内容につき述べることゝしやう。

(註)　因に當時の独逸に於ける結婚数は、一九二九年に於ては五十九万組あつたものが、一九三一年には五十一万五千組、一九三二年には五十万組といふ程度に減少を示してゐるのである(Erläuterung des Reichsministeriums zum Gesetz über Förderung der Eheschliessungen, vom 5. Juli 1933., Hoche: Die Gesetzgebung des Kabinetts Hitler., Heft 4. S.359)

第二項　本法の内容

前述の如き目的を以て制定せられた本法は、具体的には、本法施行以後に於て結婚する独逸國民に対し、その申請に基いて一千ライヒスマルクを限度として結婚資金を貸付けることをその内容とするものである。即ち、「失業ノ緩和ニ関スル法律」第五章は、二十一ヶ條よりなり、第一條乃至第三條に於ては「結婚資金の貸付」(Ehestandsdarlehen)につき、第四條乃至第五條に於ては、結婚資金の貸付に際して必要とする資金の支辨方法としての「結婚補助課金」(Ehestandshilfe) につき、第六條乃至第一〇條は右と同趣

旨の「賃銀及ビ俸給取得者ノ結婚補助課金」(Ehestandshilfe der Lohn und Gehaltsempfänger)につき、第一一條乃至第一六條に於ては右と同じく「租税賦課ヲ受クル者ノ結婚補助課金」(Ehestandshilfe der Veranlagten)につき規定し、第一七條以下第二一條に於て総括規定及び終結規定を設けてゐるのである。尚、こゝに「結婚補助課金」といふは、総べての独身者に課せられる所の、結婚資金貸付のための資金を準備するものであつて、所謂独身税に當るものである。

然し乍ら、結婚資金の貸付は、結婚のあらゆる場合に於て許可されるものではなく、これが貸付の申請をなすには、次の如き諸條件を具備して居なければならないのである。

一、妻たるべき者は一九三一年六月一日より一九三三年五月三一日までの間に少くとも六ケ月間國内に於て雇傭関係にありたることを要する(本法第一條第一項(a))。而して、この事実は、これを證明しなければならないものとされてゐる(本法第一條第一項末段)。但し、尊属親の家政又は経営に従事してゐる場合は雇傭関係にあるものと看做されないのである(本法第一條第二項)。

二、身分官吏に豫告されてゐることを要し、また妻たるべき者は遅くとも結婚締結の時期に被傭者としての業務を拋棄するか、又は申請提出の時期までに之を放棄することを要する(本法第一條第一項(b))。この事実は、これを確信せしめれば足るものとされてゐる(本法第一條第一項末段)。

三、妻たるべき者は夫たるべき者が所得税法の意味に於て月収一二五ライヒスマルク以上を有し、且つ結婚資金の貸付を受けた額を完済せざる限り、再び被傭者としての業務に就てはならない義務を負はしめられることを容認しなければならないのである(本法第一條第一項(c))。

本法は以上三條件のみを規定してゐるに過ぎないが、一九三三年六月二〇日附の「結婚資金貸付ノ許可ニ関スル施行令」及び一九三三年七月五日、一九三三年八月二二日乃至一九三四年三月七日の「結婚ノ奨励ニ関スル法律ノ註解」(Erläuterung zum Gesetz über Förderung der Ehesch-

lüssungen）によれば、次の條件が當然なことゝして要求されてゐるのである。即ち——

四、申請者たるべき両配偶者は共に独逸の國籍を有する者たるべきこと。この点につきザール地域の人口は國籍を有するものとされる。

五、配偶者は各自、独逸人の名誉権を有するものたるべきこと（施行令第一條(b)）。

六、両配偶者は各々その政治的地位に従つて何時にても國民社會主義國家のために忌憚なくその身を捧ぐべきものたること。

七、両配偶者は共に非アリアン族であつてはならぬこと。こゝに所謂非アーリアン族との概念は、一九三三年四月七日附の「職業官吏制度ノ復活ニ関スル法律」（*Gesetz zur Wiederherstellung des Berufsbeamtentums*）の第三條及び一九三三年四月一一日附の同施行令中に規定されてゐる。但し、この職業官吏法に於て、非アーリアン族が官吏に留まり得る例外規定の場合までが、「結婚ノ奬励ニ関スル法律」に規定されてゐないことは云ふまでもない。

八、両配偶者の何れかに遺傳的な精神上または肉体上の障害があつて、その結婚が民族共同体のために利益でないと思はれないこと（施行令第一條(a)）。

九、両配偶者の何れかに、將來結婚資金の返済義務を果さないと云ふが如き懸念を生ぜしめる経歴または風評がないこと。

十、申請者が結婚の後に、その住所を外國へ移す意思を有つてゐないこと。この意味に於てはザール地域及びダンチツヒは外國と看做されず、従つてまたザール地域またはダンチツヒへの住所の移動は妨げないものとされてゐるのである。

右に掲げた十の條件に適合する場合でなければ、たとへ結婚資金の貸付を申請するとも之が許可は與へられないこと勿論である。例へば、婚姻が既に一九三三年六月三日前に成立してゐるが如き場合には、固より申請するも無駄だといふことになるのである。

尚、右の中、非アーリアン族であつてはならないことを條件としたことは、

人口政策の中に人種的な觀点を採り入れたものであつて、所謂ユダヤ人排斥の問題と共に注意さるべき所である。

また結婚當事者の何れか一方に遺傳的な精神上または肉体上の障害が無いことを要求することは本法が遺傳保護の手段に結びつけられてゐることを示すものとして看過されてはならない点である。當時、世界中の國々が國家の幸福をたゞ富に置いてゐた際に、この國の指導者等がそれ以上重大な要素として「國民の血液」を考へたことは、誠に敬服に値することゝ云はねばならない。たゞ單に出生の奬励の対策に終始するとは、全くその趣を異にするところである。尚この條件は、一九三三年七月二六日附の「結婚資金貸附ノ許可ニ関スル第二次施行令」（*Zweite Durchführungsverordnung über die Gewährung von Ehestandsdarlehen*）によつて更に追補せられ、結婚當事者の一方が申請の時に於て傳染病またはその他の生命に危險を及ぼすべき疾病に罹つてゐる場合にも、結婚資金を貸與しないことゝなつてゐる（第二次施行令第四條）。従つて結婚資金の貸付を受けんとする者は、必ず醫師の診断を受けなければならないのであるが、前掲の第二次施行令によると、この診断は必ず官吏たる醫者について之を受けねばならぬものとされてゐる（第二次施行令第五條）。因に、右の診断と診明書の交附とを行ふものは、結婚當事者の住所または通常の居所を有する場所の官吏たる醫者またはその代理人でなければならないことになつてゐる（第二次施行令第五條第三項）。

結婚資金を貸付ける者については、國内務大臣が保健省と共同して、調査すべきあらゆる点を記載した審査表を基礎としてこれを診断することゝなつてゐるが、それについては醫者が結婚資金の貸付を受ける者を診断する場合の主要点を示すと共に、出來る限りその統一を図ると云ふ趣旨から、保健省に於てこれに関する取扱要領を定めて、之を國内務大臣が一九三四年三月一六日附の告示をもつて調査を委囑した醫者に告知してゐる。そして、これによると、結婚資金の貸付を受くる者を診断する場合には、特に次の諸点に注意しなければならないことになつてゐる。

一、遺傳的疾病の有無

二、遺傳素質

三、傳染病の有無

四、生命に危險を及ぼす疾病の有無、例へば確實に死亡する場合の如きはこれに該當する。

五、その他その結婚が民族共同体の利益にならないと思はれるやうな事情の有無、例へば、その者が生殖不能または生業不能の如き場合はこれに該當する。

次に結婚資金の貸付の許可を受くる申請は、夫たるべき男子が、申請の時の住所地または普通の居所にある地区の市町村役場へ、別に定むる書式に從つた文書を以て、之に官吏たる醫者の證明書を添付して提出するのである（本法第一條第三項前段）。

右の申請があつた時は、これが申請を受理した市町村役場は、その申請者が前に掲げた十の條件を具備してゐるか否かを審査しなければならない。審査の結果、その條件を具備して居ない時には、その申請を拒絶するのであるが、條

件を具備してゐる場合には、市町村役場は之に貸付くべき結婚資金の額等に關する鑑定に基く意見を添へて、該申請を財政廳に廻付するのである。するとこの廻付を受けた財政廳が、これに關する最後的決定をなし、申請者に文書を以て決定の通知をすることゝされてゐるのである（本法第一條第三項後段）。

結婚資金を貸付ける場合に於ける貸付金の最高額は、前にも述べた如く、一千ライヒスマルクを限度とするのであるが（本法第一條第一項）、具体的の場合に幾許を貸し與へられるかは一つに財政廳の決定によるところである。而して結婚資金は原則として夫に交付されるが、財産分離の場合に於ては、例外的に、配偶者の各々に半額宛交付されるものと規定されてゐる（本法第一條第四項）。

結婚資金は現金を以て交付せらるゝものではなく、需要充足券（Bedarfsdeckungsschein）の形式で交付されることゝされてゐる（本法第三條第一段）。即ち、結婚資金の貸付が財政廳に於て決定されると、その額が需要充足券として、結婚が締結されると間もなく夫に交付されるのである。交付の條

件としては、夫が財政廳に出頭して之を受くべきものとされてゐる。需要充足券は、百及び十ライヒスマルクの切符に分れて居り、交付したる財政廳の印なきものは無效とされ、又之が讓渡は禁ぜられてゐる。需要充足券の交付を受けたる者は、之が使用を許された販賣所に於て、之と引換に、家庭建設のために必要とする家財道具を購入すると云ふ仕組みになつてゐるのである（本法第三條第二段）。指定された販賣所は、「結婚資金ノ貸付ニヨル需要充足券ノ御用ヲ承ケ給ハル」旨の特別の看板を出して目標をつけることゝなつてゐるのである。右の需要充足券によつて品物を販賣した販賣所は、後日これを財政廳に呈示して之と引き換に現金を償還して貰ふのである（本法第三條末段）。而してこゝに所謂家財道具の中には、衣類・肌着などは含まれないものとされ、需要充足券を以て購入し得る物品としては、例へば、窓掛・家具・シーツ・ベッド・寢台掛・乳母車・台所道具・食器・照明具・ミシン・庭園道具・家庭音樂のための樂器・自轉車・電氣器具・ラヂオ等がある。

次は貸付を受けた結婚資金の返濟に就てゞあるが、先づ第一にこの結婚資金は無利子とせられ、この貸付金の元金の百分の一宛を夫の所得稅管轄財政廳に月賦を以て返濟することを要することゝなつてゐるのである（本法第二條第一項第一段・第二段）。從つて例へば結婚したる夫婦が六百ライヒスマルクの結婚資金の貸與を受けた場合に於ては、毎月六ライヒスマルク宛返濟すれば良いことになるのである。かなり負担の軽い返濟方法といへよう。月賦による返濟は毎月十日を以て返濟期日と定められ、この返濟義務は結婚資金の交付を受けたる三ケ月を以て開始するものと規定せられてゐるのである（本法第二條第一項第三段第四段）。こゝに返濟の場所は夫の所得稅管轄財政廳と定められてゐるが、通常の場合に於ては、結婚資金の貸與を受けた財政廳と一致するであらう。尚、結婚資金を全部返濟しない間に、夫婦がその住所を移轉した時は、その旨を財政廳に報告し、その指示を受けなければならないのである。尚、結婚資金の貸付を受けたる者が、雇傭關係にあるときには、財政廳は、返濟の一方法として若し當事者がそれを希む場合に於ては、毎月の返濟額をば、雇主より

直接に、返済義務者の賃銀又は收入支拂より之を控除して財政廳へ納入せしめることも許されてゐる（Erläuterung des Reich ministeriums zum Gesetz über Förderung der Eheschliessungen vom 5. Juli 1933, Hoche: Die Gesetzgebung des Kabinetts Hitler, Heft 4. S.368）

結婚資金の返済に就ては配偶者は連帯債務者としての責任を有するものとされてゐる（本法第二條第二項）。返済義務に就ては、財政廳は先づ第一に夫に之を問ふのであるが、夫が支拂へない場合とか、また特に財産分離制をとつてゐる場合には、妻に対してその責任を問ふのである。而して両者が共に支拂はない場合に於ては返済額の徴收は國納税令の規定を適用して之が徴收を図るものとしてゐるのである（本法第二條第三項）。夫が死亡した場合には、勿論、妻に責任があり、また離婚の場合に於ては、財政廳は先づ夫に対して請求するを原則とし、場合に依つて離婚婦にも請求することとしてゐるのである。

以上の如き軽き返済方法に依る結婚資金の貸與は、これによつて二人の特定人の結婚を促すことになるのであるが、こゝに又一つの特典があるのである。それは結婚資金の貸付を受けた夫婦の間に子供が生れると、子供一人に対して結婚資金の元金の百分の二十五だけ、その返済から免除されるといふことである（施行令第八條第一項）。されば、結婚資金の貸與を受けて結婚した者は、どうしても子供を生まねば損といふことになり、こゝに結婚と同時に出産を奨励する本法の狙ひ所が存するのである。返済した残余が結婚資金元金の百分の二十五に充たない時に、子供が生れた場合には、その残余は全額免除されることとなるのである（施行令第八條第一項）。また子供が生れると、色々の出費も重むことを考慮して、財政廳は、子供の生れた場合には、申請に基づき結婚資金の返済を以後十二ヶ月間中断せしめることを得るものとして居る（施行令第八條第二項）。尚、子供の生れた時は、これに関する身分官吏の證明を財政廳に提出しなければならないのであるが、この身分官吏の證明は無料にて交付さるべきものとしてゐるのである（施行令第八條第三項）。

右に述べた返済方法を綜合してこゝに一例を示すと次の如くである。一組の夫婦が、一九三三年八月一五日に一千ライヒスマルクの結婚資金の貸與を受けたとする。すると之が返済は一九三三年一〇月一〇日を第一回の返済期日として資金の百分の一たる一〇ライヒスマルク宛毎月償還しなければならない。そこで、一九三四年七月一日に第一子が出生したとすると、資金元金の百分の二十五たる二五〇ライヒスマルクの免除を受くることになるのである。それでこの時の計算は、それまで九ケ月間毎月一〇ライヒスマルク宛返済してゐたから合計九〇ライヒスマルクと第一子出生による二五〇ライヒスマルクの免除額との計、三四〇ライヒスマルク差引かれることゝなつて、残額は六六〇ライヒスマルクとなるのである。そこでまた一九三六年四月二〇日に第二子が出生したとすると、子供出生による二五〇ライヒスマルクの免除額と、第二子出生までの月賦償還額たる一〇ライヒスマルクの二二ケ月分即ち二二〇ライヒスマルクとの計四七〇ライヒスマルクが差引かれることゝなり、從つて第二子出生後の残額は、一九〇ライヒスマルクとなるのである。引き續き返済しつゝ居り乍ら一九三七年六月二七日に第三子が出生したとすると、それまでに一〇ライヒスマルク宛一四ケ月間償還して居たこととなるから、第三子出生の時は差引五〇ライヒスマルクの残余が存することゝなり、この残額は第三子出生の結果、全額免除されて終ふのである。故にこの例に於ては、斯る夫婦は結局四五〇ライヒスマルクを実際には返済したといふことゝなるのである。尚第一子出生後に於ける返済の中断といふことを財政廳により認められた場合には、これが返済はさらに容易となる訳であつて、前例に於ける如く第三子迄出生することになれば、これによる免除額計七五〇ライヒスマルクは返済を要せざることゝなつたりするのである。從つて大体子供三人も生めば、これが返済は済んで終ふといふことになるのである。

結婚資金の貸付に必要なる資金は、前にも一言した如く、結婚補助課金（Ehestandshilfe）によつて調整せられることゝなつてゐるのであるが、この結婚補助課金は所得税法の意味に於ける收入を有する総べての独身者に課せられる（本法第四條第一段、第二段）。　また收入の種類により結婚補助課金は賃銀及び俸給受領者並に租税賦課を受くる者に課せられるのである（本法第四條第三段）。　こゝに独身者とは未婚者及び寡婦・鰥夫または離婚者にして子無き者をいふとされてゐる（本法第五條第一項）。　但し左に掲げるものは結婚補助課金を免除される（本法第五條）。

一、所得税法第五二條、第五六條第二項及び第七〇條により幼年者として取扱はれる未婚婦人

二、離婚したる妻又は貧困なる両親の扶養のために一ヶ年以前より其の所得の少くとも六分の一を支出し、且つこの理由に基いて

(イ) 所得税の賦課を受くる場合に於てはその最近の賦課に當り所得税法第五六條による所得税の控除を受けたる者

(ロ) 所得税の賦課を受けざる場合に於ては、所得税法第七五條第一號により免税賃銀額を引き上げられたる者

三、年齢五五歳以上の者

次に賃銀及び俸給取得者の結婚補助課金は、無條件所得税納付義務を有し、且つ所得税法第六九條乃至第八二條により労賃よりの租税控除の規定を受ける独身者に之を課すことゝなつてゐる（本法第六條）。　但し、賃銀及び俸給取得者の結婚補助課金は、その收入が月額七〇ライヒスマルクに満たない場合には徴收せられない（本法第八條第一項）。　この場合の課金は左の割合を以て課すべきものとされてゐる（本法第八條第二項）。

(イ) 結婚補助課金に関する算定の基礎を定めたる本法第七條第一項第二項に掲げたる收入の月額が七五ライヒスマルク以上一五〇ライヒスマルク未満は百分の二

(ロ) 同じく一五〇ライヒスマルク以上三〇〇ライヒスマルク未満は百分の三

(ハ) 同じく三〇〇ライヒスマルク以上五〇〇ライヒスマルク未満は百分の四

(ニ) 五〇〇ライヒスマルク以上なるときは百分の五

賃銀及び俸給取得者が一時的に多額の賃銀又は俸給を取得した場合に於てはこれは賃銀の支拂期分に加算せられることゝなつてゐる（本法第八條第三項）。

尚、この補助課金は賃銀及び俸給の一部を留保することによつて徴收されるものとしてゐる（本法第九條）。　従つて雇主は、賃銀及び俸給取得者の結婚補助課金を賃銀または俸給の支拂期毎に留保し、之を財政廳に納付すべきことを命ぜられてゐるのである（本法第九條第二項）。　而してまた雇主は、之が留保又は納付について國に対して責を負ふべきものとされてゐる（本法第九條第三項）。因に、賃銀及び俸給取得者の結婚補助課金に対する算定の基礎は、一九三三年六月三〇日以後の期間に対し支給せられた所得税法第三六條第一項の意味に於ける労賃とされてゐる（本法第七條第一項）。

租税賦課を受ける者の結婚補助課金は、無條件所得税納付義務を有し且つ所得税の賦課を受ける独身者に課せられるものである（本法第一一條）。　此の場合の課金の算定の基礎は、労賃よりの租税控除を受けない純收とされてゐるが、徴收費、債務利子、地代及び継続負担はこの純收入より控除されることゝなつてゐる（本法第一二條第一項）。　かくして、確定せられたる純收入に対しては左の割合を以て課せらるべきものとされてゐるのである（本法第一三條）。

(イ) 純收入が七五〇ライヒスマルク以上一、三〇〇ライヒスマルク未満なるときは百分の二

(ロ) 同じく、一、三〇〇ライヒスマルク以上三、一〇〇ライヒスマルク未満なるときは百分の三

(ハ) 同じく三、一〇〇ライヒスマルク以上五、五〇〇ライヒスマルク未満なるときは百分の四

(ニ) 同じく五、五〇〇ライヒスマルク以上なるときは百分の五

尚、租税賦課を受くる者の結婚補助課金は一九三三年度中に終了する税期に対してはその五割相當額を徴收するに止むものとされてゐるのである（本法第一三條第二項）。　この補助課金は、所得税と同時に賦課されることとなつてゐる（本法第一四條）。

また結婚補助課金の收入は國に帰属するものとされ（本法第二一條第一項）、この收入が一九三三年の会計年度に於て四千万ライヒスマルクを超え、一九三四年度以降の各會計年度に於て六千万ライヒスマルクを超えるときは、その收

入は國の特別財産を形成し、國財政大臣が之を管理することゝなつてゐる（本法第二一條第二項）。

以上が失業緩和法に規定せられてゐる結婚奨励法の大体であるが、一九三三年七月二六日附の「結婚資金ノ貸付許可ニ関スル第二次施行令」（Zweite Durchführungsverordnung über die Gewährung von Ehestandsdarlehen）に依れば、早少しく改正せられてゐるのである。即ち――

(イ) 妻たるべきものは一九二八年六月一日から一九三一年五月三一日の間に於て少くも六ケ月間雇傭関係にあつた場合には結婚資金の貸付が許されることゝなつたこと（第二次施行令第一條）。即ち、本施行令によつて結婚奨励法第一條第一項(a)の條件に於ける期間が延長されたのである。

(ロ) 結婚が一九三二年六月一日から一九三三年六月三日までの間に締結せられ、妻が雇傭関係にあり既に六ケ月を経てゐる場合には、矢張り結婚資金の貸付が許可せられることゝなつたこと（第二次施行令第二條）。但し、この雇傭関係は申請された結婚資金が支拂はれる前に拋棄されねばならないものとされてゐる（第二次施行令第二條）。

(ハ) 両配偶者の何れかに、傳染病または生命に危険を及ぼすべき疾病がある場合に於ては、結婚資金が許與せられなくなつたこと（第二次施行令第四條）。これについては既に述べたところである。

さらに引続いて一九三三年八月二二日附の「結婚資金ノ貸付許可ニ関スル第三次施行令」（Dritte Durchführungsverordnung über die Gewährung von Ehestandsdarlehen）に於ては、結婚資金貸付許與の條件が次の如く改正されてゐる。即ち――

(イ) 結婚が一九三二年六月一日から一九三三年六月二日までの間に於て締結され、妻が一九二八年六月一日より一九三三年五月三一日までの間に於て少くとも六ケ月間國内に於て雇傭関係にありたる時は結婚資金が貸與され得ることゝなつたこと（第三次施行令第一條(a)）

(ロ) 妻又は妻たるべき者が尊属親の家政または経営に従事して居り、これが

結婚したゝめに此の業務を止めたる結果、他の労働者が雇入れられるに至つたことが明瞭なる場合にも、結婚資金が貸與せられることゝなつたこと（第三次施行令第一條(b)）

何れも、結婚資金貸付許可の條件の緩和に関するものである。尚、右に掲げた第二次施行令及び第三次施行令は、共に公布されたる日より遡つて一九三三年六月三日より效力を生ずるものとされてゐるのである（第二次施行令第六條第三次施行令第五條）。

然るに一九三三年一二月二日附の「結婚資金貸付許可に関する第四次施行令」（Vierte Durchführungsverordnung über die Gewährung von Ehestandsdarlehen）に依れば、前述した第二次施行令に於ける(イ)(ロ)の改正点及び第三次施行令に於ける(イ)の改正点は、これを廃止することゝしてゐるのである（第四次施行令第一條第一項）。従つて、これが廃止に處するため、一九三二年六月一日より一九三三年六月二日までの間に於て結婚したる申請者または妻若しくは妻たるべき者が、一九二八年六月一日より一九三三年五月三一日までの間に於て少くとも六ケ月間雇傭関係にあつた場合に於ては、結婚資金の貸與を受くるための申請が一九三三年一二月一〇日までに申請を審査する権限を有する市町村役場に到達してゐる時は、結婚資金の貸與を受け得るものとしてゐるのである（第四次施行令第一條第二項）。尚、本第四次施行令に於ては、従来需要充足券は雛形に従ひ一〇及一〇〇ライヒスマルクの切符に分割されてゐたのであるが（施行令第九條第一項）、以後一〇、二〇、五〇及び一〇〇ライヒスマルクの額に分けられた切符によるものとされてゐるのである（第四次施行令第二條）。これと同時に、需要充足券の賣入を禁ずる旨についても明かにされてゐる（第四次施行令第三條）。

その後本法は屡々改正補充されてゐるのであるが、これについては以下項を改めて説くことゝしやう。

第三項　結婚奨励法の改正

結婚の奨励に関する法律は、一九三三年六月一日附の基本法に対する第一次乃至第四次施行令によつても少しく変更改正せられたこと既に述べた如くであるが、その後も屡々改正されて今日に至つてゐるのであるが、固よりその主旨に於ては何等変更されてゐるものではない。たゞその時に應じて結婚資金を貸與するに際しての條件等につき改正を見てゐるといふに過ぎないのである。以下その改正の主たる点に就て述べることゝする。

先づ第一に挙げなければならないのは、一九三四年三月二八日附の「結婚ノ奨励ニ関スル法律ノ改正法律」（Gesetz zur Änderung des Gesetzes über Förderung der Eheschliessungen）である。この法律による改正点は次の二点である。

(イ)　基本法に規定せられてゐた結婚資金の貸與を受くる為に具備せられねばならない條件のうちの三に掲げた点に関し、妻または妻たるべき者は、夫または夫たるべき者が失業扶助の許可に関する規定の意味に於ける要扶助者と認められず且つ結婚資金が完済せられない限り被傭者として仕事に従事してはならない旨を規定したこと（改正法第一節第一條）。但し、これは結婚資金貸付に対する申請が本改正法の施行前に為されたものに就ては適用せられないものとされてゐる（改正法第一節第二條）。

(ロ)　結婚補助課金の收入に関するもので、一九三三年の會計年度に於て千二百万ライヒスマルクを超え、以後の各會計年度に於て千五百万ライヒスマルクを超ゆる時は、當該收入は國の特別財産を構成し、國財政大臣が之を管理する旨を定めたことである（改正法第二節）。

(イ)の改正は、結婚資金の貸付が、併せて失業救済の意味を有つてゐることに基くものであり、(ロ)の改正は、結婚資金の貸付を実施するや、これが豫想外に大となつたことに基づく改正である。因に、本改正法は一九三四年三月三一日より実施されたのである（改正法第二節）。

次は一九三五年一月二四日附の「結婚ノ奨励ニ関スル法律ノ第二次改正法律」

（Zweites Gesetz zur Änderung des Gesetzes über Förderung der Eheschliessung）である。本改正法は、前述した一九三四年三月二八日附の改正法によつて改正せられた一九三三年六月一日附の結婚奨励に関する基本法の一部改正であつて、これまでの改正点なども整理し、またこれに新たな改正を加へて、その第一條、第三條の一部及び第二一條第二項の文言を改めて規定したものである。その主な改正点は次の如くである。

一、結婚資金の貸付を受くるために必要な條件を次の如く改めたこと、即ち、

(イ)　妻たるべきものは申請提出前二ケ年の間に少くとも九ケ月間國内に於て雇傭関係にありたること（第二次改正法第一節第一條第一項(a)）、

(ロ)　妻たるべき者が被傭者としての業務を申請提出の時に於て拋棄して居らない時は、結婚資金の貸付額を受領する前に拋棄しなければならないこと（第二次改正法第一節第一條第一項(b)）、

(ハ)　妻たるべき者は夫が失業扶助の許可に関する規定の意味に於ける要扶助者と認められず、且つ結婚資金の返済せられない限り被傭者としての業務に就かないことと義務づけたこと（第二次改正法第一節第一條第一項(c)）

之である。就中(イ)の申請提出前二ケ年間に少くも九ケ月間雇傭関係にありたる事を要するものとして従来の六ケ月を延長した点が注意さるべきであらう。尚、尊属親の家政または経営に従事してゐる女子が、結婚の為に此業務を拋棄した結果、他の労働者が継続的に雇傭せられた場合には、(イ)に所謂雇傭関係にあつた者と看做されることゝしてゐるのである（第二次改正法第一節第一條第二項）。

二、需要充足券に関する基本法の第三條に、需要充足券は之を譲渡することを得ず、またこれが交付を受けた者も販賣所も共に之を担保に供することを得ない旨を補充して規定したこと

三、結婚補助課金に関する基本法第二一條第二項を改めて一九三三年及び一九三四年の會計年度に於て千二百万ライヒスマルクを超過するときは、當該收入は國の特別財産を構成し國財政大臣が之を管理すること及び一九三

五年一月以降に於ては所得税中の國帰属部分中より月額千二百五十万ライヒスマルクを分離して之を特別財産に繰入るゝことを要するとしたこと（第二次改正法第二節第一條）。

尚、一及び二の改正点は、一九三五年一月一日より效力を発生し（第二次改正法第一節第二條）、三の改正は一九三四年三月三一日まで遡って效力を生ずするものとされてゐる（第二次改正法第二節第二條）。

第三は、一九三六年三月二四日附の「結婚資金貸付ノ許可ニ関スル第五次施行令」（*Fünfte Durchführungsverordnung über die Gewährung von Ehestandsdarlehen*）である。本施行令は第四次施行令の第三條に関聯して規定されたものであつて、夫婦たるべき者が健康診断を受けまた保健官吏より證明を與へて貰ふためには一〇ライヒスマルクの手数料を納むべき旨を定めたものである（第五次施行令第一條第一項）。元来この場合の手数料は一九三三年七月二六日附の第二次施行令に於て無料とせられてゐたのであるが、それがこの度一〇ライヒスマルクを徴收せられることになつたのである。但しこの手数料は結婚資金の貸與を許された時にのみ徴收せられるのであつて、需要充足券の交付を受ける時に、その中より管轄財政廳の金庫がこれを留保するものとされてゐる（第五次施行令第一條第三項）。右の場合を除く外の、例へば市町村役場等より交付を受ける證明書または文書等に就ては、依然として無料たるものとせられる（第五次施行令第一條第二項）。

本施行令は、一九三六年四月一日より施行せられたのであつて、從つてこの日より以前の申請のものについては手数料は勿論徴收せられないのである（第五次施行令第二條第一項）。

第四は、一九三六年七月二八日附の「結婚資金貸付許可ニ関スル第六次施行令」（*Sechste Durchführungsverordnung über die Gewährung von Ehestandsdarlehen*）である。本施行令は、妻の就業禁止義務を緩和せんために、國財政大臣に対して、夫が失業扶助の許可に関す

る規定の意味に於ける要扶助者と認められない場合に於ても妻をして雇傭関係に入らしむることを許可し得る権限を與へたものである（第六次施行令第一條）因に、本施行令は一九三六年七月二八日より效力を生ずるものとされてゐる（第六次施行令第二條）

第五は、一九三七年三月一〇日附の「結婚資金貸付許可ニ関スル第七次施行令」（*Siebente Durchführungsverordnung über die Gewährung von Ehestandsdarlehen*）である。これは結婚資金として交付を受けた需要充足券の使用に関するもので、從來需要充足券は家具その他前述した物品の購入にのみ使用すべきであつたものを、本施行令により、独逸婦人團の事業の一つとして行つてゐる母の学校（*Mutterschule*）の課程を修めるために要する費用の支拂にも充て得るものとしたのである（註）。

（註） 母の学校といふのは、良い子供を育て得る母をつくりあげるためにナチスドイツ婦人團の一事業として設けられた学校であつて殊に教育の機會に恵まれなかつた労働階級地帯や貧困階級地帯に数多く設けられて出來るだけ多くの母達が利用出來るやうにしてある。こゝでは階級的な差別などは絶対に設けずあらゆる階級の母達が一屋の下に集団生活をして、普通は四週間この学校に宿泊滞在して一定の講習を受けることゝなつてゐるのであつて、教育の内容は料理・裁縫・哺育法・一般看護法・健康への対策・家庭の持ち方などで、またナチス・ドイツ精神や政治・経済の問題などについても教へることになつてゐる。而してこれが費用は講習宿泊料とともに四週間で大体九〇ライヒスマルク平均といふことになつてゐる。

第六は一九三七年一一月三日附の「結婚ノ奨励ニ関スル法律ノ第三次改正法」（*Dritte Gesetz Änderung des Gesetzes über Förderung der Eheschliessung*）である。本改正法は結婚資金の貸付に関し、今までのところを取りまとめ、併せてこれに多少の改正を加へて公布したもので

ある。重要なものであるから、こゝにその全文を掲げることゝしやう。

結婚ノ奨励ニ関スル法律ノ第三次改正法

政府ハ次ノ法律ヲ制定シ、茲ニ之ヲ公布ス

第一節

一九三五年一月二四日附「結婚ノ奨励ニ関スル法律ノ第二次改正法」ニ依リテ改正ヲ受ケタル一九三三年六月一日附「失業ノ緩和ニ関スル法律ノ第五章（結婚ノ奨励）」ハ次ノ文言ニ之ヲ改ム

第一條（1）独逸國民ハ申請ニヨリ一千ライヒスマルクヲ限度トシテ結婚資金ノ貸付ヲ許與セラルベシ。結婚資金貸付ノ許可ヲ受クルタメノ申請ハ先ヅ身分官吏ニ之ガ豫告ヲナシ且ツ結婚ヲナス以前ニ於テ提出スルコトヲ要ス。資金ノ交付ハ結婚締結ノ後ニ之ヲ行フ。結婚資金貸付ヲ許與スルニハ、妻タルベキ者ガ申請提出前ニケ年間ニ少クトモ九ケ月間國内ニ於テ雇傭関係ニアリタルコトヲ條件トス

（2）尊属親ノ家政又ハ経営ノ従事ハ、コノ業務ノ執事ノ結果他ノ労働者ガ継続的ニ雇傭セラルルニ至リタル場合ニ限リ第一項ノ意義ニ於ケル雇傭関係ト看做ス

（3）結婚資金貸付ノ許與ヲ受ケルタメノ申請ハ夫タルベキ者ガソノ住所又ハ通常ノ居所ヲ有スル地区ノ市町村役場ニ提出スベシ。當該市町村ハ一切ノ條件ガ具備セラレタル場合ニ於テハ之ヲ管轄権ヲ有スル財政廰ニ廻付ス。財政廰ハ申請ニ関スル最後的決定ヲ行フ

（4）結婚資金ノ貸付ハ夫ニ対シテ之ヲ為ス。財産分離ノ場合ニ於テハ各配偶者ニ結婚資金ノ半額宛ヲ貸付クルモノトス

第二條（1）結婚資金ノ貸付ハ無利子トス。結婚資金トシテ貸付ヲ受ケタル額ハ夫ノ所得税管轄財政廰ニ百分ノ一宛ヲ月賦ヲ以テ返済スルコトヲ要ス。月賦償還ハ毎月十五日ヲ其ノ支払期日トス。返済義務ハ結婚資金ノ貸付ヲ受ケタル後三ケ月ヲ以テ開始ス

（2）妻ガ結婚資金ノ貸付ヲ受ケタル後モ従前ノ雇傭関係ヲ継続シマ

タハ結婚資金貸付額ノ完済セラレザル以前ニ於テ再ビ雇傭関係ニ入リタル時ハ毎月ノ償還額ハ百分ノ三トス。コノ高メラレタ償還額ハ再ビ仕事ニ従事シタル月ヨリ徴收セラルベキモノトス。妻ガ結婚資金ノ貸付ヲ受ケタル後モ従前ノ雇傭関係ヲ継続シタルトキハ高メラレタル償還額ハ第一項ニ規定シタル時ヨリ徴收セラルベキモノトス。但シ妻ガ一ケ月間ニ総計シテ労働日ノ半分以下仕事ニ従事シタルニ過ギザルトキハ返済額ハ百分ノ一ヨリ三ヘ高メラルヽコトナシ。各配偶者ハ妻ノ仕事継続又ハ仕事ヘノ再従事ニツキ管轄財政廰ヘ遅滞ナク報告スベキ義務ヲ負フ。

（3）國財政大臣ハ行政處分ヲ以テ一定ノ條件ノ下ニ高メラレタル返済額ノ取立ヲ免除スルコトヲ得

（4）各配偶者ハ貸付ヲ受ケタル結婚資金ノ返済ニ付キ連帯債務者トシテノ責任ヲ有ス。

（5）返済額ノ徴收ニツイテハ國租税令ノ規定ヲ適用ス

第三條　結婚資金ノ貸付ハ需要充足券ヲ以テ之ヲ為ス。需要充足券ハ之ガ受領ヲ許サレタル販賣所ニ於テ家具什器ノ購入ニ用フルモノトス。需要充足券ハ財政廰ニヨリ販賣所ニ対シテソノ現金ヲ支拂フモノトス。需要充足券ハ之ヲ譲渡スルコトヲ得ズ且ツ資金ヲ受ケタル者モ販賣所モ之ヲ担保ニ供スルコトヲ得ズ

第二節

本法ハ一九三七年一〇月一日ヨリ其ノ効力ヲ生ズ

之を要するに改正法の主要点は、前掲の法文によつても明かな如く、一九三七年一〇月一日から、妻は必ずしも其の労働者たる身分から退く必要がなくなり、或は又返済期間中と雖も再び労働に従事し得ることゝなり、その反面に於て、かゝる場合には返済額が従來の百分の一から百分の三に高められたことにあるのである。何故にかゝる改正を見るに至つたのであらうか。それは、周知の如く第二次四ケ年計画の実施に伴ひ、労働力が益々不足を告ぐるに至り、遂

には婦人労働力の配置までが大きな問題として採り上げらるゝやうになったからである。即ち、ナチス政権獲得の當時、一つには失業救済の意味を以て生れた結婚の奨励に関する法律は、こゝにその趣を大に異にするものとなったのである。

尚最後に、此の結婚資金貸付に関する制度は、その後一九三八年三月三〇日附の「結婚ノ奨励及ビ多子家族ニ対スル育児補助金ノ許可ニ関スル規定ヲオーストリヤ州ニ採用スルコトニ関スル命令」（Verordnung über die Einführung von Vorschriften auf dem Gebiet der Förderung der Eheschliessungen und der Gewährung von Kinderbeihilfen an kinderreiche Familien im Land Österreich）によりオーストリーにも、また一九三八年一一月二五日附の命令（Verordnung über Ehestandsdarlehen, Kinderbeihilfen, Einrichtungsdarlehen und Einrichtungszuschüsse in den sudetendeutschen Gebieten）により、

ズデーテンドイツにも施行せらるゝこととなり、独逸全域に亘つて実施せられてゐるのである。

右に述べた結婚の奨励とは直接関係のないことではあるが、一言こゝに注意したいことがある。それは一九三八年七月六日附の婚姻法、嚴格には「オーストリヤ州及ビソノ他ノドイツ領内ニ於ケル婚姻締結及ビ離婚ニ関スル統一法」（Gesetz zur Vereinheitlichung des Rechts der Eheschliessung und der Ehescheidung im Lande Österreich und im übrigen Reichsgebiet）中の離婚に関する規定に於ける「生殖の拒絶」（Verweigerung der Fortpflanzung）及び「生殖不能」（Unfruchtbarkeit）についてゞある。この婚姻法は所謂ナチス婚姻觀に基いて從來の民法に規定されてゐた婚姻法を改めて規定したものであるが、この法律中の離婚法に於ける右の規定は、人口政策的に見て特に注目に値するところと云へよう。即ち、こゝに特記する「生殖の拒絶」は、夫婦の一方が正當の理由なくして出産若くは受胎を拒んだとき、または不法に出産を

防止する手段、即ち避妊法を講じまたは講ぜしむるときを云ふのであつて、この場合には夫婦の他方は離婚を請求することが出来る旨を定めたものである（婚姻法第四八條）。また「生殖不能」は、夫婦の一方が結婚後、早期に生殖不能となつた場合を云ひ、之に於ても離婚の請求を認める旨を規定したものである（婚姻法第五三條第一項）。但しこの場合に於ては既に夫婦間に遺傳的に健全なる嫡出の子孫または養子を有するときは離婚の請求は許されないのみならず、生殖不能の者よりの離婚請求、健康上の理由によつて新婚の締結が許されないと思料せらるゝ場合にも離婚の請求が出來ないものとされてゐる（婚姻法第五三條第二項、第三項）。尤も右の場合に於ける離婚については當該事情について良く之を判断してその請求を認むべきものとされ、また離婚請求の許へにも種々の制限があり、要するに道徳上も正當とされなければ離婚は許されないことゝなつてゐるが、少くとも子を産むことの出來ない夫婦の離婚をば、新な規定を設けて認めたことは、人口政策、殊に量の増大を図るといふ点から見て看過してはならないところと言へよう。

第三節　多子家族の保護法

第一項　保護の必要

上述の如く、結婚を奨励し、併せて出産率の上昇を企図することは、確かに人口問題解決の重要な一方策たること勿論であるが、人口政策の問題は、かゝる方策のみを以てしては到底解決さるべきもないと言はざるを得ないであらう。そこでナチス政府は、家族負担の平均化を目標として、一九三四年以來これに多大の努力を拂つてゐるのである。

元來、人間が生殖の問題を理性によつて判断して性的享樂と生殖とを区別するやうになつてから以後は、個人の立場から見て経済的な考へ方が特に重視されるやうになつてゐるのである。從つて子供の数も一人か二人の方がより沢山の子供を育つよりも、より物質的に楽な生活が出來るとして、沢山の子を有つ

ことを余り望まなくなって来たのである。このことが前にも述べた如く産児制限の風潮を高め、その結果は出産率の低下に拍車をかけたこと言を俟つまでもないところであらう。斯る思想が國家存立の根本問題たる人口問題の解決に當り恐るべき悪影響を及ぼすことは誠に看易きところであるから、かくの如き思想の撲滅を期することは先づ何よりも大切なことであらう。然し乍ら、苟くも國家的人口政策を実施するに當っては、斯る思想の撲滅と同時に、その國の家族の状態に深く注意し、若し子供の多い家庭などが、困窮し居る様な場合には、これが救済を図る政策を実施することは極めて重要なことである。

ところで、ナチスが政権を獲得した當時の家族の状態は、第一次世界大戦後の一大インフレの起った後のこととて経済界は混乱し、ために子供の多い家庭などは、子供のない家庭または子供の少い家庭に比べて殊に経済的に苦しい境遇に置かれてゐたのである。例へば租税について見ても、子供の多い家庭は、子を養育するための食料品、或はその他一般の消耗品に対する間接税を多く負担せしめられることとなるから、これが負担だけでも容易なことでないと云はねばなるまい。このことは收入の比較的少ない労働者や俸給生活者には殊に大きく響くものであるといへよう。その反面に於て未婚者や子供の少ない家庭は例へば煙草・酒の如き、或は其の他の贅沢品の如き嗜好品に対する課税には口を極めて反対し、また未婚者や子供の少ない者に対して、子供の養育費に比較すればそれ程多くない程度の特別税を課するや否や、直ちに不平を言ふことを我々は看過してはならないのである。こゝに圓満なる社會生活があると言へるであらうか。一体、如何にすれば自分の子供を養育して行けるかに困窮してゐるやうな人々から、社會政策施設のための負担や掛金を採り立てることは全く意義の無いことである。たゞ無意義であるばかりでなく、却って社會に徒らな不満を惹起する原因となるであらう。斯る負担などは、遂には子沢山の家庭の子供達からその老後を養って貰はねばならない様な人々に負はしめるのが妥當と云へよう。マックス・フオン・グルーベルは「過去の國家は多数の子供を養育して全体に最も大なる貢献をなした者を却って罰するやうなことをしてゐた」と云って居るが誠に味ふべき言と言はねばなるまい。若し國家がこの言の如き

態度に出てゐたとするならば、相當の收入のある人達までが、子を生み育てるといふ責任感をそれ程感じなくなって居たからといって、一概にその人々のみを責めることは酷であるけれども、兎も角この点を改革するの必要は極めて當然のことゝ云はねばならないであらう。

これを要するに、人口政策の見地よりすれば、精神的には子を産まうとする意思を有たしめると同時に、物質的には家族の経済状態などを改善して、子供を産めば生む程、また子供が一人殖えれば殖えただけ、それだけ同じ程度の子供の無い者や子供の少ない家族の場合に比較して、両親はじめ家族の者や他の子供等が苦しむと云ふことのないやうにしてやらねばならないのである。こゝに家族負担の平均化を要求する所以が存するのである。

家族負担の平均化策としてナチス政府が採った政策には如何なるものがあるか。その主なるものは多子家族に対する育児補助金の支給制度及び租税法に於ける家族状態を考慮しての軽減策（殊にこれは所得税法・相続税法の改正に見られるのであるが）等がある。多子家族に対する育児補助金の支給を定めた多子家族扶助令については後に詳述することゝして、こゝには一言所得税法について觸れることゝしやう。

一九三四年一〇月一六日附を以て「所得税法」（Einkommensteuergesetz）が制定されてゐるのであるが、これに依れば、賃銀労務者中既婚の者は、子供の無い場合月額百四ライヒスマルクを免税点とされてゐるのに対し一子家庭は百三十ライヒスマルク、二子家庭は百五十六ライヒスマルク、三子は百九十五ライヒスマルク、四子は二百六十ライヒスマルク、五子は三百五十一ライヒスマルク、六子は七百九十三ライヒスマルク、七子家庭は九百十ライヒスマルク、八子家庭は千二十七ライヒスマルクを夫々その免税点とされてゐるのである。また右の標準を越え、所得税を支拂はねばならないとしても、その納税額は極度に低額にされるといふ配慮がなされてゐるのである。

第二項　多子家族扶助令

こゝに多子家族扶助令とは、嚴格には「多子家族ニ対スル育児補助金ノ許可

ニ関スル命令」（Verordnung über die Gewährung von Kinderbeihilfen an kinderreiche Familien）と稱せらるゝ命令のことである。本令は前述の如き趣旨より制定せられた法令であつて、一九三五年九月一五日附にて公布せられて居り、僅かに三ケ條よりなる簡單な命令である。

本令の内容は、多子家族に対し、一九三五年一月二十四日附の「結婚ノ奨励ニ関スル法律ノ第二次改正法」の第二節第一條に從つて構成される結婚資金貸付のために準備される國の特別財産から申請に基いて一時的の育兒補助金を支給せんとするものである（本令第一條）。本令の施行細則は國財政大臣が之を発することとして一九三五年一〇月一日より実施せられたのである（本令第二條・第三條）。

本令の施行細則は、一九三五年九月二六日に公布されてゐるが、これに依れば、育兒補助金の交付を受くるためには次の條件を具備しなければならない。

一、十六歳未満の子供が四人若くは四人以上両親の家計に属してゐる家庭たること（施行細則第一條第一号）。

二、両親は一九三五年九月一五日附の「公民法」（Reichsbürgergesetz）の意義に於ける公民たること（施行細則第一條第二号）

三、両親の経歴又は評判につき非難すべき点のないこと（施行細則第一條第三号）

四、両親及び子供は遺傳的な精神上または肉体上の缺陥がないこと（施行細則第一條第四号）

五、子供の扶養義務者が現在の收入及び財産状態によつては、相當な家計を營むに必要な財を獲られない事情にあること（施行細則第一條第五号）。

継親子関係にある場合に於ても、一般の場合と同様育兒補助金は與へられるのであるが、この場合に於ける條件としては、公民たることの條件は現在並びに從前の両親に存することを要し（施行細則第二條第二項）、遺傳的な缺陥に関する條件は現在の継親については適用されないことになつてゐる（施行細則第二條第三項）。

尚、國財政大臣は例外的に右に掲ぐる條件を缺く場合に於ても育兒補助金を與へることが出來るものとされてゐる（施行細則第九條）。

右に掲げた條件に合致する場合、または特に國財政大臣により認められた者は一千ライヒスマルクまでの育兒補助金の交付を受くることが出來るのである（施行細則第三條第一項前段）。但し一千ライヒスマルクは一家族當りの最高額とせられてゐる（施行細則第三條第一項後段）。また、一千ライヒスマルク迄に至らない育兒補助金が與へられた場合に於ては、その後に於て時に一千ライヒスマルクに至る迄の育兒補助金を追加されうることがあるものと規定されてゐるのである（施行細則第三條第二項）。

育兒補助金の交付を受くる申請は、子の法定代理人または現実に子を扶養してゐる両親の何れか一方により提出すべきものであつて、提出先は申請人の住所又は通常の居所の地域にある市町村役場である（施行細則第四條・第五條）。

申請は雛型に從つた文書を以て為さねばならず、これに子の出生證明書、両親及び祖父母の結婚證明書を添付しなければならないのである（施行細則第六條第一項、第二項）。此の際、遺傳的缺陥が有るか無いかに関する事実は、権限ある保健所の證明によつて證明したものでなければならないこと、結婚資金の貸付を受ける場合と同様である（施行細則第六條第三項）。

申請の提出を受けた市町村役場は、その申請が前に掲げた條件を具備してゐるものであるか否かを審査し、一乃至四までの條件を具備してゐるものに就ては、五の状態につき幾何の育兒補助金を交付するのが適當であるかの意見を附して之を管轄財政廳に廻付するのである（施行細則第七條）。こゝに於て當該申請の廻付を受けた財政廳が最後的に決定することゝなつてゐる（施行細則第八條）。之等の手続は、すべて結婚資金の貸付に於ける場合と同様である。

右の決定があれば、申請者は當該財政廳の金庫から育兒補助金の交付を受くるのであるが（施行細則第一〇條）、育兒補助金は、これ亦結婚資金貸付の場合に於けると同様に、一定の雛型によつて定められてある通りの需要充足券を以て與へられるのである（施行細則第一一條第一項）。育兒補助金として與へられる需要充足券は、一〇及び五ライヒスマルクの額に分けられた切符になつて居り、発行した財政廳のスタンプが押捺してないものは、無效とされてゐる（施行細則第一一條第二項）。この需要充足券も亦譲渡を禁ぜられ、之が交付を受けた者も物品を販賣してこの券を受取った販売所も共に之を担保に供することを得ないものとされてゐる（施行細則第一一條第三項）。需要充足券では、豫め許された範囲内に於て育児に必要なる什器・家具及び肌着等を購入しなければならないのであつて、充足券には購入者の住所氏名を明記して販賣所に於て使用しなければならないのである。萬一販賣所が住所氏名の明記してない需要充足券を受取った場合、これを財政廳に提出するも、財政廳の金庫は之に対しては現金を支拂はないのである（施行細則第一二條第一項）。需要充足券は失つても再交付は許されないところである（施行細則第一二條第二項）。尚、右に所謂家具の意義、販賣所の指定及び育児補助金のための需要充足券の償還については一九三三年六月二〇日附の「結婚資金貸付許可ニ関スル施行令」を適用することゝなつてゐる（施行細則第一三條第一項）。また、育児補助金を受くるための申請に際して要する各種の證明書等は無料にて與へらるゝことゝなつてゐるのである（施行細則第一四條）。

尚、一九三五年十二月二七日附を以て「多子家族ニ対スル育児補助金ノ許可ニ関スル第二次施行細則」（*Zweite Durchführungsbestimmung zur Verordnung über Gewährung von Kinderbeihilfen an kinderreiche Familien*）が公布されてゐるが、これは國財政大臣は育児補助金に関する施行細則につきザール地区に於ては右に異るものを制定公布することを得る旨を定めたものである。而して之に関する權限は該地区の財政官に與へらるることゝなつてゐるのである。

以上が、第一に施行せられた育児補助金の支給に関する命令の内容であるが、その翌年なる一九三六年三月二四日には、右に対する変更令が公布されたのであつた（*Verordnung zur Änderung der Verordnung über die Gewährung von Kinderbeihilfen an kinderreiche Familien*）。これに依る変更の要点は、従來育児補助金は一時的

に支給されるものとされてゐた点を改め、一時的なる文言を基本令の第一條より削除して、條件を具備する場合には育児保助金を支給することゝした点に存するのである（変更令第一條）。因に、この変更令は一九三六年四月一日より実施されたのである（変更令第二條）。

右の変更令の公布と共にこれと同日なる一九三六年三月二四日附を以て「多子家族ニ対スル育児補助金ノ許可ニ関スル第三次施行細則」（*Dritte Durchführungsbestimmungen zur Verordnung über die Gewährung von Kinderbeihilfen an kinderreiche Familien*）が公布され、育児補助金の交付を受くるための條件等に多少の改正が加へられたのである。その主なる点は次の如くである。

一、育児補助金は満十六歳未満の第五子またはそれ以上の子供のある家族に與へらるべきものとしたこと（第三次施行細則第一條第一号）。即ち、今までは第四子からであつたのが、第五子から支給されることに改められたのである。

二、子の扶養義務者が傷害又は疾病保険に加入してゐることを要すること（第三次施行細則第一條第四号）。新に加へられた條件である。

三、子の扶養義務者の月收が一八五ライヒスマルクを超えないこと（第三次施行細則第一條第五号）。育児補助金を月收の多少に依り交付するか否かを定めた主要な改正である。

四、一九三四年三月二三日附の法律によつて規定されてゐる官吏または軍人等にして子供手當を受けてゐる者には育児補助金は交付しないものとしたこと（第三次施行細則第二條）。

五、育児補助金は毎月一〇ライヒスマルク宛、その月の初に與へられるものとしたこと（第三次施行細則第四條第二項）。因に、これは一九三六年七月九日を第一回として行ふものとせられ（第三次施行細則第四條第三項）、第五子以上の子供が生れた場合には出生の月より支給するものとしてゐるのである（第三次施行細則第四項）。

六、國財政大臣は十六歳未満の子供五人以下を抱へてゐるものにして、それが公務員の主婦である場合には、例外的に継続的育児補助金を與へ得るもの

としたこと（第三次施行細則第九條）。

　その他、本施行細則には、育児補助金の交付を受くるための申請その他の手續につき大体前と同様の規定が設けられ（第三次施行細則第五條乃至第八條、第一〇條）、またこれに基いて需要充足券の交付を受けた者の義務が明記されてゐる（第三次施行細則第一一條乃至第一三條）。例へば、需要充足券を受けた者は毎年の初めに於てその收入関係につき管轄財政廳へ申告しなければならないと云ふが如きものである（第三次施行細則第一一條第一項）。

　右に引續き同年の間にさらに二つの施行細則が公布されてゐる。一つは一九三六年六月一〇日附の「多子家族ニ対スル育児補助金ノ許可ニ関スル命令ノ第四次施行細則」（*Vierte Durchführungsbestimmung zur Verordnung über die Gewährung von Kinderbeihilfen an kinderreiche Familien*）であり、他は一九三六年八月二〇日附の「多子家族ニ対スル育児補助金ノ許可ニ関スル命令ノ第五次施行細則」

（*Fünfte Durchführungsbestimmung zur Verordnung über die Gewährung von Kinderbeihilfen an kinderreiche Familien*）である。後者は前述した第三次施行細則の第一條及び第四條の一部に僅かの変更を加へたもので、特に言及する迄の要もない程のものであるが、前者に就てはこゝに一言して置かねばならない。

　ところで第四次施行細則は、二節よりなつてゐるが、その第一節に於て、新に移住民の家族に対する育児補助金の制度を認めてゐるのである。元來、ドイツの人口政策に関して新農民の創設、農民移住政策の重要性については之を看過することは出來ないであらう。既に一九一九年に移住法が成立して東部國境に約一七万の新農民と六万七千ヘクタールの土地を基地として同地方の開拓を開始したのであるが、ナチス・ドイツになつてからは更に之に拍車がかけられたことであつた。かくしてこの度は斯る移住民の家族に対して、子女養育の負担を幾分なりとも軽減せんとする意味に於て育児補助金を交付することゝしたのである。その詳細は略するが、この育児補助金の場合には、必ずしも多子

家族たることを要せず、子供の数には何等の制限はなく、たゞ將來も亦移住民たるべき子供に與へらるべきものとされてゐるのである（第四次施行細則第二條）。而してこの為に要する費用は固より一般多子家族に対する育児補助金として使用すべき財源より支出せらるゝのであつて、その補助金の額は一家族當り四百ライヒスマルクを限度として一時的に交付さるべきものとされてゐるのである（第四次施行細則第三條）。交付の方法は、一般の場合と同様需要充足券の形式に依るのであるが、その需要充足券には特に移住民家族に対する育児金の旨が明かにせられてゐるのである。

　尚、本第四次施行細則の第二節は、所謂需要充足券によつて購入し得る品物の範囲を拡大増加し之を詳細に規定したに過ぎないものである。

　次に一九三七年には八月三一日附を以て「多子家族ニ対スル育児補助金ノ許可ニ関スル第六次施行細則」（*Sechste Durchführungsbestimmung zur Verordnung über die Gewährung von Kinderbeihilfen an kinderreiche Familien*）が公布されてゐる。本施行細則は、既に述べた如く今迄屡々公布された細則をこゝに一括し、且之を整理して、第一章に於て一時的育児補助金に関し、第二章に於て継続的育児補助金に関して規定し、最後に第三章終結規定とするもので、その條数は二五ケ條に及び育児補助金に関する施行細則としては極めて重要なものである。以下その大略を説くことゝしやう。

　本施行細則に就て先づ第一に注意すべきことは、一時的育児補助金（*Einmalige Kinderbeihilfen*）を支給する場合と、継続的育児補助金（*Laufende Kinderbeihilfen*）を支給する場合とを区別し、その各々に就て詳細に規定してゐるといふことである。

　それに依れば、一時的育児補助金は、十六歳未満の子供四子またはそれ以上の子供を有する家族にして比較的貧窮なる生活をなしてゐるもの及び移住民の多子家族に対して支給されることゝなつてゐるのである（第六次施行細則第一條、第二條）。一般多子家族に対する一時的育児補助を交付するために具備す

べき條件としては、両親が独逸國民たること、また両親の評判が悪くないこと等今迄のところと同様であり、(第六次施行細則第一條第一項)、また移住民に対する場合には特に移住民たることの證明を要するものとせられてゐる(第六次施行細則第二條)。

一時的育児補助金の額は子供一人當り百ライヒスマルクとし、その最高額は一家族につき一千ライヒスマルクを限度とすることになつてゐる(第六次施行細則第三條第一項)。また、一時的育児補助の支給を受けた後に子供が出生した場合には、今迄支給した育児補助金の額が一千ライヒスマルクに達してゐない時に限り、さらに百ライヒスマルク以内の育児補助金を支給さるゝことがあり得るものと定められてゐる(第六次施行細則第三條第二項)。

一時的育児補助金の支給を受くるための申請に就ては、今迄のところと同様別に定められた書式に従つて文書に各種の證明書を添付して、現に子供を扶養してゐる子の法定代理人または両親の何れかゞ、その住所又は通常の居所の地区にある市町村役場へ提出すべきものとされてゐるのである(第六次施行細則第四條)、また右の申請を受けた市町村役場に於ける審査及び條件具備の場合に於けるこれが管轄財政廳への廻付並に申請に対する財政廳の最後的決定等に就ては、今迄のところと全く同様である(第六次施行細則第五條、第六條)。尚、國財政大臣は例外的な場合として、時に條件を具備してゐない家族に対しても事情により一時的育児補助金を支給し得るものとされてゐるのである(第六次施行細則第七條)。

一時的育児補助金は、これが支給を決定した財政廳の金庫より交付されるのであつて、申請人は既に財政廳より通達を受けた右の決定を持参して補助金の引渡を受くるために出頭しなければならないのである(第六次施行細則第八條)。補助金は需要充足券の形で交付され、一般家庭の場合と移住民に対する場合とは一定の標準により区別を明瞭ならしめられてゐる(第六次施行細則第九條第一項)。而して一時的育児補助金の需要充足券は一〇ライヒスマルク及び五〇ライヒスマルクの切符に分けられて居り、発行したる財政廳のスタンプが無いものは無效とされてゐるのである(第六次施行細則第九條第二項)。

育児補助金としての需要充足券によつて購入し得る物品は、什器・家具及び肌着の如き育児に必要なるものに限られてゐるのであるが、さらにその細目について明かにされてゐる(第六次施行細則第一〇條第一項)。移住民の家族に対する場合に於ては、右の物品の外、特に移民たるために必要とする品物も、この需要充足券を以て購入し得るものとされてゐるのである(第六次施行細則第一〇條第二項)。例へば、住居建築の材料或は経営に必要なる機械の如きものである。尚、特に申請がある場合に於ては、財政廳は、乳牛・山羊・羊の購入をも許し、また移住民に対する充足券にては牧畜のための小牛・豚等も購入し得ることゝしてゐるのである(第六次施行細則第一〇條第三項)。

右の需要充足券によつて購入し得る物品等の販賣所の許可、また斯る販賣所等に於て需要充足券を使用する場合に於ける諸注意並びに販賣所等に対する財政廳の需要充足券と引換による現金の償還については、従前と何等変るところはない(六次施行細則第一一條)。また需要充足券の譲渡禁止或は担保供與の禁止及び紛失した場合の再交付不許可等に就てもこれまでと同様である(第六次施行細則第一二條)。

次は継続的育児補助金についてゞあるが、右に述べた一時的育児補助金については、本施行細則に依れば多子家族に対して相當な家政を営ましめるために支給するものとしてゐるが(第六次施行細則第一條)、この継続的育児補助金に就ては、多子家族に対して、その家族負担の一部を平均化する意味に於て支給するものとしてゐるのである(第六次施行細則第一三條)。従つて、この場合に於ては、育児補助金を受くる者の收入につき詳細な限界を設けて、それ以下の者に対してのみ之が支給をなすものとしたのである。

継続的育児補助金の支給を受けるために具備すべき條件としては、先づ十六歳未満の子供を五子以上有つてゐる家族でなければならない。而してその両親が独逸國民たること、その風評が悪くない等の條件に就ては、一時的育児補助金に於ける場合と同様であるが(第六次施行細則第一三條第一項第一号、第二号、第三号、第四号)、その他に両親または子の扶養義務者の收入が一定の限界を超えざること(第六次施行細則第一三條第一項第五号)及び両親または子の扶養義務者の財産が、十六歳未満の子供五子の財産等を加算して、五万ライヒスマルクを超えないこと、但し六子またはそれ以上の子供がある場合には、一万ライヒスマルク宛高められたこと等が新に設けられたところである（第六次施行細則第一三條第一項第六号）。

継続的育児補助金の交付を受くる者の収入に制限を設けてゐること前述の通りであるが、その最高額については、所得税法の規定に従つて定められることとなつて居る（第六次施行細則第一四條）。また本施行細則は、右の収入及び財産の確定につき規定し（第六次施行細則第一五條）、さらにその収入を確定すべき期間、方法等についても詳細に之を規定してゐる（第六次施行細則第一六條）。要するに賃銀が月百八十五ライヒスマク乃至二百ライヒスマルクを超えない程度の家族に対して支給さるゝこととなつてゐるのである。

継続的育児補助金は十六歳未満の第五子以上の子供一人につき月額一〇ライヒスマルク支給さるゝのである（第六次施行細則第一七條、第一八條）。

継続的育児補助金の交付を受くるための申請書の提出及び申請の決定については、一時的育児補助金の交付を受くる場合と同様の方法に従つて為さるべきものとされてゐる（第六次施行細則第一九條、第二〇條）。管轄財政庁が右の申請に対する決定をなす場合には、固より定められた條件を具備する者に就てでなければならないが、国財政大臣は例外的に一、二の條件を缺く場合に於ても継続的育児補助金を支給し得るものとされてゐるのである（第六次施行細則第二一條）。例へば、両親又は両親の何れかが独逸国民でない場合とか、五人より少い子供を養つてゐる主婦にして、夫と継続的に別居してゐる場合の如きである。

継続的育児補助金は、毎月の月初めに申請者がその住所又は通常の居所を有する地区にある財政庁の金庫より支給されるのであつて、一時的育児補助金の如く、需要充足券によつて支給されるものではない（第六次施行細則第二二條第一項）。この継続的育児補助金の支給を受ける請求権は、譲渡並に質入等の担保供与を禁ぜられてゐること、一時的育児補助金の於ける需要充足券に対する制限と同様である（第六次施行細則第二二條第二項）。

継続的育児補助金の支給を受くる者は管轄財政庁に対して各種の申告義務を負はしめられてゐるのである（第六次施行細則第二三條）。即ち、定められた條件を缺くに至つた場合の如き、或は補助金を受くるために五子の中に加へられてゐた子供を最早扶養する必要がなくなつた場合、或は住所を変更した場合には遅滞なく之を報告しなければならず、また毎年、年の初に於てその財産関係の申告をしなければならないのである。

最後に第三章終結規定であるが、これは一時的並に継続的育児補助金の支給を受けるための申請に際して必要とする各種の証明書等につき、之が交付を受くるには、何等の費用または手数料を要せざる旨の規定と本施行細則の実施に関する規定とである（第六次施行細則第二四條、第二五條）。因に本施行細則は一九三七年一〇月一日より実施されるものとし、たゞ移住民に対する一時的育児補助金についてのみは一九三七年五月一日より既に效力を生じたものとされてゐる。而して本施行細則の実施と共に一九三五年九月二六日附の施行細則、一九三六年三月二四日附の第三次施行細則、一九三六年六月一〇日附の第四次施行細則及び一九三六年八月二〇日附の第五次施行細則は廃止さるゝこととなつたのである。

一九三八年三月一三日附にて「多子家族ニ対スル育児補助補助金ノ許可ニ関スル命令ノ第七次施行細則」（*siebente Durchführungsbestimmung zur Verordnung über die Gewährung von Kinderbeihilfen an kinderreiche Familien*）が公布されて居る。本施行細則によれば、継続的育児補助金の支給を受くるための條件としての所得制限が、年八千ライヒスマルクに至るまでと改められて従来より遥かに引上げられたことゝ、第三子以上に継続的育児補助金が支給されることゝなつたのがその主要点である。而して支給される額は第三子以上は毎月一〇ライヒスマルクとされ、今次の第五子以上にはさらに一〇ライヒスマルク加算することゝして結局二〇ライヒスマルクを支給することゝされたのである。因に、本施行細則は一九三八年四月一日より実施されることゝなり、こゝにまた一段と保護が加へらるゝこととなつたのである。

一九三八年には、さらに育児補助金に関する二つの施行細則が公布されてゐる。その一は、一九三八年六月一日附の「多子家族ニ對スル育児補助金ノ許可ニ関スル第八次施行細則」（Achte Durchführungsbestimmung zur Verordnung über die Gewährung von Kinderbeihilfen an kinderreiche Familien）であり、他は一九三八年一二月二〇日附「多子家族ニ対スル育児補助金ノ許可ニ関スル第九次施行細則」（Neunte Durchführungsbestimmung zur Verordnung über die Gewährung von Kinderbeihilfen an kinderreiche Familien）である。前者は、新住居建設のために並に教育費補助のために育児補助金として國財政大臣が之を支給し得るものと規定したことであり、後者は、一時的育児補助金を移住民の家族に対する場合のみとして一般の場合を廃止し、併せて継続的育児補助金を支給する従來の細則に多少の変更を加へたものである。こゝに新住居建築のために補助金を支給されるに至つた事情は、独逸の都市に於て建築家屋の改造をなすために住居の移轉を余儀なくさせらるゝに至る者が数多く生じたことに基き、その中でも特に多数の子供を抱へた者は之をなるべく早く新住居へ安住させる必要を認め、特別に結婚資金貸付のため及び育児補助金のために準備されてゐた特別財産の中より補助金を與へ以て新住居を建築せしめんとしたことに依るのである。尚、多子家族に対し子女の教育費の補助まで認めたことは益々その保護の厚きを加へるに至つたものと云へよう。

尚、直接法令に據することは出來ないが、今次欧洲大戰の勃発以降さらに一段と育児扶助に力を注いでゐると傳へられてゐるのである。

第四節　積極的政策の効果

上述の如く、ナチスが政権を獲得してより、人口の増殖策に大いに力を入れ、これに関する諸法令も実に多数に上つてゐることであるが、その効果は如何で

あらうか。これについて少しく述べることゝしよう。

先づ一九三二年以後、一九三九年に至る迄の婚姻率、出生率及び死亡率の変化を示すと次の如くである（人口千につき）。

	婚姻率	出生率	死亡率	自然増加率
一九三二年	七・九	一五・一	一〇・七	四・四
一九三三年	九・七	一四・七	一一・二	三・五
一九三四年	一一・一	一八・〇	一〇・九	七・一
一九三五年	九・七	一八・九	一一・八	七・〇
一九三六年	九・一	一九・〇	一一・八	七・二
一九三七年	九・一	一八・八	一一・七	七・一
一九三八年	九・四	一九・九	一二・二	七・七
一九三九年	九・七	二〇・七	一二・四	八・三

右の表について見るに、婚姻率は結婚奨励法の実施を見た一九三三年以來急激に増大し、一九三二年には七・九であつたものが、一九三三年には一躍九・七となり、さらに一九三四年には一一・一となつてゐる。これはナチス政府の結婚奨励の結果、婚期にあつた者が急に結婚生活に這入つたために現はれた事と云へやう。一九三五年以後、その前年に比べれば多少減少してゐるが、然し常に九以上の婚姻率を示してゐるのである。次に出生率を見るに、一九三三年には婚姻率の激増が見られるにも拘はらず、出生率には未だ増加の傾向は現はれず、一四・七と独逸に於ける出生率の最下点を示してゐるが、婚姻の増加と同時に出生の増加は期待し得られないところであるから固より止むを得ないことゝ云へよう。然し果せる哉、一九三四年以後は、出生率の著しい増加が現はれるに至つてゐるのである。即ち一九三三年には一四・七であつたものが、一九三四年には一八・〇と上昇し、さらに一九三五年には一八・九、一九三六年には一九・〇となつてゐるのである。從つて自然増加率も一九三三年の三・五から一九三四年には七・一となり二倍以上の増加を示してゐるのである。

出産数について見るならば一九三三年には約九十五万であつたものが、一九三四年には約百二十万、一九三五年には約百二十六万、一九三六年には約百二十八万、さらに一九三七年には約百四十一万と飛躍してゐるのである。その後独逸の領有するところとなつた東部地方、即ち舊ポーランド領及びズデーテン地方を入れた所謂大独逸になつてからの出産数は、一九三九年に於ては実に百六十三万に達したのであるが、この数字はフランスに於ける出生数の二倍半、英國に於けるそれの約二倍に當り、英佛出生数の合計百三十四万を凌駕すること約三十万といふことになるのである。実に素晴らしい成績と云はねばなるまい。即ち、ナチスの結婚及び出生の奨励策は驚くべき効果を挙げつゝあるといふことが出來るであらう。

今次の欧洲大戦が初まつて以来、多数の應召軍人が戦線に送られ、或は多数の労務者が軍需工場に徴用されることによつて、長期に亘つて家庭を離れることの結果、出産率は常然停滞傾向を示したことであつた。さなきだに人的資源の必要を感ずる戦時に於て、政府は特にこの点に留意し、或は兵士の特別帰休を許す等、盛んに出産を奨励し、以て戦時に於ける出生数の減退を防止せんとしてゐるのである。これに関して特に注目されるのは、私生子の保護である。

戦前に於ける私生子は全くユダヤ人と選ぶところなく、徹底的に父を調べられた上、社會的にも法律的にも非常な冷遇を受けてゐたのである。これは後述の消極的政策の章下に見る如く、國民素質の低下を極力排斥せんとするの結果、結婚には今迄になかつた國家的干渉を試み、以て眞に健全な子供の出生を期待した反面に於て現はれたことなのである。ところが戦争とともに冷遇から一変して寧ろ歓迎といふ態度になり、私生子の父は一律に所謂「戦争の父」として法律的立場を認めらるゝに至つたのである。勿論一應は父を調べ、異民族特にユダヤ系か否かは十分に確かめられるであるが、戦前に於ける取扱ひとは格段の相異があるのである。人口増殖のためには手段を選ばずとまではいかなくとも、独逸民族の血液の純潔を飽くまでも保持せんとする従来の所謂民族政策をある程度まで犠牲にしてゐると考へられなくはないであらう。

最後に右の婚姻率・出生率の上昇が、たゞ単に右述した法令の効果によるものと速断することは固より早計であることを注意すべきである。これに就ては後にまた觸れることであらう。

第三章　消極的政策立法

第一節　総説

こゝに消極的政策といふは、前にも一言した如く、人口の質的低下に対する対策の謂である。換言すれば、所謂「逆淘汰」の問題に対する対策のことである。こゝに逆淘汰とは自然淘汰に対していはれるのであつて、自然淘汰とは、適者生存の原理に依つて優良強健な分子が引き抜かれその子孫の増殖することを云ふのであるが、逆淘汰と云ふのは之と反対に、優良強健な分子が次第にその子孫を喪失し却つて不良劣弱な分子が増殖して行くことをいふのである。

元來、人口問題といへば主として量の問題のみを取扱つてゐたのであるが、最早今日では質の問題を除外視してはその國の人口政策は論ぜられないといふも過言ではないであらう。何となれば、一國の人口動態に於ける量の変化は、必ずこれが質の問題にも多大の影響を及ぼすからである。殊に所謂文明國に於て出生率の低下といふ現象が見られるごとき場合には、それは優良な素質を有つ國民層の出生が著しく減少し、その反面には劣弱な素質を有つ國民層の出生は一向に減退せずといふ状況で、その結果所謂「逆淘汰」の現象が起つて來るからである。固より人間が生れ乍らにして、眞に素質的に平等であるならば、たとへ一部國民層の出生が減少しても、そのために國民素質の低下などといふことは起らない筈である。然し乍ら、我々は人間と人間、民族と民族との間には、その素質に於て生れ乍らの差異があることを認めざるを得ないであらう。少くとも遺傳的素質に於ては、遺傳学の発達がこのことを教へて呉れるであらう。のみならず今日の社會に於ける醫術の発達と生活状態の改善とは、比較的劣弱なる素質を有ちこれを自然界の動きの中に放置して置けば遂に死亡して終ふ如き人々の生存をも保たしめ得るに至り、自然界に於けるとは全く反対の現象が展開されてゐることも亦看過されてはならないであらう。

逆淘汰につき、レンツは次の如き計算をしてゐる。即ち、假りに民族の人口が優劣の二群に分れてゐたとする。而して優者が三十三歳で結婚して三人宛の子供を産み、劣者が二十五歳で結婚して四人宛の子供を産むと假定すれば、現在相半してゐる人口は百年後には劣者は八二.五パーセントを占め、優者その残りの一七.五パーセントを占むることになる。また三百年後には劣者は九九.一パーセントになり、優者は0.九パーセントに減少して終ふといふのである。固より我々の社會はこの数字通りにはならないとしても、逆淘汰の進行の如何に恐るべきかはこれを以ても知ることが出來やう。健康で有能な人々が結婚を拒否するとか、或は結婚するにしても遅く、且つその大部分が産児制限を行ふと云ふが如き社會状態にある國家乃至は民族は、その将來に於て如何なることになるであらうか。言はずして明かであらう。我々は自然的な生活状態を今日に於て再現することは勿論出來ない。しかし國民素質の低下といふことを知るに於ては、何とか人為的な淘汰を行ふことによつて、逆淘汰の趨勢に対抗し、以て國民のうちに遺傳的に健全な家族を増殖せしめるとともに、遺傳的な病気の血統を國民のうちから除き去らねばならないであらう。ここに人口政策に於ける

消極的一面としての質的問題の重要なる所以が存するのである。

ナチスが政権を獲得した頃の獨逸の状態が、如何なるものであつたかに就ては、前にも述べた所であるが、急速度に低下しつゝあつた出生率の問題は、量としての重大問題であつたばかりでなく、質の問題としてもさらに憂慮すべき大問題であつたのである。ゲルマン民族の復興を第一綱領として立つたナチス政府の指導者たちが、右の点に深く思をいたし、これが対策に乗り出したことは固より當然のことゝいへよう。しかし、我々は、彼等がその當時に於て國家発展の重大要素として「國民の血液」といふことを考へ、たゞ單に個人の肉体的健康といふことだけでなしに、個人と全体とについてその総体の福祉を考慮して思ひ切つた対策の実施に努力したことには大いに敬服せしめられるところである。

然らば、ナチス政府は消極的政策としてのこれが對策を如何に実施したことであつたらうか。こゝには先づ、これに関する主なる立法を列挙することゝしよう。

一九三三年七月一四日附「遺傳疾患者タル子孫ヲ防止スルタメノ法律」

一九三三年一一月二四日附「危險ナル常習犯罪者ノ取締ニ関スル法律」

一九三三年一一月二四日附「危險ナル常習犯罪者ノ取締ニ関スル法律ノ施行法」

一九三三年一二月五日附「遺傳疾患者タル子孫ヲ防止スルタメノ法律ノ施行令」

一九三四年五月二九日附「遺傳疾患者タル子孫ヲ防止スルタメノ法律ノ第二次施行令」

一九三四年七月三日附「衛生制度ノ統一ニ関スル法律」

一九三五年二月六日附「衛生制度ノ統一ニ関スル法律ノ第一次施行令」

一九三五年二月二二日附「衛生制度ノ統一ニ関スル法律ノ第二次施行令」

一九三五年二月二五日附「遺傳疾患者タル子孫ヲ防止スルタメノ法律第三次施行令」

一九三五年六月二六日附「遺傳疾患者タル子孫ヲ防止スルタメノ法律ノ改正法」

一九三五年七月一八日附「遺傳疾患者タル子孫ヲ防止スルタメノ法律第四次施行令」

一九三五年九月一五日附「ドイツ人ノ血液及ビドイツ人ノ名誉ノ保護ニ関スル法律」

一九三五年一〇月一八日附「ドイツ民族ノ遺傳健康ノ保護ニ関スル法律」（結婚健康法）

一九三五年一一月一四日附「ドイツ人ノ血液及ビドイツ人ノ名誉ノ保護ニ関スル法律ノ第一次施行令」

一九三五年一一月二九日附「結婚健康法ノ第一次施行令」

一九三六年二月四日附「遺傳疾患者タル子孫ヲ防止スルタメノ法律ノ第二次改正法」

一九三六年二月二五日附「遺傳疾患者タル子孫ヲ防止スルタメノ法律ノ第五次施行令」

一九三六年一二月二三日附「遺傳疾患者タル子孫ヲ防止スルタメノ法律ノ第六次施行令」

一九三八年五月二〇日附「オーストリヤニニユールベルクノ人種法ヲ実施スルコトニ関スル命令」

一九三八年一二月一日附「傳染病ノ豫防ニ関スル命令」

一九三九年八月三一日附「遺傳疾患者タル子孫ヲ防止スルタメノ法律及ビ結婚健康法ノ施行ニ関スル命令」

右に掲げた諸法令を見ても判る如く、人口の質的低下を防止するに役立つ法令は各方面に亘つてかなり多数公布されて居り、このためにナチス政府が如何に努力したかが窺はれよう。

今少しこれを概観するに、先づ第一には一九三三年七月一四日附を以て「遺傳疾患者タル子孫ヲ防止スルタメノ法律」（*Gesetz zur Verhütung erbkranken Nachwuchses*）所謂断種法を公布したことである。本法に就ては節を改めて後に詳しく説くところであるが、要するに優生学的根據に基いて、最も重い遺傳疾患者の断種を行ひ以てその子孫が増殖することなきを期せんとしたものである。

次ぎに主要なものは、一九三三年一一月二四日附の「危險ナル常習犯罪者ノ取締並ニソノ豫防及ビ改善處置ニ関スル法律」（*Gesetz gegen gefährliche Gewohnheitsverbrecher und über Massregeln der Sicherung und Besserung*）である。この法律は、從來の刑法典に補充をなし、常習犯罪者及び婦女子に猥褻行為を為す者の取締等を一段と厳にし以て民族保護の目的に副はしめんとしたものである。即ち、取締策としては、普通裁判所に対しこれ等の者に適當なる刑罰を加へ得る権限を與へ、また豫防及び改善の處置としては、之等の者をば治療所・看護所・飲酒狂収容所また労役場に収容し、或は去勢等を行ふことを規定したのである。前述の断種法に対してこゝに注目せらるべきは去勢であるが、これは危險なる風俗擾乱者にして、判決の時満二十一歳に達したる男子に対して行はるべきものとされてゐる。因に本法については同じく一九三三年一一月二四日附にて極めて詳細にわたる施行法（*Ausführungsgesetz zu dem Gesetz gegen gefährliche Gewohnheitsverbrecher und über Massregeln der Sicherung und Besserung*）が公布されてゐる。

第三に注目せらるべきは、一九三四年七月三日附の「衛生制度ノ統一ニ関スル法律」（*Gesetz über die Vereinheitlichung des Gesundheitswesens*）である。これは独逸國内の一般保健衛生制度を統一し、以て從來行はれてゐた衛生機構の浪費的な地方分権制を一掃せんとしたものである。即ち、この法律により、それまで下級官公署の設立した各種の衛生機関は全部中央政府に引渡され、新たに國民の保健衛生を統轄すべき一局として保健局（*Gesundheitsamt*）が設けらるゝことゝなつたのである。保健局は各都市及び各邦の行政官廳内に設置さるべきものと定められ（同法第一條）、中央政府より任命された醫官（Amtsarzt）がその指導者となり、それに之を補助する有能な局員によつて任務の遂行に當るべきものとされたのである（同法第二條）。本法に依れば、保健局員の任務としては、衛生警察・遺傳及び種族保護・保健智識の普及・学校衛生・母子相談・結核性病等に対する注意等の如き醫師としてなすべき任務・体育の奨励に対する援助及び邦の法律に依り醫官に委ねられたる仕事等が挙げられてゐる（本法第三條）。保健局は、國より國の施設とされてゐるのであるが、之が維持または設置については都市及び邦は相當の費用を負担すべきものとされてゐる（本法第四條）。然し、公の保健衛生に関する任務遂行に要する費用は國庫負担とし、毎年豫算を以て之を確定すべきものと定められてゐる（本法第九條）。財政状態の豊かならざる當時に於て、右の如き制度改革を断行したことは、これに対するナチス政府の熱意の程が窺はれるものといへよう。因に本法は一九三五年四月一日より実施するものと規定され（本法第一一條）、これが施行令は翌年なる一九三五年の二月六日及び二月二二日附を以て第一次、第二次と公布されてゐるのである。

第四は、一九三五年九月一五日附の「ドイツ人ノ血液及ビドイツ人ノ名誉ノ保護ニ関スル法律」（Gesetz zum Schutze des deutschen Blutes und der deutschen Ehre）所謂血統保護法である。これはゲルマン民族の血の純潔を保持せんがために、ユダヤ人と独逸國民とのあらゆる結婚を禁止したものである。ナチス独得のユダヤ排斥運動に基いて制定せられた法律として、非アリアン人種排斥法の先駆をなす一九三三年四月七日附の「職業官吏ノ復活ニ関スル法律」並に本法と同時に公布せられた「公民法」と共に有名なものである。これに就ては後に改めて説くことゝしやう。

第五には、一九三五年一〇月一八日附の「ドイツ民族ノ遺傳健康ノ保護ニ関スル法律」（Gesetz zum Schutze der Erbgesundheit des deutschen Volkes）即ち「結婚健康法」（Ehegesundheitsgesetz）である。之は前の断種法と同じく、優生学的立場から、民族の素質を害するが如き子孫を生む虞れある結婚を防止せんとしたものである。これが詳細に就ては後述す

ることゝする。

右に掲げた法令、殊に断種法・結婚健康法及び血統保護法は、何れも人口の質的低下を防止せんことを直接の目的とするものであるが、これに関聯して注目すべき立法に一九三三年九月二九日附の「世襲農地法」（Erbhofgesetz）がある。これは農民を以てドイツ民族の血統の源泉とし、これが強化及び維持を目的とした法律である。即ち、この法律は農民階級に一定の土地を相続財産として確保し、以てドイツ民族の健全なる血統の源泉を維持し、併せて農地の合理的な維持と分配とを図つたものである。従つて本法は右の民族政策的目的を達成せんがために農民たり得る者の資格を血統によつて制限し、農民はドイツ人またはこれと同種の血統を有する者に限つてゐるのである。これが血統の制限は、非常に厳格なものであり、一八〇〇年一月一日まで遡り、それまでの祖先の父側又は母側にユダヤ人または有色人種の血統があるものは、こゝに所謂ドイツ人または之と同種の血統を有する者に属しないものとされてゐるのである。またかゝる血統の維持を計るために、被相続人と血統の連絡を缺く養子は単独相続人たり得ないものとされてゐるのである。農民の手に一定の土地を確保して之を保護しつゝ、その反面にドイツ民族の血統を維持し、人口の質的向上を企図するところに本法の特色があるといへよう。尚、本法は一般に農業政策的立場より重視せられ、詳しい説明も他にあること故、こゝでは右の点を指摘するに止めやう。

以下断種法、結婚健康法、血統保護法につきさらに述べることゝする。

第二節　断種法

第一項　立法理由

第一次世界大戦が終るに及び、生物学的にいつて最も貴重な人命を多数失つたばかりでなく、素質劣弱者の根強い繁殖性と素質健全者の産児僅少との事実が依然として甚だしくなつたために、民族素質の悪化といふことに対する認識

は次第に高まりつゝあつた。而して當時の独逸は國家財政の崩壊と一般の貧困化のために、益々増大して来る精神薄弱者その他の遺傳疾患者をば新な収容所へ収容するなどといふことは出来ない有様にあつたのである。斯る事情にあつて最も憂慮すべきことは、制止され難い性欲生活に耽る彼等劣弱者たちの子孫のことであらう。これ以上その國の将来にとつて恐るべきことはなかつたのである。斯くして断種法の制定といふことが採り上げらるゝに至つたのであるが、これに対しては有力なる反対論もあり、却々にまとまらないといふ状態にあつたのである。然し、独逸断種法の成立史上忘るべからざる人物たるザクセンの衛生顧問官ベエターズ博士（Dr. Boeters）を初めとして、積極的に断種を許容すべしとする主張は、當時独逸が直面してゐた事情の故もあつてか、各方面より力強く説かれ、ナチス政府成立の前年頃には、これが討議は次第にその頂点に達せんとしてゐたのである。

そこでナチスが政権を獲得するや、既に屡々述べた如く、断然たる態度を以て人口政策を実施するに至り、一九三三年六月二八日の國内務大臣の宣言となり、続いてその七月一四日には、こゝに所謂断種法たる「遺傳疾患者タル子孫ヲ防止スルタメノ法律」（Gesetz zur Verhütung erbkranken Nachwuchses）の制定公布を見るに至つたのである。本法の理由書に依れば、立法理由について次の如き趣旨を述べてゐる。

「遺傳的に健康なる家族が大部分子供一人主義または子供を有たぬ主義に傾いてゐるに反して、無数の低格者及び遺傳性素質者は無限に繁殖して行き、その病的にして非社會的なる子孫が社會全体の重荷となりつゝある」。

「而して、健康なる独逸人の家族、特に教養ある社會層の家族では平均大体子供二人を有つてゐるが、これに反して精神薄弱者及びその他の遺傳的低格者は平均一婚姻につき子供三人乃至四人の出産率を示してゐる。若しかゝる比例で行くならば、國民の構成要素は世代から世代へかけて変化して行き、その結果、三代の後には、優秀なる國民層は低劣なるそれによつて完全に繁殖に於て征服せられて終ふことゝなるであらう。このことは優秀家族の形成を抑壓し、國家に於ける最高價値が危険にさらされてゐることを意味するも

のである。これこそは我が民族の将来に関する重要な問題といはねばならぬ」。

「のみならず毎年数百万の金額が精神薄弱者、保護児童、精神病者及び非社會的なる者のために消費せられてゐるのであつて、而もこの費用は健康な子供に恵まれた家族によつて凡ゆる種類の租税の形で支拂はれてゐるのである」。

「断種は精神病及び遺傳的病気を防止するための唯一の確実なる手段であるが故に、この際断種を施すといふことは、将に来るべき世代に対する隣人愛的豫防行為であると見られねばならない」

要するに断種法は、優生学的根據に基いて、断種することにより、民族の中に不健全なる分子の増殖することを防止し、以て民族の質的低下の危険を除去せんことを期したものであるといへやう。

第二項　本法の内容

先づ最初に、一九三三年七月一四日附「遺傳疾患者タル子孫ヲ防止スルタメノ法律」即ち断種法の全文を掲げることゝしやう。

遺傳疾患者タル子孫ヲ防止スルタメノ法律

独逸國政府ハ左ノ法律ヲ決議シ茲ニ之ヲ公布ス

第一條　遺傳疾患者ニツキ其ノ子孫モ亦重キ肉体上又ハ精神上ノ遺傳悪質ニ悩ムベキコトガ醫学上ノ経験ニ依リ先ヅ確実ト豫期セラルルトキハ外科手術ニ依リ之ヲ断種スルコトヲ得

本法ニ所謂遺傳疾患者トハ左記各号ノ一ニ罹レル者ヲ謂フ

一、先天性精神薄弱症
二、精神分離症
三、回帰性精神病（躁鬱病）
四、遺傳性癲癇
五、遺傳性舞踏病（ハンチントン氏舞踏病）
六、遺傳性盲
七、遺傳性聾
八、重キ遺傳性ノ肉体畸形

重キ酒精中毒症ニ罹レル者モ亦之ヲ断種スルコトヲ得

第二條　申請権者ハ断種セラルベキ本人トス、本人若シ行為無能力者ナルカ心神耗弱ニ因リ禁治産ノ宣告ヲ受ケタルカ又ハ満十八歳ニ達セザルトキハ法定代理人ヲ以テ申請権者トス、但シコノ場合ニハ後見裁判所ノ許可ヲ要スルモノトス、其ノ他ノ限定行為能力者ノ場合ニハ申請ハ法定代理人ノ同意ヲ要ス、成年者若シ保佐人ヲ附セラレタルトキハ保佐人ノ同意ヲ得ルコトヲ要ス

申請ニハ断種セラルベキ者断種ノ意義及ビ結果ニ関シ既ニ教示ヲ受ケ居ル独逸國免許醫師ノ證明ヲ附スベシ

申請ハ之ヲ取下グルコトヲ得

第三條　前條ノ外尚断種ノ申請ヲナシ得ル者左ノ如シ

(イ)　醫官

(ロ)　病院・醫院・監護所又ハ刑務所ニ在ル者ニ付テハ其ノ夫々ノ長タル者

第四條　申請ハ書面ニ依ルカ又ハ遺傳健康裁判所ノ書記課ニ口頭申告ヲナシ以テ書面作成ヲ請フノ方法ニヨリ之ヲナスベシ。申請ノ基礎ヲナス事実ハ醫師ノ鑑定又ハ其ノ他ノ方法ニ依リ之ヲ疏明スベシ、書記課ハ申請ノ了リタルコトヲ醫官ニ知ラシムルコトヲ要ス

第五條　決定ノ権限ヲ有スル者ハ断種セラルベキ者ガ其ノ普通裁判籍ヲ有スル地区ノ遺傳健康裁判所トス

第六條　遺傳健康裁判所ハ区裁判所ニ所属ス、其ノ構成員ハ裁判長トシテノ区裁判所判事一名、醫官一名及ビ遺傳健康学ニ特ニ通暁セル独逸國免許醫師一名トス、各構成員ニ付キ一名宛ノ代理人ヲ任命スベシ

第二條第一項ニヨル後見裁判所ノ許可ノ申請ニ付キ決定ヲ與ヘタル者ハ裁判長タルコトヲ得ズ、醫官若シ申請ヲナシタルトキハ決定ニ協力スルコトヲ得ズ

第七條　遺傳健康裁判所ノ手続ハ非公開トス

遺傳健康裁判所ハ必要ナル調査ヲナスベシ、其ノ為ニハ證人及ビ鑑定人ヲ訊問シ断種セラルベキ者ニ自身ノ出頭ヲ命ジ醫師ノ診察ヲ受ケシメ理由

ナクシテ出頭セザルトキハ之ヲ引致セシムルコトヲ得、證人及ビ鑑定人ノ訊問及ビ宣誓並ビニ裁判所職員ノ除斥及ビ忌避ニハ民事訴訟法ノ規定ヲ準用ス、證人又ハ鑑定人トシテ訊問セラルル醫師ハ職務上ノ黙秘義務ニ拘ラズ供述ノ義務ヲ負フ、司法官廳、行政官廳並ニ病院ハ遺傳健康裁判所ノ請求アルトキハ之ニ所要ノ報告ヲナスベシ

第八條　裁判所ハ審理及ビ證拠調ノ全部ノ結果ヲ顧慮シテ自由確證ニ従ヒ決定ヲナスベシ、裁決ハ口頭評議ニヨリ多数者ノ意見ニ従フ、決定ハ書面ニ作リ裁決ニ関與シタル構成員之ニ署名ス、決定書ニハ断種ヲ決定シ又ハ之ガ申請ヲ却下スルニ至リタル理由ノ記載アルコトヲ要ス、決定書ノ送達ヲ受クベキ者ハ申請人、醫官並ニ断種セラル丶本人トシ本人若シ申請権ナキトキハ其ノ法定代理人トス

第九條　決定ニ対シテハ第八條第五段ニ掲ゲタル者ハ送達後一ヶ月ノ不変期間内ニ書面ニヨルカ又ハ遺傳健康裁判所ノ書記課ニ口頭申出ヲナシ以テ書面作成ヲ請フカノ方法ニ依リテ抗告ヲナスコトヲ得、此ノ抗告ハ停止的效力ヲ有ス、抗告ニ付キ決定ヲナスハ上級遺傳健康裁判所トス、抗告期間ノ懈怠ニ対シテハ民事訴訟法ノ規定ヲ準用シテ原状回復ヲ認ム

第十條　上級遺傳健康裁判所ハ地方高等法院ニ所属シ、其ノ地区ヲ管轄ス、其ノ構成員ハ地方高等法院判事一名、醫官一名及ビ遺傳健康学ニ特ニ通暁セル独逸國免許醫師一名トス、各構成員ニハ一名宛ノ代理人ヲ任命スベシ、第六條第二項ハ玆ニ準用セラル

上級遺傳健康裁判所ノ手続ニハ第七條第八條ヲ準用ス

上級遺傳健康裁判所ハ終審トス

第十一條　断種ニ必要ナル外科手術ハ病院ニ於テ独逸國免許醫師ニ依リ行ハルルニ非レバ之ヲナスコトヲ得ズ、右ノ醫師ハ断種ヲ命ズル決定ガ確定スル以前ニ於テ手術ヲ行フコトヲ得ズ、断種ノ実行ヲ委任セラレ得べキ病院及ビ醫師ハ最高ノ邦官廳之ヲ決定ス、手術ハ申請ヲナシ又ハ陪席員トシテ協力シタル醫師ニ依リテ行ハル丶コトヲ得ズ

手術ヲ施行スル醫師ハ用ヒタル方法ヲモ記載シテ断種ノ実行ニ関シ書面

ヲ以テスル報告ヲ醫官ニ提出スベシ

第十二條　裁判所断種ノ終局決定ヲナシタルトキハ断種セラルベキ者ガ單独ニテ申請ヲナシタルニ非ル限リ其ノ者ノ意思ニ反シテモ之ヲ実行スベシ、醫官ハ必要ナル處分ヲ警察官廳ニ申立ツベシ、爾余ノ處分ニシテ不充分ナル限リ直接的強制ヲ用フルモ差支ヘナシ

事実ノ再吟味ヲ必要トスル事情生ジタルトキハ遺傳健康裁判所ハ再審ヲナシ断種ノ実行ヲ一時禁止スベシ、申請却下セラレタルトキハ断種ヲ是ナリトスベキ新事実ノ発生シタル場合ニ限リ再審ニ附スルコトヲ得

第十三條　裁判手続ノ費用ハ國庫ノ負担トス

醫師ノ手術ニ要スル費用ハ疾病保険加入者ニ付テハ疾病金庫ノ負担トシ其ノ他ノ者ニ付テハ救助ノ必要アル場合ニ於テ救護団体ノ負担トス、其ノ他ノ凡テノ場合ニ於テハ醫師手数料規則ノ最低率及ビ官立病院ニ於ケル平均看護料金率ノ程度マデハ國庫ノ負担トシ夫レ以上ハ被断種者ノ負担トス

第十四條　本法ノ規定ニ從ハズシテ行ハルル断種並ニ生殖線ノ除去ハ其ノ行ハルべき者ノ生命又ハ健康ニ対スル重大ナル危険ヲ防止スルタメニ醫家技術上ノ法則ニ從ヒ且其ノ者ノ承諾ヲ得テナス場合ノ外之ヲ行フコトヲ得ズ

第十五條　審理又ハ外科手術ノ実行ニ関與シタル者ハ黙秘ノ義務アルモノトス

謂ハレナクシテ黙秘義務ニ違反シタル者ハ一年以下ノ軽懲役又ハ罰金ニ處ス、訴追ハ申告アル場合ニ限リ行フ、裁判長モ亦此ノ申告ヲナスコトヲ得

第十六條　本法ノ執行ニ付テハ邦政府其ノ責ニ任ズ

最高ノ國官廳ハ第六條第一項第一段及ビ第十條第一項第一段ノ規定ノ制限ノ下ニ決定ヲナス裁判所ノ位置ト地区トヲ定ム、此ノ官廳ハ又其ノ構成員ト其ノ代理人トヲ任命ス

第十七條　國内務大臣ハ國司法大臣ト謀リテ本法ノ実施ニ必要ナル諸規則ヲ定ム

第十八條　本法ハ一九三四年一月一日ヨリ效力ヲ生ズ

右に掲げた法文にも明かな如く、断種は、先天性精神薄弱症、精神乖離症、周期性精神病、遺傳性癲癇、遺傳性舞踏病、遺傳性盲、遺傳性聾、重き遺傳性の肉体畸形の何れかに罹れる遺傳疾患者及び重き酒精中毒症に罹れる者に対してなされるのであるが(本法第一條)、莫大な数の遺傳疾患の中から特に右の疾患を採り上げたことは、優生学的見地よりする断種を遺漏なく規律したものといへよう。この点につき一九三三年一二月五日附の「遺傳疾患者タル子孫ヲ防止スルタメノ法律ノ施行令」(*Ausführungsverordnung zum Gesetz zur Verhütung erbkranken Nachwuchses*)(以下第一次施行令と略す)によれば、右の疾患が、独逸國免許醫師によつて異議なく確認された場合でなければならぬとされてゐるのである(第一次施行令第一條第一項)。遺傳疾患者が高齢又はその他の理由に由つて生殖能力を有してゐないかまたは断種の手術によつて遺傳疾患者の生命に危険を及ぼすべきことが権限ある区醫師によつて證明されるか、或はまた遺傳疾患者が隔離された收容所に永く留置されてゐる場合には断種は行はるべきものに非ずとされてゐる(第一次施行令第一條第二項)。また満十六才に達しない者に対しては断種は行はれないのである(第一次施行令第一條第三項)。如何なる方法で断種するかについては、本法は「外科手術」によりと規定してゐるが、さらに施行令は「断種ハ睾丸又ハ卵巣ヲ除去スルコトナク精系又ハ輸卵管ヲ変位セシメ又ハ離断シテ之ヲ行フ」としてゐるのである(第一次施行令第四條)。

断種は申請に基き、これに対する遺傳健康裁判所(*Erbgesundheitsgericht*)の決定を経てはじめて実施されるのであるが、これが申請をなし得る者は、断種せらるべき本人またはその法定代理人とせられ(本法第二條)、また醫官及び病院、療院、監護所または刑務所に在る者についてはその夫々の長とされてゐるのである(本法第三條)。本人の申請を原則とし、法定代理人が申請をなす場合は、本人が行為無能力者であるか、心神耗弱により禁治産の宣告を受けてゐる者であるか、または満十八歳に達せざるかの何れかに當る時のみである(本法第二條第一項)。また法定代理人は後見裁判所の許可を経て申請しなければならない。(本法第二條第一項)。本人が其の他の限定行為能力

者である場合には法定代理人の同意を要し、また保佐人を附せられてゐる時には保佐人の同意を要すべきものとされてゐる（本法第二條第一項）。

申請には断種せらるべき者が断種の意義及び結果に關して既に教示を受けてゐる旨の独逸國免許醫師の證明が必要であり（本法第二條第二項）、法定代理人の申請に際しては、法定代理人についても亦右に關する醫師の證明が必要とされてゐるのである（第一次施行令第二條第一項）。申請は之を取り下げることが出來るのである（本法第二條第三項）。尚申請權を有する醫官とは、地方的に權限を有する区醫師及びその代理人並びに裁判所醫師及びその代理人を指すものとされてゐる（第一次施行令第三條第一項）。第一次施行令第三條によれば、免許醫師がその職務上の治療に當つて遺傳疾患者または重き酒精中毒患者を認めた場合に、所定の形式に從つて遅滞なくこれを權限ある醫官に屆出づべきものとされてゐる。また疾患者の治療手當、診察又は相談に與るその他の者も同様の義務を負はされてゐるのである（第一次施行令第三條第四項）。また醫官は提出された右の屆出等により断種の施行を必要と認めた場合には、断種せらるべき本人またはその法定代理人が申請をなす様に配慮し、若しその配慮通りにならない時は自ら申請すべきものと規定されてゐるのである（第一次施行令第三條第五項）。

申請は書面に依るか又は遺傳健康裁判所の書記課に口頭を以て申出でそこで書面を作成するかによつて之をなすべきものとされてゐる（本法第四條）。申請の基礎をなす事実は醫師の鑑定又はその他の方法によつてこれを疏明しなければならない（本法第四條）。

右の申請があつた場合には、区裁判所判事一名を裁判長として、醫官一名及び遺傳健康学に特に通曉せる独逸國免許醫師一名を以て構成する遺傳健康裁判所に於て断種の決定を行ふのである（本法第六條第一項）。遺傳健康裁判所の手續は非公開とされてゐる（本法第七條）。遺傳健康裁判所は決定に必要なる調査をするのであるが、そのためには、本人、證人、鑑定人等の訊問、或は司法官廳、行政官廳並に病院に對し報告を求むること等が許される（本法第七條）。證人または鑑定人として訊問せらるゝ醫師が、この場合に於ては職務上の黙秘

義務に拘らず供述の義務を負ふべきものとされてゐることは注目さるべきであらふ（本法第七條）。

決定は審理及び證據調の全部の結果を顧慮して行ふのであるが、採決は口頭評議による多数者の意見に從つてなされるのである（本法第八條）。決定は書面に作成され、申請人、醫官並に断種せらるべき本人に送達される。決定書には、採決に関與したる構成員の署名及び断種を決定するに至るかまたは申請を却下するに至つた理由の記載がなければならない（本法第八條）。

右の決定に対しては送達を受けたる後一ヶ月の不変期間内に於て、上級遺傳健康裁判所に対して抗告することが認められてゐる（本法第九條）。上級遺傳健康裁判所は、地方高等法院判事一名、醫官一名及び遺傳健康学に通曉せる独逸國免許醫師一名を以て構成され、こゝに於ける裁判を以て終審とされてゐるのである（本法第十條）。

断種に必要なる外科手術は病院に於て独逸國免許醫師によつて行はれるのであるが、断種の実行を委任せられ得べき病院及び醫師は最高の邦官廳が之を決することゝなつてゐる（本法第一一條）。これに關して施行令は「外科手術ヲナスニハ國家及ビ地方団体ノ病院、診療院又ハ監護所ヲ以テ之ニ充ツベク爾余ノ収容所ニ於テハ其ノ用意アリト宣スル場合ニ限リ之ヲ行フコトヲ得、外科学ニ通曉セル醫師ニ依リ手術ノ行ハルベキコトニ付キ充分ノ保證ノ與ヘラルルコトヲ要ス」と規定し、重ねて之が注意をなしてゐるのである（第一次施行令第五條第一項）。裁判所が断種の終局決定をなしたる時は、醫官は断種せらるべき者に二週間以内に手術を受くべきことを書面によつて通知しなければならない（第一次施行令第六條）。また断種の決定が確定した場合には、断種せらるべき者が單独にて申請をなした場合を除外して、手術は其の者の意思に反しても行はねばならないものとされてゐるのである（本法第一二條第一次施行令第六條第二項）。この場合には、それに伴ふべき處置はすべて醫官と保健局とに於てそれを行はねばならないことになつてゐる。また、この第一次施行令の中には、断種せらるべき者を保護するために多数の細目に亘つた豫防方法が定められてゐる。例へば、手術が若し當該醫師の判断上特別の事情によつて遺傳疾

患者の生命に危険を及ぼす場合とか、また或る他の重大な健康上の理由から直ちに実行することが出來ない場合には、区醫師によってその断種を延期せしめることが出來ることになつてゐる（第一次施行令第六條第三項）。また断種せらるべき者が若し生殖行為の行はれないことに就て充分保證せられてゐる隔離收容所に自費にて收容せられてゐる場合には、その間は手術を受けないでも良いことになつてゐる（第一次施行令第六條第四項）。而して此の場合には保健局はその當該者と當該施設とを常時監視してゐなければならないのである。さらにまた、断種を実行すべき當該者につき、再吟味を必要とするが如き事情が生じた時は遺傳健康裁判所は再審をなすと共に断種の実行を一時延期すべきこととなつてゐるのである（本法第一二條第二項）。

右の断種決定に際しての裁判手續の費用は國庫に於て負担し、醫師の手術に要する費用は、疾病保険加入者に付ては疾病金庫の負担とし、その他の者に付ては救助の必要ある場合に於ては救護団体の負担としその他の凡ての場合に於ては醫師手数料規則の最低率及び官立病院に於ける平均看護料金率の程度までは國庫の負担それ以上は断種せらるべき者の負担とされてゐるのである（本法第一三條）。これに関聯して施行令は「外科手術ニ要スル費用ヲ自ラノ資力ヨリ全ク調達シ得ザルカ又ハ充分ニ調達シ得ズ且ツ又之ヲ他方特ニ家族員ヨリモ仰グコトナキ者ハ救護義務法ノ意味ニ於ケル要救助者トス」規定してゐる（第一次施行令第七條）。

尚、断種法の規程に従はないでなす断種並に生殖腺の除去は、これがなされる者の生命又は健康に対する重大なる危険を防止するために特に醫家技術上の法則に從ひ且つ其の者の承諾を得てなす場合の外之を行ふことを得ないものとされたのである（本法第一四條）。従つて刑事政策的立場よりする断種は之を認めないことゝしたのである。然し一般に知られてゐるやうに、非社會的な或は反社會的な人の多くが精神薄弱または軽度の精神病に罹つてゐることや、すべて犯罪人の平均凡そ三分の一が種々な程度の精神薄弱者だとされてゐることなどを考へて見る時に、断種法に基く優生学的断種の実施は間接には犯罪現象に対しても大きな意義を有つものといふべきであらう

尚、本法の実施に際しては、國内務大臣が國司法大臣と協議して之に必要なる諸規則を定むと云ふことになつて居り（本法第十七條）、右の断種法は一九三四年一月一日より效力を発生したのである（本法第十八條）。

断種法が実施せらるゝや、一九三四年五月二九日附を以て「遺傳疾患者ノ子孫ヲ防止スルタメノ法律ニ関スル第二次施行令」（Zweite Ausführungsverordnung zum Gesetz zur Verhütung erbkranken Nachwuchses）が公布せられてゐる。本施行令は、実施して見て感じた困難と不便を除去するために、第一次施行令を追補したものである。例へば、「醫師又ハ裁判所が断種セラルベキ者自身ノ出頭ヲ命ジタル場合ニ於テ若シ其ノ者期日ニ遅レザランガ為ニ要スル費用ヲ支辨シ得ザルコトヲ證明セラルルトキハ國庫ヨリ必要ナル旅費ヲ之ニ支拂フベシ」（第二次施行令第一條第四項）との如き規定である。また高齢又はその他の理由により生殖能力を有しない場合等に断種を許さずとなし、また重大なる健康上の理由によつて断種を延期する場合は、前述の如く遺傳疾患者に就てのみ定められてゐたのが（第一次施行令第一條第二次第六條第三項）、本令により重き酒精中毒症の者にも適用さるゝこととなつてゐる（第二次施行令第四條）。

次いで一九三五年二月二五日には「遺傳疾患者ノ子孫ヲ防止スルタメノ法律ニ関スル第三次施行令」（Dritte Ausführungsverordnung zum Gesetz zur Verhütung erbkranken Nachwuchses）が公布されてゐる。本令につき主なる点は次の如くである。

（イ）断種せらるべき者が病的な精神状態のために其の身辺の事態を自ら看ることが出來ない時には遺傳健康裁判所は此の手續のために一名の保佐人を任命すべきものとしたこと（第三次施行令第二條）。

（ロ）遺傳健康裁判所の決定に対する抗告は書面によるかまたは書記課に口頭申出をなし以て書面作成を請ふかの方法に依つてなすべきものとしたこと（第三次施行令第六條）

（ハ）断種を行ふ醫師は断種をなしたこと及び其の際用ひたる方法に関して手術施行後二週間以内に遺傳健康裁判所及び醫官に書面を以て報告すべきものと

したこと（第三次施行令第八條）

(ニ)　醫師による處置の費用について明細に規定したこと（第三次施行令第九條第一〇條、第一一條）

(ホ)　決定をなす裁判所の構成について規定したこと、即ち、國司法大臣は決定をなす裁判所の位置と地区並に裁判所に配置すべき部の数を定むることゝしたこと（第三次施行令第一二條）、また決定をなす裁判所の構成員とその代理人は、ベルリン地方裁判所の地区に於ける遺傳健康裁判所に付てはベルリン区裁判所長、其の他の遺傳健康裁判所に付ては地方裁判所長、上級遺傳健康裁判所については地方高等法院長が之を任命すべきものとしたこと（第三次施行令第一三條）

引き続き同じ年なる一九三五年には六月二六日附を以て「遺傳疾患者ノ子孫ヲ防止スルタメノ法律ノ改正法」（Gesetz zur Änderung des Gesetzes zur Verhütung erbkranken Nachwuchses）が公布されたのである。

改正法の要点は、前掲の断種法第九條第一段中に「一ケ月ノ不変期間」とあるのを「一四日ノ不変期間」と改めたこと及び第一〇條の後に「遺傳健康裁判所若シ断種実行ノ當時妊娠中ナルベキ女子ニ断種ノ確定判決ヲナシタルトキハ妊婦ノ承諾ヲ得テ妊娠ヲ中絶スルコトヲ得、但シ胎児既ニ生存能力アルカ又ハ妊娠中絶ガ妊婦ノ生命又ハ健康ニ対ズル重大ナル危険ヲ伴フベキトキハ此ノ限ニ在ラズ、中絶ガ妊娠六ケ月ノ経過前ニ行ハルルトキハ胎児ハ生存能力ナキモノト看做ス」との一項を挿入したこと並に第一一條第一項第一段と第三段及び第二項に於て「断種」とある次に夫々「及ビ妊娠中絶」の語を挿入し、また第一四條に於て「本法ノ規定ニ従ハズシテ行ハルル断種」とある次にも亦「又ハ妊娠中絶」の語を挿入したことである。

一九三五年七月一八日附を以て「遺傳疾患者ノ子孫ヲ防止スルタメノ法律ノ第四次施行令」（Vierte Ausführungsverordnung zum Gesetz zur Verhütung erbkranken Nachwuchses）が公布されたが、これは右の改正に伴ふ施行令である。本施行令に依れば、断種法によ

る妊娠中絶及び断種はなるべく同時に之を行ふべきものと定められ（第四次施行令第一條）、また断種法第一四條に謂ふ妊娠中絶は之を分娩中の子に対する殺人と同等に論ずることゝして之を嚴に取締る様にしてゐるのである（第四次施行令第二條）。また、断種法による妊娠中絶のために要する本人の承諾は、直接本人が之を表明すべきものとし（第四次施行令第三條）、右の承諾がない時には、手術は生命または健康に対する直接の危険があり猶豫することの出来ない場合に限って行ひ得るものとされる等、妊娠中絶を実施するに當っての詳細につき規定せられてゐる（第四次施行令第四條以下）。

右の翌年なる一九三六年には再び断種法の改正があった。即ち、一九三六年二月四日附の「遺傳疾患者ノ子孫ヲ防止スルタメノ法律ノ第二次改正法」（Zweite Gesetz zur Änderung zur Verhütung erbkranken Nachwuchses）が之である。改正の要点は、断種の方法につき特に光線による處置を許容したことである。このために断種法第一條第一項より「外科手術ニヨリ」の文言を削除し、第一一條に「断種ハ外科手術ニ依リテ之ヲ行フベシ、國内務大臣及ビ國司法大臣ハ断種ノ為ノ爾餘ノ方法モ用ヒラレ得べキ條件ヲ定ム」との一項を挿入し、従來の第一項及び第二項を夫々第二項及び第三項とし、この第二項の第一段中に「外科手術」とあるのを「醫師ニヨル手術及ビ處置」と改め、第一五條第一項中にある「外科手術」も「醫師ニヨル手術及ビ處置」と改められてゐるのである。

右改正法実施のために一九三六年二月二五日附を以て「遺傳疾患者ノ子孫ヲ防止スルタメメ法律ノ第五次施行令」（Fünfte Ausführungsverordnung zum Gesetz zur Verhütung erbkranken Nachwuchses）が公布せられた。之によれば、その第一條は次の如く規定してゐる。

第一條　遺傳病子孫防止ノ目的ヲ以テスル女子ノ断種ハ左ノ場合ニ於テハ光線處置法（レントゲン照射、ラヂウム照射）ニヨリ行フコトヲ得

(イ)　其ノ女子三十八才以上ナルトキ

(ロ)　特別ノ事情ニ依リ外科手術ノ施行ガ其ノ女子ノ生命又ハ健康ニ対

スル危険ヲ伴フカ又ハ健康上ノ理由ニ因リ元々性器ニ対スル光線處置法ガ必要ナルトキ及ビ保健局長ガ光線處置法ニ同意スルトキ

光線處置法ニハ其ノ女子ノ承諾ヲ要ス、其ノ病的ナル精神状態ノ故ニ其ノ者ヲシテ右ノ處置ノ意義ヲ了解セシメ得ザルトキハ法定代理人又ハ保佐人ノ同意ヲ要ス

従つて、光線の照射による断種は、三十八才以上の女子にして、且つ外科手術による断種が生命または健康に対する危険を伴ふために行はれない場合か、或は特に光線による処置法が適して居る場合かに於てなされるのである。光線の照射によつて處置せられた者は三回の追診察を受け必要のある場合には追處置を受けまた光線處置法の效果を判断するに必要な一切の申立を診察した醫師に対してなすべき義務を負ふものとされてゐる（第五次施行令第二條第一項）。また追診察及び追處置の效果については保健局長に報告すべきものとなつてゐる（第五次施行令第二條第二項）。國内務大臣はレントゲン又はラヂウム照射に依る断種が委任せられ得る様な收容所及び醫師を定めねばならない（第五次施行令第三條）。其の他、本施行令に於ては追診察及び追處置の費用につき（第五次施行令第四條）、また光線處置法による断種を行ふべき場合の手続につき規定してゐるが（第五次施行令第五條）、さらに細目に及ぶ点に就ては省令を以て定むることゝしてゐるのである（第五次施行令第六條）。

第三節　結婚健康法

第一項　立法理由

前節に述べた断種法とそれに前に一言した「危険ナル常習犯罪者ノ取締並ニソノ豫防及ビ改善處置ニ関スル法律」とは、所謂逆淘汰を最も端的に防止するものであるが、然しこれ等の法律に於ける遺傳及び人種の意識的な保護方法は、実は長年月に亘る不注意の結果惹き起された危険を除去するための一時的な應急手段に過ぎないものといへよう。現に発生してゐる憂ふべき事実を速かに除去

することは固より必要ではあるけれども、これが原因を探求して斯る結果の発生を未然に防止することはそれにもまして大切なことゝいはねばなるまい。今、何故に遺傳疾患者の子孫を防止するために断種などを実施しなければならなくなつたかに就て考へるならば、問題は彼等の結婚といふことから初められねばならないであらう。

過去数十年の間、人々は自分達が遺傳と環境とによつて如何に大きく支配されるかと云ふことを全く忘却してゐたと云へないであらうか。若し忘却してゐないとしたら、過去に於て結婚が屡々持参金や社會的栄達等々に対する欲求の如き、純然たる外部的理由によつて締結されたことは何と解すべきであらうか。例へば、立派な体格の青年が、恐るべき肉体的又は精神的欠陥を有する娘と躊躇するところもなく結婚するとか、又は之と反対に、健康な娘が、病気で不健康な青年を自分の生涯の伴侶として選ぶことがキリスト教徒としての慈善行為である等と考へたりしたことは、果してそれで良きことであつただらうか。少くとも彼等は、かくの如き動機で成立した結婚が、同時に恐るべき欠陥を有する子孫をつくり勝ちだといふことについては、何等意に留めなかつたと云へやう。肉体的又は精神的欠陥を有する子孫を有つことが如何に不幸なことであるか。又かゝる遺傳的疾患者がその國に益々増大するといふが如き事態が展開されるに於ては、遂にはその國滅亡の因となることを思ふならば、これが結論は極めて明瞭と云ふべく、我々は何とかしてかゝる不幸の豫期されるが如き結婚を避けなければならないのである。

ナチス政府は右の如き態度によつて招来せられるであらう危険性を痛感し、これを根柢から一掃せんことに努めたのである。政権獲得の後直ちに断種法を制定公布した所以もこゝに存するのであるが、断種法等が一時的應急対策なることよりさらに一歩を進めて、今度は民族健康のために望ましくない結婚を防止しやうとしたのである。既に述べた結婚奨励法に於ては、結婚資金の貸附を受けんとする者が肉体的又は精神的遺傳病に罹つてゐないことを條件として居たが、これは結婚資金の貸附を受くる者についてのみ必要なことであつて、従来は遺傳疾患者と雖、結婚をするに妨げなかつたのである。ナチス政府は先づ

この点への干渉を考慮したことであつたのである。この時独逸及びプロイセン内務省より「ドイツ民族ノ遺傳ノ保護ニ関スル法律」（Gesetz zum Schutz der Erbgesundheit des deutschen Volkes）が提案されてゐたので、一九三五年一〇月一一日の閣議は之を無條件的に必要なるものとして承認し、同日附を以て公布したのである。これが所謂「結婚健康法」（Ehegesundheitsgesetz）である。されば結婚健康法は謂はゞ断種法の補助法的性質を有するものである。然し、後述の如くただ單に結婚を禁止せんがために生れたものではなく、実はその活用によつて、有能健康な人々が相互に結婚し且つ健康な子供を産むといふ、眞の目的にも副はしめる様にしたいために制定公布されたものといふべきであらう。然らば如何なる場合に結婚が禁止せられるか、以下これについて明かにしよう。

第二項　本法の内容

先づ結婚健康法の全文を掲げることゝしよう。

ドイツ民族ノ遺傳健康ノ保護ニ関スル法律（結婚健康法）

政府ハ左ノ法律ヲ決議シ茲ニ之ヲ公布ス

第一條　左ノ場合ニ於テハ結婚ノ締結ハ之ヲ許サズ

(イ) 婚約者ノ一方が傳染ノ危険アル疾病ニ罹リ、他方ノマタハ子孫ノ健康ヲ著シク害スル惧レアル場合

(ロ) 婚約者ノ一方が禁治産ノ宣告ヲ受ケマタハ一時的後見ノ下ニアル場合

(ハ) 婚約者ノ一方が禁治産者ニ非ルモ、精神錯乱状態ニアリテ民族共同体タメニソノ結婚が望マシカラズト認メラルル場合

(ニ) 婚約者ノ一方が遺傳疾患者ノ子孫ヲ防止スルタメノ法律ノ意義ニ於ケル遺傳疾患者タル場合

第一項(ロ)ノ規定ハ他ノ一方ノ婚約者生殖能力ヲ有セザルトキハ結婚ヲ妨ゲズ

第二條　婚約者ハ結婚前ニ於テ保健局ノ證明書（結婚適格證）ニヨリ第一條

ニヨル結婚障害ノ存セザルコトヲ證明スルヲ要ス

第三條　第一條ノ禁止ニ違反シテ為サレタル結婚ハ結婚適格證ノ交付又ハ結婚ニ於ケル身分官吏ノ協力が婚約者ノ故意ニ基ク虚僞ノ申告ニヨリ為サレタモノナルトキハ無效トス、法律ノ適用ヲ免ルヽ目的ヲ以テ外國ニ於テ為サレタル結婚モ亦無效トス

結婚障害が後日除去セラレタルトキハ結婚ハ初メヨリ有效ナリシモノト看做ス

第四條　禁止セラレタル結婚ヲ隠秘シタル者ハ三ケ月ヲ下ラザル禁錮刑ニ處ス、未遂モ處罰スルモノトス

既遂ノ訴追ハ結婚ノ無效が宣告セラレタルトキニノミ提起ス

第五條　本法ハ婚約者ノ双方又ハ婚約者タル男子が外國ノ國籍ヲ有スルトキハ適用サルルコトナシ

第四條ニ依ル外國人ノ刑事訴追ハ國司法大臣が國内務大臣ト協議シテ命ジタル場合ニノミ提起スルモノトス

第六條　國内務大臣又ハ國内務大臣ニ依リ權限ヲ與ヘラレタル官廳ハ本法ノ規定ノ適用ヲ免除スルコトヲ得

第七條　國内務大臣ハ総統代理及ビ國司法大臣ト協議シテ本法ノ施行及ビ補充ニ必要ナル法規及ビ行政規則ヲ發ス

第八條　本法ハ公布ノ日ヨリ效力ヲ發ス

第二條ノ效力発生ノ時ハ國内務大臣之ヲ指定ス、ソノ時迄ハ結婚適格證ハ疑ハシキ場合ニ於テノミ提出サルベキモノトス

結婚健康法は右に掲ぐる如く僅かに八條よりなる簡單な法律であるが、その意味するところは、前項にも述べた如く、甚だ大なるものがあるといはねばなるまい。以下これに説明を加へつゝ説くことゝする。

先づ結婚の禁止される場合についてゞあるが、これについては左の四つの場合につき規定してゐる（本法第一條）。

(1) 婚約者の何れか一人が傳染性の病気に罹つて居り、結婚生活に這入るや

婚約者またはその間に生るべき子供の健康を著しく害する虞れがある場合（本法第一條第一項(イ)）。　主として性病・肺結核に罹ってゐる場合が之に該當するのである。

(2) 婚約者の何れか一人が禁治産者である場合または一時的後見に附されてゐる場合（本法第一條第一項(ロ)）。　従来は心神耗弱・浪費または飲酒癖のあることによって禁治産の宣告を受けた者は法定代理人の同意を得れば結婚するに妨げなかったのであるが、本法により禁止さるゝこととなったのである。これ心神耗弱者はその素質を子孫に遺傳せしめる危險があり、さらに浪費癖と飲酒癖のある者は婚姻によって他方を失望せしめるばかりでなく、さては子の普通の教育・監護にも憂慮すべきものがあることによるのである。一時的後見を附せられた者についても同様である。

(3) 婚約者の一人が禁治産者ではないにしても、矢張り精神状態が錯乱して居り、若しその結婚を許すに於ては、民族共同体の福祉といふ点から見て或は之に禍を及ぼすかも知れないといふ危險がある場合（第一條第一項(ハ)）。

これ右の(2)をさらに拡張したものといへよう。

(4) 婚約者の一人が断種法の意味に於ける遺傳疾患者である場合（本法第一條第一項(ニ)）。　断種法に所謂遺傳疾患者については既に述べたところである。但しこの場合に於ては他の一方の婚約者に生殖能力がない場合には結婚することを妨げないものとされてゐる（本法第一條第二項）。

右に列挙した場合を通観するに、その何れも結婚當事者に重大な禍を及ぼすことが確実なりと考へられる場合であって、社會・國家に対する責任を自覚してゐる者ならば何れの者でも結婚を差控へるだらうと考へられる如き場合である。立法に依る結婚への干渉を賢明にも最少限に止めてゐることが窺はれるのである。

次に婚約者は結婚する以前に於て右に掲げた結婚障害となるべき事実のないことを保健局の発行に係る證明書によって證明しなければ結婚出来ないこととなってゐるのである（本法第二條）。　この保健局の発行する證明書を結婚適格證（Ehetauglichkeitszeugnis）と呼ぶものとされてゐる。

右の結婚健康法に対しては一九三五年一一月二九日附を以て「結婚健康法ノ施行ニ関スル第一次命令」（Erste Verordnung zur Durchführung des Ehegesundheitsgesetzes）（以下第一次施行令と略稱す）が公布されてゐるのであるが、これに依れば、結婚適格證の発行は結婚相談の一部とされ、管轄権のある保健局、即ち、遺傳及び種族保護相談所（Beratungsstelle für Erb- und Rassenpflege）によって為されるものとされてゐる（第一次施行令第一條）。　従ってすべて婚約者はこの結婚適格證を有たねばならないのであるが、このためには、保健局の健康診断を是非とも受けねばならないのである。診断を受ける保健局は婚約者たる男子がその住所または通常の居所を有せる地区にある保健局とされてゐる（第一次施行令第二條第一項第一段）。　若し彼が外國に住んで居りまたは長期に亘って外國に居たときは独逸國内の何れの保健局に於ても診断を受け得るのである（第一次施行令第二條第一項第二段）。　診断に當っては保健局は固より婚約者の遺傳健康に就て調査はしなければならないのである（第一次施行令第二條第一項第三段）。　実際の診断には主として保健局の醫師が之に當るのであって、保健局は診断の材料を以て結婚適格證を交付するか否かの基礎とするのである（第一次施行令第二條第二項）。　また、婚約者の一方がその住所または通常の居所を外國に有って居る場合には、その診断は、権限ある独逸の領事または外交代表者によって許されたる外國の醫師によってなされることも認められてゐるのである（第一次施行令第二條第三項）。　婚約者たる女子も勿論結婚適格證の所持者でなければならないが、これについては若し保健局が婚約者たる男子に対して診断の権限を持ってゐない場合には、その相手たる子女の結婚適格證は婚約者たる男子の健康状態に関する調査が提出されてゐる時にはじめて與へられるものとしてゐるのである（第一次施行令第四條）。　但し、右の結婚適格證は本法第二條の效力が発生するまでは、身分官吏は結婚健康法第一條の意味に於ける結婚障害または一九三五年一一月一四日附の「ドイツ人の血液及ビドイツ人ノ名誉ノ保護ニ関スル法律ノ第一次施行令」第六條の意味に於ける結婚障害があるか否かにつき疑はしい場合にのみ之が提出を求むべきものとしてゐるのである（第一次

施行令第三條）（註）・

（註）　「ドイツ人ノ血液及ビドイツ人ノ名誉ノ保護ニ関スル法律ノ第一次施行令」に於ける第六條は、ドイツ人の血液の純潔を維持するに危険な子孫の生れることを豫期される結婚は許されない旨を規定したものである・

婚約者が保健局の命に従はないで結婚適格證を発行するために必要とする判断の證據を申立てない場合には、結婚適格證の発行は拒絶されることゝなつてゐる（第一次施行令第五條）・　また婚約者たる男子のみが独逸の國籍を有する場合には、相手たる女子の結婚適格性判断の材料を提示すべき義務を男子に負はしめてゐるのである（第一次施行令第六條）。

斯くして保健局の発行にかゝる結婚適格證を有つ者のみが結婚し得るのであるが、この結婚適格證は、前述の如く各具体的場合に、即ち何某・何女との結婚について特に診断の上與へられるものであるから、他に之を流用することは勿論できず、また発行後六ケ月以内に結婚が成立しない時は無效となるのであ

る（第一次施行令第七條）・　但し保険局は事情によりこの期間は之を延長することが出来ることゝされてゐる（第一次施行令第七條第二段）・　さらにまた、結婚適格證を交付した後に、本法第一條に規定する結婚障害が生じた場合には、結婚が成立しない間ならば保健局は交付した結婚適格證を撤回しなければならない（第一次施行令第八條第一項）。　この撤回は婚約者双方及び結婚につき権限を有する身分官吏に通知されることを要するのである（第一次施行令第八條第二項）、　また結婚適格證の拒絶については婚約者に対し保健局より證明が與へられねばならないことになつてゐるのである（第一次施行令第九條）・　結婚適格證の交付を受けまたは拒絶をされた場合には手数料として五ライヒスマルクを保健局に納めねばならないものとされてゐるが（第一次施行令第一〇條第一項第一段）、　事情に依り軽減され、或は免除されることも認められてゐる（第一次施行令第一〇條第一項第二段）・　尚、結婚適格證の拒絶または撤回に対しては各々の婚約者は、遺傳健康裁判所の決定を求めるために訴へることが出来るのである（第一次施行令第一一條）。　訴を提起すべき裁判所は、當該保

健局の地区にある遺傳健康裁判所である（第一次施行令第一二條）・　右に関する遺傳健康裁判所の決定に対しては、さらに上級遺傳健康裁判所へ抗告することが許される（第一次施行令第一三條）・　その場合に於ける裁判所の審理並に手続等については第一次施行令第一四條乃至第二一條に詳細に規定されてゐるところであるが、こゝにはこれを略することゝする・　たゞ右の訴を提起した場合に於ける結婚適格證の発行に関しては、裁判所の決定が效力を生じて後早くとも六ケ月を経て再び改めて保健局に之が発行を求むべきものとされてゐることは注意すべきところであらう・

第三には、本法第一條の規定に違反する結婚の效果であるが、これにつき本法は結婚適格證の交付または結婚に際しての身分官吏の協力が婚約者の故意に基く虚偽の申告によつてなされたものである場合は無效とし、またこの法律の適用を免れる目的を以て外國に於て結婚した場合にも亦無效とすと規定してゐるのである（本法第三條第一項）・　但し、結婚障害たるべき事実が後日除去せられた時はたとへ第一條に違反した結婚と雖も初めより有效なるものとしてゐ

るのである（本法第三條第一項）・　斯る結婚の無效は無效の訴の方法によつてのみ決せらるべきものとされてゐるのである（第一次施行令第二八條）・

禁止されてゐる結婚を隠秘したる者は三ケ月以上の禁錮に處せられ、また之が未遂も處罰されることゝなつてゐる（本法第四條第一項）・　これが違反を防止せんが為に設けられたる規定なること勿論である。但し、既遂罪の訴追は結婚の無效なることが宣告せられて初めて提起さるゝことゝなつてゐる（本法第四條第二項）。

第四は、外國人と本法との関係に就てゞあるが、婚約者の双方又は婚約者たる男子が外國の國籍を有してゐる場合には適用なきものとされ（本法第五條第一項）、　また外國に通常の居所を有つてゐる無籍者についてはその結婚がたとへ独逸に於て行はれた場合にも本法の適用はないものとされてゐるのである（第一次施行令第二九條）・

尚、本法第四條による刑事訴追については、その者が外國人であるときには、極めて特別の場合、即ち國司法大臣が國内務大臣と協議して命じた場合にのみ

許容されるものとしてゐるのである（本法第五條第二項）。

第五は、國内務大臣又は國内務大臣によつて權限を與へられた官廳は例外的に本法の規定の適用を免除することが出來るとされてゐることである（本法第六條）。これは純粹な恩典といふべきものであり、從つてこれが請求などは固より許されないところである。また國内務大臣は總統代理及び國司法大臣と協議して本法の施行及び補充に関する命令を發するものとされてゐる（本法第七條）。これに基いて一九三五年一一月二九日附の第一次施行令が規定されたこと言ふまでもない。

最後に本法は、これが實施に関する規定を設けてゐるのであるが、これによれば本法は一九三五年一〇月一九日に公布されてゐるから、その翌日なる二〇日より施行せられた譯である。但し結婚適格證による證明に就ては、これが一般の適用は暫く留保され疑はしい場合にのみその提出を要するものとしてゐるのである。

以上が結婚健康法の概要である。而して兎も角も注目せらるべき点は、從來國人の自由に委ねられてゐた結婚に國が干渉をさらに加へたといふことである。この点右の法律が公布された時は相當の問題もあつたことであるが、これに對する反對の意見などは次第に衰へるものと考へ得られるところであらう。一九三八年七月六日附の婚姻法に於ては、右の結婚健康法はその侭採り入れられ、婚姻適格の欠缺（Mangel der Ehetauglichkeit）として規定せられてゐるところである（婚姻法第五條）。

第四節　血統保護法

第一項　立法理由

ここに所謂血統保護法（Blutschutzgesetz）即ち、一九三五年九月一五日附の「ドイツ人ノ血液及ビドイツ人ノ名誉ノ保護ニ関スル法律」（Gesetz zum Schutz des deutschen Blutes und der deutschen

Ehre）は、ナチスの綱領たる反ユダヤ主義運動を基礎として遂に制定公布を見るに至つたものである。

ナチス政權獲得前に於ける獨逸の諸政治的制度の下に於てユダヤ人が政府、藝術、文化及び商業等に関する支配を益々強化せんと努めてゐたことは疑ひのないところといへよう。一九三一年以來東方から獨逸に移住して來たユダヤ人は毎日平均十三人に上つたといはれてゐる。かくしてベルリンの各職業層に於て占めてゐるユダヤ人の勢力は實に大なるものがあつたのであつて、これは例へば化学者に於て三割二分、醫者に於て四割七分、辯護士に於て五割、新聞編輯人に於て八分、映画製作者及び演出家に於て一割四分、歯科醫に於て三割七分といはれてゐることよりも推察されるであらう。一國に於ける重要な職業が、斯くの如く全く血を異にする民族によつて殆ど独占されんとすることはその國の國民にとつて堪え得られることであらうか。殊にユダヤ人が獨逸の再建を図らんとする政党には、何から何まで反對したといふに於ては、最早、それは心ある獨逸人にとつては忍び得ないところといへよう。ヒットラーの統卒するナチス党は、ユダヤ人排斥をその綱領として國民に呼びかけたこと周知の如くであるが、ナチスが政權を獲得するや、その強力な政治力を以て事實として現れて來たのである。

斯くして一九三三年四月七日附の「職業官吏制度ノ復活ニ関スル法律」をはじめとして、ユダヤ人排斥に関係する諸法令が公布さるゝに至つてゐるのであるが、本法も亦、その一つとして絶對に看過されてはならないものである。

本法は右の如きユダヤ人排斥運動に基礎を置き、ナチス獨特の民族的世界観に立脚して制定されたものである。即ち、凡そ國民または民族が自己の文化と知的特質とを保持せんとするならば、民族の血を純潔にしておく以外に方法はないといふことに基いて制定されたのである。このことは、本法の前文に次の如く附加されてゐることよりしても知ることが出來るであらう。

「獨逸人ノ血液ノ純潔ハドイツ國民ノ存續ニ不可缺ノ條件タルコトヲ徹底的ニ認識シ且ドイツ國ヲ永劫ニ安泰ニセントノ不撓ノ意図ニ感激シテ、ドイツ國會ハ満場一致ヲ以テ次ノ法律ヲ議決シ茲ニ之ヲ公布ス」

かくて本法はドイツ人の血の純潔を保持せんが為に、ドイツ國民と他民族殊にユダヤ人との結婚を禁止し、混血による質的低下を防止せんとしたのである。次にその内容を観ることゝしよう。

第二項　本法の内容

先づ最初に本法の全文を掲げることとする。但し本法に特に附されてゐる前文については前述したからこゝには省略する。

ドイツ人ノ血液及ビドイツ人ノ名誉ノ保護ニ関スル法律

第一條 (1) ユダヤ人トドイツ人又ハ之ト同種ノ血統ヲ有スル國民トノ間ノ婚姻締結ハ之ヲ禁止ス、之ニ違反シテ締結セラレタル婚姻ハ無效トス、婚姻ガ本法ヲ回避スルタメニ外國ニ於テ締結セラレタルトキ亦同ジ

(2) 無效ノ訴ハ檢事ノミ之ヲ提起スルコトヲ得

第二條　ユダヤ人トドイツ人又ハ之ト同種ノ血統ヲ有スル國民トノ婚姻外ノ関係ハ之ヲ禁止ス

第三條　ユダヤ人ハドイツ人又ハ之ト同種ノ血統ヲ有スル四十五歳以下ノ國民タル女子ヲ其ノ家政ニ従事セシムルコトヲ得ズ

第四條 (1) ユダヤ人ハドイツ國旗及ビ國民旗ノ掲揚及ビドイツ國色彩ノ挙示ヲ禁止セラル

(2) 之ニ対シテユダヤ人ニハユダヤ人ノ色彩ノ挙示ヲ許ス、コノ権限ノ行使ハ國家ノ保護ノ下ニ置カルヽモノトス

第五條 (1) 第一條ノ禁止ニ違反シタル者ハ懲役ニ處ス

(2) 第二條ノ禁止ニ違反シタル男子ハ禁錮又ハ懲役ニ處ス

(3) 第三條又ハ第四條ノ規定ニ違反シタル者ハ一年以内ノ禁錮及ビ罰金又ハソノ何レカ一ノ刑罰ニ處ス

第六條　國内務大臣ハ総統代理及ビ國司法大臣ト協議シテ本法ノ施行及ビ補充ノタメニ必要ナル法規及ビ行政規則ヲ発ス

第七條　本法ハ公布ノ翌日ヨリ之ヲ施行ス、但シ第三條ハ一九三六年一月一

日ヨリ施行スルモノトス

以上が血統保護法の全文であるが、本法は一九三五年九月一五日ニユウルンベルグの國會に於て議決せられた点よりして一名ニユウルンベルグ法とも稱せられる。

右に掲げた法文に依ても明かな如く、本法は、ドイツ人の血統又はそれと同種の血統に属する國民とユダヤ人との間のあらゆる結婚を禁じ、本法の適用を免がれるために外國に於て行はれた結婚も亦無效としてゐるのである（本法第一條第一項）。而してかゝる結婚の無效は、無效確認の訴のによつて確定せられるところであるが、之が提起の権限は檢事のみにあるとせられてゐるのである（本法第一條第二項）。さらにユダヤ人と独逸人または之と同種の血統に属する國民との婚姻外の関係、即ち、私通も混血兒の出生を防止する意味に於て禁止されてゐる（本法第二條）。またユダヤ人のゐる家庭に於ては、家政府として四十五才以上の者でなければ、ドイツ人または之と同種の血統に属する婦

人を雇入れることも許されないところである（本法第三條）。但し之が実施は右の結婚禁止などより遅れて一九三六年一月一日からとせられてゐる（本法第七條）。尚、本法によれば、ユダヤ人はドイツ國旗の掲揚等も禁止せらるゝことゝされてゐるのである（本法第四條）。

本法の規定に違反する行為を為した者は、その行為の軽重を問はず處罰されることゝなつてゐるが、先づ、(イ)第一條の禁止に違反して結婚した者は懲役、(ロ)第二條の規定に違反して私通した者は禁錮または懲役、(ハ)第三條及び第四條の規定に違反した者は一年以下の禁錮と罰金を併科されるかまたはその何れか一の刑に處せられることゝされてゐるのである（本法第五條）。

次に、國内務大臣は総統代理及び國司法大臣と協議して本法の施行及び補充に必要な諸命令を発し得るとされてゐるのであるが（本法第六條）、これに基いて血統保護法に関する第一次施行令、即ち、「ドイツ人ノ血液及ビドイツ人ノ名誉ノ保護ニ関スル法律ノ施行ノタメノ第一次命令」（Erste Verordnung zur Ausführung des Gesezes zum Schutze des deutschen Blutes und der deutschen Ehre) が一九三五年一一月一四日附を以て公布されてゐる。

一体、誰を独逸人とするか、また如何なる者がユダヤ人またはドイツ人とユダヤ人との混血者と看做されるかについては、一九三五年九月一五日附の「公民法」(Reichsbürgergesetz)、一九三五年一一月一四日附の「公民法ノ第一次命令」(Erste Verordnung zum Reichsbürgergesetz)及び右の第一次施行令に規定されてゐるところである。本法はたゞユダヤ人とのみ規定してゐる点よりして、ユダヤ的混血者の結婚が直ちに問題となるのであるが、第一次施行令によれば、ユダヤ人の血液の滲入は極力之を防止することゝしてゐるのである。即ち、ユダヤ人と完全にユダヤ的なる一人の祖父母を有つてゐるユダヤ的混血者にして独逸國民となつてゐる者との結婚はやはり本法第一條の禁止に該當するものとし(第一次施行令第二條)、完全にユダヤ的なる祖父母二人を有つユダヤ的混血者にして独逸國民とせられてゐる者がドイツ人または之と同種の血統に属する者、或は一人の完全にユダヤ的な祖父母を有つユダヤ的混血者にして独逸國民たる者と結婚する場合には、國内務大臣及び総統代理またはこの者により規定せられた官廳の同意を得なければならないものとし(第一次施行令第三條第一項)、また祖父母の何れか一方が完全にユダヤ人たるユダヤ的混血者にして独逸國民たる者同志の結婚も許されないとしてゐるのである(第一次施行令第四條)。尚、第一次施行令に依れば、独逸人の血統の純粋性を害するが如き子孫の豫期される結婚は、これをなし得ないものとされてゐる(第一次施行令第六條)。従つて之によると、ニグロ族、ジプシーまたはその他の混血人種の血液の滲入も亦防止することが出來るやうになつてゐるのである。そこで、結婚健康法に所謂結婚適格證には、異人種の血液が混入してゐないといふことも記載されねばならぬことになつてゐる(第一次施行令第七條)。但し、第一次施行令第三條、第四條及び第六條の規定に違反してなされた結婚に対しては、本法第一條及び第五條第一項の效果は生じないものとされてゐる(第一次施行令第八條第二項)。その他第一次施行令に依れば、独逸國民たるユダヤ的混血者の婚姻外の関係即ち、私通に対しても本法第五條

第二項の罰則を適用し、努めてユダヤ的混血者が子孫が生れない様にと期してゐることが注目せられるところである(第一次施行令第一一條)。

最後に、右に述べた血統保護法は、一九三八年七月六日附の「婚姻法」にそのまゝ採り入れられてゐることを注意するに止めやう。

第四章 結論

以上で盡さゞる所はあるが、ナチス独逸に於ける人口政策に関する立法について述べて來た。而してその效果はといふに、人口量に関する問題としての積極的政策については、前にも述べた如く、一九三四年を轉換期として婚姻率並に出生率の驚くべき上昇を知り、また人口質に関する問題としての消極的政策については、二重にも三重にも悪質結婚の防止策が採られ、今や独逸に於ては遺傳的に健全であり、且種族的に優れた娘のみが結婚することが出來、また健康にして且つ血統的に純粋にドイツ民族に属する青年及び壮年のみが嫁を貰ひ得るといふ如き仕組になつてゐることを理解した。この点よりして、ナチス独逸に於ける人口政策は多大の成果を收めつゝあると云へよう。しかし、かゝる成果は一にその人口政策に関する立法のよろしきを得たが故にのみ言ひ得るであらうか。これを婚姻率及び出生率の上昇に就て見るならば、確かにその一部

は、結婚並に出生奨励に関する人口政策の效果に依るものと云はねばならない。或は又多子家族扶助令及び所得税法等の改正その他による経済的地位の改善に影響せられてゐる点のあることも認めねばならないであらう。が、然し、これのみによって婚姻率及び出生率の上昇が見られたものと言ひ得るであらうか。何人も之が肯定を躊躇するであらう。何となれば、一國の人口政策が如何に完備されたとしても、その國民に結婚を拒み、または結婚するにしても之を遅くするとか、或は結婚はしても子を産まない様にするとかいふ考へがあるに於ては、人口の増殖策は到底その目的を達し得ないからである。現にナチスの人口政策が樹立せらるゝ以前に於ける独逸の状態は之を何と見るか。第一次世界大戦後の出生率低下に対して時の政府は各種の人口増殖策を講じたことであった。尤もこの政策は今日より見て不適當のものだったと言ひ得ないことはない。しかしそれにしても殆ど何等の效果も見るに至らなかったといふことは、欧洲の全土を支配してゐた所謂自由主義・平等主義思想の影響により、独逸國民が遂にその政策への協力を敢てしなかったからだと云ふことを、看過する訳には行かないであらう。

さらに、我々は、その良き例をフランスに見ることが出來る。元來、フランスは人口増殖策については古くから各種の努力が試みられてゐた國である。しかるにその效果たるや全く見るべきものがなく、遂には前にも述べた如く、出生率の曲線が死亡率の曲線に突破されるといふ有様になったのである。これは全く、フランス國民がその國民的使命を自覚せずして、個人的・利己的立場から産児制限の悪習より脱し得なかったことに基因するものといへよう。

ナチスが政権を獲得するや、従來の自由主義・平等主義を断然排撃し、そして新しい理念に基く國民の思想教育を行ったことは、右の如き人口政策の成果を得る上に於て、何よりも大きな要因と云はざるを得ないであらう。

今や我が國に於ても、大正九年以來の出生率の逓減と、今次大東亜戦争による夥しい労力不足とに基因して人口の増加策が盛んに唱導せられてゐる。即ち、結婚並に多産の奨励が之である。死亡率の低下をさらに一層期待せんとする各種の対策も亦之に副はんとするものである。その效果を得んがためには、数多

くの問題があるであらう。また之と同時に質的向上も企図されねばならない。現在、國民素質に関する政策としては、國民優生法、國民体力法があるが、問題はこの二つの政策によって幾許の目的を達成し得るかといふことであらう。多産の奨励は、今日では飽くまでも、所謂逆淘汰を招かない方法に於て行はれねばならないこと勿論であらう。然し、育児を個人の義務として放置する以上は、貧民階級の多産は人口の質的低下を來すことは之を覚悟しなければならず、若し之を避けやうとするならば、かゝる階級の育児負担を如何にするかゞ問題となろう。さらに都市に於ける上層の知識階級に多い産児制限の傾向に対して如何にするか。また一歩考へを進めてみると、今日の如く結婚を統制の埒外に置いて果して良いだらうかの疑問も起って來る。所謂婚姻の國家管理問題である。問題は仲々に多いといはねばなるまい。

時に、昭和十六年一月二二日の閣議に於ては「人口政策確立要綱」の決定を見たこと周知の如くである。今後はこの趣旨に基いて各種の具体的対策が立てられ、また現に実施されつゝある諸政策の改善・強化が行はれるであらうが、これ等の諸政策が所期の目的を達成し得るか否かは、國民一般の熱意如何によることゝいへよう。従來の自由主義・平等主義思想を排斥して、民族観念に基く思想教育対策を第一義とし、併せて國民生活の改善、加ふるに適當なる立法の制定によって大なる效果を収めつゝあるナチス人口政策は、以て他山の石となすべき点があることゝ信ずるのである。

第二編　厚生政策立法

第一章軍事扶助法はナチス政権樹立以来一九四〇年末に至るナチス軍事扶助立法をその対象とした。本研究及び軍事扶助法規の性質に鑑み、能ふる限り客観的叙述をなさんため多く重要法規の全訳を掲ぐることゝした。就中第三節第一款國防軍救護扶助法は軍事扶助法の中核を為すものとして最も意を注いだ。

以上の観点よりして純理論的な細分、論述は之を避け、法令自体をして最も具体的に語らしめることゝした。

第一章　軍事扶助法

第一節　総説（附、兵役法）

ヴエルサイユ條約第五編の桎梏下に於ける独逸國防軍の法的基礎は、一九二一年三月二三日附兵役法に存した。其処では志願兵制度による長期傭兵制が強制的に採用せしめられて居た。右兵役法に対應する軍事扶助の法的基礎は一九二一年八月四日附「國陸軍及ビ國海軍所属者並ニソノ遺族ノ扶助ニ関スル法律」（國防軍扶助法）に存した。

ナチス政権樹立と共に先づ一九三五年三月一六日附「國防軍建設ニ関スル法律」が続いて一九三五年五月二一日附兵役法が発布せられ「兵役勤務ハ独逸國民ノ名誉勤務」なりとして一般兵役義務制が確立せられると共に、一九三五年六月二六日附「國労役勤務法」により若き独逸國民に対し労役義務制が採用せられた。

右に対應する軍事扶助法の法的基礎は一九三八年八月二六日附「國防軍前所屬者及ビソノ遺族ノタメノ救護及扶助法」（國防軍救護及扶助法）並ニ一九三八年九月八日附「國労役勤務團前所屬者及ソノ遺族ノタメノ救護及扶助法」（國労役勤務団扶助法）に於て與へられた。別に一九三九年四月一日附「勤務損害ノ際ノ軍人及ソノ遺族ノ扶助ニ関スル法律」（國扶助法）が存する。

應召中の軍人及國労役勤務義務者の遺家族扶助に関しては一九三六年三月三〇日附「召集兵役義務者及労役勤務義務者ノ家族ノ扶助ニ関スル法律」（家族扶助法）がその法規制を與へる。

職業救護に関しては一九三七年一二月二九日附「軍人及労役勤務者救護令」が存する。

以上何れも、例へば前記國防軍救護及扶助法前文に於て「軍人ノタメ配慮スルハ國家ノ名誉義務」なりとする徹底せる軍事扶助対策を規定して居るが、更に戦争の切迫及大戦の勃発と共に更に各種の對策が施されて居る。

即ち特別配置（*bei besonderem Einsatz*）に対應して一九三九年七月六日附「特別配置國防軍前所屬者及ソノ遺族ノタメノ救護及扶助法」（配置救護及扶助法）及一九三九年九月一日附「特別配置國防軍家族扶助令」（配置家族扶助令）が発布せられると共に、職業救護に於ても一九三九年九月一日附「労働法関係規定改正及補充令」及び一九四〇年九月一八日附「戦時中及戦後ノ除隊セル軍人及國労役勤務団男子所屬者ニ対スル職業救護ニ関スル命令」が発布せられた。

右と共に戦時一般國民の被害を補償する目的を以て更に一九三九年九月一日附「人的損害ノ補償ニ関スル命令」（人的損害令）及一九四〇年一一月三〇日附「戦時物的損害補償令」並に一九三九年九月一日附「國防軍特別配置ノ際ノ危険建物又ハ住宅ヨリ撤退又ハ立退家族扶助ニ関スル命令」（撤退家族扶助令）等が存する。

以上述べたる外、防空法に基く防空勤務義務者、緊急勤務令に基く緊急勤務義務者或は四十年関係者等の扶助が存するも之等は叙述しない。

軍事扶助法の詳細なる叙述に先立ち、軍事扶助法の成立及理解の前提として左に現行兵役法の全訳を掲ぐ。

兵役法（一九三五年五月二一日附）（*Wehrgesetz*）
（一九三六年六月一六日附改正法及一九四〇年八月二〇日附改正法ニヨル）

國政府ハ左ノ法律ヲ決定シ茲ニ之ヲ公布ス

第一章　一般規定（*Allgemeines*）

第一條　(一) 兵役勤務（*Wehrdienst*）ハ独逸國民ノ名誉勤務（*Ehrendienst*）トス

(二) 独逸人男子ハスヘテ兵役義務ヲ有ス

ヘテノ独逸人女子ハ祖國（*Vaterland*）ニ対スル勤務給付（*Dienstleistung*）ノ義務ヲ有ス

第二條　國防軍（*Wehrmacht*）ハ武器ノ擔當者ニシテ且独逸國民ノ軍人的教育機關（*soldatische Erziehungsschule*）タルモノトス　國防軍ハ
陸軍（*Heer*）
海軍（*Kriegsmarine*）
空軍（*Luftwaffe*）　ヨリ成ル

第三條　(一) 國防軍最高司令官（*Oberster Befehlshaber der Wehrmacht*）ハ総統兼國総理大臣トス

(二) 総統兼國総理大臣ノ下ニ於テ國國防大臣（*Reichskriegsminister*）國防軍総司令官（*Oberbefehlshaber der Wehrmacht*）トシテ國防軍ニ関スル司令権ヲ行フ

第二章　兵役義務（*Wehrpflicht*）

一六八

兵役義務ノ期間

第四條　兵役義務ハ満十八歳ヨリ満四十五歳後最初ノ三月三一日マテ存続ス

戰時ニ於ケル義務

第五條　(一)　スヘテノ兵役義務者ハ動員ノ場合國防軍ノ指令ニ服スルヲ要ス　國國防大臣ハソノ使用ニ関シ決定ヲ行フ

(二)　國防軍ノ要求ハ戰時ニ於テハスヘテノ他ノ要求ニ優先ス

兵役義務ノ拡張

第六條　戰時中及特別ノ危急状態（Notstände）ニ際シテハ國國防大臣ハ兵役義務ノ履行ニ関係セシメラルル独逸人男子ノ範囲ヲ拡張スル權限ヲ有ス

兵役勤務（Wehrdienst）

第七條　(一)　兵役義務ハ兵役勤務ニ依リ之ヲ履行ス　兵役勤務ノ範囲左ノ如シ

(イ)　現役勤務（aktiver Wehrdienst）　左ノ者ハ現役勤務ニ属ス

一　第八條第一項ニ基キ現役勤務義務（aktive Dienstpflicht）履行中ノ兵役義務者

二　現役將校及志願ニヨリ第八條第一項ニ基キ決定セラレタル期間ヨリ長キ期間勤務スル下士及兵卒（Mannschaften）

三　勤務義務（第一号及第二号）履行後帰休役（Beurlaubtenstand）ニ編入セラル丶コトナク官吏トシテ任命セラレタル國防軍官吏（Wehrmachtbeamte）

四　帰休役ヨリ演習（übung）又ハソノ他ノ現役勤務ニ召集セラレタル將校、下士及兵卒及第三号ニ基ク國防軍官吏

(ロ)　帰休役ニ於ケル兵役勤務　左ノ所屬者ハ帰休役ニ属ス

一　豫備兵（Reserve）

二　補充豫備役（Ersatzreserve）

三　後備役（Landwehr）

一六九

一七〇

(二)　第六條ニ基キ召集セラレタル四十五歳以上ノ者ハ國民軍（Landsturm）ヲ組織ス

現役勤務義務（aktive Dienstpflicht）

第八條　(一)　総統兼國総理大臣ハ兵役義務者ニ対スル現役勤務義務ノ期間ヲ決定ス

(二)　兵役義務者ハ通例其者カ満二十歳ニ達シタル暦年ニ於テ現役勤務義務ノ履行ノタメ之ヲ召集ス　國防軍ヘノ志願ニヨル編入ハソレ以前ニモ可能ナルモノトス

(三)　労役勤務義務（Arbeitsdienstpflicht）ノ履行ハ現役勤務義務ニ対スル要件トス　除外例ハ特別規定ニヨリ之ヲ規制ス

(四)　三十日以上ノ体刑ノ場合ニハ兵役義務者ハ第二十三條ニ基キ現役義務ヨリ除外セラルルヲ要セサル限リ之ニ相當スル期間ヲ追勤務スルヲ要ス

豫備役

第九條　兵役義務者ハ現役勤務解除後満三十五歳ニ達シタル暦年ノ三月三十一日ニ至ルマテ豫備役ニ属ス

補充豫備役

第十條　第八條第一項ニ基ク現役勤務義務ノ履行ニ召集セラレサル兵役義務者ハ満三十五才ニ達シタル暦年ノ三月三十一日ニ至ルマテ補充豫備役ニ属ス

後備役

第十一條　兵役義務者ハ満三十五才ニ達シタル暦年ノ四月一日ヨリ満四十五歳後ノ最初ノ三月三十一日ニ至ルマテ後備役ニ属ス

補充制度（Ersatzwesen）

第十二條　兵役義務者ハ補充勤務官署（Ersatzdienststelle）ニ依リ之ヲ捕捉ス　國國防大臣ハ内務大臣ノ同意ヲ得テ補充勤務官署ノ構成及ソレト一般及内務行政官廳トノ共働ヲ規制ス

一七一

兵役不適格（Wehrunwürdigkeit）

第十三條　㈠　左ノ者ハ兵役不適格ニシテ其故兵役義務ノ履行ヨリ之ヲ除外ス

(イ)　懲役ニ處セラレタル者

(ロ)　公民名誉権ヲ有セサル者

(ハ)　國刑法典第四十二條(イ)ニ基ク保全及矯正處分ニ服シタル者

(ニ)　軍法會議ノ判決ニ依リ兵役適格性ヲ喪失シタル者

(ホ)　國家活動ノ廉ニヨリ裁判ニヨル刑罰ヲ受ケタル者

㈡　國國防大臣ハ第一項(ハ)及(ホ)ノ例外ヲ認ムルコトヲ得

㈢　公職就任資格否認ノ判決ヲ受ケタル兵役義務者ハ該名誉刑ノ判決ニ於テ定メラレタル期間ノ経過後始メテ之ヲ召集スルコトヲ得

兵役義務除外例（Wehrpflichtausnahmen）

第十四條　左ノ者ハ之ヲ兵役勤務ニ関係セシムルコトヲ得ス

一　軍醫（Sanitätsoffizier）又ハ國防軍ヨリ委任セラレタル醫師ノ診断ニヨリ兵役勤務ニ対シ無能力（untauglich）ト認メラレタル兵役義務者

二　ローマカトツリク信者タル兵役義務者ニシテ僧職授與ヲ受ケタル者

アーリアン人種血統（Arische Abstammung）

第十五條　㈠　ユダヤ人ハ現役勤務ヲナスヲ得ス

㈡　ユダヤ混血兒（Jüdische Mischlinge）ハ國防軍幹部（Vorgesetzte）タルコトヲ得ス

㈢　ユダヤ人ノ戰時ニ於ケル勤務給付ニ関シテハ特別ノ規制ヲ行フ

徴集延期（Zurückstellung）

第十六條　兵役義務者ハ平時ニ於テ限ラレタル期間現役勤務義務ノ履行ヲ延期スルコトヲ得

外國ニ在ル兵役義務者

第十七條　㈠　外國ニ生活スル兵役義務者モ亦原則トシテ其兵役義務ヲ履行スルヲ要ス

㈡　外國ニ生活シ又ハ長期間外國ニ行カント欲スル兵役義務者ハ二年以内、例外ノ場合ハ兵役義務ノ終了ニ至ルマテ兵役義務関係ヨリ賜暇ヲ受クルコトヲ得、但シ第五條第一項ニ基ク義務ハ特別ノ場合ニノミ之ヲ免除スルコトヲ得

独逸國籍（Reichsangehörigkeit）

第十八條　㈠　本法ノ意味ニ於ケル独逸人トハスヘテノ独逸國籍所有者（Reichsangehörige）ヲ謂フ　其ノ者同時ニ外國ノ國籍ヲ有スル場合ニ於テモ亦同シ

㈡　既ニ他ノ國家ノ國防軍ニ於テ現役勤務ヲ了シタル独逸人モ独逸兵役義務ヨリ免除サルヽコトナシ　但シ平時ニ於テハ特別ノ申請ニ基キテノミ現役勤務ヲ許容ス　該申請ハ國國防大臣之ヲ決定ス

㈢　兵役義務者ノ國籍及兵籍義務関係ヨリノ解除ハ國國防大臣又ハ其ノ指示スル補充勤務官署ノ同意ヲ要ス

㈣　独逸國籍ヲ有セサル者ハ兵役勤務関係編入ニ當リ総統兼國総理大臣ノ許可ヲ要ス　総統兼國総理大臣ハ許可ノ権限ヲ國國防大臣ニ委任スルコトヲ得

兵役監督（Wehrüberwachung）

第十九條　㈠　スヘテノ兵役義務者ハ兵役監督ニ服ス　兵役監督ハ國防軍ノ補充勤務官署一般及内務行政官廳ト共働シテ之ヲ行フ

㈡　帰休役兵役義務者ハ通例年一回兵役集合（Wehrversammlung）ニ之ヲ召集ス　之ニ対スル参加ハ補充勤務官署ノミ之ヲ免除スルコトヲ得

㈢　兵役集合ノ期間中、補充勤務官署トノ勤務上ノ交渉中及國防軍部分（Wehrmachtteil）ノ制服着用ノ場合ニ於テハ帰休役兵役義務者ハ軍ノ司令権ニ服ス　其者現役勤務外ニ於テ如何ナル範囲ニ於テ軍ノ懲

戒刑罰権、軍刑法及軍裁判権ニ服スルヤニ関シテハ軍懲戒刑罰規則、軍刑法典及軍刑事裁判所規則之ヲ定ム

演習（übungen）

第二十條　國國防大臣ハ豫備役、補充豫備役及後備役ノ兵役義務者ヲ演習ニ召集シ且其他ノ再教育ニ對スル規定ヲ発布スルコトヲ得

第三章　國防軍所属者ノ義務及権利観念規定

第二十一條　(一)　國防軍所属者トハ軍人（Soldat）及國防軍官吏（Wehrmachtbeamte）ヲ謂フ

(二)　軍人トハ現役勤務ニ服スル將校、下士及兵卒ヲ謂フ

(三)　國防軍所属期間左ノ如シ

(イ)　軍人ニ在リテハ参加又ハ召集ノ日（編入日 Gestellungstag）ヨリ除隊日（Entlassungstag）ノ終了ニ至ルマテ

(ロ)　現役國防軍官吏ニ在リテハ其ノ任命ノ日ヨリ解任ノ日ノ終了ニ至ルマテ

(ハ)　演習ニ現役國防軍官吏トシテ召集セラレタル帰休役國防軍官吏ニ在リテハ召集ノ日（編入日）ヨリ召集解除日ノ終了ニ至ルマテ

第二十二條　(一)　現役勤務解除ハ左ノ如ク之ヲ行フ

定期除隊（zeitgerechte Entlassung）

(イ)　現役勤務義務ヲ履行シタル軍人ニアリテハ第八條第一項ニ基キ決定セラレタル期間ノ終了後

(ロ)　第八條第一項ニ基ク現役勤務義務ヲ超ヘテ志願ニ依リ勤務義務関係ニ入リタル下士及兵卒ニアリテハ該勤務義務ノ終了後

(二)　國國防大臣ハ勤務関係上必要ナルトキハ第一項ニヨル軍人ヲ限ラレタル期間國防軍ニ残留セシメ及帰休役ノ兵役義務者ヲ現役勤務ニ再召集スルコトヲ得

法律ニ基ク除外（Ausscheiden von Rechtswegen）

第二十三條　(一)　左ノ判決ヲ受ケタル軍人ハ法律ニ基キ現役勤務ヨリ除外ス

(イ)　軍刑法典ニ基ク兵役適格性ノ喪失

(ロ)　故意ニ犯シタル行為ノ廉ニヨル一年以上ノ禁錮

(ハ)　公職就任無資格

(二)　第一項(イ)ニ基ク場合ニ於テハ軍人ハ兵役義務関係ヨリ之ヲ除外ス

(三)　第一項(ロ)及(ハ)ニ基ク場合ニ於テハ夫レ以後ノ兵役勤務関係ハ補充勤務官署、將校ニアリテハ國防軍部分ノ総司令官之ヲ規制ス國國防大臣ハ第一項(ハ)ニ基ク場合ニ於テハ刑ノ服役後兵役義務者ヲ判決ニ定メラレタル期間ノ経過後再ヒ現役勤務ニ召集スルコトヲ得　判決前服役セル勤務期間ハ三十日以上ノ場合之ヲ算入ス

特別理由ニ基ク除隊

第二十四條　(一)　軍人ハ左ノ場合之ヲ現役勤務ヨリ除隊セシムルヲ要ス

(イ)　其者兵役法又ハ其ノ施行細則ニヨリ兵役義務ノ履行ヨリ除外セラレ又ハ現役勤務ニ就カシムルヲ得サルコト明カトナリタル場合

(ロ)　其者禁治産ノ宣告ヲ受ケ又ハ一時的ニ後見人ヲ附セラレタル場合

(二)　軍人ハ左ノ理由ニヨリ之ヲ現役勤務ヨリ除隊セシムルコトヲ得

(イ)　其者軍医又ハ國防軍ニヨリ委任セラレタル医師ノ診断ニ基キ現役勤務ニ必要ナル身体力又ハ精神力ヲ有セサルニ至リタル場合ニ於ケル勤務不能（Dienstunfähigkeit）

(ロ)　其者其ノ上官ノ判断ニ基キ其ノ勤務地位ニ必要ナル素質ヲ有セサルニ至リタル場合ニ於ケル素質欠如（Mangelnde Eignung）

(ハ)　第十三條第一項ニ基ク兵役不適格ニアラサル限リノ不名誉ナル行為カカル行為勤務服役前行ハレタルトキト雖モ亦同シ

(ニ)　正當ナル理由アル場合ニ於ケル自己ノ申請　但シ現役勤務義務遂行中ノ軍人ニアリテハ召集後徴收延期理由ノ生シタルトキニ限ル

(三)　ソノ他最低十ケ年ノ現役勤務期間ヲ有スル將校及最低十二ケ

一八〇

年ノ現役勤務期間ヲ有スル下士ハ其者ニ対シ使用可能性存セサルニ至リタルトキニ於テモ現役勤務ヨリ除隊セシムルコトヲ得

(四)　除隊ノ意図ハ第二項(1)及(口)並ニ第三項ニ基ク場合ニ於テ将校ニアリテハ三ケ月前、志願ニヨリ第八條第一項ニ基キ決定セラレタル期間以上勤務スル下士及兵卒ニアリテハ一ケ月前ニ理由ヲ附シテ之ヲ通告スルヲ要ス　スヘテソノ他ノ場合ニ於テハ除隊ハ期間ヲ附シタル通告ヲ要セサルモノトス

(五)　第一項及第二項ノ規定ハ現役勤務ニ服シ居ラサル帰休役所属者ニ之ヲ準用ス

秘密保守義務（Pflicht zur Geheimhaltung）

第二十五條　(一)　國防軍及帰休役所属者ハ秘密保守ヲ要シ又ハ秘密保守ヲ命セラレタル勤務事項ニ関シ沈黙ヲ守ル義務ヲ負フ

(二)　右義務ハ國防軍離脱後ニ於テモ亦存続ス

一八一

國防軍ノ政治関與（Politik in der Wehrmacht）

第二十六條　(一)　軍人ハ政治活動ヲナスコトヲ得ス　國民社會主義独逸労働者党又ハソノ肢体又ハソノ附属団体ヘノ所属ハ現役勤務ノ期間中停止スルモノトス

(二)　軍人ニ対シテハ國ニ於ケル選挙権又ハ投票参加権ヲ停止ス

(三)　軍人ハ各種ノ結社ニ於ケル會員権ノ獲得又ハ國防軍ノ内外ニ於ケル結社ノ結成ニ當リソノ上官ノ許可ヲ要ス

(四)　國國防大臣ハ軍事的ニ必要ナル場合國防軍官吏及國防軍ノ範囲ニ任命セラレタル准軍人（Zivilperson）ヲ第一項及第二項ノ規定ニ服セシムルコトヲ得

婚姻許可（Heiratserlaubnis）

第二十七條　國防軍所属者ハ婚姻ニ當リ上官ノ許可ヲ要ス

一八二

副業（Nebenbeschäftigung）

第二十八條　(一)　軍人及國防軍官吏ハ自己及自己ノ世帯員ノタメノ営業ノ経営及報酬ヲ伴フ副業ノ引受ニ當リソノ上官ノ許可ヲ要ス　許可ハ正當ノ理由アル例外ノ場合ニ於テノミ之ヲ與フヘシ

(二)　本規定ハ演習又ハソノ他ノ現役勤務ニ召集セラレタル帰休役所属者ノ職業活動ニ対シテハ之ヲ適用セス

後見人及名誉職（Vormundschaften und Ehrenämter）

第二十九條　(一)　軍人及國防軍官吏ハ後見人、後見監督人、保護者、顧問ノ職又ハ國、州又ハ市町村勤務ニ於ケル名誉職的活動ノ引受ヲ拒絶スルコトヲ得

(二)　カカル職務ノ引受ニ當リテハ上官ノ許可ヲ要ス　許可ハ止ムヲ得サル場合ニ於テノミ之ヲ拒絶スルコトヲ得

俸給（Gebührnisse）

第三十條　國防軍所属者ノ俸給及醫療救護（Heilfürsorge）ニ対スル請求権ハ國俸給法（Reichsbesoldungsgesetz）ニ依リ之ヲ規制ス

訴訟（Rechtsweg）

第三十一條　(一)　國防軍所属ヨリ生スル財産法上ノ請求ニ関シテハ正規ノ訴訟ニ訴フルコトヲ得、國ニ対スル訴ハ國國防大臣ノ決定後之ヲ行フコトヲ要ス訴ハ國國防大臣ノ決定カ當事者ニ通達セラレタル後六ケ月内ニ行ハルルコトヲ要ス　然ラザル場合ハ公訴権ヲ喪失ス

(二)　勤務無能力（Dienstuntauglichkeit）（第十四條第一項）、徴収延期（第十六條及第十七條）及除隊（第二十二條及第二十四條）ニ関スル軍勤務官署ノ決定ハ裁判所ニ對シ拘束力ヲ有ス　暫定的勤務中止及現役勤務残留ニ関スル決定ニツキ亦同シ

扶助（Versorgung）

第三十二條　(一)　現役勤務義務ノ履行後名誉裡ニ現役勤務ヨリ除隊セル軍人ハ公的勤務ニ次テ就職ニ當リ同一素質（gleiche Eignung）ノ他ノ

一八三

求職者ニ優先ス　自由経済ノ労働場所ニ於ケル紹介ニ當リテモ之ヲ優先的ニ考慮スヘシ　民間職業ヘノ復帰ニ當リテハ現役勤務ニ基ク不在ニヨリ其者ニ何等ノ不利益ヲ生セシムルヲ許サス　戦時被害者ノ法律上決定セラレタル権利ハ之ニ依リ影響ヲ受クルコトナシ

㈡　ソノ他ノ総ヘテノ場合ニ於テハ軍人及其ノ遺族ノ扶助ハ國防軍扶助法ニ依リ國防軍官吏及ソノ遺族ノ扶助ハ之カタメニ発布セラレタル法律及規定ニ依リ之ヲ規制ス

制服着用権アル除隊（Verabschiedung mit Uniform）

第三十三條　㈠　國防軍ヨリ除隊セシメラルル國防軍所属者ニ対シテハ取消條件附ヲ以テ被除隊者ノタメニ定メラレタル徽章ヲ附シタル國防軍部分ノ制服着用権ヲ授與スルコトヲ得

㈡　右ノ権利ハ通例最低十二ケ年ノ勤務期間ヲ名誉裡ニ勤務終了セル者ニ対シテノミ之ヲ授與ス

帰休役将校及官吏

第三十四條　㈠　其ノ性績及素質ニ依リテハ名誉アル勤務ノ後現役勤務ヨリ解除セラレタル下士及兵卒ヲ帰休役将校又ハ官吏ニ教育昇進セシムルコトヲ得

㈡　名誉アル勤務ノ後現役勤務ヨリ解除セラレタル将校及國防軍官吏ハ之ヲ帰休役将校及官吏ニ編入スルコトヲ得

國防軍ニ於ケル准軍人（Zivilangestellte）

第三十五條　國國防大臣ハ軍事的必要アル場合及期間ニ於テ國防軍ノ範囲ニ於テ使用セラルル准軍人（Zivilperson）ヲシテ全部的若クハ部分的ニ軍人ニ適用スル法律規定ニ服セシムルコトヲ得　之等ノ者ハ右訓令ノ継続期間中之ヲ第二十一條ノ意味ニ於ケル國防軍所属者トス

第四章　過渡規定

第三十六條　㈠　一九三三年四月一日前ニ國陸軍ニ編入セラレ又ハ一九三三年

四月一日前ニ國陸軍ニ編入セラレ又ハ一九三三年七月一日前ニ國海軍ニ編入セラレ且其ノ義務證書一九二一年三月二十三日附兵役法ニ基キ十二ケ年ニ対シ交付セラレタル下士及兵卒ハ該期間ノ満了ニ至ルマテ之ヲ現役勤務ニ残留セシムルコトヲ得　其ノ他ニ於テハ右ノ者ニ対シ無制限ニ本法ノ規定ヲ適用ス

㈡　第一項ハ國陸軍及國海軍ノ将校及将校候補者ノ義務及國防軍ニ編入セラレタル州警察ノ所属者ニ対シテモ之ヲ準用ス

㈢　一九三三年三月三一日以後國陸軍ニ、一九三三年六月三〇日以後國海軍ニ編入セラレタル将校、下士及兵卒ニ対シテハ本法ヲ無制限ニ適用ス

㈣　一九二一年三月二三日附兵役法第四十條ノ二ニ基キ使用セラル、准軍人（Zivilperson）ハソノ勤務契約ニ於テ協定セラレタル期間中國國防大臣ノ細目規定ニ從ヒ之ヲ現役勤務ニ編入スルコトヲ得

第五章　終結規定

第三十七條　㈠　総統兼國総理大臣ハ軍令権（militärische Verordnungsrecht）ヲ行使ス　総統兼國総理大臣ハ本法ノ施行ニ必要ナル法規命令及行政規則ヲ発布ス　法規命令ハ刑罰規定ヲ含ムコトヲ得

㈡　総統兼國総理大臣ハ國國防大臣ニ対シ又補充制度及兵役監督問題ニ於テハ國内務大臣ニ対シ第一項ニ基ク権限ヲ委任スルコトヲ得

㈢　命令ハ一九二三年一〇月一三日附「國命令ノ公布ニ関スル法律」（Gesetz über Verkündigung von Reichsverordnungen）ニ於テ定メラレタル命令報ニヨル外、國防軍命令報（Verordnungsblatt der Wehrmacht）ニヨリテモ之ヲ公布スルコトヲ得

第三十八條　㈠　本法ハ公布ノ日ヨリ之ヲ施行ス

㈡　同日ヲ以テ一九二一年三月二三日附兵役法並ニ一九二一年六

月一八日附改正法律及一九三三年七月二〇日附改正法律ハソノ效力ヲ失フ

（註）　ナチス独逸軍事法の基礎としての右兵役法の外、徴兵、召集及演習召集に関するものとしては一九三七年四月一七日附「査閲及徴兵ニ関スル命令」（Verordnung über die Musterung und Aushebung）（一九三八年四月一四日附及一九三九年三月七日附改正）及び一九三五年一一月二五日附「國防軍演習召集令」（Verordnung über die Einberufung zu Übungen der Wehrmacht）（一九三六年三月二八日附及一九三九年三月一五日附改正）（後記職業保障法に於て訳出）がある。軍事扶助法が之等の裏付けとして成立するものたる以上、一應留意せらるべきである。

第二節　軍事扶助法史概観

一、眞の意味に於ける軍事扶助法の成立は一般兵役義務制の採用に始る。独逸に於て行はれた最初の一般兵役義務制の法的基礎は一八六七年一一月九日附聯邦法律（北独逸聯邦）及一八七一年四月一六日附國憲法並にそれに基き発布せられたる諸立法即ち一八七四年五月二日附「國軍法」（Reichsmilitärgesetz）、「兵役法」（Gesetz über die Wehrpflicht）、徴兵令（Wehrordnung）に存した。右一般兵役義務制採用前に於ては唯君主による家長的救護のみが存したに過ぎず、主として傷痍軍人の救護、即ち廃兵院、傷痍軍人療養所に依る救護が行はれたが、更に長期勤務軍人に対する職業救護が行はれた。

軍事扶助の法的基礎が與へられたのは一八七一年六月二七日附軍年金法（Militärpensionsgesetz MPG.）に依てゞある。此の法律は実体規定と形式規定とを含み、且すべての軍人（将校及下士）に対し扶助請求権のための法律手段を與へた。右軍年金法による規制は該法の屡次の改正の下に一九一九年二月一日附命令により本質的改正特に手続の改正がなされるまで続いた。

軍事扶助法が多数の改正により不明確となつた結果、國政府は主として兵卒に対し時宜を得た扶助を與へるために三つの基本法を決定した。即ち一九〇六年五月三一日附将校年金法（Offizierpensionsgesetz）、一九一三年七月三日附法律により改正せられたる一九〇六年五月三一日附兵卒扶助法（Mannschaftsversorgungsgesetz）及一九〇七年五月一七日附「軍人遺族法」（Militärhinterbliebenengesetz）がそれである。之等の法律は大体に於て大戦終了後迄適用せられた。

将校年金法及兵卒扶助法は勤務期間扶助、勤務損害及戦時勤務損害を規定して居たが、戦時勤務損害には一の特別加給（戦時特別加給）が賦與せられた。戦時遺族に対しては軍人遺族法は特別戦時扶助を與へた。将校年金法及兵卒扶助法に基く扶助は一定期間内に提起せられた申請に基いてのみ、軍人遺族法に基く扶助は之に反し職権により賦與せられるものであつた。

之等三個の法律に於て軍官廳により自ら處理さるゝ手続（行政手続）と、正規の裁判所に於て行はるゝ、一定種類の請求に対してのみ許されたる訴訟手続とは区別せらるべきである。訴は異議申立をなすべき決定の送達後六ケ月内に地域管轄を有する州裁判所に提起せられねばならなかつた。一定の基本的な問題、例へば勤務損害、勤務不能の決定に関しては、裁判所は軍官廳の行政決定に拘束せられた。斯る基本的問題に関しては、最高軍事行政官廳たる國防省に設けられた委員會が最終決定を與へるが、これは陸軍行政部の将校又は官吏より構成せられて居た。

既に世界大戦の末期に立案せられたる軍事扶助立法の改革は革命のため成就に到らなかつた。手続法の分野に於ては一九一九年二月一日附「軍事扶助手続改正ニ関スル命令」（Verordnung über die Änderung des Verfahrens in Militärversorgungssachen）により新規制がなされたが、之は後には西欧列強の圧迫に基き発布せられたる一九一九年一〇月五日附命令に依り廃止せられた。続いて制定せられた一九二〇年五月一二日附「勤務損害ノ際ノ軍人及其遺族ノ扶助ニ関スル法律」（Gesetz über die Versorgung der Militärpersonen und ihren Hinterbliebenen bei Dienstbeschädigung）は一九一四年七月三一日以後その勤務給付を終了し且勤務損害を蒙りたる傷痍軍人及その遺族の扶助を規定した。該法律に依る新規制は醫療救護並に社會的救護請求権、職業能力減少又は健康傷害の範囲に基く年金の算定及官吏證書の賦與等に存した。

以上の如き推移を経て最後に、一般兵役義務制の廃止を規定せる一九二一年三月二三日附兵役法との関聯に於て、戦後の國防軍に対し一九二一年八月四日附を以て「國陸軍及國海軍所属者並ニソノ遺族ノ扶助ニ関スル法律」（國防軍扶助法）（Gesetz über die Versorgung der Angehörigen des Reichsheeres und der Reichsmarine sowie ihrer Hinterbliebenen= Wehrmachtversorgungsgesetz= W.V.G.）（一九二五年九月一九日附改正）が発布せらるるに至つた。又、手続法の分野に於ては一九二二年一月一〇日附「扶助事件手続法」（Gesetz über das Verfahren in Versorgungssachen）に

依り扶助料の決定及規制が行政及裁決官廳としての「扶助官廳」（Versorgungsbehörde）に移管せられた。斯くて正規の裁判所への法律手続は排除せらるるに至つた。

二、前記一九二一年三月四日附國防軍扶助法の内容は左の如くである。

(1) 第一條乃至第三〇條に於ては下士及兵卒の扶助が規定せられてゐる。勤務期間扶助（Dienstzeitversorgung）としては轉業手當（Übergangsgebührnis）（最高三ヶ年間、最終の恩給権ある勤務收入の基準に依る額）の支給、之に対し更に申請に基き賦與せられる、公的勤務任命の期待権を與ふる文官勤務證書（Zivildienstschein）の賦與、子女手當、一回の轉職扶助料及一回の移轉料（Umzugsentschädigung）の支給が規定せられて居る。尚又文官勤務證書に代へ轉業手當及その加給の全額に至るまでの貸附金（Vorschuß）及之と関聯して州移住を容易ならしめるための國保證金（Reichsbürgschaft）の支給がなされ得る。勤務被害者扶助（Dienstbeschädigtenversorg-

ung）としては、被害者が勤務損害の結果その職業能力に於て尠くとも二五％低下せしめられ、又はその身体健康が著しく害された限り賦與せられる年金請求権がある。

(2) 第三十一條乃至第七十二條に於ては、将校扶助が規定されてゐる。それに依れば勤務不能又は不十分なる能力のため除隊せられたる将校は最低十二ヶ年の全勤務期間の後初めて終身恩給請求権を得る。最低四ヶ年間の全勤務期間を有する将校は単に一定期間（最高二ヶ年）轉業手當を有するに過ぎない。恩給請求権を有する将校及轉業手當を得る将校は更に左の請求権を有する。即ち妻手當及子女手當、一回の轉職扶助料（大尉までを含む）、一回の移轉料、申請に基く文官勤務證書（大佐までを含む）、更に可能扶助料として職業又は自己の土地所有の経済的強化又は轉職の軽減のための下附賜金（Kapitalabfindung）に対する請求権を有する。勤務損害の場合には将校は國防軍扶助法第三十三條第二項、國扶助法第百九條に基く扶助を受ける。最低五〇％の職業能力低下に際しては勤務損害の結果

他の法規に基き何等の扶助料も與へられざる限り恩給とともに必要ある場合には國扶助法に基く重傷者手當、看護手當及その他の給付を受ける。但し勤務損害の結果不具（Verstümmelung）となりたるとき又は勤務損害の結果兵役勤務よりの早期除隊が招來せられたときに限る。國防軍扶助法に基き何等の扶助も受けざる将校に対しては只國扶助法に基く扶助のみが與へられる。

(3) 國防軍官吏に対しては恩給に関し國官吏法（R.B.G.）の規定が適用される。勤務損害に際しては國防軍官吏は恩給と國扶助法に基く扶助との間に選択権を有する。重傷官吏は恩給とともに第百九條第三項に掲ぐる扶助割當を受く。この場合の要件は兵役勤務よりの早期除隊である。

(4) 第七十六條乃至第八十條に於ては遺族扶助が規定せられる。遺族扶助は一九〇七年五月一七日附「官吏遺族法」（B.H.G.）に基く寡婦及孤兒賜金（Witwen- und Waisengeld）の支給である。官吏の遺族の他に右賜金は左の軍人の遺族に與へられる。即ち恩給請求権を有する軍人即ち最

低十ヶ年の勤務期間を有する将校及最低十八ヶ年の勤務期間を有する下士官の遺族、更に遺族扶助料は特別の場合即ち恩給許可又は恩給許可可能との刑事裁判所の判決に基く除隊及十ヶ年の勤務期間の後一九二三年一月一日以降死亡の場合にも支給せらる。死亡が勤務損害の結果なるときは更に國扶助法に基く扶助請求権が成立する。但し之は官廳の職権に依り賦與せらる。以上述べた以外の家族に対しては第七十七條に基く扶助（寡婦年金、孤児年金、両親年金。若し勤務損害なきときは三分の二）が與へられる。又下付賜金（Kapitalabfindung）も與へられ、移轉料も支給せらる。

三、一九三五年三月一六日の總統の決断に基く一般兵役義務制の再実施に依り、從って又兵役法の改正も必然的に招來せられたのであるが、それに基き軍事扶助法も新なる発足をなすに至った。手続法の分野に於ては一九三五年一〇月一日以降再び國防軍扶助事務所（Versorgungsdienststelle der Wehrmacht）が除隊軍人の扶助を引受けることゝなった。実体法の分野に於ては國民社會主義的國家指導の原則に從ひ長い間の努力に充ちた審議の後遂に現行軍事扶助法の基本法たる一九三八年八月二六日附國防軍救護及扶助法（Wehrmachtfürsorge= und Versorgungsgesetz）が成立するに至った。本法の根本思想とする所は、兵役を独逸國民の名誉勤務とするに対應して、國家は自らの側に於ては其の軍人のために配慮するを名誉義務と思考する点に存する。

國民社會主義的國家は除隊軍人の民間職業への復帰を確保し、之に優先的地位を與へることにより軍人達のために配慮し、或は除隊軍人並に死亡軍人の遺家族に対し恩給、継続年金、労働使用不能者年金、寡婦手當及孤児手當の如き継続的給付により扶助するのである。本法に於ては從來の國防軍扶助法の多くの確立せられた原則は維持せられてゐるが、更にまた重要なる改革も行はれて居る。先づ注目せらるべきは、第一に社會政策特に労働政策的見地より見て、從來屢々不當に高額となれる年金制度の廃止、特に労働能力ある者に対する無援の少額年金の廃止及傷痍軍人の労働過程編入の方策であり、

第二に長期勤務せる下士官に対する勤務期間に基く扶助の十全なる賦與である。尤も之等の規定に関しては、その國防國家の要請に基く重要性により本法以前既に、一九三六年一〇月一四日附「國防軍扶助法ノタメノ総統兼國総理大臣ノ命令」（Verordnung des Führers und Reichskanzlers zum Wehrmachtversorgungsgesetz）が之を規定するところあったのであるが、本法に於て更に完璧のものとなったのである。本法に基き下士官に與へられる救護及扶助の中特に注目すべきは、下士官が最低十二ヶ年の勤務期間の終了後は直ちに軍候補者（Militäranwärter）関係に入り更に所要の官吏法上の要件を充たす時は、終身間の官吏関係に入り得るといふ点である。彼等は更に所要の考試及成績次第によつては相應の地位に昇進し得るのであり、此処に一の社會政策的考慮が存すると謂はれてゐる。

以上述べたる外、國防軍救護扶助法については第三節に於て現行軍事扶助法の基本法として詳細叙述することゝする。國防軍救護扶助法の成立を以てナチス軍事扶助法は一應整備せらるゝと共にその後戰争の切迫と共にその一層の強化法としての特別配置國防軍救護扶助法の発布を見るに至るのであるが、第三節に於て條文自体により叙述せしむることゝする。

第三節　軍事救護及扶助法

第一項　國防軍救護扶助法

「國防軍前所屬者及ビソノ遺族ノ救護及ビ扶助ニ関スル法律」（Fürsorge= und Versorgungsgesetz für die ehemaligen Angehörigen der Wehrmacht und ihre Hinterbliebenen）は略稱して「國防軍救護扶助法」（Wehrmachtfürsorge= und= versorgungsgesetz（WFVG））といはれるものである。本法は総統爭相ヒツ

二〇〇

トラー、國防軍総監、内務大臣、大藏大臣、労働大臣の署名の下に、一九三八年八月二六日制定せられ、一九三八年一〇月一日を以て施行せられた。そのうち第三一條のみは、一九三八年四月一日より效力を発するものとせられてゐる。

本法の目的とするところは、独逸國民の名誉義務たる兵役義務の、國防軍に於ける履行に應へて、独逸國家がその認識と感謝とに基き、國防軍所屬関係を離れたる軍人に対し、國家的方法に於て之を保護し、且兵役勤務中、兵役義務履行の為に、生命身体健康を犠牲に供したる名誉の軍人並にその遺族に対し之を救護する旨の法的保障を與ふることに存する。換言すれば、本法は、独逸國防軍に所屬したりし軍人及びその遺族の救護並に扶助に関する一般的原則規定を包括網羅する法典であつて、いはゞ、独逸軍事保護乃至扶助に関する基本法と云ふべきものである。一九三八年九月二九日附定の同法施行規則その他の附屬法令と相俟つて、独逸軍事保護及び救助体制の法的根據を與へるものといふことが出來る。

本法は二〇一條より成り

第一部　軍　人
第二部　軍人ノ遺族
第三部　軍人及ビ遺族ニ関スル共通規定
第四部　國防軍官吏及ビソノ遺族
第五部　國防軍救護及ビ扶助手続

の五部に分たれてゐる。

第一部は、第一章を総則とし、第二章を勤務期間救護扶助として、その人的範囲と救護及び扶助の種類を明かにし、第三章は傷害者救護及び扶助として、同じくその人的範囲及び救護扶助の種類を掲げ、第四章に両者競合の場合の處理規定を定めてゐる。

第二部は、第一章に於て遺族救護、第二章に於て遺族扶助を定め、各々その人的範囲と方法を挙げてゐる。

第三部に於ては、以上各種の救護扶助方法に共通する規定として救護扶助権の消滅、停止・剥奪・差押・擔保・譲渡・委付その他不法・不當に支給された

二〇一

二〇二

るものの返還・前借等ある場合の相殺等の各項について規定するところがある。

第四部、第五部は、夫々その名稱の示す如く、國防軍官吏及びその遺族に関する救護扶助、救護扶助手続に関する規定を収めてゐる。

茲には、第五章の手続規定は純技術に関するものであり、國情の相違によつて著しく趣を異にするが故に、之を対象とすることを省略し、第一部乃至第四部のみを考察翻譯することゝしたのである。

本法の構成について略述したところにより明かなる如く、本法に規定する救護及び扶助の種別は

勤務期間救護扶助
傷害者救護及び扶助
遺族救護及び扶助

とすることが出來る。

第一の勤務期間救護扶助は、現役勤務義務を履行し又はその年限を超えて勤務したる軍人に対し、現役年限及びその勤務継続期間に従ひ又その勤務の階級に従ひ、與へられる救護及び扶助をいふのである。

この勤務期間救護扶助を受くる人的範囲は階級に従ひ、先づ兵卒・下士・将校の三に分ち、更に勤務継続期間の長短によつて、兵卒を五年以下と五年以上の二部類に、下士は五年以下と五年以上十二年以下及び十二年以上の三部類に、将校は五年以下と五年以上十年以下及び十年以上の三部類に区分して、夫々相當なる救護扶助の方法を講じてゐる。茲に我々の注目をひくものは、将校に関して、将校を一列に将校として尉官・佐官・将官の区別を設けてゐないことであつて、この点、本法が多分に社會政策的色彩を帯びてゐることを示唆するものである。

救護扶助の方法としては先づ救護（Fürsorge）と扶助（Versorgung）に大別し、救護の内に十一個の方法、扶助に二個の方法を認めてゐる。今之を挙ぐれば救護に

私職業教育
職業保障

二〇三

下附金
特殊下附金
國家保證
軍疾補者制度
任命優先證書
一時扶助料
轉業手當
報労金
轉業扶助料

の方法があり、扶助に

恩給
恩給に代るべき下附資金

の二種がある。

第二の傷害者救護及び扶助は、現役服役中身体の傷害を受けた軍人に対し、

傷害の程度に從ひ、現役解除後、與へられる救護及び扶助である。

之を受くる人的範囲は、兵役傷害者、兵役傷害ニ非ル傷害者、兵役傷害アル準軍人の三種である。

兵役傷害者とは、兵役義務履行によって生じた身体上の傷害を有するものであって、その傷害は身体完全状態の毀損を意味し、負傷たると疾病たるとを問はない。尚兵役傷害と認められない身体傷害が兵役に依って悪化した場合は之を兵役傷害と看做されてゐる。

兵役傷害に非る傷害者とは、現役勤務期間五年以上の軍人で、兵役傷害に非る傷害のため勤務不能に因って現役を解除せられた者を指し、現役勤務中既に身体傷害に悩み且その傷害が性病・自傷または自殺未遂に基かず更に除隊後医療救護を必要とすることが要求されてゐる。

兵役傷害ある準軍人とは、軍籍を有する者ではないが、軍人に準ずべきものであって、自己の責によるのではなくして兵役傷害を受けた者を意味する。

之等の傷害者に対する救護は

醫療救護
傷痍賜金
職業保障
傷痍者轉業扶助料

の五種であるが、この内醫療救護は、醫学的治療方法によって兵役能力又は労働使用能力の維持回復を目的とし

疾病看護（醫学的治療、醫薬繃帯等の治療用具の給與）
介輔及び看護（自宅療養）
疾病手當
入院治療及び家族手當
温泉治療及び療養所治療
義手・義足等介輔用具及び失明者に対する案内犬の給付

を包含するものとせられてゐる。

扶助には

労働使用不能者年金
看護手當
失明手當
下附資金

の四種がある。

以上の二種の救護扶助は共に、嘗つて國防軍に所属してゐた軍人その人に就いて行はれるものであるが、同一人について救護扶助が競合することがあり得るのであって、本法も亦両者相並んで支給される場合あることを認めてゐる。

第三の遺族救護扶助は、云ふ迄もなく遺族保護の方法であって、之を受くる者は舊軍人の遺族たること言を俟たない。即ち現役中死亡したる軍人の寡婦及び遺児、死亡したる舊軍人の寡婦及び遺児、死亡したる準軍人の寡婦及び遺児は勿論であるが、以上の外一定の條件の下に、死亡したる軍人の離婚したる妻、再婚した寡婦、両親をも含んでゐる。

その救護方法としては

埋葬料

傷痍者埋葬料

移轉料

があり、

扶助方法としては

寡婦手當

寡婦年金

寡婦下附金

孤児手當

孤児年金

両親手當

両親年金

の七種が規定されてある。

二〇八

以上本法に認められた救護扶助の種別と各種別につき救護扶助の方法を概觀したのであるが、こゝに我々が極めて理解困難とするのは救護と扶助との区別である・本法には救護及び扶助について定義的規定を見出し得ず、唯救護として又は扶助として斯く斯くの方法ありと列記されてゐるのみである。從つて救護とは何ぞや、扶助とは何ぞやといへば、救護とはこれこれ、扶助とはこれこれと列挙的に答ふるの外はないのである。唯之を列挙して通覽するとき、そこに蓋然的に之を区別する標準あることを看過し得ない。即ち、扶助に挙げられたものは、恩給・労働使用不能者年金及び之等に代る下附資金・寡婦手當・寡婦年金・孤児手當・孤児年金・両親手當・両親年金と云ふ如く、終身又は比較的長期に亘る継続的金銭的給付である。救護として掲げられたるものの内、埋葬料・下附金・報労金・一時扶助料・轉業手當・轉業扶助料・疾病手當等の金銭給付に於ては、傷痍賜金の如く継続的給付の性質を有するものもあるが、大体に於て一時金的色彩を帯びてゐるのである。以上が区別標準の第一点である。

第二点は、扶助は常に金銭的給付であつて、しかもその使途につき特定の目

二〇九

的が豫定せられず、全生活面に於ける保護を目標とせる如くである。之に反し救護は、金銭的給付に限らるゝことなく、豫め特定の事項を豫想する私職業教育・職業保障・軍候補者制度・任命優先證明・國家保證等の如く特別保護を目的とする手段給付をも含み、殊に醫療救護に於ては醫学的治療・入院治療・温泉治療・療養所治療の如き手段給付の外に、醫薬その他義手・義足の治療介輔用具・案内犬の給與の如き物品給付にまで及んでゐるのである。給付目的物の種類範囲によつても救護扶助の概別は出來るかと思ふ。

一九三八年八月二六日附國防軍前所屬者及ビ其ノ遺族ニ關スル救護及ビ扶助法

略稱　國防軍救護扶助法

前　文

國防軍ハ國民ノ武器擔當者トシテ國民社會主義的國家ノ基柱ナリ。而シテ國

二一〇

防軍ニ於ケル勤務ハ之ヲ名誉勤務トス。

國家ノ名誉義務ハ、軍人ニ対シ、現役ノ完了ニヨリ何等ノ不利益ヲ受クルコトナク、且壯年ニシテ國防軍ヨリ解除ヲ餘儀ナクセラレタル職業軍人ニ対シテハ、國家ニヨリ保障セラレタル職業斡旋又ハ其他ノ方法ニヨリ、ソノ勤務履行ニ対スル認識及ビ感謝ガ與ヘラルベク救護スルニ在リ。軍人ガソノ健康及ビ生命ヲ犠牲ニ供シタル場合ハ、本人並ニソノ妻子ガ救護セラルル旨総テノ軍人ニ対シ保障ヲ與フベキモノトス、因テ政府ハ、茲ニ公示スル法律ヲ定ム。

第一部　軍人（Soldaten）

第一章　総則（Allgemeines）

救護及ビ扶助ノ種類（Fürsorge= und Versorgungsarten）

二一一

第一條 (1) 現役勤務義務ヲ履行シ又ハ其ノ年限ヲ超エテ勤務シタル軍人ハ、現役解除後ソノ勤務継続期間及ビソノ勤務ノ階級ニ従ヒ救護及ビ扶助ヲ受ク（第二章）。

(2) 現役服務中身体ノ傷害ヲ受ケタル軍人ハ、現役解除後身体傷害ノ程度ニ従ヒ救護及ビ扶助ヲ受ク（第三章）。

(3) 第二章及ビ第三章ニヨル救護及ビ扶助ハ特ニ定メタル場合ニ限リ併セテ支給ス（第四章）。

現役期間（Aktiven Wehrdienstzeit）

第二條 (1) 現役勤務ノ期間ハ、勤務開始ノ日ヨリ解除ノ日ノ終了ニ至ル日数ヲ以テ之ヲ算定ス。既ニ履行シタル勤務義務ハ、一九三五年五月二一日附兵役法第八條第一項ニ定メラレタル現役勤務継続期間トシテ之ヲ加算ス。

(2) 外國ノ兵役ニ服シタル期間ハ國防軍総監ノ許可ヲ経テ現役勤務期間トシテ之ヲ加算スルコトヲ得。

一般職業ニ於ケル現役勤務期間ノ斟酌（Berücksichtigung der aktiven Wehrdienstzeit im Zivilberuf）

第三條 (1) 現役勤務義務ノ履行ニヨリ名誉ヲ害スルコトナク※現役ヲ離レタル軍人ハ一般職業ニ於テ何等ノ不利益ヲ受クルコトナシ。職業軍人ニ属スルコトナク、志願ニヨリ現役勤務義務ノ期間ヲ超エテ現役ニ服シタル者亦同シ。

※ im Ehren

(2) 第一項ニヨリ一般職業ニ於ケル事務関係或ハ勤務関係ニ於テ現役ヲ斟酌スルコトハ一九三七年一二月二九日ノ軍人及ビ労役勤務者ノ救護ニ関スル命令ノ定ムルトコロニヨル。國防軍総監及ビ内務大臣ハ関係大臣ノ同意ヲ得テ、本命令ヲ変更シ補充スル権限ヲ有ス。

(3) 其他ノ点ニ関シテハ、内務大臣、大蔵大臣ガ國防軍総監ノ同意ヲ以テ発スル規定ニ従ヒ、現役勤務ハ一般職業ニ於テ國家勤務[illegible]

酌セラル。

兵役傷害（Wehrdienstbeschädigung）

第四條 (1) 兵役傷害トハ兵役ニヨリテ生シタル身体上ノ傷害ヲ謂フ。

(2) 兵役傷害ト認メラレザル身体傷害ガ兵役ニヨリ悪化シタルトキハ、之ヲ兵役傷害ト看做ス。

(3) 傷害者故意ニ傷害ヲ招キタルトキハ之ヲ兵役傷害トナサズ。故意ニヨル既遂又ハ未遂ノ自傷ナリトスル裁判上ノ確定ハ、救護及ビ扶助手続ニ於ケル決定ヲ拘束ス。

第二章　勤務期間救護及ビ扶助（Dienstzeitfürsorge und -versorgung）

A. 人的範囲（Personenkreis）

兵卒（Mannschaften）

現役勤務義務ヲ履行シタル兵卒

第五條 頭書ノ兵卒ニシテ現役勤務義務ヲ履行シタル後或ハ勤務不能ニ因リ之ニ先テ解除セラレタルモノハ、行状證明書ヲ受ク。

現役服務義務ヲ超エテ勤務シ現役勤務期間五年未満ノ兵卒

第六條 (一) 勤務義務ノ完了後解除セラレタルカ或ハ勤務不能ニ因リ解除セラレタル頭書ノ兵卒ハ、行状証明書、申請ニヨリ技能證明書、第三條ノ職業保障、第四五條ノ一時扶助料及ビ第四七條ノ報労金ヲ受ク。

(二) 素質缺如ニ因リ※解除セラレタル兵卒ハ、第一項ニ因ル救護ノ一部又ハ全部ヲ受クルコトヲ得、報労金ヲ認メラレザル場合ハ一〇〇ライヒスマルクノ被服補助金ヲ支給セラルルコトヲ得。

※ wegen mangelnder Eignung

第七條 (一) 頭書ノ兵卒ニシテ願ニ依リ※解除セラレタルモノハ、行状証明書、申請ニ基キ技能証明書及ビ第三條ノ職業保障ヲ受ク。

※ auf eigenen Antrag

二一六

(二)　其ノ解除ガ公益ニ資スル場合ハ※以上ノ外第四七條ノ報労金ヲ受ク。

※ dient diese Entlassung auch öffentliche Belangen.

第八條　頭書ノ兵卒ニシテ其他ノ事由ニ因リ解除セラルルカ或ハ法律ニ因リ除外セラレタルトキハ、特ニ必要ナル場合、申請ニ基キ部隊※ニヨリ一〇〇ライヒスマルク未満ノ被服補助金ヲ支給セラルルコトヲ得

※ durch Truppenteil

現役勤務期間五年以上ノ兵卒

第九條　頭書ノ兵卒ハ第六條乃至第八條ニ掲ゲラレタル兵卒ト同一ノ救護ヲ受ク、下士ト同一ノ服務期間ノ義務アル場合ハ、第一一條乃至第一八條ニ掲ゲラレタル下士ト同一ノ救護及ビ扶助ヲ支給セラル。

下士（Unteroffiziere）

現役服務期間五年未満ノ下士

第一〇條　(一)　頭書ノ下士ハ第五條乃至第八條ニ掲ゲラレタル兵卒ト同一ノ救護ヲ支給セラル。

(二)　旗手候補生（Fahnenjunker）、旗手（Fähnriche）、上級旗手（Oberfähnriche）トシテ現役勤務義務ヲ超エテ勤務シ且第二〇條第二項ニ示サレタル勤務不能ニ因リ解除セラレタルトキハ、第二〇條第二項又ハ第三項ノ定ムル救護及ビ扶助ヲ受ク

現役服務期間五年以上十年未満ノ下士

第一一條　(一)　下士ガ兵役傷害ニ起因スル勤務不能ヲ以テ解除セラレタルトキ、及ビ第八八條ノ意義ニ於ケル労働使用不能（Arbeitsverwendungsunfähig）ガソノ回復ヲ豫メ期待シ得ザル程度ニ達シタルトキハ行状証明書、申請ニ基キ技能証明書或ハ、成績証明書、第三二條ノ特技証明書、第四七條ノ報労金、第一二四條ノ移轉料、及ビ第四九條ニヨル支給額ニ第一二三條ノ子女割増金ヲ加ヘタル継続年金ヲ受ク

(二)　労働使用不能ガ兵役傷害ニ因ルニ非ズシテ生ジタル場合ハ、

二一七

二一八

第一項ノ救護ノ内継続年金ヲ除キタル救護ヲ受ク、右ノ外第四九條ノ支給額ノ百分ノ四〇ニ、第一二三條ノ子女割増金ヲ加ヘタル額ヲ生計補助金ヲ一定ノ期間又ハ終身支給セラルルコトヲ得

軍司令官ハ大蔵大臣ノ同意ヲ以テ第四九條ニヨル全額マデ生計補助ヲ支給スルコトヲ得

(三)　旗手或ハ上級旗手タル下士ガ第二四條ノ定ムル勤務不能ニヨリ解除セラレタルトキハ同條ニ定ムル救護及ビ扶助ヲ受ク

第一二條　勤労不能ナルモ継続的労働使用不能ニアラザル下士ガ引続キ現役勤務ニ使用セラルル能力アルニ拘ラズ、自己ノ願ニヨリ解除セラレタルトキハ、行状証明書、申請ニ基キ技能証明書或ハ成績証明書、第三二條ノ特技證明書、第三三條ノ職業保障、第四七條ノ報労金、第一二四條ノ移轉料及ビ第一二三條ノ子女割増金ヲ加ヘタル第四六條ノ下附金ヲ受ク

第一三條　(一)　頭書ノ下士ガ願ニヨリ解除サレタル場合ハ、行状證明書、申請ニ基キ技能証明書又ハ成績証明書・第三二條ノ特技證明書及ビ第三三條ノ職業保障ヲ受ク

(二)　此ノ解除ガ公益ニ裨益スルトキハ、右ノ他ニ第四七條ノ報労金及ビ第一二四條ノ移轉料ヲ受ク

第一四條　頭書ノ下士ガ素質欠缺ニ因リ解除サレタル場合ハ、第一二條ニ掲ゲラレタル下士ト同一ノ救護ノ全部又ハ一部ヲ受ク、但シ移轉料ハ第一二四條第四項ニヨルモノノミトス

第一五條　頭書ノ下士ガ其他ノ理由ニヨリ解除セラルルカ或ハ法律ニヨリ除外セラレタルトキハ特ニ必要アル場合、申請ニ基キ三〇〇マルク以内ノ被服補助金ヲ、部隊ヨリ支給セラルルコトヲ得

現役服務期間十二年以上ノ下士

第一六條　(一)　勤務義務履行後或ハ勤務不能、素質欠缺、若クハ願ニヨリ解除セラレタルトキハ

イ　自由ナル営業ニ就業シ

ロ　國防軍移住者（Wehrmachtsiedler）トナリ或ハ農業特ニ農夫

二一九

トシテ定住シ

ハ　官吏トシテ任命セラルルコトヲ希望シ軍候補者（Militäranwärter）トナルコトヲ得、國防軍総監（Oberkommands der Wehrmacht）ハ例外ノ場合軍候補者関係ヘノ加入ヲ閉鎖スルコトヲ得

(二)　自由ナル営業ニ就キタル下士ハ、第三四條ノ育児補助料ヲ加ヘタル下附金ヲ受クルノ外、行状證明書、申請ニ基キ技能證明書或ハ成績証明書、第三二條ノ特技証明書、第三三條ノ職業保障、第四七條ノ報労金、第一二四條ノ移轉料ヲ受ク

(三)　國防軍移住者トシテ新農夫地位（Neubauernstellen）ヲ受クルカ、農業殊ニ農夫トシテ定住セシメラレタル下士ハ、農業経営引受ノタメノ下附金（Abfindung zur Uebernahme eines landwirtschaftlichen Betriebes）、育児補助料及ビ第三五條ノ職業保障ヲ受クルノ外、第二項ノ諸證明書、第四七條ノ報労金、第一二四條ノ移轉料ヲ受ク

條第一項及ビ第二六條第一項第六号ノ要件ヲ具フル者ハ、軍候補者関係ニ入ル、ソノ法律関係ハ第三七條乃至第四三條之ヲ定ム　右ノ外第二項ニ掲グル諸証明書及ビ第四八條ノ轉職扶助料ヲ受ク

(五)　第二項・第三項・第四項ニヨル救護ノ種類ハ解除日ニ至ルマデニ之ヲ選擇セシム、選択ハ第二項・第三項ニ掲ゲラレタル下士ニ関シテハ最後決定トス

(六)　第四項ニ掲ゲラレタル下士ハ、三年以内ニ軍候補者関係ニ入リタル後、國防軍総監ノ許可ヲ得テ第二項及ビ第三項ノ救護ヲ選択スルコトヲ得、ソノ選択ハ最後決定（endgültig）トス、轉職扶助料、移轉料及ビ既ニ受ケタル軍候補者給料ハ之ヲ算入（anrechnen）スベキモノトス　軍候補者證書ハ之ヲ返還スベシ

第一七條　頭書ノ下士ガ勤務不能ニヨリ解除セラレ、第一一條第一項ノ労働使用不能ノ継続スル場合ハ、行状証明書、申請ニ基キ技能證明書或ハ成績

證明書、第三二條ノ特技証明書、第四七條ノ報労金、第一二四條ノ移轉料及ビ第一二三條ノ子女割増金ヲ加ヘタル第四九條ノ恩給ヲ受ク、除隊ニ際シ第一六條第二項ニヨル救護ヲモ選擇スルコトヲ得、其ノ選択ハ最後決定トス

第一八條　頭書ノ下士ガ其他ノ事由ニ因リ解除セラルルカ法律ニ因リ除外セラルルトキハ、申請ニ基キ第一二三條ノ子女割増金ヲ加ヘタル第四六條ノ轉業手當、第一二四條ノ移轉料及ビ三〇〇マルク以内ノ被服補助金ヲ部隊ヨリ支給セラルルコトヲ得

第一九條　(一)　現役勤務期間十八年以上ノ下士ガ勤務不能或ハ素質欠缺ニ因リ解除セラレタル場合ハ、第一六條ノ救護ニ代ヘテ　行状證明書、申請ニ基ク技能證明書又ハ成績證明書、第三二條ノ特技證明書、第四七條ノ報労金、第一二四條ノ移轉料及ビ第一二三條ノ子女增増金ヲ加ヘタル第四九條ノ恩給等ノ救護及ビ扶助ヲ選択スルコトヲ得、ソノ選択ハ最後決定トス

(二)　第五四條第二項、第五五條、第五六條第一項、第二項、第四項、第三七條、第三八條、第一八六條ニヨル勤務期間ノ加算ニ依リ、十八年以上ニ達シタルトキハ勤務期間ガ満二十七才前ニ終リタルトキト雖モ、之ヲ十八年ノ現役勤務期間ヲ履行シタルモノト看做ス、但シ通算一二ヶ年以上、下士ノ職ニ在ルコトヲ要ス

将　校（Offiziere）

現役勤務期間五年ニ達セザル者

第二〇條　(一)　頭書ノ将校、勤務不能ニ因リ解除セラレタルトキハ、勤務成績證明書、第三三條ノ職業保証、第一二三條ノ子女割増金ヲ加ヘタル第四六條ノ轉業手當、第四八條ノ轉職扶助料ヲ受ク

(二)　兵役傷害ニ基因スル勤務不能ニ因リ解除セラレ、傷痍賜金第二級又ハ第三級ヲ支給セラルル者ハ、第一項ノ救護ヲ受ク、但シ第四六條ノ轉業手當ニ代リ第一二三條ノ子女割増金ヲ加ヘタル第四九條ノ恩給ヲ受ク

恩給ニ代エテ第一二三條ノ子女割増金ヲ加ヘタル、第四六條ノ轉業手當、

或ハ素質欠缺アル場合第四四條ニヨル任命優先證書ノ何レカヲ選択スルコトヲ得、任命優先証書ヲ選ビタル将校ハ官吏ニ任命セラルルマデ 豫メ最初ニ任ゼラルル俸給部類ノ最下級俸ノ百分ノ四〇ニ該ル生計補助金及ビ第一二三條ノ子女割増金ヲ受ク

(三) 第二項ニ掲ゲラレタル将校ガ継続シテ第一一條第一項ノ労働使用不能ナル場合、終身第四九條ノ恩給ヲ受ク、爾後健康状態ノ回復シタル場合及ビ第四四條ノ任命優先証書ヲ得タルトキハ官吏任命ト同時ニ恩給ハ消滅スルモノトス

第二一條 (一) 頭書ノ将校願ニヨリ解除セラレタルトキハ勤務成績証明書及ビ第三三條ノ職業保障ヲ受ク

(二) 解除ガ公益ニ裨益スルトキハ右ノ外第四八條ノ轉職扶助料ヲ受ク

第二二條 頭書ノ将校素質欠缺ニヨリ解除セラレタル場合ハ、第二〇條第一項ニ掲ゲラレタル将校ト同一ノ救護ノ全部又ハ一部ヲ受ク

特ニ必要ナル場合一〇〇マルク以内ノ被服補助金ヲ部隊ヨリ支給セラルルコトヲ得

現役服務期間五年以上十年未満ノ将校

第二四條 (一) 頭書ノ将校勤務不能ニ因リ解除セラレタルトキハ、勤務成績證明書、第三三條ノ職業保障、第一二三條ノ子女割増金ヲ加ヘタル第四六條ノ轉業手當、第四八條ノ轉職扶助料及ビ第一二四條ノ移轉料ヲ受ク、勤務不能ガ兵役傷害に基クトキハ、轉業手當ニ代ヘテ第四四條ノ任命優先證書ヲ選択スルコトヲ得、官吏ニ任命セラルル迄ハ、豫メ最初ニ任命セラルル俸給部類ノ最下級俸(voraussichtlich erstmalig angestelle werden Besoldungsgruppe, Eingangsstufe)ノ百分ノ八〇ニ、子女割増金ヲ加ヘタル生計扶助料ヲ受ク

(二) 頭書ノ将校、兵役傷害ニ基ク勤務不能ニヨリ解除セラルルトキ及ビ傷痍賜金第二級或ハ第三級ヲ支給セラルルトキハ、勤務成績証明書、

第四八條ノ轉職扶助料、第一二四條ノ移轉料及ビ第一二三條ノ子女割増金ヲ加ヘタル第四九條ノ恩給ヲ受ク、恩給ニ代ヘテ第一二三條ノ子女割増金ヲ加ヘタル第四六條ノ轉業手當カ或ハ第四四條ノ任命優先証書ノ何レカヲ選ブコトヲ得、任命優先証書ヲ選択シタル将校ハ、官吏ニ任命セラルル迄ハ、豫メ最初ニ任命セラルル俸給部類ノ最下級俸ノ百分ノ八〇ニ子女割増金ヲ加ヘタル生計扶助料ヲ受ク、

(三) 頭書ノ将校、兵役傷害ニ起因セザル勤務不能ニヨリ解除セラレ、身体傷害ノ程度ガ傷痍第二級又ハ第三級(Versehrtheit der Stufe II oder III)ニ該當スルトキハ第一項第一段ノ救護ヲ受ク、國防軍総監ハ大藏大臣ノ同意ヲ得テ、轉業手當ニ代ヘテ第一二三條ノ子女割増金ヲ加ヘタル第四九條ノ恩給額マデ、生計扶助料ヲ一時又ハ終身支給スルコトヲ得

第二五條 (一) 願ニヨリ解除セラルル場合ハ勤務成績證明書及ビ第三三條ノ就業保障ヲ受ク

(二) 此ノ解除ガ公益ヲ裨益スルトキハ、右ノ外第四八條ノ轉職扶助料及ビ第一二四條ノ移轉料ヲ受ク

第二六條 素質欠缺ニヨリ解除セラルルトキハ、第二四條第二項第一款ノ救護ヲ受ク、但シ移轉料ハ第一二四條第四項ニヨル。

第二七條 其他ノ事由ニヨリ解除セラルルカ或ハ法律ニヨリ除外セラルルトキハ、申請ニヨリ特ニ必要ナル場合ハ、三〇〇マルク以内ノ被服補助金ヲ部隊ヨリ支給セラルルコトヲ得

現役服務期間十年以上ノ将校

第二八條 (一) 頭書ノ将校ガ勤務不能、素質欠缺或ハ使用可能性ノ欠如(Mangeln Verwendungsfähigkeit)ニヨリ解除セラレタルトキハ、勤務成績証明書、第三三條ノ職業保障、第四條ノ轉職扶助料、第一二四條ノ移轉料及ビ第一二三條ノ子女割増金ヲ加ヘタル第四九條ノ恩給ヲ受ク

(二) 次ノ各号ノ加算ニヨリ勤務期間ガ十年以上ニ達シタルトキハ

十年ノ現役勤務期間ヲ履行シタルモノト看做ス

イ　満二十七歳前ニ完了シタルトキト雖モ第五四條第二項、第五五條、第五六條第一、第二、第四項及ビ第五七條、第五八條及ビ第一八六條ニヨル勤務期間

ロ　軍醫將校（Sanitätsoffiziere）ニアリテハ、四ケ年ノ修業期間（Studienzeit）ト法定ノ実務期間（praktische Jahre）

ハ、海軍技術將校（Ingenieuroffiziere der Kriegsmarine）ニアリテハ三ケ年ノ修業期間及ビ修業期間外ノ実務期間

ニ、獣醫將校（Veterinäroffiziere）ニアリテハ三ケ年ノ修業期間

修業期間及ビ実務期間ガ現役服務期間内ニアル場合ハ、ロ号乃至ニ号ニヨリ加算セラルル期間ハ之ヲ短縮ス

第二九條　頭書ノ將校ガ願ニヨリ解除サレタルトキハ第二五條ノ救護ヲ受ク

第三〇條　(一)　頭書ノ將校其他ノ事由ニヨリ解除セラルルカ法律ニヨリ解除セラルルトキハ、申告ニ基キ第一二三條ノ子女加給ヲ伴フ第四六條ノ轉業手當、第一二四條ノ移轉料、特ニ必要ナル場合ハ三〇〇マルク以内ノ被服補助金ヲ部隊ヨリ支給セラル

(二)　轉業手當ニ代ヘ、國防軍総監ハ終身又ハ一時ノ生計補助金ヲ支給スルコトヲ得、一時生計補助ハ五年以下ノ期間ニ対シテハ、第四九條ニヨリ達スヘキ恩給額ノ百分ノ七五、五年以上ノ期間ニ対シテハ最高百分ノ五〇以内トス

之ニ加算シテ第一二三條ノ子女割増金ヲ支給スベキモノトス

(三)　現役服務期間ノ計算ニ関スル第二八條第二項ノ規定ハ之ヲ準用ス

第三一條　(一)　頭書ノ將校ノ勤務ガ一年以上再服役シタル後、或ハ兵役傷害ニヨル勤務不能ニヨリ早期ニ終了シタルトキハ、勤務成績証明書、第三三條ノ職業保障及ビ勤務給付関係ニ入ルニ際シ本法ノ定ムル移轉料ガ支給セ

ラレザリシ場合ハ第一二四條ノ移轉料ヲ受ク

(二)　不名誉ノ行為ニヨリ再役ガ終了シタルトキハ第一項ハ適用セラレザルモノトス

B　救護及扶助ノ種類（Fürsorge= und Versorgungsarten）

救　護（Fürsorge）

私職業教育（Ausbildung für den Zivilberuf）

第三二條　(一)　全勤務期間十二年以上ノ義務アル下士ハ勤務期間中、國防軍専門学校（Fachschule der Wehrmacht）ニ於テ私職業教育ヲ受クルコトヲ得　特ニ國防軍総監ノ許可ヲ得タル場合ハ除隊後一ケ年以内ノ期間コノ専門教育ニ参加スルコトヲ得

(二)　此ノ教育ノ終了シタル場合、特技証明書（Fachschulzeugnis）ヲ受ク

職業保障（Betreuung）

第三三條　(一)　事故ナクシテ除隊シタル総テノ軍人ハ私職業ノ就職ニ際シ補助ヲ受ク、労働場所（Arbeitsplatz）獲得ノ努力ハ必要ナル限リ補充（ergänzen）セラレ援助（unterstützen）セラル

(二)　軍人ハ労働場所ノ紹介・就職（Vermittlung und Einstellung）ニ際シ優先（bevorzugt）シテ顧慮セラル　職業保障ニ関スル規定中軍人及ビ労役労働奉仕者ノ救護ニ関スル第三條第二項ノ規定ニ含マレザルモノハ國防軍総監及ビ労働大臣、関係大臣ノ同意ヲ以テ之ニ関スル規定ヲ定ム、此ノ規定ノ施行ニ必要ナル一般行政規則ハ所管大臣之ヲ定ム

(三)

イ　現役勤務義務ヲ終ヘ或ハ之ニ先チ勤務無能力ニヨリテ除隊シタル兵卒ハ國労働紹介失業保険事務局（Dienststelle d. Reichsanstalt für Arbeitsvermittlung und Arbeitslosenversicherung）ニヨリ労働場所紹介ニ際シ、他ニ優先ス、之ニ関スル準備ハ軍救護扶助局ノ管掌スルトコロトス

ロ　志願ニヨリ現役勤務義務ヲ超エテ服務シタル兵卒ハ、國防軍救護扶助局（Fürsorge- u. Versorgungsdienststelle der Wehrmacht）ノ同意ヲ得テ、國労働紹介失業保険事務局ニヨリ優先シテ労働場所ヲ紹介セラル。其ノ証明トシテ労働紹介優先権證明書（Berechtigungsschein für bevorzugte Arbeitsvermittlung）ヲ除隊ニ際シ部隊ヨリ與ヘラル。

ハ　現役服務期間五年未満ノ下士ハロ号ニ掲ゲラレタル兵卒ト同一ノ職業保障ヲ受ク

ニ　其他ノ下士及ビ將校ハ私職業ニ轉職ノ場合、軍救護扶助局ニヨル高度保障（eine erhöhte Betreuung）ノ請求権ヲ有ス。此ノ保障ハ特ニ軍候補者関係、國防軍移住者、或ハ官職就職ノ際ハ考慮保護セラルベキモノトス

第三四條　下附金ノ額ハ八〇〇〇ライヒスマルクトス　下附金ハ除隊ノ際之ヲ支給セラルルモノトス

下附金（Abfindung）

農業經営引受ノタメニスル下附金

第三五條　㈠　農業經営引受ノタメニスル下附金ハ下士ガ國防軍農業專門学校ヲ修了シ且農夫トシテ農業引受ヲナス場合ニ支給セラル

㈡　経営ハ原則トシテ自給自足ノ規模ヲ有スルモノナルコトヲ要スルモノトシ、既存ノ経営（eine bereits bestehende Wirtschaft）又ハ新農地（Neubauernstelle）タルコトヲ要ス

㈢　農業經営引受ノタメニスル下附金ノ額ハ一〇、〇〇〇ライヒスマルクトス、新農地引受ノ際ハ一二、〇〇〇ライヒスマルク、國境地ニシテ特別ノ場合ハ一五、〇〇〇ライヒスマルク下附金トシテ支給セラル。下附金ハ除隊ニ際シ又ハ除隊後支拂ハルルモノトス　除隊後ノ場合ハ

イ　新農夫（武装移民 Wehrmachtsiedler）及ビ既存経営ノ購買者

ニ於テハ賣買契約締結後

ロ　婚姻ノ場合ハ婚姻證明ニヨリ

ハ　相続ノ方法ニヨル経営引受ノ場合ハ相続証書ノ提示ニヨリ

ニ　相続開始前ノ経営引渡ノ場合ハ相続開始前所有数又ハ用益数ノ引渡ガ証明サレタルトキ

ホ　小作ノ場合ハ小作契約ノ提示ニヨル

㈣　農業上ノ豫備知識（Vorkenntnisse）ヲ有シ、國防軍工業專門学校（die technische Fachschule der Wehrmacht）ニ入学シ、親方試験（Meisterprüfung）ニ合格シタル（bestanden haben）手藝能者（Handwerker）カ、移民手続ニ於テ選定セラレタル手藝工場（Handwerkerstelle）或ハ農業ヲ副業トスル（als Nebenbetrieb）既存ノ手藝経営（Handwerksbetrieb）ヲ引受ケタル場合ハ一、〇〇〇ライヒスマルクノ下附金ヲ受ク

㈤　農業経営引受ノタメニスル下附金ノ外除隊後三年間、軍人ノ子女割増金ト同一額ノ子女保育料ヲ支給セラル

㈥　農業経営引受ノタメニスル下附金ヲ受クル下士ハ五ケ年間國食糧職分団（Reichsnährstand）ノ農業上ノ指揮ニ從フベキモノトス。右ノ外此ノ期間軍ノ保護扶助局ニヨリ保障セラルルコトヲ得

㈦　公益移民経営（gemeinnützigen Siedlungsunternehmen）（一九一九年八月一一日附國移民法）ハ國防軍総監ノ依頼ニ基キ、國防軍移住者　新農地授與ニ関シ、他ノアラユル申込者ニ優先シテ考慮スベキ義務ヲ負フ

國家保證（Reichsbürgschaft）

第三六條　イ　自給自足ノ規模ヲ有スル既存ノ農業経営ヲ引受ケ、或ハ

ロ　自己所有ノ農業経営ヲ、土地ノ購入ニヨリテ、原則トシテ自給自足ノ域ニマデ、拡張スルカ或ハ家畜及農具（lebenden und toten Inventar）ノ購入ニヨツテ之ヲ改良スルコトヲ得ル場合

農業経営引受ノタメニスル下附金ノ外ニ借入金ニ対シ國防軍総監ニヨリ國家保証ヲ受クルコトヲ得

國家保証ノ額及ビ其ノ供與ノ條件ニ関スル詳細ナル規定ハ食糧農業大臣及ビ大蔵大臣ノ同意ヲ得テ國防軍総監之ヲ定ム

軍候補者（*Militäranwärter*）

第三七條 (一) 軍候補者ハ総統及ビ國家ニ対シ公法上ノ忠誠関係（軍候補者関係 *Militäranwärterverhältnis*）ニ立ツ、軍候補者関係ヘノ編入ハ國家ノ與ヘタル信頼ノ證明トス

(二) 軍候補者関係ハ文書（軍候補者証 *Militäranwärterurkunde*）ノ交付ニヨツテ成立ス、右文書ハ現役除隊ノ際部隊ニヨリ與ヘラル

(三) 軍候補者ハ軍候補者任命ニ関スル政府ノ特別規定ニ從ヒ官吏関係ニ入ル 軍候補者ニ関シテハ官吏ノ義務ニ関スル独逸官吏法ノ規定ヲ準用ス

第三八條 (一) 軍候補者ハ其ノ関係ノ存続中軍候補者俸給ヲ受ク

(二) 軍候補者俸給ハ命令ニヨツテ之ヲ定ム、ソノ額ハ軍専門学校ノ教育ノ成績及ビ現役服務期間ノ長短ニ從ヒ決定セラル

(三) 軍候補者ハ軍候補者俸給ノ全部又ハ一部ヲ抛棄スルコトヲ得

(四) 軍候補者俸給ノ差押・擔保・譲渡ニ関シテハ官吏ノ勤務俸給ノ差押・擔保・譲渡ニ対スル規定ヲ準用ス

第三九條 (一) 軍候補者ハ第四〇條第一項ニ掲グル職務ニ官吏トシテ任命セラルルマデハ、國防軍専門学校ニ於ケル教育成績ニ應ジテ假リニ（*auf Widerruf*）（教育勤務又ハ準備勤務ニ或ハ正規ニアラザル官吏トシテ *im Ausbildungs- oder Vorbereitungsdienst oder als außerplanmäßige Beamte*）執務スルモノトス 假ニ官吏トシテ就職スルコト能ハザルトキハ、第四〇條第一項ニ掲グル職務ニ指定（*zuweisen*）セラルルモノトス

(二) 教育勤務及ビ準備勤務ニ関シ、正規ニ非ル官職及ビ第四〇條

第一項ニ掲グル正規ノ官職ヘノ軍候補者ノ任命及ビ第一項ニヨル執務指定ニ就キテハ軍候補者任命ニ関スル命令之ヲ定ム

(三) 第四〇條第一項ニ掲ゲラレタル地位ニ関シ、コレニ從事スル軍候補者ノ勤務関係ガ早期ニ終了スルトキハ、國防軍総監ニ其ノ理由ヲ通知スルコトヲ要ス

(四) 官職又ハ教育勤務準備勤務ニ任命セラレ或ハ第一項ニヨル執務ノ指定ニヨリ轉居（*Umzug*）又ハ家計ノ分離（*eine getrennte Haushaltführung*）ヲ必要トスル場合ハ、軍候補者ニ對シ、轉職官吏ト同ジク移轉手當及ビ家計分離手當ヲ支給セラル 此ノ支給ハ教育事務準備事務或ハ第一項ニヨル執務ノ期間、勤務上ノ理由ニヨリ轉居或ハ家計ノ分離ヲ必要トスル場合亦同ジ

第四〇條 (一) 次ニ掲グルモノニアリテハ正規ノ官職ハ軍候補者ヲ以テ任命スベキモノトス

イ 國州及ビ地方團体（地方団体聯合）

ロ 國立銀行

ハ 其他公法上ノ團体営造物及ビ財団及ビ之等ノ聯合

ニ 公法上ノ宗教団体及ビソノ聯合

ホ イ乃至ハニ掲ゲラレタルモノノ経営

(二) 第一項ニ掲ゲラレタル官職ニ就キ軍候補者ヲ以テ任ズベキ割合左ノ如シ

イ 下級勤務（*unteren Dienst*）ハ百分ノ一〇〇

ロ 簡易ナル中級勤務（*einfache mittlere Dienst*）ハ百分ノ九〇以上

ハ 統一経歴階級（*Einheitslaufbahn*）ハ百分ノ六五以上

ニ 特別中級勤務（*gehobene mittlere Dienst*）ハ百分ノ五〇以上

(三) 第一項ノ地位留保（*Stellenvorbehalt*）ヲ認メラレザルモノ次ノ如シ

イ 取消條件付官吏ノ地位

ロ　名誉職ノ地位

ハ　國及ビ地方団体ノ職業消防以外ノ警察官吏ノ地位
　　性質上女子官吏ニ任ゼラルベキ各種ノ地位

　㈣　國防軍総監ハ内務大臣及ビ大蔵大臣ノ同意ヲ得テ特定ノ官吏経歴（Beamtenlaufbahn）ニ関シ第二項ニ定ムル地位留保ノ一般的例外ヲ許可スルコトヲ得、但シコノ場合ニ置ケル例外措置ハ内務大臣ノ同意ヲ要ス

第四一條　㈠、過失ニ基キ（schuldhaft）責任ヲ有スル義務ヲ違反シタル軍候補者ニ対シ、官吏ノ職務犯罪（Dienstvergehen）ニ適用セラルベキ規定特ニ國懲戒令（Reichsdienststrafordnung）ヲ準用ス、此ノ場合退職ニ代フルニ（Entfernung aus dem Dienst）軍候補者関係ノ剥奪（Entfernung aus Militäranwärterverhältnis）ヲ以テス　國懲戒令上ノ職務上官（Dienstvorgesetzter）監督官廳（Einleitungsbehörde）最高職務官廳（Oberste

Dienstbehörde）ハ軍候補者ガ現役解除ニ際シ所属シタル國防軍部分（Wehrmachtteil）ノ最高指揮官（Oberbefehlhaber）トス、國防軍部分ノ最高指揮官ハソノ懲戒権ヲ次順位ノ官職ニ之ヲ委譲シ、ソノ他ノ監督官廳ヲ定ムルコトヲ得

　㈡　官吏トシテ假ニ執務スル軍候補者ハ一般官吏法及ビ懲戒法中假官吏（Beamter auf Widerruf）ニ適用サルル規定ニ從フ、假官吏トシテ執務スル軍候補者ニ対シ、所轄官廳ヨリ懲戒罰（Dienststrafe）ガ課セラレタルトキハ、軍候補者タル性質ニ基キ同一ノ義務違反（wegen derselben Pflichtverletzung）ニ関シ更ニ國防軍官職ニヨッテ責任ヲ問ハルルコトナシ、所轄官廳ガ職務犯罪ニ基キ取消ニヨリ（durch Widerruf）軍候補者ヲ免官シタルトキハ経過ヲ添付シテ（unter Beifügung der Vorgänge）國防軍総監ニ対シ通告（mitteilen）スベキモノトス、國防軍総監ハ第一項ニ從ヒテ手続ヲ履ミタルヤ否ヤヲ決定ス

第四二條　㈠　軍候補者関係ハ正規ノ官職ニ任命セラルルコトニヨッテ終了スルモノトス

　㈡　軍候補者関係ハ死亡ニ因ルノ外、除外（Ausscheiden）、解除（Entlassung）、軍候補者トシテノ退職（Eintritt in den Ruhestand）、軍候補者関係ノ剥奪（Entfernung）ニヨッテ終了ス　軍候補者関係ノ終了ニ関シテハ官吏ノ官吏関係ノ生前終了ニ関スル規定ヲ準用ス

　㈢　軍候補者関係ハ軍候補者ガ國防軍総監ノ同意ナクシテ次ニ掲グル行為ヲ為シタルトキ消滅スルモノトス

イ　官職或ハ官吏経歴ニ関スル職責勤務及ビ準備勤務ヘノ任命ニ從ハザルトキ

ロ　以上ノ官職又ハ勤務ヲ拋棄シタルトキ

ハ　指定サレタル公務ニ就務セザルカ或ハ拋棄シタルトキ

以上ノ場合國防軍総監ハ第一次及第二項ノ[illegible]ヲ又認スルコトヲ得　更ニ

受ケタル轉職扶助料、移轉手當及ビ軍候補者俸給ハ之ヲ算入ス、軍候補者証書ハ之ヲ返還スルモノトス

　㈣　假ニ正規ノ官職ニ任ゼラレタル從前ノ軍候補者ニシテ、自己ニ帰スベカラザル原因ニ因リ取消ニヨッテ離職シタル者ハ、離職ト同時ニ軍候補者タル從前ノ権利ヲ回復ス

　㈤　假ニ正規ノ官職ニ任ゼラレタル從前ノ軍候補者ガ死亡シタル場合ハ、第四三條第一項ニヨル遺族扶助ヲ受ク

第四三條　㈠　軍候補者及其遺族ノ扶助ハ官吏ノ生前扶助ノ規定ニ準ズ

　㈡　軍候補者俸給即チ

イ　最終ニ得タル基本給（das zuletzt bezogene Grundgehalt）

ロ　住宅手當及ビWohnungsgeldzuschuß

ハ　國俸給法及ビ國豫算ニ於テ恩給権アリト表示サレタル其他ノ俸給（andere Bezüge, die im Reichsbesoldungsrecht oder im Reichshausplann als ruhegehatfähig bezeichnet sind）

ハ独逸官吏法第八〇條ニ基ク恩給権アル勤務俸ト看做サル

優先任命證書（Anstellungsschein）

第四四條　(一)　優先任命証書ハ優先シテ官吏ニ任命セラルルコトニヨリ、新ナル職業就職ニ便ナラシムルタメ、本人が素質ヲ有スルトキ、申請ニ基キ、扶助ニ代ヘテ兵役傷害ノ士官ニ支給セラル

(二)　頭書將校ノ官吏任命ニ関スル詳細規定ハ政府之ヲ定ム

一時扶助料（Laufende Unterstützung）

第四五條　(一)　一時扶助料ハ労働場所ヲ見出シ得ザルカ或ハ紹介セラレズ又ハ自己ノ責ニヨラズシテ一回若クハ二回以上之ヲ失ヒタル場合　除隊後一ヶ年ニ限リ支給セラル

一時扶助料ハ現役服務期間三年以上ハ最長一三週間、四年以上ハ一七週間　五年以下ハ二六週間　労働局ヨリ毎週後拂セラル、一時扶助料ノ額ハ國防軍総監大蔵大臣ノ同意ヲ得之ヲ定ム

(二)　有效ナル一時扶助料請求権が、國防軍救護官ニ事情ヲ聴取（Nach Anhören）シタル後労働局ニヨリ拒絶セラレタルトキハ、地方労働局（Landesarbeitsamt）ニ対スル抗告ハ之ヲ許ス、地方労働局ハ國防軍管区司令部（Wehrkreiskommando）ノ同意ヲ得テ之ヲ確定ス

轉業手當（Übergangsgebührnisse）

第四六條　(一)　轉業手當ハ轉業ヲ容易ナラシムルタメニ之ニ必要ナル教育期間之ヲ支給ス

(二)

イ　現役勤務期間五年未満ノ將校ハ一ヶ年ニ達スルマデ恩給権アル最後ノ勤務俸ノ半額、但シ兵役傷害存スルトキハ職業教育ノ完了スルマデ之ヲ延長スルコトヲ得

ロ　現役勤務期間五年以上ノ將校及ビ下士及ビ第二〇條第二項ニ掲ゲラレタル將校ハ、二ヶ年ニ達スルマデ恩給権アル最後ノ勤務俸ノ全額、

ハ　現役勤務期間五年以上ノ將校及ビ第二〇條第二項ニ掲ゲラレタル將校ニシテ科学的教育ヲ必要トスル職業ニ適スル者ハ　國防軍総監ノ許可ヲ得テ四ヶ年ニ至ルマデ恩給権アル最後ノ勤務俸ノ全額ノ轉職手當ヲ受ク、ロ号及ビハ号ノ場合國防軍総監ハ恩給権アル最後ノ勤務俸ノ半額マデ更ニ増額支給スルコトヲ得

(三)　転業手當ハ規定ニ従ヒ使用セラルベク適宜ノ處置ヲ講ズルモノトス

(四)　轉業手當ハ原則トシテ除隊ノ際決定スベキモノトス　右決定ハ何時ニテモ撤回スルコトヲ得

報労金（Dienstbelohnung）

第四七條　(一)　報労金ハ現役勤務期間ヲ超エテ為サレタル志願兵役ニ対スル感謝トシテ支給セラレ、除隊ニ際シ部隊ヨリ支拂ハルルモノトス

報労金ノ額ハ現役勤務期間

現役勤務期間	報労金
三年以下	二〇〇ライヒスマルク
三年以上	三〇〇　〃
四年以上	四〇〇　〃
四年三ヶ月以上	四五〇　〃
四年六ヶ月以上	五二五　〃
七年以上	七〇〇　〃
八年以上	八〇〇　〃
十年以上	一、〇〇〇　〃
一四年以上	一、四〇〇　〃
一六年以上	一、六〇〇　〃
一八年以上	一、八〇〇　〃

既ニ得タル報労金ハ之ヲ算入ス

(二)　報労金ハ死亡ノ場合モ之ヲ支給ス　國防軍総監ハ何人ニ支拂フベキカヲ決定ス

転職扶助料（Uebergangsbeihilfe）

第四八條 (一) 転職扶助料ハ恩給権アル勤務俸ヲ受ケ、少尉中尉大尉ノ地位ニアル将校及ビ軍候補者関係ニ入リタル下士之ヲ受ク、除隊ニ際シ支給セラルベキモノトス

(二) 転職扶助料ノ額ハ

イ 将校ニシテ

現役勤務期間 三年以下ハ 二〇〇ライヒスマルク
三年以上 三〇〇ライヒスマルク
五年以上 五〇〇ライヒスマルク
一〇年以上 七五〇ライヒスマルク

ロ 軍候補者関係ニ入リタル下士ニシテ

現役勤務期間 一二年以上ハ 七五〇ライヒスマルク
一四年以上 一、〇五〇ライヒスマルク
一六年以上 一、四〇〇ライヒスマルク
一八年以上 一、八〇〇ライヒスマルク

既ニ受ケタル転職扶助料又ハ報労金ハ之ヲ算入ス

(三) 第四七條第二項ハ之ヲ準用ス

扶 助（Versorgung）

恩 給（Ruhegehalt）

第四九條 (一) 退職恩給ハ終身之ヲ支給セラル、其ノ額ハ恩給権アル勤務俸ノ百分ノ三五トス

但シイ 下士ニアリテハ恩給年限中満十五年ニ達スルマデハ毎年百分ノ二宛、之ニ続ク満五年ハ毎年百分ノ三宛、百分ノ八〇ニ達スルマデ

ロ 恩給権アル勤務俸ヲ受クル将校ニシテ少尉中尉大尉ノ地位ニアル者ハ恩給権アル勤務期間二年後及ビ恩給年限中満十七年ニ達スルマデハ毎年百分ノ二宛、之ニ続ク満三ケ年間ハ毎年百分ノ三宛、百分ノ八〇ニ達スルマデ

ハ 恩給権アル勤務俸ヲ受クル将校ニシテ参謀将校ノ地位ニアル者ハ

恩給年限三年後及ビ之ニ続ク満一四年間ハ毎年百分ノ二宛、之ニ続ク満五ケ年間ハ毎年百分ノ三宛、百分ノ八〇ニ達スルマデ

二 恩給権アル勤務俸ヲ受クル将官ハ、恩給年限三年後及ビ満一九年間ハ毎年百分ノ二宛、之ニ続ク満五年間ハ毎年百分ノ一宛 百分ノ八〇ニ達スルマデ増額ス

(二) 下士又ハ将校ニシテ六十五歳ノ完了スル月ノ終了後ハ 最高恩給額ハ恩給権アル勤務俸ノ百分ノ六五トス

(三) 兵役傷害ニ起因スル勤務不能ニ因リ除隊セラレ、労働使用ノ不能ナル下士ノ恩給ハ特務曹長（Feldwebel）ノ恩給権アル勤務俸ノ百分ノ五〇トス

(四) 兵役傷害ニ起因スル勤務不能ニ因リ除隊セラレ傷痍賜金第二級又ハ第三級ニ該ル下士ノ恩給ハ、少尉ノ俸給部類第四級ノ恩給権アル俸級ノ百分ノ五〇トス

第五〇條 (一) 公職ニ轉ジタル従前ノ下士或ハ将校ハ轉職ヨリ得ル所得ガ同一期間ニヨリ計算セラレ 恩給額ノ基礎トナル俸給ヨリ少額ナル場合ニ限リ恩給ヲ受クルモノトス 此ノ場合地区ニ因リ減額セラレタル所得部分ハ轉職地ニ関スル標準定額（maßgebenden Sätzen）、家族状態ニヨル臨時割増金（etwaige Zuschläge）及ビ轉職時ニ関スル定額ト共ニ考慮セラル、職務費用手當（Dienstaufwandsgelder）及ビ外國帯在手當（Auslandszulage）ハ考慮ノ範囲外トス、所得中何レノ部分ガ職務費用手當ナリヤハ國防軍総監ノ申請ニ基キ大蔵大臣ノ同意ヲ以テ確定セラル

(二) 第一項ニヨル計算ニ際シ、若シ有利ナル場合ハ、恩給権アル勤務俸ニ代リ次ニ掲グル年額ニ従フ

イ 下士ニアリテハ全勤務期間

一八年以上 二、六〇〇ライヒスマルク
二〇年以上 二、七〇〇ライヒスマルク
二二年以上 二、八〇〇ライヒスマルク

二四年以上	二、九〇〇ライヒスマルク
二六年以上	三、〇〇〇ライヒスマルク
二八年以上	三、一〇〇ライヒスマルク
三〇年以上	三、二〇〇ライヒスマルク
三二年以上	三、三〇〇ライヒスマルク

ロ　将校ニアリテハ全勤務期間

一八年以上	五、六〇〇ライヒスマルク
二〇年以上	五、九〇〇ライヒスマルク
二二年以上	六、二〇〇ライヒスマルク
二四年以上	六、五〇〇ライヒスマルク
二六年以上	六、七五〇ライヒスマルク
二八年以上	七、〇〇〇ライヒスマルク
三〇年以上	七、二五〇ライヒスマルク
三二年以上	七、五〇〇ライヒスマルク

現役勤務及ビ公職ニ於ケル規定勤務期間ノミヲ以テ全勤務期間ト看做ス、戦時加算（Hinzurechnung von Kriegsjahren）、勤務期間倍増（Verdoppelung von Dienstzeiten）ハ之ヲ認メズ

第五一條　(一)　恩給権ヲ有スル下士又ハ将校ガ公職ニ就キタル後、待命手當（Wartegeld）、恩給、或ハ恩給類似ノ扶助ヲ受クル場合ハ、第四九條ニ定ムル本來ノ恩給中次ニ定ムル計算方法ヨリ算出シタル額ノミヲ支給セラル

イ　全恩給年限ノ基礎ノ下ニ、軍人トシテノ恩給権アル勤務俸ヨリ官吏ニ関シ適用セラルル百分比ニ従ヒ恩給額ヲ算出ス、若シ此ノ額ガ退職手當、恩給或ハ公的勤務ヨリ生ズル恩給類似ノ扶助ヲ超過シタルトキハ、第四九條ニヨル恩給額中計算サレタル差額ノミヲ支給サルルモノトス　下士又ハ将校ニ関シ有利ナルトキハ、軍人トシテノ恩給権アル勤務法ニ代リ第五〇條第二項ニ掲ゲラレタル俸給ニ従フ

ロ　但シ第四九條ノ恩給ヨリソノ額ニ達スルヤウ支拂ハルベキモノトス

二五三

二五四

(二)　第一項ニヨリ支拂ハレザル恩給額ハ待命手當恩給或ハ恩給的扶助ヲ支拂フ官廳ニ補償セラル　但シ此ノ額ハ國行政ニハ補償セラルルコトナシ

第五二條　(一)　第五〇條、第五一條ノ意義ニ於ケル轉職トハ國其ノ他公法上ノ団体営造物（Körperschaft Anstalt）財団（Stiftung）又ハ之等ノ聯合ニ於ケル勤務ヲ指ス、全資本（基本資本本資本）ガ公ニ属スル聯合（Verbände）、設備（Einrichtung）、企業（Unternehmen）ニ於テハ、月額三〇〇ライヒスマルク以上ノ所得アル勤務モ亦同様トス、要件ニ合スルヤ否ヤハ申請ニ基キ國防軍総監大藏大臣ノ同意ヲ得テ確定ス

(二)　國民社會主義的独逸労働党或ハ其ノ分肢組織（Gliederung）ニ於ケル勤務ハ國家ノ手ニヨリ全面的ニ支持セラレザル限リ公務ニ於ケル轉職ト看做サズ

第五三條　(一)　恩給権アル勤務俸（Ruhegehaltfähige Dienstbezüge）トハ

イ　最後ニ受ケタル基本給

ロ　住宅手當

ハ　國俸給法或ハ國豫算ニ於テ恩給権アリト示サレタル其他ノ勤務俸ヲ謂フ

(二)　曹長以上ノ下士或ハ大尉以上ノ将校ニシテ其ノ勤務階級ノ俸給ヲ一年以上受ケザリシ者ハ、第一項ニ掲ゲラレタル俸給ニ代リ、直近下級勤務階級相當俸給ヲ標準トス

(三)　第二項ハ兵役傷害ニ因ル勤務不能ノ故ニ除隊シタル場合之ニ適セズ

(四)　下士又ハ将校ニシテ従前國防軍ニ於テ、恩給権アル多額ノ俸給ヲ附セラレタル國豫算上ノ地位ニ就キ一年以上之ヲ受ケタルトキハ第一

二五五

項ニ掲ゲラレタルモノニ代リコノ高額勤務俸ヲ標準トス

恩給年限（Ruhegehaltsfähige Dienstzeit）

第五四條　(一)　現役勤務期間ハ之ヲ恩給年限トス

但シ

イ　満二七歳以前ノ期間　及ビ

ロ　公益ニ裨益スル帰休ガ、ソノ賦與ノ際、遅クトモソノ終了前ニ考慮ヲ認容セラレザリシ無給ノ帰休期間

ハ恩給年限トシテ考慮セラルルコトナシ

(二)・下士又ハ将校ニシテ満二七歳以後

イ・直接又ハ間接、官吏トシテ國家勤務或ハ警察ノ執行事務ニ従事シ

ロ　國労務奉仕団所属員トシテ、或ハ

ハ　軍候補者トシテ

在職シタル期間ハ恩給権アルモノトス

第五五條　(一)　下士又ハ将校ガ

イ　独逸國ニヨツテ為サレタル戦争ニ於テ独逸國防軍或ハ独逸國ト聯合関係又ハ友好関係ニアル國家ノ戦闘部隊ニ参加シ

ロ　外國ニヨツテ為サレタル戦争ニ、総統及ビ國防軍最高指揮官ノ同意又ハ指命ニヨリ、ソノ國ノ戦闘部隊（Streitkräfte）ニ参加シタルトキ

ハ満二七歳以前ト雖モ恩給年限トシテ一年（戦争年 Kriegsjahr）ヲ加算ス、但シ同一暦年内ニアル数個ノ戦争ニ就キテハ一戦争年ノミヲ加算スルモノトス

(二)　総統及ビ國防軍最高指揮官ハ

イ　何人ヲ戦争参加者ト看做スカ

ロ　長期戦ニ於テ如何ナル條件ノ下ニ戦争年ヲ加算スルカ

ハ　如何ナル軍事行動ヲ以テ戦争ト看做スカ

ヲ決定ス

(三)　俘虜又ハ抑留中（Kriegsgefangenschaft Inter-

nierung）ノ現役期間ハ第一項ニヨリ戦争年ト数ヘラルル暦年内（Kalenderjahr）ニアル限リソノ半ヲ恩給年限ニ加算ス

第五六條　(一)　下士又ハ将校ニシテ地中海ヲ堺トシ欧羅巴外ノ諸國ニ勤務ノタメ継続シテ六ケ月以上滞在スル者ハ、ソノ現役勤務期間ヲ恩給権アル勤務期間トシテ倍加セラル、自國外水域（außerheimische Gewässer）ニ於ケル航海ニツイテモ亦同シ、詳細ハ政府命令ヲ以テ之ヲ定ム

(二)　六ケ月以下ノ短期間ノ航海ハ、乗組員（Schiffsbesatzung）ノ健康ニ特ニ有害不利益ナルコト明カナルカ或ハ動員関係ニ於テ為サレタル場合ニ限リ、総統及ビ國防軍総指揮官ノ同意ヲ得テ之ヲ倍加スルモノトス

(三)　第一項、第二項ノ場合、満二七才以前ナルトキハ單ニ恩給権アル勤務期間トシテ計算スルニ止マルモノトス

(四)　第五五條ニヨリ既ニ戦争年トシテ計算サルル暦年ニアルトキハ第一項乃至第三項ノ計算ハ之ヲ削除ス

第五七條　(一)　下士又ハ将校ニシテ満二七才以後、独逸或ハ外國貿易船（Kauffahrteischiffe）ニ於テ航海期間トシテ経過シタル期間或ハ独逸ルフトハンザ（Deutsche Lufthansa）又ハ同様ナル施設ニ於テ航空士（fliegerisch）トシテ活動シタルトキハ、其ノ期間ノ半ヲ恩給権アル期間トシテ計算スルコトヲ得

(二)　國防軍総監之ガ最後決定ヲ為スモノトス

第五八條　(一)　下士又ハ将校ニシテ満二十七才以後

イ　國民社會主義的独逸労働党ソノ分肢組織或ハ閉鎖サレタル団体（Angeschlossene Verband）ニ於テ　主タル職業（hauptberuflich）トシテ、一九三三年一月三〇日以前ハ副業（nebenberuflich）トシテ、一定ノ地位ヲ占メタルトキ

ロ　外國ノ公務或ハ國際公法上ノ施設ニ勤務シタルトキ

ハ　私法上ノ契約関係ニヨリ、國或ハ公法上ノ団体、営造物及ビ財団ハハ其等ノ聯合ノ勤務ニ就キ、継続シテ主タル職業トシテ通常官吏、下士又

二六〇

ハ將校ヲ以テ任シ或ハ後ニ官吏下士又ハ將校ヲ以テ任ゼラルベキ對價的事務ニ當リタルトキ
其期間ハ恩給權アル期間トシテ算入セラル
(二)　國防軍總監ハ大藏大臣ノ同意ヲ得テ之ガ決定ヲ為スモノトス

下附資金（Kapitalabfindung）

下附資金ノ供與（Gewährung einer Kapitalabfindung）

第五九條　(一)　恩給ノ一部ニ代ル下附資金ハ、其ノ有效ナル使用ガ確實ナリト認メラレ、申請者ノ健康狀態ニ何等ノ懸念モ存セザルトキ、國防軍總監ハ下士又ハ將校ニ對シ、申請ニ基キ營業ノ為メ若クハ土地所有ノ經濟的強化ノタメ、或ハ轉業ヲ容易ナラシムルタメニ許可スルモノトス　下附資金ハ下士又ハ將校ガ土地所有ノ獲得ニヨリ公益的建設事業移住事業ニ參加セントスル場合ニモ供與セラル
(二)　下附資金供與ノタメ、下士又ハ將校ガ官吏トシテ或ハ公的勤務ノ使用人トシテ使用セラレズ、且五五才ヲ超エザルコトヲ要ス

第六〇條　(一)　下附資金ニ代ル恩給ノ部分額ハ恩給年額ノ半額及ビ大尉ノ最高恩給額ヲ超ユルコトヲ得ズ
(二)　第一項ニヨリ計算セラレタル年額ノ七個二分ノ一倍ニ該ル（Siebeneinhalbfach）額ヲ下附資金トシテ支給セラル　下附資金ニ代リタル恩給部分ハ下附資金ノ支給セラレタル翌月ノ一日以降一〇ケ年間支給セラルルコトナシ

第六一條　下附資金ハ適當ナル準備及ビ支拂ノ形式ニヨリ一定期間内ニ其ノ目的ニ應ジテ使用セラルル旨、保證セラルルコトヲ要ス、國防軍總監ハ下附資金ノ使用ニヨリ獲得シ又ハ經濟的強化ノナサレタル土地ニツキ、五ケ年ニ至ル期間内ハ、ソノ許可ナクシテ讓渡又ハ擔保ニ供セザルコトヲ命ズルコトヲ得。コノ規定ハ國防軍總監ノ請求ニヨリ土地登記簿ニ登記セラルベキモノトス

二六一

二六二

下附資金ノ返還請求及ビ返濟（Rückforderung und Rückzahlung einer Kapitalabfindung）

第六二條　(一)　下附資金ハ國防軍總監ノ定ムル期間内ニ、其ノ目的ニ應ジテ使用セラレザル場合ハ、之ガ返還請求ヲナシ得ルモノトス
(二)　返還請求ヲ受ケタル下附資金額ノ返濟後ハ下附資金ニ代リタル恩給部分（der Teil des Ruhegehalt）ハ再ビ支給ヲ開始ス

第六三條　(一)　下附資金ハ十ケ年ノ經過前ニ返濟セラルルコトヲ得、但シ每回支拂後滿一年ノ終リ每ニ限ルモノトス
(二)　下附資金中

一年後ハ下附額ノ　百分ノ九二
二年後ハ下附額ノ　百分ノ八四
三年後ハ下附額ノ　百分ノ七五
四年後ハ下附額ノ　百分ノ六六
五年後ハ下附額ノ　百分ノ五六
六年後ハ下附額ノ　百分ノ四六
七年後ハ下附額ノ　百分ノ三五
八年後ハ下附額ノ　百分ノ二四
九年後ハ下附額ノ　百分ノ一二

返濟スベキモノトス
(三)　下附資金ノ返濟後ハ下附資金ニ代ル恩給部分ハ返濟ノ翌月一日ヲ以テ再ビ支給ヲ開始ス

第六四條　(一)　軍人ニシテ現役ニ再役シ救護及ビ扶助請求權消滅シタルトキハ（第一二六條）未ダ條件ヲ充サレザル下附資金ハ（eine noch nicht abgegoltene Kapitalabfindung）第六〇條第二項ニヨリ恩給部分額ガ支給セラレザル場合ト同ジク、每月同一額及ビ同一期間返濟セラルベキモノトス

二六三

(二) 官吏トシテ或ハ公的勤務ノ使用人トシテ轉職シ恩給額ガ全部又ハ一部支給セラレザル場合ハ未ダ條件ヲ充サレザル下附資金ハ第一項ニ從ヒ返済セラルベキモノトス

(三) 但シ國防軍総監ハ返済ヲ容易ナラシムルコトヲ得

支給（Zahlung）

支給ノ種類及ビ開始（Art und Beginn der Zahlung）

第六五條　軍候補者俸給、轉業手當、恩給及ビ生活扶助料ハ將校ノ勤務俸ト同一期間支給セラル。夫等ノ支給ハ勤務俸ニ關シ最後ニ権利ヲ有シタル月ノ終了ト共ニ開始ス

第三章　傷害者救護及ビ傷病扶助（Beschädigtenfürsorge und Versorgung）

A. 人的範圍（Personenkreis）

兵役傷害アル軍人（Soldaten mit Wehrdienstbeschädigung）（兵役傷害者 Wehrdienstbeschädigte）

第六六條　軍人ハ、現役解除後、兵役傷害及ビ其ノ結果ニ関シ第七〇條乃至第八二條ノ醫療救護、第八四條ノ傷痍賜金、第八六條ノ職業保障、第一二三條ノ子女割増金ヲ加ヘタル第八七條ノ傷痍者轉業扶助料、第一二三條ノ子女割増金ヲ加ヘタル第八九條ノ労働使用不能者年金、第九二條ノ看護手當、第九三條ノ失明手當ヲ受ク

兵役傷害ニ非ル身体傷害アル軍人（Soldaten mit Körperschaden ohne Wehrdienstbeschädigung）

第六七條　(一) 現役勤務期間五年以上ノ軍人ガ勤務不能ニ因リ解除セラレタルトキハ、兵役傷害ト認メラレザル身体傷害ニ関シ、兵役傷害者ト同様第

七〇條乃至第八二條ノ醫療救護ヲ受ク、但シ

イ　現役勤務期間中身体傷害ニ悩ミ且ソノ傷害ガ性病、自傷又ハ自殺未遂（Selbstbeschädigung Selbstmordversuch）ニ基カズ

更ニ

ロ　ソノ身体傷害ガ除隊後醫療救護ヲ必要トスルコトヲ要ス

(二) 現役勤務期間五年未満ノ軍人ハ第一項イ及ビロノ要件ヲ充ス場合、兵役傷害ト認メラレザル身体傷害ニ関シ、除隊後三ケ年ニ至ルマデ頭書ノ軍人ガ其他ノ事由ニヨリテ除隊シタルトキハ第二項ニ依ル第七〇條乃至第八二條ノ醫療救護ヲ受ク

兵役傷害アル準軍人（Zivilpersonen mit Wehrdienstbeschädigung）

第六八條　イ　召集セラレテ指定地ニ赴カントスル（Auf Wege zum Bestimmungsort）途中、或ハ解除セラレテ帰宅ノ途中ニアルモノ

ロ　能力確認（Feststellung ihrer Tauglichkeit）、

素質検査（Eignungsprüfung）或ハ軍監視（Wehrüberwachung）ノタメニ國防軍官署ノ指定（Dienststelle der Wehrmacht）ニ從フモノ

ハ　兵役適格（Wehrtauglich）ノ回復ヲ目的トシ疾病或ハ身体缺陥ヲ除去スルタメ國防軍官署ヨリ指定セラレタル醫療行為（Heilhandlung）ニ從フモノ

ニ　國防軍指揮官ノ請求ニ基キ特殊ノ規定ニ從ヒ勤務スルモノ

ホ、海軍艦船又ハ軍用航空機（Luftwaffe）ニ正規ニ又ハ非正規ニ乗組ムモノ

ヘ　國防軍官署ニヨリ召集セラレ國防軍ニヨリ指定セラレタル教育ニ志願シテ参加スルモノ

即チ準軍人（Zivilperson）ニシテ自己ノ責ニヨルニアラズシテ兵役傷害ヲ受ケタルモノハ　第六六條ニ該當スル軍人ト同一ノ救護及ビ扶助ヲ受ク

申告期間（Antragsfristen）

第六九條 (一) 勤務不能ニ因ル解除ニ際シ要件ヲ充シタルトキハ申告ヲ俟ツ
コトナクシテ第六六條及ビ第六七條ノ救護及ビ扶助ヲ受ク
(二) 第六六條、第六七條第二項及ビ第六八條ノ其他ノ場合ハ申告
ニ基キテノミ、救護及ビ扶助ヲ支給セラル　申告ハ權利喪失ヲ避クルタメ
イ　第六六條ノ場合ハ除隊後二年以内
ロ　第六七條第二項ノ場合ハ遅クトモ除隊ノ日
ハ　第六八條ノ場合ハ兵役傷害ヲ受ケタル後二年以内ニ
行フベキモノトス
イ乃至ハノ期間經過シタル後ハ、兵役傷害又ハ其ノ結果が後日ニ至リ顯
著トナリ或ハ著シク悪化シタル場合ニ限リ、申告ヲナスコトヲ得、救護及
ビ扶助ハ兵役傷害又ハ其結果が遅クトモ除隊後十年内ニ顯著トナリタルト
キハ、三ケ月以内ニ申告スベキモノトス

三　救護及ビ兵患ノ種類（Fürsorge- und Versorgungsarten）
醫療救護（Heilfürsorge）
醫療救護ノ目的（Ziel der Heilfürsorge）

第七〇條 (一) 醫療救護ノ目的ハ兵役能力（Wehrtauglichkeit）又
ハ勞働使用能力（Arbeitsverwendungsfähigkeit）ノ維持
（Erhaltung）或ハ回復（Wiederherstellung）ニ存ス
(二) 醫療救護ハ兵役傷害或ハ其ノ結果ヲ除去シ根本的ニ之ヲ恢復
セシメソノ悪化ヲ豫防シ或ハ身体的苦悩ヲ摘除緩和スルタメニ為サルルモ
ノトス
(三) 期間付醫療救護ハ特ニ必要ナル場合、外觀上兵役傷害ナルコ
ト明ナルトキ、第六六條乃至第六八條ニヨル請求權ノ決定前ニ既ニ為サル
ベキモノトス

醫療救護ノ施行（Durchführung der Heilfürsorge）

第七一條 (一) 醫療救護ハ左ノモノヲ包含ス
イ　疾病看護 Krankenpflege（醫学的治療及ビ醫薬・眼鏡・繃帯其他小醫療用具ノ給與 ärztliche Behandlung und Versorgung mit Arzneien Brillen Bruchbändern und anderen Heilmittel）
介輔及ビ看護 Hilfe und Wartung（自宅療養 Hauspflege）
疾病手當 Krankengeld
入院治療 Krankenhauspflege 及ビ第七四條・第七五條ニ別段ノ定メナキ限リ國保險令及ビ疾病金庫定款ニヨル家族手當 Hausgeld
ロ　第七六條ニヨル温泉治療 Bade und Heilstättenkuren 及ビ療養所治療

第七七條ニヨル義手義足整形術的及ビ其ノ他ノ介輔用具及ビ案内犬ノ
給付 Ausstattung mit Körperersatzstücken orthopädische und anderen Hilfsmittel und Blindeführerhund
(二) 第一項イ号ニヨル兵役傷害ノ醫療救護ハ
イ　國保險ノ疾病金庫 Krankenkasse（地区・州・経営・組合疾病金庫、海員疾病金庫、徒弟組合、豫備金庫）ノ加入者ニシテ、法令又ハ定款ニヨリ醫療救護請求權ヲ有スル場合ハソノ疾病金庫ニヨリ
ロ　以上ノ疾病金庫加入者ニアラザル場合ハ一般地区疾病金庫ニヨリ或ハ之ヲ存セザルトキハ州疾病金庫ニヨリ
行ハルルモノトス
(三) 第一項ロ号ニヨル醫療救護ハ國防軍救護扶助局ニヨリ行ハルルモノトス

第七二條 第七一條第二項ロ号ニヨリ一般地区疾病金庫又ハ州疾病金庫ニ指

定セラレタル兵役傷害者（被指定者）ハ　ソノ疾病金庫ガ保險義務アル加入者ニ対シ法律又ハ定款ニヨリ負担スルト同一ノ給付ヲ受ク　但シ　第七一條第一項イ号ノ範囲ニ限ル

第七三條　(一)　國防軍救護扶助局ハ醫療救護ノ目的ヲ達シ得ル場合ハ　疾病金庫ノ給付ヲ超エテ　醫療救護ノ種類範囲及ビ継続期間ヲ許可スルコトヲ得

(二)　第一項ニヨル醫療救護ハ從來給付ヲ為シタル疾病金庫之ヲ行フ　定款ニヨル継続期間ヲ超過セシメタル場合ハ金庫加入者ト雖モ之ヲ疾病金庫被指定者ト看做ス

(三)　保險セラレタル兵役傷害者ニシテ　兵役傷害及其ノ結果ニヨリ疾病金庫ノ給付義務完了シテ給付要求権（ausgesteuert）ヲ失フニ至リタル者ハ、疾病金庫ガ継続的加入者関係ヨリ、其時点以後、他ノ疾病ニ罹リタル際、疾病扶助ヲ行ハザル場合、疾病ニ関シ、全継続期間ニ六週マデ被指定者トシテ醫療救護ヲ受クルコトヲ得、此ノ醫療救護ハ兵役傷害者ガ加入者トシテ属スル疾病金庫ニヨツテ行ハル

第七五條　(一)　傷害等級第二級又ハ第三級ニ該ル兵役傷害者ハ醫藥料分擔及ビ入院料（國保険法第一八二條a及ビ第一八七條b）ヲ納付スルコトヲ要セズ

(二)　兵役傷害者ハ金庫加入者ニ非ルトキト雖モ、疾病金庫ニヨリテ醫療救護ノ行ハルル限リ疾病金庫ノ病者規定及ビ罰則ニ従フ

第七六條　(一)　温泉治療及療養所治療ハ　他ノ治療方法ニヨリテハ治療結果ヲ期待シ得ズ、且此ノ方法ニヨリ兵役適格又ハ労働使用能力ノ回復　悪化ノ豫防或ハ身体的苦悩ノ除去又ハ軽減ヲ為シ得ル場合　之ヲ支給セラルルコトヲ得

(二)　温泉治療或ハ療養所治療ノ期間、第七一條第一項イ号ニヨル家族手當ヲ支給セラルルコトヲ得

第七七條　(一)　義手・義足・整形術的及ビ其他ノ介輔用具ハ其ノ必要ナル数量ヲ支給セラル、其ノ使用不能或ハ喪失ガ誤用故意或ハ重大ナル過失ニ基

カザル限リ修覆或ハ補充セラル　補充ハ使用不能トナリタル義肢ヲ返還セザルトキハ拒絶セラルルコトヲ得、高價ナル義肢ニ就テハ所有権保留ヲナサルルモノトス　給付ノ種類及ビ範囲ハ國防軍総監之ヲ定ム

(二)　失明者ハ案内犬ヲ受ク　其ノ供給及ビ補充ニ関シテハ第一項ヲ準用ス

(三)　案内犬ノ飼養ニ對シ手當ヲ支給セラル、其額ハ左ノ如ク定ム

地区階級S	二〇ライヒスマルク
地区階級A	一八ライヒスマルク
地区階級B及ビC	一六・五〇ライヒスマルク
地区階級D及ビ外國	一五ライヒスマルク

(四)　案内犬ヲ利用シ得ザルトキハ特ニ定ムル額ノ補助料ヲ支給セラル

第七八條　(一)　國防軍救護扶助局ハ兵役適格又ハ労働使用能力ヲ回復シ得ルコトガ豫期セラルルトキハ、醫療救護ヲ請求スル權利ヲ有ス　義肢及整形術的及ビ其他ノ介輔用具ノ指定並ニ其ノ使用教育ノ指定ヲナスコトヲ得

(二)　以上ノ指定ニ従ハザルトキハ　拒絶期間中身体傷害ノ救護及ビ扶助ヲ直チニ全部又ハ一部中止セラルルコトヲ得、俸給支拂ニ関スル第九八條第二項ハ適用セラレザルモノトス　兵役傷害者ハ豫メ其結果ニ関シ文書ヲ以テ届出ヅベキモノトス

(三)　身体ノ無障害状態ニ著シキ影響ヲ及ボス手術ヲ忍受スベキコトヲ（Die Duldung von Operation）要求スルコトヲ得ズ

(四)　醫学的理由又ハ兵役勤務上ノ理由ニヨリ必要ナルカ或ハ兵役適格ノ回復ノタメニ指定セラルルトキハ國防軍官署疾病金庫ニ代リテ醫療救護ヲ行フコトヲ得

(五)　救護扶助権ヲ有スル衛戍病院又ハ國防軍治療所ニ在ル間ハ舎内規定ニ服シ、帰休状態（Beirlaubtenzustand）ニアル者ハ右ノ外、國防軍懲罰令及ビ國防軍刑法典ニ服ス

(六)　兵役適格回復ノ醫療救護ヲ指定セラレタルトキハ、費用弁済

ニ関シテハ第一五八條ヲ適用ス

第七九條　(一)　第七一條第二項ニヨリ管轄疾病金庫ノ請求ナクシテ醫療行為ヲ受ケタル者ハ　之ニ因リテ生ジタル費用ノ弁済請求権ヲ有セズ、但シ特別ノ理由ニヨリ疾病金庫ノ請求ガ不可能ナリシ場合ハ相當範囲弁済ヲ受クルコトヲ得

(二)　醫療救護請求権ノ承認前ニ為サレタル治療行為ハ該請求権ヲ承認セラレタル後相當範囲ニ於テ賠償セラルルコトヲ得

(三)　第七一條第二項ニヨル管轄疾病金庫存セズ、國防軍救護扶助局ノ許可ヲ得テ醫療救護ガ為サレタルトキハ　之ニ因リテ生ジタル費用ハ金庫定額ノ限度ニ於テ弁済セラル

(四)　兵役傷害者ハ外國滞在中、第七一條ニヨル醫療救護或ハ扶助金ヲ受クルコトヲ得

第八〇條　第七二條、第七三條ニヨリ醫療救護ヲ與フベキ義務ヲ負フ疾病金庫ハ　生ジタル費用及ビ相當部分ノ行政費用ヲ賠償セラル

賠償請求権ハ　醫療救護開始後又ハ疾病手當或ハ家族手當ノ最初ノ指定後　遅クトモ一四日以内ニ疾病金庫ヨリ申告セラルベキモノトス　若シ遅滞シテ申告シタルトキハ申告前ノ期間ニ対シテハ賠償ヲ拒絶セラルルコトヲ得

(三)　兵役傷害ヲ受ケタル金庫加入者ノ治療行為ニヨリ疾病金庫ガ特別ノ負擔ヲ負ヒタルトキハ國防軍総監ハ大藏大臣及ビ労働大臣ノ同意ヲ得テ過剰支出ノ一部ヲ賠償スルコトヲ得

第八一條　醫師・歯科醫・薬剤師其他醫療救護ノ許可ヲ得タル者・治療所及ビ諸施設ハ　疾病金庫加入者ノタメニ支拂ハルベキ謝禮ニツキテ請求権ヲ有スルニ止ルモノトス　國防軍総監ハ例外ヲ許可スルコトヲ得

第八二條　(一)　疾病金庫ノ加入者タル兵役傷害トソノ疾病金庫トノ間ノ給付ニ関スル争ハ　疾病保険ヲ豫想スル裁判手続ニ於テ之ヲ決定ス

(二)　被指定者(第七二條、第七三條第二項及ビ第三項、第七四條第二項)又ハ第七三條ニヨリ國防軍救護扶助局ガ決定スルコトヲ得ル給付

ニ関スル場合　國防軍救護扶助局ノ決定ハ疾病金庫及ビ兵役傷害者ヲ拘束ス

(三)　疾病金庫ト國防軍救護扶助局トノ間ノ賠償請求権ニ関スル争ハ、疾病保険ヲ豫想スル裁判手続ニ於テ之ヲ決定ス

傷痍及ビ傷痍賜金(Versehrtheit und Versehrtengeld)

傷　痍(Versehrtheit)

第八三條　傷痍トハ軍人ガ兵役傷害又ハ其ノ結果ニヨリ、継続シテ或ハ不可測ノ期間　身体上著シキ損傷ヲ受ケタル場合ヲ謂フ

傷痍賜金(Versehrtengeld)

第八四條　(一)　傷痍賜金ハ其都度、傷痍ノ程度ニ應ジ　其ノ額ヲ左ノ如ク定ム

第一級　月額一五ライヒスマルク
第二級　月額三〇ライヒスマルク
第三級　月額五〇ライヒスマルク

多数ノ身体傷害競合スルトキハ一個ノ傷痍賜金ヲ支給セラルルニ止ルモノトス

(二)　傷痍賜金ハ他ノ所得ト相並ンデ兵役傷害者ニ支給セラル　但シ官吏勤務給付将校ノ俸給又ハ恩給及ビ軍候補者俸給ト相並ンデ支給セラルルコトナシ

(三)　傷痍除去シタルトキハ傷痍賜金ハ消滅ス

傷痍ニ於ケル職業救護(Berufsfürsorge bei Versehrtheit)

労働使用可能(Arbeitsverwendungsfähigkeit)

第八五條　労働使用可能トハ　兵役傷害者ガ傷痍ニ拘ラズ職業教育ヲ継続スルコトヲ得ルカ、或ハ必要ナル場合再度教育後生活関係知識能力ヲ顧慮スレバ容易ニ期待セラレ得ベキ従来ノ又ハ他ノ職業ヲ実行シ得ル場合ヲ謂フ

職業保障（Betreuung）

第八六條　(一)　傷痍賜金ヲ受クル労働使用可能ノ兵役傷害者ハ、ソノ傷痍ヲ顧慮シテ労働場所ヲ保障セラル

(二)　第二級又ハ第三級ノ傷痍賜金ヲ受クル兵役傷害者ハ一九二三年一月一二日制定ノ「重傷者ノ職業ニ関スル法律」（Gesetz über die Beschäftigung Schwerbeschädigter）（其後及ビ将來ノ変更ヲ含ム）ノ意義ニ於ケル重傷者（Schwerbeschädigte）トス

(三)　第一級ノ傷痍賜金ヲ受クル兵役傷害者ハ　其ノ傷痍ノ結果重傷者職業法ノ保護ヲ受クルコトナク、自己ニ適シタル労働場所ヲ得ルコトヲ得ザルカ又ハ之ヲ維持シ得ザル場合ニシテ同等取扱ニヨリ重傷者ノ就職ヲ害セザル場合ハ　重傷者ト同等ニ取扱ハルルコトヲ得　同等取扱ニ関スル決定ハ重傷者職業法ニヨリ権限アル官署國防軍救護扶助局ノ同意ヲ得テ之ヲ行フ

(四)　國防軍救護扶助局ハ第二項、第三項ニ掲ゲラレタル兵役傷害者ヲ　重傷者職業法ニヨリ重傷者ノ就職ヲ掌ル官署ニ指定ス　國防軍救護扶助局ハ絶エズ傷痍兵役傷害者ノ就職ニ努メ、兵役傷害ノ結果ヲ能フ限リ除去シテ兵役傷害者ヲ扶助スベキモノトス

(五)　傷痍兵役傷害者ニシテ、職業教育ヲ継続シ得ザルカ或ハ其ノ生活関係知識能力ヲ顧慮スレバ容易ニ期待セラレ得べキ従來ノ又ハ他ノ職業ヲ行ヒ得ザル者ハ再教育ヲ受ケ又ハ経済的ニ独立セシメラルルコトヲ得　職業的再教育ハ一ケ年マデ　特別ノ場合ハ國防軍総監ニヨリ更ニ延長シテ許可セラルルコトヲ得

(六)　就職又ハ再教育ガ轉居ヲ必要トスルトキハ　第一二四條ノ移轉料ヲ支給セラルルコトヲ得

傷痍者轉業扶助料（Uebergangsunterstützung）

第八七條　(一)　傷痍者轉業扶助料ハ　傷痍ヲ受ケタル労働使用可能ノ兵役傷害者ノ生計ヲ再教育期間及ビ就職ニ至ルマデ保障スルタメニ支給セラル

(二)　傷痍者轉業扶助料ハ　傷痍兵役傷害者ガ兵役傷害ノ結果、ソノ労働場所ヲ再ビ失ヒタルトキ又ハ自己ノ責ニヨルニアラズシテ労働場所ノ抛棄ヲ餘儀ナクセラレ、ソノ兵役傷害ニヨリ再教育後ニ於テノミ他ノ労働場所ヲ求メ得ルニ止ル場合ニモ支給セラル

(三)　傷痍者轉業扶助料ハ　第八九條ノ労働使用不能者年金ノ三分ノ二ノ額ニ於テ　一ケ年マデ支給セラル　特別ノ場合ハ、國防軍総監ハ大藏大臣ノ同意ヲ得テ、労働使用不能者年金ト同額マデ且更ニ長期間之ヲ與フルコトヲ得

(四)　傷痍者轉業扶助料ハ兵役傷害者ガ労働場所ノ承諾、或ハ再教育ヲ特別ノ事由ナクシテ拒絶シタル場合、支給セラルルコトナシ

扶　助（Versorgung）

労働使用不能（Arbeitsverwendungsunfähigkeit）

第八八條　労働使用不能ハ兵役傷害者ガ醫療救護ニヨリ労働使用ノ可能ヲ急速ニ望ムコトヲ得ズ　且傷害ノ結果ニヨリ

イ　職業再教育ヲ継続スルコト

ロ　ソノ生活関係知識及ビ能力ヲ顧慮スレバ容易ニ期待セラレ得べキ従來又ハ他ノ職業ヲ行フコト及ビ

ハ　以上ノ職業ニ再教育セラルルコト

能ハザル場合ヲ謂フ

労働使用不能者年金（Rente für Arbeitsverwendungsunfähige）

（AVU- Rente）

第八九條　(一)　労働使用不能者年金ハ兵役傷害者ガ兵役傷害ノ結果、労働使用不能ナル場合ニ支給セラル

(二)　労働使用不能者年金ハ月額次ノ如ク定ム

イ　住所ヲ有スル独身兵役傷害者

地区階級	満三十五歳前	満三十五歳後
S	六五ライヒスマルク	八〇ライヒスマルク
A	六〇・〃	七五 〃
B	五五 〃	七〇 〃
C	四五 〃	六〇 〃
D及外國	四〇 〃	五五 〃

ロ 住所ヲ有シ無子ノ既婚兵役傷害者

地区階級	
S	九五ライヒスマルク
A	九〇 〃
B	八五 〃
C	七五 〃
D及外國	七〇 〃

ハ 住所ヲ有シ子女アル既婚兵役傷害者

地区階級	
S	一〇五ライヒスマルク
A	一〇〇 〃
B	九五 〃
C	八五 〃
D及外國	八〇 〃

(三) 地区階級ノ分別ニ関シテハ國俸給法ヲ適用ス

(四) 労働使用不能者年金ニ附加シテ第九〇條ノ勤務階級割増金カ職業割増金カ、何レカ兵役傷害者ノ有利ナルモノヲ支給セラル

(五) 第二級又ハ第三級ノ傷痍賜金ヲ受クル兵役傷害者が、労働使用不能トナリ且ソノ労働使用不能が兵役傷害ノ結果ナラザルカ或ハ一部然ル場合ハ、労働使用不能ノ継続スル間、労働使用不能者年金ノ一部ヲ支給セラルルコトヲ得、第二級傷痍賜金ヲ受クル兵役傷害者ハ労働使用不能者年金諸割増金及子女割増金合算額ノ三分ノ一ヲ、第三級傷痍賜金アル兵役

傷害者ハ二分ノ一ヲ支給セラル、但シ労働使用不能者年金ノ部分年金ハ傷痍賜金及ビ國保険ニヨル年金トノ合算額が、諸割増金・子女割増金及ビ第三級傷痍賜金ノ合算額ヲ超エザル限リ國保険ニヨル年金ノ外ニ支給セラルルモノトス

(六) 兵役傷害者ニシテ恩給或ハ他ノ法律ニヨル恩給類似ノ支給請求権ヲ有スル者が、兵役傷害ノ結果、労働使用不能トナリタルトキハ労働使用不能者年金ト傷痍賜金ト合算シタルモノが恩給又ハ恩給類似ノ支給ヲ超エザル限リ之ヲ支給セラル

第九〇條 (一) 勤務階級割増金ハ軍人トシテノ兵役傷害者ノ功績ヲ考慮ス

(二) 勤務階級割増金ハ月額次ノ如ク定ム

兵長伍長下士	一〇ライヒスマルク
軍曹及ビ曹長	二〇ライヒスマルク
特務曹長及ビ少尉	三〇ライヒスマルク
中尉	五〇ライヒスマルク
大尉及ビソレ以上ノ勤務階級	八〇ライヒスマルク

第九一條 (一) 職業割増金ハ私職業ニ於ケル兵役傷害者ノ業績ヲ或程度ニ考慮ス

(二) 職業割増金ノ額ハ次ノ如ク定ム

イ 兵役傷害者が労働使用不能確定前 多年ノ完成職業教育及ビ規定又ハ其他ニヨリ完熟試験ヲ要スル職業ヲ行ヒタルトキ月額一〇ライヒスマルク

ロ 兵役傷害者が労働使用不能確定前特別ノ知識経験及ビ特別ノ技能責任ヲ必要トスル職業ヲ行ヒ居タルトキハ月額五〇ライヒスマルク

看護手當（Pflegezulage）

第九二條 (一) 看護手當ハ扶済ナキ兵役傷害者ニ對シ特別ノ看護及ビ静養ヲ可能ナラシムルモノトス

(二) 看護手當ハ月額五〇ライヒスマルクトス、看護手當ハ兵役傷害ノ結果扶済ナク他人ノ看護及ビ静養ナクシテ生活シ得ザル限リ支給セラ

ル

㈢　身体傷害ガ継続的入院或ハ特別ノ看護ヲ必要トスルトキハ増加看護手當ヲ支給セラル、其額ハ月額七五ライヒスマルク、一〇〇ライヒスマルク、一二五ライヒスマルクノ三種トス、其額ハ疾患状態及ビ看護辭養ガ必要トスル費用ニ應ジテ定メラル、長期疾患ニハ常ニ月額一二五ライヒスマルク支給セラル

㈣　独身兵役傷害者ノ療院保養ニ就キテハ、労働使用不能者年金勤務階級割増金、職業割増金及ビ傷痍賜金ヲ加ヘタルモノガ、保養ノ費用ヲ充スニ足ラザル場合ニ限リ看護手當ヲ支給セラル

失明手當（Blindenzulage）

第九三條　㈠　失明手當ハ兵役傷害ノ結果失明シタル兵役傷害者ニ支給セラル　月額一〇〇ライヒスマルクトス

㈡　失明手當ハ兵役傷害以上ト認メラレタル身体傷害ガ高度ノ看護ヲ必要トスルトキハ月額一二五ライヒスマルクトス

下附資金（Kapitalabfindung）

下附資金ノ供與

第九四條　㈠　傷痍賜金ニ代ル下附資金ハ　有效ナル使用ガ確実ト看做サレ、申請者ノ健康状態ニ何等ノ懸念存セザル場合、営業或ハ土地所有ノ経済的強化ノタメニ、申請ニ基キ國防軍総監之ヲ許可スルコトヲ得、下附資金ハ兵役傷害者ガ土地所有ノ取得ニヨリ公益的建設事業又ハ移住事業ニ参加セントスル場合、或ハ下附資金ニヨリ経済的独立ヲ可能ナラシムル場合ニモ支給セラル

㈡　下附資金供與ハ兵役傷害者ガ五十五歳ヲ超エザルコトヲ要スルモノトス

第九五條　㈠　下附資金ニ代ヘラルベキ額ハ傷痍賜金ノ年額ニ達セザルコトヲ要ス

㈡　下附資金トシテ第一項ニヨリ計算セラレタル額ノ七個ニ分ノ一ニ該ル額ヲ支給セラル、下附資金ニ代ヘラルベキ傷痍賜金ノ部分ハ、下

件ガ充サレタル月ノ第一日、早クトモ請求権ガ申告サレタル月ノ第一日

申告月分トシテ勤務俸ガ支給セラレタルトキハ之ヲ算入ス

ハ、支給セラレタル救護及ビ扶助ノ増額請求権ノ申告ニアッテハ㈡ニ従フ

ニ　第六八條ニ該當スル準軍人ノ請求権ノ申告ニアッテハ救護支給ノタメノ要件ガ充サレタル月ノ第一日、早クトモ請求権ガ申告セラレタル月ノ第一日

支給ノ中止及ビ停止（Einstellung und Wegfall der Zahlung）

第九八條　㈠　看護手當ノ支給ハ病院又ハ療養所ニ滞留中ハ収容ノ日ヨリ中止セラル、退去ノ日ヨリ再ビ開始ス、家族手當ノ支給ニアッテハ看護手當ノ支給ヲ全部又ハ一部中止セラル、日割計算支給ニアッテハ毎月三〇日ノ割合ヲ以テ計算ス

㈡　第九七條第一項ニ該當スル支給ノ減額又ハ停止ハ指令ノ交付ニ続ク月ノ終了ヲ以テ始ル　傷痍者轉業扶助料ハ兵役傷害者ガ労働場所ニ

件ガ充サレタル月ノ第一日、早クトモ請求権ガ申告サレタル月ノ第一日

申告月分トシテ勤務俸ガ支給セラレタルトキハ之ヲ算入ス

ハ、支給セラレタル救護及ビ扶助ノ増額請求権ノ申告ニアッテハ㈡ニ従フ

ニ　第六八條ニ該當スル準軍人ノ請求権ノ申告ニアッテハ救護支給ノタメノ要件ガ充サレタル月ノ第一日、早クトモ請求権ガ申告セラレタル月ノ第一日

支給ノ中止及ビ停止（Einstellung und Wegfall der Zahlung）

第九八條　㈠　看護手當ノ支給ハ病院又ハ療養所ニ滞留中ハ収容ノ日ヨリ中止セラル、退去ノ日ヨリ再ビ開始ス、家族手當ノ支給ニアッテハ看護手當ノ支給ヲ全部又ハ一部中止セラル、日割計算支給ニアッテハ毎月三〇日ノ割合ヲ以テ計算ス

㈡　第九七條第一項ニ該當スル支給ノ減額又ハ停止ハ指令ノ交付ニ続ク月ノ終了ヲ以テ始ル　傷痍者轉業扶助料ハ兵役傷害者ガ労働場所ニ

二九一

就職シタル月ノ終了ヲ以テ停止ス

第五章　勤務期間救護扶助ト傷害者救護扶助トノ競合（Zusammentreffen von Dienstzeitfürsorge und -versorgung mit Beschädigtenfürsorge und -versorgung）

第九九條　恩給、継続年金、軍候補者俸給、又ハ第一一條第二項、第二〇條第二項、第二四條及ビ第三〇條第二項ニヨル生計扶助料ノ何レカヲ受クル軍人ハ、第二章及ビ第三章ニヨル救助及ビ扶助ヲ相並ンデ支給セラル　但シ

イ　第三四條及ビ第三五條ニヨル下附金ヲ現役解除後三[illegible]年間受領スル者ニハ、傷痍者轉業扶助料或ハ労働使用不能者年金ヲ支給セラルルコトナシ

ロ　第四五條ノ一時扶助金ハ、傷痍者轉業扶助料或ハ労働使用不能者年金ト相並ンデ支給セラルルコトナシ

ハ　第六四條ノ轉業手當中ヨリ傷痍者轉業扶助料ヲ超過スル額ノミ支給セラル

ニ　第四六條ノ轉業手當ノ支給ハ疾病手當又ハ家族手當ガ支給セラルル間中斷ス

(二)　恩給又ハ継続年金或ハ第一一條第二項、第二〇條第二項、第二四條、第三〇條第二項ニヨリ生計扶助料ヲ受クル軍人ハ、兵役傷害ニヨル傷痍ノ際ハ、此ノ支給ノ外ニ、醫療救護、傷痍賜金、看護手當、失明手當ヲ支給セラル。此種ノ軍人ハ自己ニ有利ナル場合ハ恩給又ハ継続年金ニ代ヘテ労働使用不能者年金ヲ選ブコトヲ得

(三)　軍候補者俸給ヲ受クル軍人ハ兵役傷害ニヨル傷痍ノ際ハ此ノ

支給ノ外ニ醫療救護看護手當及ビ失明手當ヲ支給セラル

第二部　軍人ノ遺族（Hinterbliebene von Soldaten）

第一章　遺族救護（Hinterbliebenenfürsorge）

埋葬料（Sterbegeld）

第一〇〇條　(一)　埋葬料ハ次ニ掲グル者ノ寡婦、嫡出卑属及ビ嫡出宣言ヲ受ケタル卑属、之ヲ受ク

イ　現役勤務中或ハ衛戍病院収容者トシテ死亡シタル者、ソノ額ハ死亡者ノ職務費用ノ支出トシテ定メラレタル所得以外ノ勤務俸ノ額

ロ　恩給、継続年金、轉業手當或ハ生計扶助料ノ受領者、ソノ額ハ以上ノ支給額

ハ　傷痍賜金受領者、ソノ額ハ傷痍賜金ト同額

ニ　傷痍者轉業扶助料或ハ労働使用不能者年金ノ受領者　ソノ額ハ以上ノ支給額

ホ　看護手當及ビ失明手當ノ受領者　ソノ額ハ之等ノ手當額、但シ月額七五ライヒスマルクヲ超ユルコトヲ得ズ

ハ号及ビホ号ノ埋葬料ハロ号及ビニ号ノ埋葬料ト相並ンデ支給セラル

(二)　埋葬料ハ死亡ノ月ニ続ク三ケ月間之ヲ支給セラル、死亡証明アル場合ハ全額支給セラル、重要ナル事由アルトキハ埋葬料ハ部分額ニ於テモ支給セラルルコトヲ得

(三)　國防軍救護扶助局ハ埋葬料ヲ何人ニ支給スベキカ、多数権利者ニ如何ニ分割スベキカヲ決定ス

第一〇一條　(一)　第一〇〇條ニヨル埋葬料ハ　若シ寡婦、嫡出子属及ビ嫡出宣言ヲ受ケタル卑属ナキ場合

イ　死亡者ノ尊属親兄弟姉妹、甥姪、継子、養子ニシテ死亡者ニヨツテ扶

養セラレ困窮セル状態ニ残サレタル者
ロ　遺産及ビ埋葬料ガ最後ノ病気及埋葬ノ費用ヲ充スニ足ラザル、ソノ他ノ
者
ニ支給セラル
㈡　申告ハ死亡後三ケ月以内ニ為サルルコトヲ要ス
傷痍者埋葬料（Bestattungsgeld）
第一〇二條　㈠　傷痍者埋葬料ハ埋葬及ビ死亡ニ関係アル支出ニ充テラルルモノトス　死亡ガ兵役傷害ノ結果生ジタル場合ハ申告ニ基キ支給セラル、但シ死亡者ガ死亡ノトキ傷痍賜金ヲ受クルコトヲ要ス
㈡　兵役傷害者ガ死亡ニ至ルマデ、傷痍賜金ヲ受ケタル傷病ニヨリ死亡シタルトキハ、其ノ死亡ハ常ニ兵役傷害ニ因ル結果ト看做サル
㈢　傷痍者埋葬料ハソノ額ヲ次ノ如ク定ム

地区階級	
S	二一〇ライヒスマルク
A	一九五ライヒスマルク
B及ビC	一八〇ライヒスマルク
D及ビ外國	一六五ライヒスマルク

地区階級ノ分別ニ関シテハ國俸給法ヲ適用ス
㈣　同一目的ノタメニ他ノ法律ニヨリ支拂ハルベキ扶助金ハ傷痍者埋葬料ニ加算ス
㈤　申告ハ死亡後三ケ月以内ニ為サルルコトヲ要ス
移轉料（Umzugsentschädigung）
第一〇三條　第一二四條ノ移轉料ハ勤務期間五年以上ニシテ現役勤務期間中死亡シタル軍人ノ寡婦及ビ嫡出卑屬及ビ嫡出宣言ヲ受ケタル卑屬之ヲ受ク

第二章　遺族扶助（Hinterbliebenenversorgung）

A　人的範囲（Personkreis）

現役勤務期間中ニ死亡シタル軍人ノ寡婦及ビ孤兒（Witwen und Waisen der im aktiven Wehrdienst gestorbenen Soldaten）
第一〇四條　㈠　現役勤務期間中死亡シタルモノ、死亡ノ時　恩給又ハ継續年金請求權ヲ有シタリシ軍人ニシテ寡婦及ビ孤兒ハ　第一一四條ノ寡婦手當、第一一七條ノ孤兒手當及ビ第一二三條ノ子女割増金ヲ受ク、ソノ死亡ガ兵役傷害ニ因ルトキハ　有利ナル場合第二項ノ扶助ヲ受ク
㈡　死亡ノ時、恩給又ハ継續年金請求權ヲ有セザリシ軍人ニシテ、其ノ死亡ガ兵役傷害ニ因ルトキ　現役勤務期間中ニ死亡シタルモノノ寡婦及ビ孤兒ハ第一一五條ノ寡婦年金第一一八條ノ孤兒年金及ビ第一二三條ノ子女割増金ヲ受ク
㈢　志願シテ現役義務ヲ超エテ勤務シ且現役勤務期間中死亡シ死亡ノ時恩給又ハ継續年金請求權ヲ有セザリシ軍人ノ寡婦及ビ孤兒ハ　其死亡ガ兵役傷害ニヨラザリシ場合　第一一五條ノ寡婦年金ノ三分ノ二、第一一八條ノ孤兒年金及ビ第一二三條ノ子女割増金ヲ受クルコトヲ得
㈣　現役勤務期間中ニ死亡シ死亡ノ時第一一條第二項或ハ第二四條第三項ノ生計扶助料ヲ受クルコトヲ得ベカリシ軍人ノ寡婦及ビ孤兒ハ第一一四條ノ寡婦手當　第一一七條ノ孤兒手當及ビ第一二三條ノ子女割増金ヲ受クルコトヲ得
舊軍人ノ寡婦及ビ孤兒（Witwe und Waisen ehemaligen Soldaten）
第一〇五條　㈠　死亡ノ時恩給又ハ継續年金請求權ヲ有シ、ソノ婚姻ガ現役勤務解除前ニナサレタル舊軍人ノ寡婦及ビ孤兒ハ　第一一四條ノ寡婦手當第一一七條ノ孤兒手當及ビ第一二三條ノ子女割増金ヲ受ク
㈡　死亡ノ時恩給又ハ継續年金請求權ヲ有シ、ソノ婚姻ガ現役勤務解除前ニナサレタル舊軍人及ビ死亡ノ時第二一條第二項、第二四條第三

項、第三〇條第二項ノ生計扶助料或ハ恩給継続年金又ハ第一二七條ノ生計扶助料ヲ受ケ居タルカ或ハ受クルコトヲ得ベカリシ舊軍人ノ寡婦及ビ孤児ニ對シ、國防軍総監ハ大藏大臣ノ同意ヲ得テ、第一一四條ノ寡婦手當、第一一七條ノ孤児手當及ビ第一二三條ノ子女割増金ノ全部又ハ一部ヲ申告ニ基キ取消條件付ニ支給スルコトヲ得、若シ寡婦ガ二人以上ノ純ユダヤ系祖父母ノ系統ヲ引キ、ソノ婚姻ガ一九三三年七月一日以後ナサレタルトキハ寡婦年金ヲ支給セラルルコトナシ

(三)　死亡ノ時恩給又ハ継続年金請求権ヲ有セザリシ舊軍人ノ寡婦及ビ孤児ハ　ソノ死亡ガ兵役傷害ノ結果ナル場合　申告ニ基キ第一一五條ノ寡婦年金第一一八條ノ孤児年金及ビ第一二三條ノ子女割増金ヲ受ク、但シ其ノ婚姻ガ現役勤務解除前ニナサレタルコトヲ要ス　若シ婚姻ガ其時以後ニナサレタルトキハ　申告ニ基キ同一ノ扶助ノ全部又ハ一部ヲ取消條件付ニテ受クルコトヲ得

(四)　恩給又ハ継続年金又ハ之ニ代ヘテ第九九條第二項ノ労働使用不能者年金ヲ受クル舊軍人ノ寡婦及ビ孤児ハ　ソノ死亡ガ兵役傷害ノ結果ナル場合　第一項又ハ第二項ノ内有利ナル扶助ヲ受ク

(五)　死亡ノ時第一二七條第三項ノ労働使用不能者年金ヲ受ケタルカ或ハ得ベカリシ舊軍人ノ寡婦及ビ孤児ニ対シ、國防軍総監ハ大藏大臣ノ同意ヲ得テ、申告ニ基キ、第三項ノ扶助ヲ取消條件付ニテ支給スルコトヲ得

(六)　死亡ノ時第二級又ハ第三級ノ傷痍賜金請求権ヲ有シ　其ノ死亡ガ兵役傷害ノ結果ナラザル舊軍人ノ寡婦及ビ孤児ハ申告ニ基キ　第一一五條ノ寡婦年金ノ三分ノ二、第一一八條ノ孤児年金及ビ第一二三條ノ子女割増金ヲ取消條件付ニテ受クルコトヲ得

(七)　死亡ノ時轉業手當ヲ受クル舊軍人ノ寡婦及ビ孤児ハ申告ニ基キ第一一四條ノ寡婦手當　第一一七條ノ孤児手當及ビ第一二三條ノ子女割増金ヲ生計扶助料トシテ取消條件付ニテ受クルコトヲ得

第六八條ニ掲ゲラレタル準軍人ノ寡婦及ビ孤児(Witwe und Waisen der im §68 genannten Zivilpersonen)

第一〇六條　(一)　第六八條ニ掲ゲラレタル準軍人ノ寡婦及兵役傷害ニヨル死亡ナルトキ申告ニ基キ第一一五條ノ寡婦年金　第一一八條ノ孤児年金及ビ第一二三條ノ子女割増金ヲ受ク　ソノ婚姻ガ兵役傷害ノ承認前ニナサレタルコトヲ要ス　若シ婚姻ガ夫以後ノ時ニナサレタルトキハ申告ニ基キ同一ノ扶助ノ全部又ハ一部ヲ取消條件付ニテ受クルコトヲ得

(二)　第六八條ニ掲ゲラレタル準軍人ニシテ死亡ノ時第二級又ハ第三級ノ傷痍賜金請求権ヲ有シ其死亡ガ兵役傷害ニヨラザリシモノノ寡婦及ビ孤児ハ　申告ニ基キ　第一一五條ノ寡婦年金ノ三分ノ二、第一一八條ノ孤児年金及ビ第一二三條ノ子女割増金ヲ取消條件付ニテ受クルコトヲ得

寡婦支給金ノ許可ノ除外(Ausschluß der Bewilligung von Witwenbezügen)

第一〇七條　寡婦ガ寡婦手當又ハ寡婦年金ノ收入ヲ得ル意図ヲ以テ、死亡前三ケ月以内ニ婚姻シタルトキハ、寡婦手當又ハ寡婦年金ヲ支給セラルルコトナシ

孤　児(Waisen)

第一〇八條　(一)　イ　嫡出子

ロ　現役解除前或ハ第六八條ニ掲ゲラレタル準軍人ノ兵役傷害ノ発生前嫡出宣言ヲ受ケタル子

ハ　嫡出宣言ノ時点ヲ問ハズ舊軍人及ビ第六八條ニ掲ゲラレタル準軍人ノ嫡出宣言ヲ受ケタル子

ニ　死亡者ガ死亡當時対價ナクシテ扶養シタリシ両親ナキ孫

亦同シ

(二) 第一〇五條及ビ第一〇六條ニ掲ゲラレタル死亡者ノ子ニシテ、兵籍解除後或ハ準軍人ノ兵役傷害ノ承認後、嫡出宣言ヲ受ケ、死亡ガ兵役傷害ノ結果ナラザルノ故ヲ以テ第一項ノ扶助ヲ受ケザル者ハ 申告ニ基キ満十八才ニ至ルマデ生計扶助料トシテ 第一二三條ノ子女割増金ヲ受クルコトヲ得 第一〇四條乃至第一〇六條ニ掲ゲラレタル死亡者ノ婚姻外ノ子モ亦同一ノ生計扶助料ヲ受クルコトヲ得

離婚シタル妻（Geschiedene Ehefrauen）

第一〇九條 (一) 第一〇四條乃至第一〇六條ニ掲ゲラレタル死亡者ノ妻ニシテ責ヲ負フコトナク離婚シタル者ニ対シ 國防軍総監ハ大藏大臣ノ同意ヲ得テ申告ニ基キ 第一一四條ノ寡婦手當又ハ第一一五條ノ寡婦年金ヲ 生計扶助料トシテ取消條件付ニテ支給スルコトヲ得

(二) 夫ノ死亡當時婚姻生活ヲ廃シタル時ニ準用ス

(三) 第一一〇條第二項ハ之ヲ準用ス

三〇四

再婚シタル寡婦（Wiederverheiratete Witwen）

第一一〇條 (一) 寡婦手當又ハ寡婦年金請求權ヲ有シ再婚シテ再ビ寡婦トナリタルモノニ対シ 國防軍総監ハ大藏大臣ノ同意ヲ得テ、申告ニ基キ 再婚ノ際ニ消滅シタル寡婦支給金ノ額マデ、生計扶助料トシテ取消條件付ニテ支給スルコトヲ得 コノ場合新ナル扶助請求權ヲ取得セザルコトヲ要ス

(二) 但シ寡婦ガ第一一六條ノ寡婦下附金ヲ受ケタルトキハ 國防軍総監ハ大藏大臣ノ同意ヲ得テ 寡婦支給金ノ消滅後或期間ヲ経テ 寡婦下附金ノ計算ニ準ジ生計扶助料ヲ支給スルコトヲ得

兩親（Eltern）

第一一一條 (一) 恩給又ハ継続年金ノ支給ニ權利ヲ有スル死亡軍人ノ兩親及ビ尊屬親ハ其死亡ガ兵役傷害ノ結果ニシテ、死亡者ガ主トシテ其ノ生計ヲ支辨シ居リタル場合 申告ニ基キ 貧困状態継続中第一一九條ノ兩親手當ヲ受ク

三〇五

(二) 恩給又ハ継続年金ノ支給ニ權利ヲ有スル死亡軍人及ビ第六八條ニ掲ゲラレタル準軍人ノ兩親及ビ尊屬親ハ 申告ニ基キ同一要件ノ下ニ第一二〇條ノ兩親年金ヲ受ク

(三) 權利多数存スルトキハ 兩親支給金ハ祖父母ニ優先シテ兩親ニ支給セラル 死亡セシ一方ノ親ニ代ルモノハ其ノ兩親トス

失踪者（Verschollene）

第一一二條 (一) 軍人・舊軍人或ハ第六八條ニ掲ゲタル準軍人失踪シ、其ノ死亡ガ確実視サルル場合ニシテ失踪者ノ死亡ノ際 遺族支給ヲ受クルコトヲ得ベキトキハ、妻・先妻子及ビ孫ハ 申告ニ基キ 死亡宣告前既ニコノ支給ヲ受クルコトヲ得

(二) 遺族支給ノ支拂ノ開始ト同時ニ、本法ニヨル諸支給ハ支給セラレザルニ至ルモノトス 遺族支給ガ行ハレザルトキハ 國防軍総監ハ本法ニヨル他ノ支給ノ支拂ヲ中止スベキ時ヲ定ム

(三) 失踪者歸還シタルトキハ 本法ニヨル支給ハ再ビ支拂ハル

三〇六

此ノ時マデ支拂ハレタル遺族支給金ハ後拂ノ勤務俸又ハ本法ニヨル諸支給ニ算入ス

申告期間（Antragsfristen）

第一一三條 第一〇五條、第一〇六條、第一〇八條及ビ第一一一條ニヨル申告ハ 權利喪失ヲ避クルタメ 死亡後一年以内ニ為サルルコトヲ要ス

B 扶助ノ種類（Versorgungsarten）

寡婦手當（Witwengeld）

第一一四條 (一) 寡婦手當ノ額ハ 死亡者ガ得又ハ得タリシ恩給ノ百分ノ六〇、死亡者ガ死亡ノ日恩給權者タリシ場合ハ恩給權アル勤務俸ノ百分ノ四五ヲ以テ最高トス

(二) 死亡ガ災害ニ帰セラルベキ兵役傷害ノ結果ナル場合、寡婦手當ノ算定ハ 死亡者ノ恩給權アル勤務俸ノ百分ノ六六三分ノ二ノ恩給ヲ以テ基礎トス 死亡者ガ一般規定ニヨリ既ニ恩給權アル勤務俸ノ百分ノ四五以上ノ恩給ヲ受ケタルトキハ 寡婦手當ノ計算ニ當リ考慮セラルベキ恩給

三〇七

ハ以上ノ規定ニヨルヨリモ、恩給権アル勤務俸ノ百分ノ二〇高メラル、但シ恩給権アル勤務俸ノ百分ノ六五以上ニ上ルコトヲ得ズ

(三) 寡婦手當ハ第二俸給階級ノ下士ノ恩給権アル勤務俸ノ百分ノ三〇ヲ下ルコトヲ得ズ　中将ノ恩給権アル勤務俸ノ百分ノ四〇ヲ超ユルコトヲ得ザルモノトス

(四) 寡婦手當ハ寡婦ノ再婚又ハ死亡スル月ノ経過スルマデ支給セラル

(五) 公務ニ従事スル寡婦ハ、其ノ職務ヨリ得ル所得ガ寡婦手當ノ算定ニ基礎トナル恩給ヲ生ズベキ恩給権アル勤務俸ノ百分ノ七五以下ナル場合ニ限リ　寡婦手當ヲ受クルモノトス　此ノ場合地区ニヨリ等級ヲ付セラレタル所得部分ハ職務地ニ関シ標準タル定額及ビ家族状態ニヨル臨時割増金職務時ニ関スル定額ト共ニ考慮セラル、職務費用手當及ビ外國手當第五〇條第一項ニヨリ考慮セラルルコトナシ

(六) 寡婦状態以前又ハ寡婦ニナリタル後、公務ニ従事シ、待命手當、恩給又ハ恩給類似ノ扶助ヲ受クル場合、之ト相並ンデ支給セラルル寡婦手當ハ次ノ限度ニ止ルモノトス

イ 寡婦手當ノ算定ノ基礎タル恩給ヲ生ズベキ恩給権アル勤務俸ノ百分ノ六〇ニ達スルマデ

ロ 寡婦ニ有利ナル場合ハ寡婦手当ノ基礎タル恩給ト同額ニ達スルマデ

(七) 死亡シタル夫ノ公務従事ニヨリ遺族扶助ヲ受クル場合ハ、之ト相並ンデ支給セラル　第一項乃至第三項ノ寡婦手當ノ額ハ以下ノ算定手続ニヨツテ生ズル限度ニ止ルモノトス

イ 寡婦手當ノ額ハ算定セラルベキモノトス　其ノ際、死亡者ノ恩給権アル全勤務期間ヲ基礎トシ　官吏ニ適用サルル百分率ニ従ヒ確定セラルベキ恩給ヲ基礎トナスベシ、此ノ額ガ公ノ勤務ヨリ生ズル遺族扶助ノ額ヲ超ユルトキハ　計算セラレタル差額ハ第一項乃至第三項ノ寡婦手當ヨリ支拂ハル　若シ寡婦ニトリテ有利ナル場合ハ　死亡者ノ恩給確定ノ際軍人トシテ恩給権アル勤務俸ハ第五〇條第二項ニヨル諸支給金ニ代ル

ロ 但シ第一項乃至第三項ノ寡婦手當中ヨリ其ノ最高額ニ達スルマデ支給スベキモノトス

寡婦年金（Witwenrente）

第一一五條 (一) 寡婦年金ノ額ハ　死亡者ガ受ケ又ハ得ベカリシ労働使用不能者年金及ビ階級手當又ハ職業手當ノ百分ノ六〇トス　寡婦年金ハ寡婦ノ居住地ニ従ヒ之ヲ計算ス

(二) 寡婦年金ハ少クトモ一子ヲ遺シ、職業手當ヲ受ケザル既婚狙撃兵ノ労働使用不能者年金ノ百分ノ六〇トス

(三) 寡婦年金ハ寡婦ノ再婚又ハ死亡セル月ノ経過スルマデ之ヲ支給セラル

(四) 公務ニ従事スル寡婦ハ　ソノ従事ヨリ得ル所得ガ　寡婦年金ノ算定セラルルル労働使用不能者年金及ビ割増金以下ナル場合ニ限リ寡婦年金ヲ受ク　コノ際従事地ニ関シ標準タル額ノ労働使用不能者年金及ビ家族状態ニヨル臨時割増金及ビ家族手當ノ定額ヲ考慮ス　職務費用手當及ビ外國手當ハ第五〇條第一項ニヨリ考慮セラルルコトナシ

(五) 寡婦状態前或ハ寡婦状態中　公務ニ従事シ　待命手当、恩給又ハ恩給類似ノ扶助ヲ受クルトキハ之ト相並ンデ受クル寡婦年金ハ　寡婦年金ノ算定セラルル労働使用不能者年金及ビ割増金ノ百分ノ七五ニ達スルマデトス

(六) 寡婦年金ハ　本法以前ノ法律ニヨル寡婦手當ヲ超ユル限度ニ於テ　之ト相並ンデ支給セラル

寡婦下附金（Witwenabfindung）

第一一六條 (一) 寡婦支給金請求権ヲ有シ、満四十五歳以前ニ独逸人ト再婚シタル寡婦ハ　死亡者ノ死亡ガ兵役傷害ノ結果ナリシ場合　寡婦下附金ヲ受ク　寡婦下附金ハ　寡婦ガ一人或ハ一人以上ノ純ユダヤ系祖父母ノ系統ナル男子ト婚姻シタルトキハ、寡婦下附金ハ支給セラルルコトナシ

(二) 寡婦ガ満三十五歳ニ達セザル場合ハ　下附金ノ額ハ寡婦支給金年額ノ五倍　然ラザル場合ハ三倍トス

(三) 寡婦下附金ハ大尉ノ最低俸給階級ヨリ生ズル最高寡婦手當ノ年額ノ五倍又ハ三倍ヲ超ユルコトヲ得ズ

(四) 寡婦ガ再婚ニヨリ新ナル扶助請求權ヲ取得シタルトキハ　支給セラレタル下附金ハ之ヲ寡婦支給金ニ算入ス

孤児手當（Waisengeld）

第一一七條 (一) 死亡者ノ死亡當時　寡婦手當ヲ受クル權利ヲ有シ　ナホ生存スル母ノ総テノ子ニ対スル孤児手当ハ　寡婦手當ノ五分ノ一トス

(二) 死亡者ノ死亡當時　寡婦手當ヲ受クル權利ヲ有セザルカ或ハ既ニ死亡シタル母ノ　総テノ子ニ対スル孤児手當ハ　寡婦手當ノ三分ノ一トス

(三) 災害ニ帰セラルベキ兵役傷害ノ結果死亡シタル父ノ総テノ子ニ対スル孤児手當ハ　死亡者ノ恩給權アル勤務俸ノ五分ノ一トス

(四) 孤児手當ハ　孤児ガ満十八歳ニ達シタル月或ハ婚姻又ハ死亡シタル月ノ経過スルマデ之ヲ支給ス

(五)　孤児年金ハ國防軍総監大藏大臣ノ同意ヲ得テ独身ノ孤児ニ対シ

イ 学校教育又ハ職業教育ニ在ルモノニハ満二十四歳マデ

ロ 満十八歳ノ當時身体的又ハ精神的障碍ニ因リ独立ノ生計ヲ営ミ得ザル者ニハ　其ノ状態ノ継続スル間

十八歳以後モ更ニ支給スルコトヲ得　学校教育又ハ職業教育ガ労役義務又ハ兵役義務ノ履行ニヨッテ中断セラルル場合ハ其ノ勤務期間ニ相當スル期間二十四歳ヲ超エテ支給セラルルコトヲ得

(六) 孤児ガ公務ニ従事スル場合　孤児手當ノ支給ニ関シ第一一四條第五項ヲ準用ス

(七) 孤児ガ、死亡セル両親又ハ両親ノ一方ガ公務ニ従務シタルコトニヨリ遺族扶助ヲ受クルニ至リタルトキハ　孤児手當ノ支給ニ関シ　第一一四條第七項ヲ準用ス　但シコノ場合、寡婦手當ハ孤児手當ニ代ルモノトス

孤児年金（Waisenrente）

第一一八條 (一) 孤児年金ノ額ハ　ソノ母ガ未ダ生存シ、死亡者ノ死亡當時、寡婦年金ノ支給ニ權利ヲ有セル場合　寡婦年金ノ五分ノ一トス

(二) 孤児年金ノ額ハ　ソノ母死亡シタルカ又ハ死亡者ノ死亡當時寡婦年金ノ支給ニ權利ヲ有セザリシ場合　寡婦年金ノ三分ノ一トス

(三) 孤児年金ハ孤児ノ居住地ニヨッテ之ヲ算定セラルルモノトス

(四) 孤児年金ノ支拂ニ関シテハ　第一一七條第四項、第五項ヲ準用ス

(五) 孤児ニシテ公務ニ従事スル者ハ　ソノ従事ニヨッテ生ズル孤児ノ所得ガ、孤児年金算定ノ基礎トナルベキ寡婦年金ニ及バザル限度ニ於テノミ之ヲ受クルモノトス、此ノ場合従事地ニ関シ標準タル最高額ト考慮セラル　職務費用手當及ビ外國手當ハ第五〇條第一項ニヨリ考慮セラレザルモノトス

(六) 第一一五條第六項ハ之ヲ準用ス

両親手當（Elterngeld）

第一一九條 両親手當ノ額ハ両親ノ一方ニ對シテハ　死亡者ノ恩給權アル勤務俸ノ百分ノ一〇　両親ニ對シテハ百分ノ二〇トス

両親年金（Elternrente）

第一二〇條 両親年金ノ額ハ両親ノ一方ニ對シテハ死亡者ガ得又ハ得ベカリシ労働使用不能者年金ニ勤務割増金又ハ職業割増金ヲ加ヘタル額ノ百分ノ二五、両親ニ対シテハ百分ノ五〇トス

多数ノ遺族支給ノ競合（Zusammentreffen mehreren Hinterbliebenenbezüge）

第一二一條 (一) 寡婦支給金及ビ孤児支給金ハ合算シテ　寡婦支給金・孤児支給金ヲ生ズベキ恩給又ハ労働使用不能者年金ノ額ヲ超ユルコトヲ得ズ　但シ其ノ計算ハ最高限度　死亡者ノ恩給權アル勤務俸ノ百分ノ五〇ノ恩給ヲ基礎トス　寡婦支給金及ビ孤児支給金ノ合計ガ、ソレ以上ノ多額ニ達スル場合ハ　個々ノ額ニツキ同一ノ割合ヲ以テ減額セラル

三一六

(二)　支給権利者ノ数ガ減少スル場合ハ　第一項ノ寡婦支給金及ビ孤兒支給金ハ改メテ算定セラレ翌月一日以降支給セラルルモノトス

(三)　両親支給金ハ　寡婦支給金及ビ孤兒支給金ガソノ算定ノ基礎タル恩給又ハ労働使用不能者年金ノ額ニ達セザル限リ　寡婦支給金及ビ孤兒支給金ト相並ンデ支給セラル　第一項第二段ハ之ヲ準用ス

(四)　第一〇九條及ビ第一一〇條ノ生計扶助料ハ　寡婦支給金、孤兒支給金、両親支給金ガ　其ノ算定ノ基礎トナルベキ恩給又ハ労働使用不能者年金ノ額ニ達セザル限リ　寡婦支給金・孤兒支給金・両親支給金ト相並ンデ支給セラル　数個ノ生計扶助料ノミノ総計ガ　其ノ算定ノ基礎タル恩給又ハ労働使用不能者年金ノ額ヲ超ユルコトヲ得ズ　第一項第二段ハ之ヲ準用ス

支　給（Zahlung）

第一二二條　(一)　一時遺族支給金ハ将校ノ勤務俸ト同一期間之ヲ支給セラル

(二)　寡婦賜金及ビ孤兒賜金ノ支給ハ埋葬料ノ支給セラルル三ケ月経過シタル翌月一日ヲ以テ開始ス

(三)　第一〇四條第二項ノ寡婦年金及ビ孤兒年金ノ支給ハ死亡ノ月ノ一日ヲ以テ開始ス　其月分トシテ支拂ハレタル死亡者ノ勤務俸及ビ埋葬料ハ之ヲ算入ス

(四)　父ノ死亡後生レタル孤兒ニ対スル孤兒手當及ビ孤兒年金ノ支給ハ出生ノ月ノ一日ヲ以テ開始ス　但シ第一〇〇條第一項イ号ロ号ニ号ノ埋葬料ガ支給セラルルトキハ　孤兒手當ノ支給開始ニ関シテハ第二項　孤兒年金ノ支給開始ニ関シテハ第三項ヲ準用ス

(五)　増額孤兒手當又ハ増額孤兒年金ノ支拂ハ　ソノ孤兒ガ完全孤兒トナリタル月ノ翌月ノ一日ヲ以テ開始ス　第四項第二段ハ之ヲ適用ス

(六)　其他ノ一時遺族支給金ノ支給ハ　申告ガナサレ支給ノ要件ガ充サレタル月ノ一日ヲ以テ開始ス　第四項第二段ハ之ヲ準用ス

(七)　國防軍総監ハ失踪者ノ遺族ニ対スル支給ノ開始ヲ決定ス

三一七

三一八

第三部　軍人及ビ其ノ遺族ニ関スル共通規定（Gemeinsame Vorschriften für Soldaten und ihre Hinterbliebenen）

子女割増金（Kinderzuschläge）

第一二三條　(一)　子女割増金ハ軍人ニ適用セラルル規定ニ従ヒ
転業手當
恩　給
継続年金
第一一條第二項、第二〇條第二項、第二四條及ビ第三〇條第二項ノ生計扶助料
傷病者転業扶助料
労働使用不能者年金
寡婦手當
寡婦年金
ニ対シ支給セラル

(二)　子女割増金ハ寡婦支給金ガ支給セラレザル場合孤兒支給金ニ対シ支給セラル

移轉料（Umzugsentschädigung）

第一二四條　(一)　移轉料ニ對シテハ請求権成立セザルモノトス

(二)　第一一條乃至第一四條　第一六條乃至第一九條　第二四條乃至第二六條　第二八條、第三〇條、第三一條、第八六條、第一〇三條ノ場合ニ於テ　轉居ガ職業上又ハ経済上ノ事由ニヨリ必要ニシテ現役解除後二ケ年以内ニ國領土内ニ於テナサレタルトキハ、一回ニ限リ申告ニ基キ移轉料ヲ支給ズルモノトス　國防軍総監ハ大藏大臣ノ同意ヲ以テ　如何ナル要件ノ下ニ、轉居ガ職業上又ハ経済上ノ事由ニヨリ必要ナリト認ムベキカニ関シ　詳細規定ヲ定ム

三一九

(三)　第一一條、第一二條、第一七條、第一九條、第二四條、第二八條及ビ第三一條ノ場合ニ於テハ　移轉料ノ額ハ　一九三五年五月三日ノ移轉費用法第四條又ハ第五條ニヨリ　相當俸給部類ノ軍人ニ対シ支拂ハルベキ移轉費用料ノ百分ノ八〇トス

右ノ外移轉費用法第六條ノ旅費　同法第九條ノ竈設置料ヲ許可セラルルコトヲ得　同法第七條ノ追加支給モ全移轉料ノ額ニ至ル迄ハ之ヲ許サルルモノトス

(四)　第一三條、第一四條、第一六條、第一八條、第二五條、第二六條、第三〇條、第八六條、第一〇三條ノ場合ニ於テ移轉料ノ額ハ　移轉費用法第四條又ハ第五條ニヨリ相當俸給部類ノ軍人ニ支拂ハルベキ移轉費用料ノ百分ノ五〇トス　右ノ外同法第六條ニヨル旅費、同法第九條ニヨル竈設置料モ許可セラルルコトヲ得　同法第七條ニヨル追加支給モ全移轉費用料ノ百分ノ八〇ノ額ニ至ルマデ許サルルモノトス　但シ第一三條、第一六條、第二五條ノ場合ヲ除ク

第一二五條　(一)　左ニ掲グル者ハ、管轄國防軍救護扶助局ニ對シ左ニ掲グル事項ニ就キ、遅滞ナク通知スル義務ヲ負フ　通知義務（Anzeigepflicht）

一　総テノ救護扶助権者

イ　現役勤務編入及ビ再編入

ロ　独逸國籍ノ喪失

ハ　独逸國内又ハ独逸國外ヘノ居住地ノ移轉又ハ継続的滞在

ニ　本法ニヨリ支給ノ行ハルル子女ノ死亡又ハ職業教育ノ終了

二　恩給継続年金又ハ遺族支給金ノ受領者

公務ノ従事ヨリ生ズル所得又ハ扶助ノ額

三　轉業手當傷病者轉業扶助料又ハ労働使用不能者年金ノ受領者

労働場所ノ獲得又ハ独立活動ノ獲得及ビ労働所得ノ額

四　寡婦及ビ孤児

ソノ婚姻

五　権利請求権ノ成立セザル両親支給金、生計扶助料又ハ遺族支給金ノ受領者

経済状態ノ変更

(二)　救護及ビ扶助権者ガ以上ノ義務ニ従ハザルカ或ハ其ノ所得ヲ故意又ハ過失ニテ不當ニ低額トナシタル者ハ　刑法上ノ訴追ニ関係ナク國防軍管区司令部ノ同意ヲ得テ　救護及ビ扶助ハ　全部又ハ一部　一時又ハ継続シテ中止セラルルコトヲ得　救護及ビ扶助権者ガ権利ナクシテ救護及ビ扶助ノ支給ヲ受領シ　因テ財産上ノ利益ヲ収メタルトキ亦同ジ

救護及ビ扶助請求権ノ消滅（Erlöschen des Rechts auf Fürsorge und Versorgung）

第一二六條　救護及ビ扶助請求権ハ救護及ビ扶助権者ガ現役ニ編入又ハ再編入シタル日ヨリ消滅スルモノトス　勤務給付将校及ビ第一〇八條ノ孤児ニ関シテハ之ヲ適用セズ

第一二七條　(一)　救護及ビ扶助請求権ハ救護及ビ扶助請求権者ガ左ニ掲グル確定判決ヲ受ケタル日ヨリ消滅スルモノトス

イ　大逆罪又ハ叛逆罪或ハ其他ノ故意ニヨル大逆的又ハ叛逆的行為ニヨリ死刑・懲役刑・禁錮刑ニ處セラレタルトキ

ロ　其他ノ犯罪ニヨリ死刑又ハ懲役刑ニ處セラレタルトキ

ハ　故意ニ為シタル行為ニヨリ一年以上禁錮刑ニ處セラレタルトキ

(二)　救護及ビ扶助請求権ハ救護及ビ扶助請求権者ガ

イ　継続シテ兵役不適格トナリタルトキ

ロ　独逸國公民権ヲ喪失シタルトキ

ハ　独逸國籍ヲ剝奪セラレタルトキ

其日以降消滅スルモノトス

(三)　國防軍総監ハ第一項ハ號ノ場合、特別ノ必要存スルトキハ消滅スル権利ノ限界内ニ於テ　救護及ビ扶助ヲ全部又ハ一部　一時又ハ継続シテ　取消條件付ニテ支給スルコトヲ得　服刑中ハ第一二八條第三項ヲ

適用ス

救護及ビ扶助請求権ノ停止（Ruhen des Rechts auf Fürsorge und Versorgung）

第一二八條　(一)　救護及ビ扶助請求権ハ左ニ掲グル場合停止セラル．救護及ビ扶助請求権者ガ

イ　独逸國民ニ非ズシテ國防軍総監ガ支給許容セザルトキ

ロ　國防軍総監ノ同意ナクシテ独逸國外ニソノ居住地又ハ継続的滞在地ヲモツニ至リタルトキ

ハ　三ケ月以上ノ自由刑ニ服刑スルカ或ハ労役所又ハ矯正所ニ収容セラレタルトキ

ニ　大逆罪及ビ叛逆罪又ハ其ノ他ノ犯罪ニヨリ未決監ニアルトキ、救護及ビ扶助権者ニ対スル訴追ガ停止セラルルカ或ハ確定判決ヲ以テ免許又ハ無罪ノ宣告ヲ受ケタルトキハ　抑留セラレタル支給金ハ皆済セラル

ホ　兵役不適格ナルカ或ハ公ノ官職任命ノ能力ヲ剥奪セラレタルトキ

(二)　支給金ガ第一項ロ号ニヨリ三年以上停止セラルル場合ハ　國防軍総監ニヨリ剥奪セラルルコトヲ得　其決定ハ最後決定トス

(三)　國防軍救護扶助局ハ第一項ハ号ニ号ホ号ノ場合必要存スルトキハ　第一〇四條乃至第一〇六條　第一〇八條、第一〇九條及ビ第一一一條ノ限界内ニ於テ支給金ヲ　救護及ビ扶助権者ガ扶養者ナリシ家族ニ対シ支給スルコトヲ得

救護及ビ扶助請求権ノ剥奪（Entziehung des Rechts auf Fürsorge und Versorgung）

第一二九條　(一)　救護及ビ扶助請求権ハ救護及ビ扶助請求権者ガ

イ　反國家的行為ヲナシタルトキ

ロ　秘密保持義務（兵役法第二五條）違反ニヨリ又ハ國防軍総監ノ同意ナクシテ軍人トシテノ以前ノ勤務ニ関シ報酬又ハ贈與ヲ受ケタルコトニヨ

リ確定判決ヲ受ケタルトキ

其ノ全部又ハ一部、一時又ハ継続シテ剥奪セラルルコトヲ得

(二)　反國家的行為ハ證人及ビ鑑定人ノ宣誓訊問ガ許可セラレ救護及ビ扶助権利者ガ審問セラルベキ豫審手続ニ於テ確定セラルベキモノトス

(三)　救護及ビ扶助権利者ニ対シ、反國家的行為ニヨル刑事手続ガ開始シタルトキハ　確定判決宣告前既ニ支給額ノ一部――最高三分ノ一――抑留セラルルコトヲ得　判決確定後ハ抑留セラレタル額ハ没收セラル、無罪ノ判決アル場合ハ皆済セラル

(四)　第一項及ビ第三項ニ對スル決定ハ國防軍総監之ヲ行フ

返還及ビ相殺（Rückzahlung und Aufrechnung）

第一三〇條　(一)　不法ニ受領セラレタル救護及ビ扶助支給金及ビ疾病金庫ニヨリ國ノ計算ニ関シ不法ニ支給セラレタル疾病手當又ハ家族手當ハ返還サルベキモノトス

(二)　返還請求ニ関シテハ國防軍救護扶助局之ヲ決定ス

(三)　不法ニ受領セラレタル支給金、返還セラルベキ下附金及ビ手数料ハ　決定確定シタルトキハ、地方団体賦課金ト同ジク地方団体ニヨリテ徴収セラル

差押譲渡委付及ビ質権設定（Pfändung, Uebertragung, Abtretung und Verpfändung）

第一三一條　(一)　勤務期間救護及ビ扶助支給金中、轉業手當恩給及ビ継続年金ノミハ、軍人ノ勤務俸ニツキ許サルル限度ニ於テ之ヲ差押フルコトヲ得

(二)　差押フルコトヲ得ザル其他ノ勤務期間救護及ビ扶助支給金ノ支拂後ハ、三ケ月間　金銭有價證券債権ノ同一額ノ差押ヨリ排除セラル下附資金ニアツテハ　以上ノ三ケ月ノ期間ニ代リ、第六一條ニヨリ其ノ使用ノタメニ定メラレタル期間トス

(三)　勤務期間救助支給金ハ、総テ差押ヘ得ラレザル限リ、國防軍

管区司令官ノ同意ヲ得テ有效ニ讓渡、委付或ハ擔保ニ供スルコトヲ得

第一三二條　(一)　傷害者支給金中、傷痍者職業扶助料及ビ労働使用不能者年金ノミハ　第二項及ビ第三項ノ場合、差押フルコトヲ得

(二)　次ニ掲グルモノノ差押ハ後拂支給金ニ限ラルルコトナシ　經過中ノ支給額ハ指定支給額ノ半額マデ許サルルモノトス

イ　戰爭傷痍者　中央救護所又ハ救護所ノ請求ニ基キ地方団体、救護聯盟及ビ同種ノ公益施設ニヨリ救護扶助権者ニ支給セラレ州中央官廳ニヨリ貸金、前貸金ガ供與ガ許可セラレタル貸金前借金

ロ　法律上ノ義務ニ基キ支給セラレタル給付ノ返済ニ関スル公法団体ノ請求権

(三)　救護扶助権者ガソノ必要トスル扶養ノタメニ或ハ　法上義務トシテ優先的ニ又ハ平等ニ存スル扶養義務履行ノタメニ必要ナラザル限リ法律上ノ扶養義務ノ履行請求権ニヨル場合差押ハ許サルベキモノトス

(四)　下附資金ニアツテハ　第六一條ニヨリソノ使用ノタメニ定メラレタル期間ノ経過スルマデ　金銭・有價証券・債権ノ同一額ニテ差押ヘラルルコトヲ排除セラル

(五)　傷害支給金ハ総テ國防軍管区司令部ノ同意ヲ以テノミ、有效ニ讓渡委付又ハ擔保ニ供セラルルモノトス

第一三三條　(一)　遺族支給金中　寡婦手當及ビ孤児手當ノミハ、軍人ノ勤務俸ニ関シ許サルル限度ニ於テ差押ヘラルルコトヲ得　寡婦年金ニ代リ支給セラレタル寡婦下附金ハ寡婦手當ノ毎月差押ヘ得ラルル部分額ノ六〇倍又ハ三六倍ノ額マデ差押ヘラルルコトヲ得　第一一六條第三項ノ場合ハ寡婦下附金ノ差押可能部分ハ相當程度低減セラル

(二)　遺族支給金ハ総テ　差押ヘ得ザル限リ國防軍管区司令部ノ同意ヲ得テ有效ニ讓渡委付又ハ擔保ニ供スルコトヲ得

(三)　死亡者ニ對スル前貸又ハ貸付金供與及ビ勤務支給金救護扶助支給金ノ免除ニ基ク國ノ請求権ハ、　埋葬料ニ就キテ相殺セラルルモノトス　但シ寡婦及孤児ハ寡婦手當孤児手當又ハ寡婦年金孤児年金ノ差押ヘ得ザル

部分ニ相應スル部分額ヲ確保スルコトヲ得

損害賠償（Schadenersatz）

第一三四條　(一)　救護権者及ビ扶助権者ハ兵役傷害及ビソノ結果ニ関シ、國ニ対シテ本法ニヨル請求権ノミヲ有スルモノトス

(二)　救護及ビ扶助権者ガ　本法ニ依リ救護及ビ扶助ヲ支給セラルル損害ニ関シ、第三者ニ対スル法定賠償請求権ヲ有スルトキハ　ソノ請求権ハ救護及ビ扶助ノ範囲ニ於テ國ニ移轉スルモノトス　財産上ノ損害ニ非ル損害ノ請求権ニハ之ヲ適用セズ　請求権ノ移轉ハ救護権利者及ビ扶助権利者ノ不利益ニ行ハルルコトナシ

第一三五條　(一)　公務ニ從事スル救護及ビ扶助権者ハ　ソノ救護及ビ扶助支給金ヲ考慮スルコトナク、ソノ勤務支給金ヲ算入セラルルモノトス

(二)　第一項ハ勤務給付將校ニ之ヲ適用セズ

(三)　傷痍賜金ハ労働対價及ビ他ノ法律ニヨルモノヲ含ム総テノ支給金ノ算定ニヨリ除外セラル

第四部　國防軍官吏ト其ノ遺族（Wehrmachtbeamte und ihre Hinterbliebenen）.

第一三六條　(一)　國防軍官吏及ビソノ遺族ハ独逸官吏法ニヨリ救護セラル

(二)　勤務ノ結果生ジタル身体上ノ損害ニヨリ賜暇状態ニアル國防軍官吏ハ　身体傷害及ビソノ結果ニ関シ　本法第六六條ニヨリ軍人ト同一ノ救護及ビ扶助ヲ受ク　ソノ遺族ハソノ死亡ガ身体傷害ノ結果ナルトキハ第一〇〇條乃至第一〇四條、第一〇五條、第一〇七條、第一〇九條乃至第一一〇條ノ救護及ビ扶助ヲ受ク

（以下略）

國防軍救護扶助法改正及補充ノタメノ法律
（一九四〇年八月二〇日附）
（Gesetz zur Änderung und Ergänzung des WFVG）

國政府ハ左ノ法律ヲ決定シ茲ニ之ヲ公布ス

第一

一九三八年八月二六日附「國防軍前所屬者及其遺族ニ對スル救護及扶助法」
――國防軍救護及扶助法（WFVG）――ハ左ノ通リ之ヲ改正及補充ス
一、第一六條第六項最後段ヲ左ノ通リ改ム
「轉職扶助料（Übergangsbeihilfe）、移轉費用補償（Umzugkostenvergütung）. 及既得ノ軍候補者給與（, [illegible]

[illegible]）ハ之ヲ返却スベシ」
二、第一九條第一項中第一行乃至第五行ヲ左ノ通定ム
「下士勤務不能ノタメ、適性欠如ノタメ又ハ使用可能性ノ欠如ニヨリ十八ヶ年及ビ夫レ以上ノ現役勤務期間ヲ有シ除隊セルトキハ其者第一六條ニ基ク救護ニ代ヘ左ノ救護及扶助ヲ選択スルコトヲ得」
三、第一九條第二項第四行ニ於テ第五八條ノ後ニ句点及「第一八五條」ヲ加フ
四　第二八條第二項(イ)第二行ニ於テ第五八條ノ後ニ句点及ビ「第一八五條」ヲ加フ
五　第二八條第二項(ハ)第一行ニ於テ「海軍」ナル語ヲ削ル
六　第三一條ヲ左ノ通定ム
「第三一條　(一)　之等將校ノ勤務給付ガ現役勤務ニ於ケル最低一ヶ年ノ再服役ノ後又ハ兵役勤務損害ノ結果タル勤務不能ノタメヨリ早ク終了セルトキハ恩給ハ勤務給付ノタメノ將校トシテノ勤務期間及恩給權アル加給ヲ考慮シ第四九條ニ基キ新ニ決定セラルルモノトス

第二十條第二項又ハ第二四條第二項ニ基キ恩給ヲ受クル勤務給付ノタメノ將校ハ現役勤務期間中勤務給付ノタメノ將校トシテノ勤務期間ノ加算ニヨリ五ヶ年以上又ハ十ヶ年以上ニ達スルトキハ第二四條第二項又ハ第二八條ニ基ク救護及扶助ヲ受ク　更ニ夫等ノ將校ハ
勤務成績證明書（Dienstleistungszeugnis）
第三三條ニ基ク職業保障（Betreuung）
及ビ
勤務給付関係ヘノ編入ニ際シ本法ニ基ク移轉料（Umzugsentschädigung）ガ支給セラレサリシトキハ第百二十四條ニ基ク移轉料ヲ受クルモノトス
(二)　第一項ハ再服役ガ不名誉ノ行為ノタメ終了セシメラレタルトキハ之ヲ適用セス」
七　第四〇條第二項ニ於テ「(ハ)　尠クモ百分ノ七五マデノ統一履歴（Einheits-
[illegible]

八　(イ)　第四二條第三項第二段及第三段ヲ削ル
(ロ)　第四二條ニ左ノ新項ヲ加フ
「(四)　軍候補者ハ其者自己ノ主張スル理由ニヨリ始メテ又ハ取消後官職ニ召集セラレサルトキハ軍候補者関係ヨリ之ヲ解除セシムルコトヲ得
(五)　第四項ニ基ク決定ハ國防軍總司令部之ヲ行フ　第三項及第四項ノ場合ニハ第一六條第二項ニ基ク救護ヲ賦與スルコトヲ得　既得ノ轉職扶助料移轉費用補償及軍候補者給與ハ特別規則ニ基キ算入セラルルモノトス　軍候補者證書ハ之ヲ返却スヘシ」
(ハ)　之マデノ第四項及第五項ハ第六項及第七項トナル
九　第四七條第一項中第一行乃至第六行ヲ左ノ通リ定ム
「(一)　勤務報労金（Dienstbelohnung）ハ現役義務ヲ超ヘテ志願ニヨリ給付セル現役勤務ニ対スル慰労（Anerkennung）トシテ之ヲ支給ス　該報労金ハ部隊ニ依リ除隊ノ際、但シ遅クモ終了セル十八ヶ年ノ現役勤務期間ノ當日ニ支給セラレ且左ヨリ以下ノ現役勤務期間ノトキニ於テハ

左ノ額トス」

一〇　第五〇條第二項中最後ノ二段ヲ左ノ通リ定ム

「全勤務期間トハ第五四條第二項、第五五條、第五六條第一項、第二項及第四項、第五七條、第五八條、第一八五條及第一八六條ニ基ク勤務期間ヲ算入セル（ソレガ満二十七才前ニナサレタルトキニモ亦）現役勤務期間及公的勤務ニ於ケル実際服役終了セル期間ヲ謂フモノトス」

一一　第五四條ヲ左ノ通定ム

「第五四條　(一)　現役勤務期間ハ恩給権ヲ伴フモノトス　但シ

(イ)　満二十七才前ノ期間

(ロ)　勤務俸ヲ伴ハサル賜暇ノ期間（但シ公的重要事ニ役立ツ休暇ノ許與ノ際、遅クモ終了ニ際シ考慮カナサルルトキハ此ノ限ニアラス）

(ハ)　公的方法ニヨル下附金ノ支給セラルル期間ハ之ヲ考慮セス

(二)　下士又ハ将校満二十七歳後

(イ)　官吏トシテ國ノ直接又ハ間接勤務又ハ警察ノ執行勤務ニ服シ

(ロ)　國労役勤務所属者又ハ

(ハ)　軍候補者タリ　又ハ

(二)　國又ハ其他ノ公法団体、公法施設及公法人ノ勤務ニ於テ扶助證書（*Versorgungsschein*）ノ所持者トシテ完全ニ就業セル期間亦恩給権ヲ伴フモノトス

一二　第六七條第二項ヲ左ノ通定ム

「(二)　最低三ケ月乃至五ケ年ノ現行勤務期間ヲ有スル軍人ハ兵役勤務傷害ト認メラレザリシ身体傷害ニ對シ第一項(イ)及(ロ)ノ要件ノ充タサルルトキハ除隊後三ケ年ニ至ルマデ第七〇條乃至第八二條ニ基ク醫療救護ヲ受クルコトヲ得

一三　第六九條ニ左ノ新項ヲ加フ

「(三)　期間遅滞ノ疏明ハ之ヲ棄却スルコトヲ得」

一四　第七四條第二項第一行ニ於テ「被指定者」（*Zugeteilte*）ナル語ヲ「兵役勤務被害者」ナル語ニ代フ

一五　第八六條第五項及第六項ヲ左ノ通定ム

「(五)　傷痍ノ兵役勤務被害者ニシテ其ノ職業教育ヲ継続スルコトヲ得ス又ハ其ノ従前ノ職業若クハ其ノ生活関係、知識及能力ヲ考慮シ其者ニ正當ニ期待セラルル其ノ他ノ職業ヲ実行スルコト能ハサル者ハ訓練セラレ、再教育セラレ又ハ経済的自活ヲナシ得ルガ如クナサレ得ルモノトス　職業訓練又ハ再教育ハ一ケ年マテ、特別ノ場合ニハ國防軍総司令部ニヨリ　ヨリ長期ニ亘リ許可セラルルコトヲ得

(六)　就職、訓練又ハ再教育上移轉ヲ必要トスルトキハ第一二四條ニ基ク移轉料（*Umzugsentschädigung*）ヲ支給スルコトヲ得」

一六　第八七條ヲ左ノ通定ム

「第八七條　(一)　傷痍ヲ蒙レル労務使用可能ノ兵役勤務被害者ノ生計ヲ其ノ就職ニ至ルマデ及ビ訓練又ハ再教育期間中保障スルタメ轉業扶助料（*Übergangsunterstützung*）ヲ支給ス

(二)　轉業扶助料ハ左ノ場合ニ於テモ之ヲ支給ス

傷痍ノ兵役勤務被害者ニシテ其ノ兵役勤務傷害ノ結果ニヨリ其ノ労働場所ヲ再ヒ喪失セル場合又ハ

傷痍ノ兵役勤務被害者ニシテ自己ノ過失ナクシテ其ノ労働場所ヲ放棄セザルヲ得ス、且其ノ兵役勤務損害ノ結果ニヨリ訓練又ハ再教育ノ後ニノミ他ノ労働場所ヲ獲得シ得ル場合

(三)　轉業扶助料ハ一年ニ至ルマデ適宜第八九條ニ基ク労務使用不能者年金ノ三分ノ二ノ額ヲ支給ス　特別ノ場合ニ於テハ　國防軍総司令部ハ國財政大臣ノ同意ヲ得テ労務使用不能者年金ノ額マテ、且ヨリ長期間ニ亘リ轉業扶助料ヲ許可スルコトヲ得

(四)　轉業扶助料ハ兵役勤務被害者ニシテ労働場所ノ承諾又ハ訓練若クハ再教育ヲ止ムヲ得ザル理由ナクシテ拒絶セル場合及拒絶セル限リ之ヲ支給セス」

一七　第八九條第六項ヲ左ノ通定ム

「(六)　公的勤務ニ於ケル就業ニヨル收入、他ノ法律ニ基ク恩給又ハ恩給類

以給料請求権ヲ有スル兵役勤務被害者ニシテ兵役勤務傷害ノ結果労務使用不能トナリタルトキハ労務使用不能者年金ハ公的勤務ニ於ケル就業ニヨル収入、恩給又ハ恩給類似給料ヲ超過スル範囲ニ於テノミ之ヲ支給ス」

一八　第九七條第二項ヲ左ノ通定ム

「(二)　第一項ニ掲グル扶助料ノ支給ハ左ヲ以テ之ヲ開始ス

(イ)　申請ナキ救護及扶助ノ支給ノ場合及現役勤務除隊前ニ於ケル請求ノ申告ノ場合ニ在リテハ除隊月ノ初日　右ノ日以後支給セル勤務扶助料ハ之ヲ算入ス

(ロ)　現役勤務除隊後ニ於ケル請求ノ申告ノ場合ニ在リテハ救護及扶助ノ賦與ニ対スル要件ノ充タサレタル月ノ初日、早クトモ請求ノ申告セラレタル月ノ初日、申請月及其翌月ニ対シ勤務扶助料支給セラレタルトキハ之ヲ算入ス

(ハ)　支給セラレタル救護及扶助ノ増額請求申告ノ場合ニアリテハ(ロ)ニ同シ

(ニ)　第六八條ニ掲グル准軍人ノ請求申告ノ場合ニ在リテハ救護及ビ扶助ノ賦與ニ対スル要件ノ充タサレタル月ノ初日、早クトモ請求ノ申告セラレタル月ノ初日」、

一九　第九八條第二項ヲ左ノ通定ム。

「(二)　第九七條第一項ニ掲グル扶助料ノ減額又ハ停止ハ決定送達ノ翌月ノ終了ト共ニ之ヲ行フ　但シ住居変更ノ際ニ於テハ現在ノ扶助料支給ニ對スル要件ノ消滅セル月ノ終了ト共ニ之ヲ行フ　轉業扶助料ハ兵役勤務被害者ガ労働場所ヘ就職セル月ノ終了ト共ニ之ヲ停止ス」

二〇　第九九條第二項及第三項ヲ左ノ通定ム

「(二)　恩給又ハ継続年金若クハ第一一條第二項、第二〇條第二項、第二四條及第三〇條第二項ニ基ク扶助料ヲ受クル軍人ハ兵役勤務損害ニ対シ之等扶助料ト共ニ醫療救護、傷痍賜金、第八六條ニ基ク職業保障、看護手當及失明手當ノ支給ヲ受ク　之等軍人ハ其者ニ対シ有利ナルトキハ恩給又ハ継続年金ニ代ヘ労務使用不能者年金ヲ選択スルコトヲ得

(三)　軍候補者扶助料ヲ受クル軍人ハ兵役勤務損害ニ対シ該扶助料ト共ニ

醫療救護、傷痍賜金、第八六條ニ基ク職業保障、看護手當及失明手當ノ支給ヲ受ク」

二一　第九九條ノ後ニ左ノ第九九條ノ二ヲ加フ

「本法ニ基ク被害者救護及ビ扶助ト國法律ニヨル災害保険又ハ國大管区オストマルク若クハ國大管区ズデーテンラントニ於テ適用サルル當該規定ニ基ク年金トノ競合

第九九條ノ二　本法ニ基ク傷痍賜金、子女手當ヲ伴フ労務使用不能者年金、看護手當及失明手當ハ之ヲ同一身体傷害ニ基キ受給権ヲ有スル國法律ニヨル災害保険ニ基ク年金又ハ國大管区オストマルク若クハ國大管区ズデーテンラントニ於テ適用セラルル當該規定ニ基ク年金ト共ニ夫等ガ右年金ヲ超過スル範囲ニ於テノミ支給ス」

二二　第百一條第一項(ロ)ヲ左ノ通定ム

「(ロ)　最終ノ疾病及ビ埋葬費ヲ負担セル者　但シ遺産及傷痍者埋葬料該費用ヲ償フニ足ラザル場合ニ限ル」。

二三　第一〇五條第五項ヲ削ル　第六項及ビ第七項ヲ第五項及第六項トス

二四　第一一三條ニ左ノ新項ヲ加フ

「(二)　期間遅滞ノ疏明ハ之ヲ棄却スルコトヲ得」

現在ノ文言ヲ第一項トス

二五　第一一四條第三項ヲ左ノ通定ム

「(三)　但シ寡婦賜金ハ十二ケ年以下ノ勤務年限ヲ有スル第二級俸ノ下士ノ恩給権アル勤務俸ノ百分ノ三十ニ下ルコトヲ得ズ　且陸軍中将ノ恩給権アル勤務俸ノ百分ノ四十ヲ超ユルコトヲ得ズ」

二六　第一一七條第五項第四行ノ「継続支給」ナル語ヲ「支給」ト改ム

二七　第一二〇條ヲ左ノ通定ム

「第一二〇條　両親年金ハ死者ノ受ケ又ハ受クルコトヲ得ベカリシ勤務等級手當又ハ職務手當ト共ニ一人ノ親ニ對シテハ満三十五才前ノ單ナル兵役勤務被害者ノ受クル労務使用不能者年金ノ百分ノ二十五マデ、両親ニ対シテハ該年金ノ百分ノ五〇マデトス　両親年金ハ両親ノ住所ニ基キ之ヲ算出ス」

二八　第一二一條ノ後ニ左ノ第一二一條ノ二ヲ加フ

「本法ニ基ク遺族年金ト國法律ニヨル災害保險又ハ國大管区オストマルク若クハ國大管区ズデーテンランドニ於ケル當該準用規定ニ基ク遺族年金トノ競合

第一二一條ノ二　本法ニ基ク子女手當ヲ伴フ寡婦及孤児年金又ハ両親年金ハ國法律ニヨル災害保險又ハ國大管区オストマルク若クハ國大管区ズデーテンランドニ於ケル當該準用規定ニ基ク寡婦年金、孤児年金又ハ両親年金ト共ニソレガ之等寡婦年金、孤児年金又ハ両親年金ヲ超ユル範囲ニ於テノミ之ヲ支給ス」

（以下略）

第二項　特別配置國防軍救護扶助法

以上述べたる國防軍救護扶助法は現行軍事扶助法の基本法であるが、大戦の切迫と國防軍兵助対策の重要性の増大により更に廣汎なる扶助を軍人とその遺族に賦與するため、一九三九年九月一日附「配置家族扶助令」等一聨の関聨の下に一九三九年七月六日附を以て「特別配置國防軍前所屬者及其ノ遺族ノタメノ救護及扶助法」（配置救護扶助法）が発布せられた。蓋し軍事扶助の戦時対策に外ならない。而して本法の適用を受くべき「特別配置」関係者及び軍事企図は総統兼國防軍最高司令官が之を規定することゝなつてゐるが（第三三條）、右につき最初に発布された一九三九年七月七日附「配置扶助法及國防軍救護扶助法ノタメノ命令」によれば、特別配置軍人及其遺族としてスペイン内乱當時のドイツ義勇軍コンドル部隊、スペイン水域派遣海軍、ズデーテン領域開放のため配置せられた國防軍及びズデーテン独逸義勇軍の所屬者及其の遺族が挙げられてゐる。以て爾後の本法の適用範囲を知るを得るであらう。本法の内容に就ては本法條文自体をして語らしむるであらう。

特別配置國防軍前所屬者及其遺族ノタメノ救護及扶助法（配置救護及扶助法）

（一九三九年七月六日附）

（Fürsorge- und Versorgungsgesetz für die ehemaligen Angehörigen der Wehrmacht bei besonderem Einsatz und ihre Hinterbliebenen —— Einsatzfürsorge- und -versorgungsgesetz —— EWFvG.）

（一九四〇年八月二〇日附配置國防軍救護及扶助法改正法（Gesetz zum Änderung des EWFvG.）ニヨル）

國民社會主義的國家ハ特別配置中其ノ健康及生命ノ[illegible]ニ際シ武器又ハ其他ノ戰闘手段ニ依リ又ハ戰闘地域ニ於テ身体損害ヲ蒙リタル軍人ニ對シ國防軍救護及扶助法ニヨル救護及扶助ヲ超エテヨリ廣汎ナル救護及扶助ヲ賦與スルコトヲ其ノ名誉義務（Ehrenpflicht）ナリト思考ス。右ハ軍人ノ遺族ニ對シテモ同様ナリ

之ヲ以テ國政府ハ左ノ法律ヲ決定シ茲ニ之ヲ公布ス

第一編　一般規定

國防軍救護及扶助法ノ適用

第一條　特別配置ノ際ニ於ケル救護及扶助ニ對シテハ以下異ル定メヲナサザル限リ一九三八年八月二六日附國防軍救護及扶助法ノ規定ヲ適用ス

特別配置ノ際ニ於ケル損害（Beschädigung）

第二條　㈠　特別配置ノ際ニ於ケル損害ハ身体損害（Körperschaden）特別配置中武器又ハ其他ノ戰闘手段ノ影響ニ因リ発生又ハ悪化セシメラレ

タルトキニ存スルモノトス

ハ

(二)　(イ)　戰鬪地域ニ於テ又ハ戰鬪行為トノ關聯ニ於テ蒙リタル、又ハ

(ロ)　災害ニ帰セラルヘキ、又ハ

(ハ)　戰爭ノミニ特有ナル關係ニ帰セラルヘキ

兵役勤務損害（Wehrdienstbeschädigung）亦特別配置ノ際ニ於ケル損害タルモノトス

(三)　特別配置ノ際ニ於ケル損害ハ身体損害（Körperschaden）被害者ニ依リ故意ニ惹起セシメラレタルトキハ存セザルモノトス　既遂又ハ未遂ノ故意ニヨル自己損害（Selbstbeschädigung）ノ裁判所ニヨル確認ハ救護及扶助手續ニ於ケル決定ニ対シ拘束力ヲ有ス

第二編　軍人（Soldaten）

第一章　勤務期間救護及扶助（Dienstzeitfürsorge und =versorgung）

甲　現役勤務義務ヲ超ヘテ勤務セル軍人

第三條　(一)　特別配置中現役勤務義務ヲ超ヘテ現役勤務ニ残留シ且特別配置中又ハ特別配置終了後名誉裡ニ若クハ勤務不能ノタメ除隊セシメラレタル軍人ハ國防軍救護及扶助法第五條ニ規定セル勤務期間救護ノミヲ受クルモノトス

(二)　現役勤務義務ヲ超ヘテ五ケ年マデノ勤務期間ノ義務ヲ負ヒ且特別配置ノ機會ニ（aus Anlass）五ケ年ヲ超ヘテ現役勤務ニ残留セル下士及兵卒（Mannschaften）ハ國防軍救護及扶助法第六條乃至第八條及第一〇條ニ規定セル勤務期間救護ノミヲ受クルモノトス

乙　一時的ニ現役勤務ニ服セル前軍人

國防軍救護及扶助法ニヨル恩給（Ruhegehalt）又ハ繼続年金（Dauerrente）

請求權ヲ有セサル前軍人

第四條　之等軍人特別配置ノ機會ニ一時的ニ現役勤務ニ服スルトキハ其者此ノ機會ニ因リ國防軍救護及扶助法第六條乃至第三〇條ニヨル勤務期間救護及扶助ニ対スル初度ノ又ハ増額セル請求權ヲ得ルコトナシ

國防軍救護及扶助法ニヨル恩給又ハ繼続年金請求權ヲ有スル前軍人

第五條　(一)　之等軍人特別配置ノ機會ニ一時的ニ現役勤務ニ服シ且名誉裡ニ除隊セルトキハ其ノ恩給受領可能勤務期間（ruhegehaltfähige Dienstzeit）ハ再服役及以前ノ除隊後服役終了セル訓練（abgeleisteten Übungen）ノ期間ノ加算ノ下ニ國防軍救護及扶助法ノ規定ニ従ヒ伸長セラルルモノトス　之等軍人ガ新規除隊ノ時ニ於テ國俸給法（Reichsbesoldungsrecht）ニ基ク平時俸給（Friedensbezüge）ヲ受ケ居ルトキハ恩給ハ之等軍人ガソレニ基キ再服役中俸給ヲ受ケタル、又ハ之等軍人ニ相當セル俸給等級ノ恩給權アル勤務俸ニ基キ之ヲ算出ス但シ恩給ハソレガ有利ナルトキハ従前ノ勤務等級ノ恩給權アル勤務俸ニ基キ之ヲ算出ス

(二)　之等軍人特別配置ノ機會ニ最低六十日間現役勤務ニ服シ且名誉裡ニ除隊セルトキハ再服役勤務ニヨリ勤務年ノ残餘（ein weiteres Dienstjahr）未タ完了セサルトキト雖モ亦一ケ年ノ勤務年（ein volles Dienstjahr）ヲ加算スルモノトス　之等軍人ヨリ短期間ノ勤務後傷痍賜金割増金（Versehrtengeldzulage）請求權ヲ有シ名誉裡ニ除隊セルトキ亦同シ

第二章　被害者救護及扶助

人的範圍

第六條　特別配置ノ際損害ヲ被リタル軍人及國防軍救護及扶助法第六八條ニ掲クル準軍人（Zivilperson）ハ國防軍救護及扶助法ニヨル兵役勤務損害ニ於ケルト同シ救護及扶助及其レト共ニ本法ニ基ク救護及扶助ヲ受ク

三五二

ルモノトス

傷痍賜金割増金（Versehrtengeld-zulage）

第七條　㈠　特別配置ノ際ニ於ケル損害及其結果ニ對シテハ國防軍救護及扶助法第八四條ニヨル傷痍賜金ト並ンデ傷痍賜金割増金ヲ支給ス

傷痍賜金割増金ハ

一等級ニテハ月　一〇ライヒスマルク

二等級ニテハ月　一五ライヒスマルク

三等級ニテハ月　二〇ライヒスマルク

トス

㈡　傷痍賜金割増金ノ支給セラルヘキトキハ傷痍賜金割増金及國防軍救護及扶助法第八四條ニ基ク傷痍賜金ハ　スヘテノ他ノ收入ト共ニ、亦勤務給付ニ対スル官吏、將校ノ俸給又ハ恩給ト共ニ及軍候補者扶助料（Militäranwärterbezüge）ト共ニ之ヲ支給ス

第八條　傷痍賜金割増金ハ特別配置ノ際ニ於ケル損害ニ際シ國防軍救護及扶助法第八九條第五項及第六項ノ場合ニ於テモ亦其処ニ規定セラレタル最高限ヲ超ヘテ之ヲ支給ス

下附資金（Kapitalabfindung）

第九條　國防軍救護及扶助法第九四條乃至第九六條ニヨル下附資金ハ又傷痍賜金割増金ニ穴ヘテ許可セラレルコトヲ得

第三編　軍人遺族

第一章　遺族救護

埋葬料割増金（Sterbegeldzulage）

第一〇條　㈠　傷痍賜金割増金ノ受取人ノ寡婦、嫡出ノ及嫡出ト宣言セラレタル子孫（die eheliche u. für ehelich erklärten Abkömmlinge）ハ國防軍救護及扶助法第一〇〇條ニヨル埋葬料ト共ニ傷痍賜金割増金ノ額ノ埋葬料割増金ヲ受クルモノトス

三五三

三五四

㈡　支給ハ埋葬料支給ト同一原則ニヨリ之ヲ行フ

㈢　國防軍救護及扶助法第一〇一條ニ掲クル者ニ對シテハ埋葬料ト共ニ申請ニ基キ埋葬料割増金ノ全部又ハ一部ヲ賦與スルコトヲ得

第二章　遺族扶助

甲　人的範圍

寡婦及孤兒

第一一條　國防軍救護及扶助法ニヨル扶助請求權ヲ有スル寡婦及孤兒ハ死亡カ特別配置ノ際ニ於ケル損害又ハ特別配置中蒙リタル兵役勤務損害ノ結果ナルトキハ寡婦賜金又ハ孤兒賜金又ハ寡婦年金及孤兒年金ト共ニ

第一七條ニヨル寡婦割増金（Witwenzulage）及

第一九條ニヨル孤兒割増金（Waisenzulage）

ヲ受クルモノトス

第一二條　㈠　國防軍救護及扶助法第一〇五條第二項及第三項ニ掲クル軍人ノ寡婦及孤兒ハ死亡カ特別配置ノ際ニ於ケル損害又ハ特別配置中蒙リタル兵役勤務損害ノ結果ナルトキハ之等軍人ノ婚姻カ現役勤務除隊後十年以内ニ行ハレタルトキニ於テモ亦右條文ニ規定セラレタル遺族扶助ヲ受クルモノトス　夫レト共ニ右寡婦及孤兒ハ

第一七條ニヨル寡婦割増金　及

第一九條ニヨル孤兒割増金

ヲ受クルモノトス

㈡　第一項ハ國防軍救護及扶助法第一二七條第三項ニヨル恩給、繼續年金又ハ生計扶助料（Unterhaltsbeitrag）ヲ受ケ又ハ受クルコトヲ得ヘカリシ軍人ノ寡婦及孤兒ニハ之ヲ適用セス

第一一條及第一二條ニヨル扶助請求權ヲ有セサル寡婦及孤兒、離婚シタル妻・再婚シタル寡婦及私生兒

第一三條　之等ノ者ニ对シテハ其者カ國防軍救護及扶助法ニ基キ受クルコトヲ

三五五

得ル扶助ト共ニ第一七條及第一九條ニヨル寡婦及孤児割増金ハ死亡カ特別配置ノ際ニ於ケル損害又ハ特別配置中蒙リタル兵役勤務損害ノ結果ナルトキハ之ヲ全部又ハ一部取消的ニ支給スルコトヲ得

継子（Stiefkinder）

第一三條ノ二　継子ニ対シテハ継父ノ死亡カ特別配置ノ際ニ於ケル損害又ハ特別配置中蒙リタル兵役勤務損害ノ結果ナルトキハ　國防軍救護及扶助法第一〇八條第二項ニ規定セル生計扶助料及本法第一九條ニヨル孤児割増金ハ之ヲ全部又ハ一部取消的ニ支給スルコトヲ得

両親

第一四條 (一)　軍人又ハ國防軍救護及扶助法第六八條ニ掲クル准軍人（Zivilperson）ノ死亡カ特別配置ノ際ニ於ケル損害又ハ特別配置中蒙リタル兵役勤務損害ノ結果ナルトキハ國防軍救護及扶助法第百一一條ニヨル両親賜金（Elterngeld）及両親年金（Elternrente）ト共ニ第二〇條ニヨル両親割増金（Elternzulage）カ支給セラルル両親カ其ノ唯一人ノ子又ハ多数ノ子ヲ喪ヒタルトキハ　國防軍救護及扶助法第一一一條ニヨル扶助ハ死者カ両親ノ生計ヲ主トシテ引受ケ居ラサリシ場合ニ於テモ亦支給セラルルモノトス　右ハ其他ノ直系尊属ニハ之ヲ適用セス

(二)　特別配置ノ際ニ於ケル損害又ハ特別配置中蒙レル兵役勤務損害ノ結果死亡セル軍人及國防軍救護及扶助法第六八條ニ掲クル准軍人ノ両親及其ノ他ノ直系尊属ハ死者カ夫等ノ者ノ生計ヲ主トシテ引受ケ居ラサリシトキハ申請ニ基キ必要ノ期間（Dauer der Bedürftigkeit）第二〇條ニヨル両親割増金ヲ受クルモノトス

(三)　恩給又ハ継続年金受給権ヲ有シタリシ死亡軍人ノ両親及ビ其他ノ直系尊属ハ若シ夫レカ有利ナルトキハ両親賜金ニ代ヘ両親年金ヲ受クルモノトス

失踪者

第一五條 (一)　死亡カ特別配置ノ際ニ於ケル損害又ハ特別配置中蒙リタル兵役勤務損害ノ結果推定セラルル（wahrscheinlich ist）トキハ　國

防軍救護及扶助法第一一二條第一項ニヨル扶助ニ加ヘ寡婦及孤児割増金カ支給セラル、コトヲ得

(二)　同一要件ノ下ニ両親扶助料（Elternbezüge）カ支給セラルルコトヲ得

(三)　國防軍救護及扶助法第一一二條第三項ハ本法ニ基ク遺族扶助料（Hinterbliebenenbezüge）ニ対シ又之ヲ適用ス

申告期間（Antragsfrist）

第一六條 (一)　死亡カ特別配置ノ際ニ於ケル損害又ハ特別配置中蒙リタル兵役勤務損害ノ結果ナルトキハ両親扶助ニ対スル申告ハ権利喪失ヲ避クルタメ死亡事故後三ケ年以内ニナサル、コトヲ要ス

(二)　期間遅滞ノ疏明（Einwand der Fristversäumnis）ハ棄却セラルルコトヲ得

乙　扶助ノ種類

寡婦割増金（Witwenzulage）

第一七條 (一)　寡婦割増金ハ　死者カ受ケ又ハ受クヘカリシ勤務級手當又ハ職務手當（Dienstgrad- oder Berufszulage）ノ額、但シ最低曹長ノ勤務級手當ノ額及最高大尉ノ勤務給手當ノ百分ノ七十五ノ額ヲ支給セラル

(二)　寡婦割増金ニハ更ニ必要アル場合ニハ追加割増金（Zuschuß）カ支給セラルルコトヲ得、但シ下士ニアリテハ准尉ノ寡婦ニ適用セラルル寡婦年金ノ全額マデ、將校ニアリテハ大尉ノ寡婦ニ適用セラルル寡婦年金ノ全額マデトス

寡婦下附金（Witwenabfindung）

第一八條　國防軍救護及扶助法第百一六條ニヨル寡婦下附金ト共ニ同一原則ニ基キ寡婦割増金ニ対スル下附金カ支給セラル

孤児割増金（Waisenzulage）

第一九條 (一)　孤児割増金ハ其ノ母尚生存シ且死者死亡ノ時ニ於テ寡婦賜金又ハ寡婦年金受領権ヲ有シタリシスヘテノ子ニ対シ月十ライヒスマルクトス

(二)　孤児割増金ハ其ノ母既ニ生存セス又ハ死若死亡ノ時ニ於テ寡婦賜金又ハ寡婦年金受領権ヲ有セサリシスヘテノ子ニ対シ月一五ライヒスマルクトス

(三)　孤児割増金ニ対シ必要アル場合ニハ更ニ月一五ライヒスマルクノ追加割増金（Zuschuß）カ支給セラルルコトヲ得

両親割増金（Elternzulage）

第二〇條　(一)　両親割増金ハ
一人ノ親ニ対シテハ月一五ライヒスマルク
両親ニ対シテハ月二〇ライヒスマルク
トス

(二)　両親割増金ハ多数ノ子カ特別配置ノ際ニ於ケル損害又ハ特別配置中蒙リタル兵役勤務損害ノ結果死亡セルトキハ其ノ後ノ各子ニ対シ月五ライヒスマルル丈ケ増額セラルルモノトス

國防軍救護扶助法ニ基ク、及本法ニ基ク
多数ノ遺族扶助料ノ競合

第二一條　(一)　寡婦割増金及孤児割増金ハ請求権者ニ対シ全額支給サルベキモノトス　縮減（Kürzung）ニ関スル國防軍救護及扶助法第一二一條第一項及第二項ノ規定ハ右支給ニ対シテハ之ヲ適用セス　右規定ハ亦第一三條及第一五條ニヨリ支給セラルルコトヲ得ル寡婦割増金及孤児割増金ニ對シテモ之ヲ適用セス

(二)　両親割増金ノ支給セラルルトキハ縮減ニ関スル第一二一條第三項ノ規定ハ之ヲ適用セス

他ノ收入ト寡婦及孤児割増金トノ併存

第二二條　寡婦及孤児割増金ハ遺族ニ對シスヘテノ他ノ收入ト共ニ支給セラル

埋葬料割増金（Sterbegeldzulage）
ノ遺族扶助料ヘノ算入

第二三條　埋葬料割増金ノ本法ニ基ク遺族扶助料及國防軍救護及扶助法ニヨル

遺族扶助料ヘノ算入ニ對シテハ國防軍救護及扶助法第一二二條ノ規定ヲ適用ス

第四編　共通規定

特別配置國防軍編入ノ際ニ於ケル扶助料ノ
継続支給

第二四條　特別配置ノ際ノ國防軍ヘノ編入ニ際シテハ國防軍救護及扶助法及本法ノ扶助料ハ継続支給セラルルモノトス

差押、讓渡（Übertragung）、委付
（Abtretung）及質入

第二五條　(一)　本法ニ基ク救護及扶助料ハ差押フルコトヲ得ス
(二)、本法ニ基ク救護及扶助料ハ國防区司令部ノ同意ヲ得テ有效ニ讓渡、委付又ハ質入スルコトヲ得

本法ニ基ク救護及扶助料ノ労働報酬ヘノ
算入ノ除外

第二六條　本法ニ基ク救護及扶助料ハスヘテノ労働報酬及スヘテノ俸給（他ノ法律ニ基クモノモ亦）ヘノ算入カラ之ヲ除外ス

第五編　國防軍官吏及其遺族

第二七條　(一)　國防軍官吏第二條ニ基ク特別配置ノ際ニ於ケル損害ヲ蒙リタルトキハ傷痍ニ付キテハ國防軍救護及扶助法第八四條ニ基ク傷痍賜金及本法第七條ニ基ク傷痍賜金割増金ヲ受ケ且其者独逸官吏法（Deutschen Beamtengesetz）ニ基キ醫療救護（Heilfürsorge）ノ権利ヲ有セサルトキハ　國防軍救護及扶助法ニ基ク醫療救護ヲ受クルモノトス

(二)　傷痍賜金及傷痍賜金割増金ノ支給ニ関スル第七條第二項ハ同様ニ之ヲ適用ス

(三)　國防軍官吏ノ遺族ハ一九三七年一月二六日附独逸官吏法ニ基ク

扶助料ト共ニ本法ニ基ク遺族扶助料ヲ受クルモノトス　第二二條、第二五條及第二六條ハ之ヲ適用ス

(四)　特別配置ノ際ニ於ケル損害ヲ蒙リタル帰休中（Beurlaubtenstand）ノ國防軍官吏ハ第六條ニ謂フ軍人ト同一ノ扶助ヲ受ク　其遺族ハ死亡カ特別配置ノ際ニ於ケル損害又ハ特別配置中蒙リタル兵役勤務損害ノ結果ナルトキハ國防軍救護及扶助法第一三六條第二項第二段ニ基ク扶助ト共ニ本法ニ基ク遺族救護及扶助ヲ受クルモノトス

官吏ノ遺族ニ對スル独逸官吏法ニ基ク

災害救護（Unfallfürsorge）

第二七條ノ二　(一)　官吏カ軍人又ハ國防軍官吏トシテ戰死シ又ハ負傷（Verwundung）若クハ兵役勤務損害ト認メラルル特別配置中蒙リタル災害ノ結果死亡シタルトキハ其遺族ハ独逸官吏法ニ基ク災害救護ヲ受クルモノトス　死亡カ現役勤務解除後生シタルトキト雖モ亦同シ

(二)　身体傷害（Körperschaden）ノ特別配置ノ際ニ於ケル兵役勤務損害又ハ損害トシテノ法上有效ナル承認又ハ拒否ハ独逸官吏法ニ基ク扶助請求権ニ関スル決定ニ對シ拘束力ヲ有スルモノトス

第六編　手續規定

代理人及全権委任者（Bevollmächtigte）

第二八條　特別配置中又ハ特別配置ノ機會ニ基キ発生セル國防軍救護及扶助法ニ基ク請求権及本法ニ基ク請求権ノタメ

(イ)　國防軍救護及扶助法第一四三條第三項ニ基ク特別代理人トシテ　及

(ロ)　國防軍救護及扶助法第一四四條第二項(イ)ニ基ク全権委任者トシテ及輔佐人（Beistand）トシテ

國民社會主義戰爭犠牲者扶助団（Nationalsozialistische Kriegsopferversorgung）ノ団員ハ國民社會主義全國戰士聯盟（Nationalsozialistische Reichskriegerbund）ノ加盟員ノ地位ニ立ツモノトス

判決手續（Spruchverfahren）

第二九條　(一)　國防軍総司令部ハ國防軍救護及扶助法第一六六條乃至第一八一條及第二〇〇條第一項ノ判決手続ヲ特別配置ノ期間中全部又ハ一部停止スルコトヲ訓令スルコトヲ得

(二)　特別配置中國防軍救護及扶助國裁判所ニ於テ判決手続カ施行セラルル限リ評議員會（Senate）ノ一時的構成員トシテ國民社會主義戰爭犠牲者扶助団ノ団員カ國防軍救護及扶助法第一四〇條第三項(ロ)ニ謂フ國民社會主義全國戰士聯盟ノ加盟員ノ地位ニ立ツモノトス　國防軍救護及扶助國裁判所ニ依リ特別配置ノ機會ヨリ生スル請求権ニ関シ決定カナサルヘキトキ亦同シ

第七編　過渡及終結規定

第一章　過渡規定

特別配置國防軍ヘノ編入ノ際ニ於ケル他ノ法律ニ基ク扶助料ノ継続支給

第三〇條　第二四條ハ他ノ法律ニ基ク扶助料（Versorgungsgebührnisse）ニ対シテモ亦之ヲ適用ス

従前ノ諸法律ニ基ク恩給又ハ恩給類似扶助料（ruhegehaltähnliche Bezüge）請求権ヲ有スル前軍人及其遺族

第三一條　(一)　之等軍人特別配置ノ機會ニ最低六〇日間現役勤務ニ再服役（wiederverwendet）シ又ハヨリ短期間ノ後傷痍賜金割増金請求権ヲ有シテ除隊セルトキハ其者及其遺族ニ対シ國防軍救護及扶助法及本法ヲ適用ス國防軍救護及扶助法ニ基ク恩給権アル勤務期間ノ調査ニツキテハ夫迄ノ恩給決定ノ基礎トナレル勤務期間及本法第五條ニ基ク伸長ノミカ考慮セラルルモノトス

㈡　右ニ拘ハラス之等軍人及其遺族ハ若シ其者ソレヲ申出スルトキハ従前ノ法律及規則ニ従ヒ扶助セラルルモノトス

㈢　再服役軍人ハ再服役中蒙リタル特別配置ノ際ニ於ケル損害ノ結果タル傷痍ニ付キテハ第二項ニ基ク扶助ト共ニ其傷痍等級ニ基ク傷痍賜金割増金ヲ受ク　傷痍資金割増金ハスヘテノ他ノ収入ト共ニ之ヲ支給ス

國官吏ニ対シ適用スル規定ニ基ク恩給

又ハ恩給類似扶助料請求権ヲ有スル前

海軍主計官（Marinezahlmeister）

第三一條ノ二　之等海軍主計官特別配置ノ機會ニ豫後備ノ海軍行政士官（Marineverwaltungsoffiziere des Beurlaubtenstandes）トシテ最低六十日間再服役シ又ハヨリ短期間ノ後傷痍賜金割増金請求権ヲ有シテ除隊セルトキハ　其者及其遺族ニ對シ第五條及第三一條ノ規定ヲ適用ス

本法ニ基ク両親扶助ト國扶助法（Reichs-versorgungsgesetz）ニ基ク両親扶助トノ競合

第三二條　㈠　本法ニ基ク両親扶助請求権國扶助法ニ基ク両親扶助請求権ト競合スルトキハ本法ニ基ク両親扶助カ賦與セラルルモノトス　死者カ両親ノ生計ヲ主トシテ（überwiegend）引受ケ居タリシコトヲ要ストナス國防軍救護及扶助法第一一一條第一項ノ要件ハ死者カ扶養者（Ernährer）タリ又ハ扶養者ト成ルヘカリシトノ國扶助法第四五條第一項ニ基ク確認ニヨリ充タサレタルモノトス

㈡　右ニ拘ハラス両親ニ対シ有利ナルトキハ　第一項ニ基ク両親扶助ニ代ヘ、國扶助法ニ基キ確定セラレタル両親扶助及本法第二十條第二項ニ基ク両親割増金ノ増額カ賦與セラルルモノトス

第二章　終結規定

本法ノ施行（Inkrafttreten）

第三三條　㈠　本法ハ一九三八年十月一日ヲ以テ之ヲ施行ス（一九四〇年八月二〇日附配置國防軍救護及扶助法改正法律ハ一九三九年八月二六日ノ效力ヲ以テ之ヲ施行ス）

㈡　総統及國防軍最高指揮官ハ

(イ)　何人カ特別配置ノ関係者ト解セラルヘキヤ

ロ　如何ナル軍事企図（Militärische Untersuchung）カ特別配置ト解セラルヘキヤヲ定ムルモノトス

㈢　國防軍総司令部ハ國財政大臣ノ同意ヲ得テ本法施行ノタメ必要ナル規則及過渡規制トシテノ補充規定ヲ発布スルモノトス

第四節　召集軍人及労役勤務者家族扶助法

一　はしがき

戦時に於て應召者の家族の生計を援助して、その財政上の安定を得しめることは、國家の當然の義務である．前線にあつて祖國のために戰ふ者の最大の関心事は、銃後に於ける國民の志氣如何の問題であり、具体的には自己の家族の生活が安定を得つゝありや否やの問題である．此の問題の満足なる解決なくしては、如何に忠勇なる兵士と雖も、後顧の憂ひなく奉公の誠を盡すことは不可能と言はねばならない．

ナチス独逸に於ては　戦時平時を問はず、軍務或は軍務に準ずる勤務――例へば防空勤務、労役勤務（労働奉仕）等――に召集せられたる者の家族に対し

三七二

適當なる扶助を與へ、以て之等の應召者をして後顧の憂ひなくその義務を履行せしめてゐるのである。

この家族扶助制度は、一九三五年五月二一日附の「兵役法」（Wehrgesetz）によって一般的な兵役義務制が復活され、又一九三五年六月二六日附の「國労働奉仕法」（Reichsarbeitsdienstgesetz）によって労働奉仕義務制が初めて導入されて以來、行はるゝこととなつたのである。而して初めは、一九三五年一一月二五日附「國防軍ノ演習ノタメノ召集ニ関スル命令」（Verordnung über die Einberufung zur Übungen der Wehrmacht）や、一九三五年一二月一九日附「現役義務履行ノタメニ召集サレタル兵役義務者並ニ召集ザレタル労働奉仕義務者ノ家族ノ扶助ニ関スル命令」（Verordnung über die Unterstützung der Angehörigen der zur Erfüllung der aktiven Dienstpflicht einberufenen Wehrpflichtigen und der einberufenen Arbeitsdienstpflichtigen）略稱「家族扶助令」（Familienunterstützungsverordnung）などによって行はれてゐたのであるが、やがて之等の諸法令が一九三六年三月三〇日附「召集セラレタル兵役義務者及ビ労働奉仕義務者ノ家族ノ扶助ニ関スル法律」（家族扶助法）（Gesetz über die Unterstützung der Angehörigen der einberufenen Wehrpflichtigen und Arbeitsdienstpflichtigen（Familienunterstützungsgesetz））によって統一的に規制せらるゝに至り、爾後は本法並にその施行令、施行に関する布告等によって家族扶助制度が実施されてゐるのである。

二　家族扶助法

應召者の家族扶助に関する基本法は既述の如く一九三六年三月三〇日附「家族扶助法」（Familienunterstützungsgesetz）、正式に言へば「召集セラレタル兵役義務者及ビ労働奉仕義務者ノ家族ノ扶助ニ関スル法律」（Gesetz über die Unterstützung der Angehörigen der einberufenen Wehrpflichtigen und Arbeitsdienstpflichtigen）である。

三七三

三七四

本法によれば現役義務の履行、國防軍の短期訓練若くは演習のために召集せられた兵役義務者並に召集された労働奉仕義務者の家族は、必要なる生活必需品確保のために扶助（家族扶助）を受ける。尚志願に基き現役義務履行、國防軍の短期訓練若くは演習並に労働奉仕義務履行のために召集せられたる者の家族も亦同様に家族扶助が支給されるのである（第一條第一項）。かゝる家族扶助が返済を必要とせず、又之を差押へ得ざることは言ふまでもないことである（第一條第二項）。

被召集者の家族にして家族扶助を受ける権利ある者は次に列記する者である。即ち

I．妻、嫡出子又は庶子及び召集令状の交附以前に縁組された被召集者の養子並に妻と同居する被召集者の継子

II．召集令状交附の日迄被召集者が既に又は主として扶養者なりし場合には

1　被召集者が民法第一五七八條により扶養義務を負ふ所の責なくして離婚されたる妻

2　孫、養子及被召集者の妻と同居せざる継子

3　被召集者が民法第一七一八條により自己が父たること認めたる非嫡出子又は執行力ある證書にて自己の扶養義務を確定される非嫡出子

4　直系尊屬

5　召集令状交付以前に被召集者と養子縁組をなしたる養父母、継父母及び養子縁組によらざる養父母

である（第二條）。但し之等の者と雖も家族扶助を受け得るのは必要なる生活必需品が確保されず又は充分に確保されざる範囲に於てゞある（第二條）、扶助を受けずとも充分に生活し得るときは當然に扶助は與へられないのである。

尚一九三六年四月一日（即ち本法実施の日）に至るまで一九三五年二月一九日附「家族扶助令」によって扶助された被召集者の家族は本令によって引続き扶助を受くる権利を有し（第五條第一項）、又一九三六年四月一日に至るまで

三七五

一九三五年一一月二五日附「国防軍ノ演習ノタメノ召集ニ関スル命令」第四條により扶助を受けたる者は本令によって引続き労働局（Arbeitsamt）の扶助を受けるものとされてゐる（第三條第二項）。

次に本法に基く任務は都市及び地方郡（Stadt- und Landkreise）に国家的任務として委任され（第三條）、且つ本法による家族扶助の費用の五分の四は都市及地方郡に対し国家より補償されることになつてゐる。尤も人的及び物的行政費は補償されない（第四條）。

最後に本法の実施及補充のために必要な法規命令並に行政命令は国内務大臣が之を発布することゝなつてゐる（第七條）。而して本法は一九三六年四月一日より実施されたのである（第八條）。従つて一九三五年一二月一九日附「家族扶助令」、一九三五年一二月一九日附「家族扶助規則」及び一九三五年一一月二五日附「国防軍ノ演習ノタメノ召集ニ関スル命令」第四條など、従来の家族扶助に関する命令は廃止されるに至つたのである。

三　家族扶助規則

上述せる「家族扶助法」第七條の規定に基き一九三六年三月三〇日附を以て家族扶助規則（Familienunterstützungsvorschriften）即ち「家族扶助法施行及ビ補充ニ関スル規則」（Vorschriften zur Durchführung und Ergänzung des Familienunterstützungsgesetzes）が制定され、家族扶助につき詳細な規定がされた。尤も之は後述する如く一九三九年七月一一日附「家族扶助施行令」（Familienunterstützungs-Durchführungsverordnung）によつて廃止されたのであるが、世界戦争勃発前に於ける基本的施行令であり、且つ後のものとの比較対照上も極めて重要なものであるから、煩を厭はず此処で簡単に一瞥して置きたいと思ふ。

本規則は、Ⅰ管轄及び手続、Ⅱ扶助の前提、種類及び程度、Ⅲ費用、Ⅳ終結規定に分れてゐる。

Ⅰ　管轄及び手続

家族扶助法第三條は家族扶助を国家的任務として都市及び地方郡に委任せることは既述の通りであるが、かゝる都市及び地方郡とは「救護義務令」（Fürsorgepflichtverordnung）に規定せる任務を管轄する地区救護組合（Bezirksfürsorgeverband）である。又被扶助権者が居住し若くは一時的ならず滞在する地域の都市又は地方郡は扶助の義務を負ふのである（第一條、第二條）。尚云ふまでもなく家族扶助と公的救護とは各々別個の任務として行はれるのである（第一條第二項）。

次に扶助の支給は申請に基いて行はれるのであつて、申請は被召集者又は被扶助権者が召集令状の交附された日から、都市又は地方郡又は滞在地の地方自治団体の公民長に口頭又は文書で行ふのである（第三條第一項、第二項）。而して申請には次の證明書を添付せねばならない。

a　翌々日以前に申請する場合には召集令状 ― 召集令状は直ちに被召集者に再交附せねばならぬ ―― 然らざる場合は召集に関する證（書）軍籍簿又は労働奉仕部隊の證明書

b　被扶助権の證明書（家族扶助法第二條参照）

c　家賃額證明書

d　召集の時に於ける労働報酬又は自由意思による給付（現物収入を含む）の支給の有無並にその金額に関する被召集者の雇主の證明書

e　被扶助権者が労働能力あるときはその者が管轄労働局に求職者として届出をなしたる旨の證明書（第三條第三項参照）。

右の如き申請ありたるときは都市又は地方郡の長が之を決定すべく、家族扶助の支給を許可することに決定すれば、該長は被召集者所属の陸（海）軍部隊又は労働奉仕部隊に対しその旨通告せねばならない（第三條第四項）。かゝる申請の拒否、扶助の種類及び額の決定に対しては異議の申立並に抗告を行ふことが許されてゐる。而して異議申立及び抗告の手続は、一九三一年六月五日附「経済及財政ノ確保ニ関スル第二次大統領令ニヨリ改正サレタル救護義務令」（Fürsorgepflichtverordnung in der Fassung der Zweiten Verordnung des Reichspräsidenten zur Sicherung von Wirtschaft und Finanzen）第三條第二項第一段、第三條ａ第二項第一段及び第四項に従ふことになつてゐる（第三條第五項）。又、異議申立に関しては都市又は地方郡の長又は委任を受けた地方自治団体若くは小地方自治団体聯合（engere Gemeindeverband）の長が之を決定する（第三條第五項）。

（註）因みに「救護義務令」の関係條文は次の通りである。

第三條第二項第一段「州ハ國法ノ規定ノ範囲内ニ於テ手続、抗告及ビ監督ヲ規定ス」

第三條ａ第二項第一段「救護ノ拒否並ニ救護ノ種類及ビ額ニ対シテハ異議ノ申立ヲ許スヘシ」

第三條ａ第四項「異議申立手続ニ於テ宣告スル判決ハ文書ヲ以テシ、且ツ理由ヲ示スヘシ。異議申立ノ判決ニ対シテハ抗告ヲ許スヲ要ス」。

家族扶助を請求するときは、被召集者所属の陸（へ海）軍部隊又は労働奉仕部隊の證明書を提出せしめて行ふのであり、且つ扶助は少くとも半月分を前拂することになつてゐる（第四條第一項）。尚家族扶助決定の基準たりし諸関係が変更したときは――例へば被扶助権者の死亡とか所得の増加等――家族扶助は新たに之を決定するを要する（第四條第二項）。而して扶助の消滅又は減額の原因となるべき諸関係の変更については、扶助受領者、その法定代理人又は世帯主より都市又は地方郡又は居住地地方自治団体の公民長（第三條第二項参照）に対し遅滞なく通知せねばならない（第四條第三項）。

家族扶助は被扶助権者の生活必需品が確保されず、又は充分に確保されない時に初めて與へられるのであるから（家族扶助法第二條参照）、被扶助権者の生活必需品が他の方法により保證さるゝときは、扶助は當然に中止されるのである（第四條第四項）。加之扶助は次の場合にも亦中止されるのである（第四條第五項）。即ち

ａ　被召集者が現役義務履行後現役を解除され又は労働奉仕義務履行後労働

奉仕を解除されたとき

ｂ　被召集者が短期訓練又は演習の終了後現役を解除されたとき

ｃ　法律により現役より除外され若くは特別なる理由に基き現役を解除され又は豫め労働奉仕を解除されたるとき

ｄ　志願による長期勤務義務に基き現役義務履行後現役に残留し、又は労働奉仕義務履行後労働奉仕に残留したるとき

ｅ　判決により脱営の宣告を受け又は労働奉仕國指導部令報（Verordnungsblatt der Reichsleitung des Arbeitsdienstes）に於て逃亡の宣告を受けたるとき

之に反し勤務関係上の必要があつて被召集者が國防軍に残留せしめらるゝ場合（兵役法第二二條第二項）、又は体刑を受けたため追勤務をなすべき場合（兵役法第八條第四項、國労働奉仕法第三條第四項）には、扶助は解除日の終了に至るまで引続き支給されるのである（第四條第六項）。

（註）因みに「兵役法」及び「國労働奉仕法」の関係條文は次の通りである。

兵役法第二二條第二項「國軍務大臣ハ勤務上ノ諸関係が必要トスルトキハ、第一項ニヨル軍人（満期となりて現役を解除され又は志願による服役期間満了して現役を解除された軍人を指す）ヲ限ラレタル期間國防軍ニ残留セシメ又帰休兵役義務者ヲ現役ニ再召集スルコトヲ得」

兵役法第八條第四項「三〇日以上ノ自由刑ニアリテハ兵役義務者ハ第二三條ニヨリ現役ヨリ除外セラレザル限リ之ニ相當スル期間追勤務スルヲ要ス」

國労働奉仕法第三條第四項「三〇日以上ノ自由刑ニアリテハ國労働奉仕義務者及ビ國労働奉仕志願者ハ第一六條ニヨリ國労働奉仕ヨリ除外セラレザル限リ之ニ相當スル期間追勤務スルヲ要ス」

更に被召集者が現役義務履行中若くは短期訓練召集又は演習中、又は労働奉仕義務履行中若くは前述第四條第六項により國防軍に残留し又は追勤務せ

る期間中に死亡し、又は[illegible]被召集者所屬の陸（海）軍部隊若くは労働奉仕部隊よりその死亡又は勤務不能が勤務による傷害の結果なることが認められたる場合は、扶助を受くる權利ある家族は、遺族給與又は被召集者給與附加手當の請求權の通知を受け、而して該給與開始に至るまでは引續き家族扶助の支給を受け得るのである（第五條）。

以上の如き家族扶助の中止又は継続支給に対し関係ある事實は陸（海）軍部隊又は國労働奉仕官廳より管轄都市又は地方郡に遅滞なく通知し、以て過剰拂渡を防止せねばならぬ（第六條）。

最後に地方郡は家族扶助の実施を自己に所屬する地方自治団体及び人口一万以上の小地方自治団体聯合に委任し得るとされてゐる。但し地方郡の指示は地方自治団体及び小地方自治団体聯合を拘束すること勿論であり、従って家族扶助の任務遂行に対する地方郡の責任は、実施を委任するとも毫も影響を受けないのである（第七條）。

二 扶助の前提、種類及び程度

扶助は被扶助權者が自己の力及び資金によって生活必需品を調達し得ないか又は充分に之を調達し得ず且つ他の方面特にその家族より之を得ることの出来ない場合に與へられるのである（第八條）。

所謂生活必需品とは次のものを指すのである。

a 生活費特に衣食住並に養育費

b 病人及び姙産婦の看護費

c 未成年者にあつてはその素質、能力並に両親の社會的地位に應じて妥當な教育及び職業能力の賦與

d 盲者・聾唖者並に不具者にあつては職業能力の賦與

之である（第九條第一項）。尚必要な場合は埋葬費も生活必需品として支給される（第九條第二項）。

而して前述の必要なる生活費（第九條第一項a）を算定するためには都市又は地方郡の長がその地方の事情に適合せる適正率（Richtsätze）を定め

る。かゝる適正率は被扶助權者の平均的生活狀態のための通常の需要を確保する標準たるものである（第一〇條第一項）。

以上の如き適正率による扶助と並んで、もし適正率によつて支給さるる住居費が妥當なる住居費の支辨に充分ならざるときは、家賃補助金が支給される（第一一條第一項）。而して如何なる程度の住居費を以て妥當と認め得るかは被扶助權者の社會上の地位及び住居内にある家族の員数・年齢・性別並に健康狀態に從つて決定される（第一一條第二項）。又もし住居が自己所有のものならば適正率による扶助以外に、適正率に含まれる所有住居に対する負担及び租税支辨に充當する部分が不十分なる限りはかゝる負担及び租税のため必要なる支出に対する補助金が支給されるのである（第一一條第三項）。

更に姙婦・産婦（第九條第一項b）に対しては必要な場合には、助産費・醫療費及び出産費が支給され、子女に授乳する産婦には授乳費が支給される（第一六條）。

家族扶助は右の如くして、支給せられるのであるが、被扶助權者が家族共

同体（Familiengemeinschaft）（世帯 Haushaltsgemeinschaft）の一員であるときは、他の構成員は言ふまでもなく自己に適當な範囲内で自己の資力をその者の生活必需品支弁のために提供するを要し、たとへかゝる人々が民法上はその被扶助權者に対し扶養義務を負はずとするも、尚之を提供するを要するのである（第一二條第一項）。尚、所謂家族共同体に屬する者とは配偶者・親族・姻族及び被扶助權者に対し道徳上扶養義務を負ふ者を指稱する（第一二條第二項）。

之等の家族員のみならず、被扶助權者自身も生活必需品調達のために自己の労働力を用ひなければならない（第一三條第一項）。尤も被扶助權者に対する労働の要求が妥當なりや否やはその年令・健康狀態・家庭の事情及び可能な限りに於てその職業上の訓練によつて之を決定するを要し（第一三條第二項）、且つ婦人に対してはその子女の秩序ある養育が危殆ならしめらるゝ慣れある場合はその職業的労働を要求し得ず、又婦人には世帯の管理又は家族の世話といふ義務が課せられてゐることを特に考慮するを要すとされてゐ

る（第一三條第三項）。

次に、家族扶助の種類及び範囲を決定するに當つては、召集に當り被召集者の雇主より自発的に支給された手當、戰時手當その他特殊な所得は計算に入れてはならないことになつてゐる（第一五條參照）が、被扶助權者の全所得特に現在又は過去の労働若くは雇傭關係及び公私の扶養請求權又は年金請求權に基く金錢又は金錢價値ある收入は、之を被扶助權者が活用するを要する自己自身の資金として家族扶助を支給するに先立ち、算定せねばならない（第一四條第一項）。而してかゝる被扶助權者の資金は家族扶助を決定するに當り考慮されるわけであるが、然し家族扶助は財産の費消又は減價によつて変動を受けるものではない。換言すれば貯金を以て先づ生活せよ、然る後扶助を與ふべしとされるものでは決してないのである（第一四條第二項參照）。されば と云つて家族扶助の結果、被扶助權者をして召集令狀交付前よりもその生活費のために多額の資金を使用するに至らしめることは出來ない（第一七條第二項）。

家族扶助は被召集者の家族をして従來と異りなき生活を継續せしめ得ることを目的として支給されるものであるから、之を算定するに當つては、當然に被扶助權者の従來の生活狀態を考慮し、且つ未成年者の養育及び修業の継續を保障するを要し、又所謂扶助の種類及範囲は個々の場合の特殊性に從つて之を算定せねばならないのである（第一七條）。

最後に被扶助權者が被召集者に対し召集令狀の交附された後に従來の住所地の扶助率よりも高い扶助率を有する地方自治団体内へ移住した場合は、尚従來の住所地の扶助率を適用されることを注意せねばならぬ。尤も移住に正當な理由ある場合、例へば移住により家族と共に生活し得る場合——は、この限りでない（第一八條）。

Ⅲ　費　用

固より給付すべき補償に関する細目（手続・支拂方法・期日）は財政大臣が内務大臣と協議して定めることになつてゐる（第二〇條）。

Ⅳ　終結規定

之に就ては特に説明する程のこともない。

四　家族扶助施行令

上述せる「家族扶助法」並に「家族扶助規則」は一九三九年まで実施せられたが、同年七月一一日附を以て「家族扶助施行令」（Familienunterstützungs-Durchführungsverordnung）即ち「家族扶助法ノ補充及ビ施行ノタメノ命令」（Verordnung zur Ergänzung und Durchführung des Familienunterstützungsgesetzes）が制定され、之によつて扶助法には若干の改正がされ、又扶助規則は廃止されることゝなつた。

今本令によつて現行の家族扶助制度を概観すれば次の通りである。

1　被扶助權利者

家族扶助法が志願による兵役義務者、労働奉仕義務者についても現役又は労働奉仕の義務履行期間家族扶助を給することは既述せし通りであるが、本令によつて、二年以上志願により現役に服する義務を負ふものは、最初の二ケ年を現役義務履行期間と看做され、又半年以上志願により労働奉仕に服する義務を負ふ者は、最初の半年を労働奉仕義務履行期間と看做されることとなつた（第一條第一項）。

次に本令により「家族扶助法」第二條第二項第一号が「被召集者カ一九三八年七月六日附『婚姻法』（Ehegesetz）ニヨリテ妻ヲ扶養スル義務ヲ負フ限リ、離婚サレ又ハソノ婚姻カ無效ト宣告サレ若クハ取消サレタル妻」と改正され、又「家族扶助法」第二條第二項に第六号として「召集令狀交附ノ時マデ被召集者ノ家ニ同居シ居リタル被召集者ノ両親ナキ兄弟姉妹」が追加された（第一條第二項、第三項）。即ち、之によつて被扶助權者の範囲が従來よりも一層拡げらるゝことゝなつたのだ。

更に親衛隊處分隊（SS＝Verfügungstruppe）に於ける勤務も最

初の二ヶ年の勤務は家族扶助に関しては現役勤務と見做されることとされた（第一條第四項）。　この親衛隊処分隊に於ける勤務に家族扶助法を適用することは、既に一九三七年五月二八日附「家族扶助法施行布告」（Durchführungserlass vom 28. Mai 1937 zum Familienunterstützungsgesetz）に於ても定められてゐたことであるが（同施行布告A. I 3参照）之を本令に於て確認したものである。

II　管轄及び手続

家族扶助の実施に當るのは都市及び地方郡であるが、夫は地区救護組合を意味する（第二條第一項）。　又家族扶助支給の義務を負ふのは、被扶助権者が住居し若くは一時的ならず滞在する地域の都市又は地方郡である（第二條第二項）。　而して家族扶助と公的救護とが区別されて行はるべきものなることは言ふまでもないことである（第二條第三項）。

家族扶助は、被召集者又は被扶助権者が都市若くは地方群又は滞在地の地方自治団体の公民長に提出する申請に基き支給される。而して従来申請は口頭又は文書を以て行ふことになつてゐたが、本令では文書によつてのみ行ふことゝされ、且つ扶助資格の前提（扶助法第一條、第二條）並に家族扶助支給の前提（本令第九條第三項参照）たる諸事実は、もし當該地域で熟知されてゐないときは之を證明せねばならぬことと定められてゐる（第三條第一項）。　従つて、例へば現役義務履行のため召集された者の家族なることや、被扶助権者が生活必需品を自己の力又は資力により調達し又は之を自己の家族より受けること能はざる事実などは、之を證明するを要するのである。尚家族扶助の申請を行ふには通常次の如き證明書類をも提出せねばならない（一九三九年七月一一日附「施行布告」Ausführungserlass B 25参照）。

(a) 編入日以前に申請する場合は召集令状――召集令状は直ちに被召集者に再交附せねばならぬ――若くは召集令状に添付せる「家族扶助取得證明書」

(b) 被扶助権の證明書、例へば婚姻證明書など

(c) 家賃額及びその支拂の證明書

(d) 被召集者の勞働所得額に関する雇主の證明書

(e) 家族扶助の算定に當り雇主の自由意思による給付を如何なる金額まで控除するかに関する都市又は地方郡の通知を雇主が希望したるや否やに関する雇主の聲明、

(f) 被扶助権者が労働能力あるときは彼が所轄労働局に求職者として届出たる旨の證明書

(g) 申請の時に存する被扶助権者及び家族共同体（世帯）構成員の所得に関する證明

所定の申請があつたときは、都市又は地方郡の長が之を決定し、もし扶助を支給すべき旨決定すれば該長は被召集者所属の陸（海）軍部隊又は國労働奉仕部隊に對し之を通告するを要する（第三條第二項）。尚、申請の拒否、扶助の種類及び額の決定については異義申立並に抗告が許される。その手続は従来と異りなく「救護義務令」に從ふのである（第三條第三項）。

家族扶助は少くとも半ケ月分は前拂すべきものとされる（第四條第一項）。

之は従来と同様であるが、新たに、被召集者が住所地より召集地迄旅行し、又は陸（海）軍又は労働奉仕隊より住所地迄帰還するために旅行するに必要な期間についても與へらるゝものとされ（第四條第二項）、申請提出前の期間についても、一ケ月を超えざる期間を限り、被扶助権者に必要な生活必需品が他の方法によつて保證されざるときは、特に之を支給することゝされ、もし被扶助権者が後見に附せらるゝ時の如きは、二ケ月間を限り之を支給することゝされた（第四條第三項）。　尚家族扶助は、その決定の標準たりし諸関係が被扶助権者の死亡その他により変更せしときは、新たに決定するを要し（第四條第四項）。　従つて都市又は地方郡は家族扶助の諸前提が存続するや否やにつき監督するを要すと共に、被召集者、被扶助権者、その法定代理人又は世帯主は都市・地方郡又は居住地の公民長に対し、家族扶助の廃止又は減額の原因となるべき諸関係の変更を遅滞なく通知せねばならない（第四條第五項）。

家族扶助は被扶助権者の生活必需品が確保されない時に初めて與へられる

三九六

りであるから、それが他の方法によつて保障さるゝ時はその限りに於て當然に停止される（第四條第六項）。その上扶助は次の場合にも亦中止されるのである。

a 被召集者が現役義務履行後現役を解除され又は労働奉仕義務履行後労働奉仕を解除されたとき

b 短期訓練又は演習後現役を解除されたとき

c 志願による長期勤務義務に基き現役義務履行の後現役に残留し、又は労働奉仕義務履行後労働奉仕に残留したとき

d 法律により現役より除外され又は特別なる理由に基き現役を解除され、又は豫め労働奉仕を解除されたとき

e 許可なくして軍隊又は奉仕場所より脱走し又は之を遠く離れ、若くは労働地区指導者より正式に脱走者と宣告されたとき、尤も被召集者が自発的に軍隊（奉仕場所）へ復帰せるときは、家族扶助は之を再申請せし時より現役義務の残余を履行し終る時まで之を支給される。が、もし捕得されたときは家族扶助は勿論再支給されない（第四條第七項）。

之に反し、被召集者が必要があつて國防軍に残留せしめらるゝ場合（兵役法第二二條第二項）、又は体刑を受けたため追勤務をなすべき場合（兵役法第八條第四項、國労働奉仕法第三條第四項）、又は訓練罰の処刑の為め現役又は労働奉仕の解除を延期されたときは、解除日の過ぎるまで引続き支給され、（第四條第八項）又病気になつた被召集者が現役解除後も病気治療のために軍隊又は衛戍病院に残留さるゝときは、その軍隊又は病院の治療を解除さるゝまで、若し又被召集者が病気治療のために労働奉仕部隊に於て一般解除日後も残留さるゝときは奉仕部隊より解除さるゝまで、引続き家族扶助を支給されるのである（第四條第九項）。

尚被召集者が現役義務履行中若くは短期訓練又は演習のため召集中、又は國防軍に残留し若くは追勤務し又は軍隊病院等で病気治療中に死亡し、或は勤務不能のために現役若くは労働奉仕を解除され、且右の死亡又は勤務不能が兵役又は労働奉仕による傷害の結果なることが被召集者所属の陸（海）軍

三九七

三九八

部隊又は労働奉仕部隊によつて認められたときは、扶助を受くる権利ある家族は、遺族給與又は被召集者給與附加手當の請求権の通知を受け、而して之が給與さるゝに至るまでは引続き家族扶助の支給をされる（第五條）。

右の如き家族扶助の支給を開始し、或は扶助の停止又は継続支給を行ふためには、陸（海）軍部隊や労働奉仕部隊等と都市・地方郡との間に緊密な聯絡あることが必要であるから、従つて現役義務又は労働奉仕義務履行のため召集する際には、陸（海）軍又は労働奉仕部隊は都市・地方郡に対し何日に被召集者が勤務に編入されたかを通告するを要し、又家族扶助の停止又は継続支給にとり重要な諸事実をも通知する義務を負ふとされてゐるのである（第六條参照）。

最後に家族扶助の任務は都市・地方郡が國家よりの委任を受けて実行するのであるが、（家族扶助法第三條参照）、かゝる地方群はその実施を自己の管轄下にある地方自治団体及び人口一万以上の小地方自治団体聯合に委任し得べく、此の場合地方郡の指示は之等の地方自治団体及び小地方自治団体聯合を拘束すること云ふまでもなく、且つ地方自治団体及び小地方自治団体聯合は家族扶助の実施に協力する義務を負ふのである。但し家族扶助の実施を委任すればとて地方郡の家族扶助の任務遂行に対する責任は何等の影響も受けない（第七條第一項第二項参照）。

Ⅲ 扶助の前提、種類及び程度

家族扶助は、被扶助権者の従来の生活状態を顧慮してその生活必需品を保障するのを趣旨とする。換言すれば、家族扶助の目的は、被扶助権者をして従来と異りなき生活を営ましめる点に存する。従つて家族扶助支給の結果、被扶助権者が生活必需品のために被召集者が召集さるゝ以前の期間よりも、一層多くの資金を使用するといふ如きことのない様にせねばならないのである（第八條第一項、第二項参照）。

家族扶助として與へらるゝものは、先づ第一に被扶助権者の生活必需費である。即ち日常必要なる生活費を支弁するために、地方的な諸事情に適合せる扶助料に従つて扶助が與へられるのであるが、かゝる扶助料と共に次のも

三九九

のが支給される。

1 家賃補助金
2 病人及び妊産婦の看護費
3 未成年者にあつてはその素質・才能・両親の社會的地位に應じて適當なる教育及び職業能力の賦與
4 盲者・聾唖者及び不具者にありては職業能力の賦與
5 社會保險補助金
6 必要な場合は埋葬費

尤も之等の諸給付は、被扶助権者が生活必需品を自己の力又は資金によつて調達し得又は之を他の方面特に家族より受け得る場合には勿論支給されないのである（第九條参照）。

上述せる家賃補助金は、妥當な住居費支弁のために給與されるのであるが（第一〇條第一項）、然らば住居費が如何なる程度のものを以て妥當と認めらるべきかといふ問題は云ふまでもなく劃一的に定められるのではなく、被扶助権者の社會上の地位及び住居門にある家族の員数・年令・性別・健康状態を参酌して、之に従つて決定されるのである（第一〇條第二項）。又若し其の住居が自己所有のものであれば、其に必要な負担や諸税支弁のために補助金を支給される。此処に所謂自己所有の家とは被扶助権者又は被召集者が所有せる建物にして被扶助権者及びその家族により少くともその二分の一が居住され、且つ二つ以上の住居を包含せざるものを指すのである（第一〇條第四項）。更に國防軍の短期訓練又は演習に召集された者が被扶助権ある家族を有せず若くは召集令状交附の時までにかゝる家族と同居してゐなかつた場合に、もし之等の被召集者が家具附住居を所有し而も召集期間中他の方法で之を利用し又は放棄することを不可能とするときは、之等の者にも家賃補助金を支給し得るし、現役義務又は労働奉仕義務履行のため召集された者に対しても、之等の者が所有する家具を保管するための費用として適當な補助を支給し得ることとなつてゐる（第一〇條第三項）。

次に上述の妊婦・産婦に対しては、必要な場合は助産費・醫療費及び出産

費を、子女に授乳する産婦には授乳費が支給されるのである（第一一條）。

上述せる如き生活必需品に対する扶助や家賃補助金等とは別に特に経済補助（wirtschaftsbeihilfe）が與へられることになつてゐる。即ち被召集者が召集令状交附の時まで商工業・農業・林業を営み又は自由職業に従事して自己並に家族の生活必需費を得てゐたときは、召集期間中召集されたがために経営又は自由職業の維持が危殆ならしめらるゝ範囲に於て、かゝる経営又は自由職業の維持若くは継続のために、一定の経済補助が支給される。尚召集令状交附の時に至る迄、被扶助権者たる家族が事業主にして被召集者が該経営の主脳者たりし時も同様に経済補助が與へられるのである（第一二條第一項）。而して経営又は自由職業の継続のための経済補助は、特に被召集者の補充として採用された必要なる労働力の賃銀支拂のため、並に営業所の家賃支拂のために支給されるのであるが、被召集者又は被扶助権者と血族関係又は姻戚関係にある補充労働力については、通常経済補助は支給されない。又経営若くは自由職業継続のための経済補助と共に既述の家族扶助は支給されないこととなつてゐるが、家賃補助金はやはり支給し得るとされてゐる（第一二條第二項）。

更に経営又は自由職業が召集期間中継続して行はれないが然しその営業所の家賃は尚支拂を行ふといふ場合に、もし被召集者又は被扶助権者が右の営業所を他の方法で利用し若しくは放棄することが期待し得ないならば、かゝる経営又は自由職業維持のために経済補助が支給される。尤も右の補助は、もし被召集者が被扶助権ある家族を有しないときは、彼等が國防軍の短期訓練又は演習のために召集されたときに限り支給される。注意すべきは経営又は自由職業維持のために経済補助が支給される場合は、此等を継続するために経済補助が支給される場合と異り、既述の家族扶助も、家賃補助金も支給し得るとされる点である（第一二條第三項）。尚経済補助の額に関する規定は國内務大臣が國財政大臣と協議して之を定めるのである。而して個々の場合に経済補助を決定するのは都市・地方郡の長である（第一二條第四項、第五項参照）。因みに経営の継続のための経済補助は、もし被召集者が被扶助

権ある家族を有するときは、之等の家族に対する全扶助料の二分の一を超えてはならぬとされ、もし被召集者が被扶助権ある家族を有せざるときは一人に対する扶助料の二分の一を超えてはならぬとされる。而して経営維持のための経済補助は右の最高補助額以内で、経営維持のために必要な額に止めらるべきである（一九三九年七月一一日附「施行布告」C×69参照）。

右の如き種々な扶助が被召集者の家族に対して與へられ、以てその生活を確保するのであるが、被扶助権者が家族共同体（世帯）の一員であるときは爾餘の家族員は適當な範囲内でその資力及び力をば被扶助権者の生活必需品支弁のために提供せねばならない。このことは之等の家族員が民法上は被扶助権者に対し扶養義務なき場合も何等の差異がないのである。斯様にして支給された生計費は家族扶助の算定に際し、當然斟酌さるべきものとする（第一三條第一項）。

被扶助権者の生計を他の家族員が出来得る限り援助すべきは寧ろ當然のことゝ言ふべきであるが、さればとて之を極端に行はしむべきではなく、且つ援助の程度も劃一的に定むべきではない。されば如何なる程度の援助が家族共同体の一員に要求され得るかの問題の決定に當っては、個々の場合の具体的事情を考慮すべく、特に職業活動を営む家族員に対しては、その職業に従事し且つその労働力を維持するに必要な資金を充分に保留するやう注意し、又職業に従事せる家族員が予定せる婚姻の締結が、自己の資金を被扶助権者の生計費援助のために使用さるる結果、不可能となる如きことなきやう注意するを要するのである（第一三條第二項）。尚、此處に所謂家族共同体に属する者とは、配偶者・血族・姻族並に被扶助権者に対し道徳上扶養義務を有する者を含む（第一三條第三項）。

次に被扶助権者自身も自己の労働力を必要な生活必需品を得るために利用せねばならない。但しこの場合にも被扶助権者に労働を要求することが妥當なりや否やについては、その社會的の地位・年令・健康状態・家庭の事情及び可能な限りに於てその職業上の訓練により之を判断すべきであり（第一四條第二項）、且つ婦人に対してはその職業労働によりその子女の正常なる

教育が危殆ならしめらるべき場合には、その職業労働を要求し得ず、その他の場合に於ても婦人には世帯の管理や家族の世話をすべき義務が課せられてゐることを考慮せねばならないのである（第一四條第三項）。而して労働能力あり且つ労働に従事するを妥當とする被扶助権者は、管轄労働局に求職者として届出をせねばならない。もし正當の理由なくして届出を怠り又は之を拒絶したときは、労働局は都市・地方郡に通知をなし、その結果家族扶助の短縮又は停止を命ぜられるに至ることがあるのである（第一四條第四條）。尚労働配置の理由に基き必要なときは國労働大臣は國内務大臣と協議して被召集者の家族の労働配置のため上述せる所と異る規定を定めることが出来ることになってゐる（第一四條第五項）。

次に家族扶助をいかなる範囲或ひは額に於て支給すべきやを決定するに當っては、先づ以て被扶助権者が自由にし得る全所得を明確に算定しなければならない。この故に家族扶助を支給するに先だち、被扶助権者の有する全所得、特に現在又は過去の労働関係若くは雇傭関係並に公的・私的の扶養請求権又は年金請求権に基く金銭若くは金銭價値ある收入をば、被扶助権者が活用するを要する自己自身の資金の中へ算入するを要すと規定されてゐるのである。尤も被扶助権者の所得中でも特殊のものは家族扶助算定に當り控除さるることになってゐる（第一五項第一項）。例へば労賃所得について見るとそれが被扶助権者の受け得る扶助料の三分の一を超過しない場合には、又若し彼が他の被扶助権者と共に一世帯内に同居してゐるときは全扶助料の三分の一を超過しない場合には、かゝる労賃所得は家族扶助算定に定り所謂被扶助権者の自己自身の資金中へ算入されることがないのである。而してもしその労賃所得が三分の一を超過する場合にも、かゝる家族扶助料を超過する労賃所得については、超過額の二分の一だけが家族扶助料算定に當り、被扶助権者の自身の所得中に算入し得るのである。

今、之を例を挙げて説明すると、ベルリン市に於ける扶助料率は妻に對しては六四・五〇ライヒスマルクなのであるが、若被召集者の妻が月額賃銀五〇ライヒスマルクを得てゐるとするならば、市當局は妻の扶助料を一四・二五ラ

イヒスマルクを減額することになるのである。けだし六四五〇ライヒスマルクの三分の一は二一・五〇ライヒスマルクであり、之を超過する賃銀額二八・五〇ライヒスマルクの二分の一即ち一四・二五ライヒスマルクが所謂自己の資金として計算の中へ入れられるからである。その他被召集者の雇主が自発的に支給する手當や、或ひは國民社會主義独逸労働者党の名誉給料や名誉扶助料自由福利施設又は法律上若くは道徳上の義務を有せざる第三者が家族扶助料の補充として支給する給與等々多数のものが控除されるのである。（一九三九年七月一一日附「施行布告」C XIV 77参照）。尚被召集者も召集期間中全然被扶助権者に対し扶助乃至扶養の義務を免れるものではないけれども、少くとも被召集者が國防軍又は労働奉仕より受くる収入は、被召集者自身にて使用し得るやうにせねばならぬ。従つて召集期間中被召集者が被扶助権者に如何なる範囲に於て扶養義務を履行し得べきやを吟味するにありては、前述の如き収入は之を控除するを要する。又同様に被扶助権者に対する扶養義務履行のために被召集者の財産の費消又は減價を被召集者に要求することも出来ないことになるのである（第一七條第二項参照）。別言すれば従来被召集者は、召集されるまでは俸給・賃銀その他の収入即ち純所得によつて家族を扶養して来たのであるが、召集されて以来は軍人たる身分を取得し、従つてその家族は國家によつて生計を保障されることゝなるのである。然らば此の場合に被召集者の従来の貯蓄や財産を費消することによつて家族に生計を立てよと要求し難いことは自明の理と云はねばならない。かゝる点に前述の如き規定の存する所以が見られるのである。

次に被扶助権者が被召集者に召集令状の交附されたる後、従来の住所地の扶助率よりも高い扶助率を有する地方自治団体内へ移住したときは、尚従来の住所地の扶助率によつて家族扶助が與へられることになつてゐる。而して一時的ならざる居住地は住所地と同一に取扱はれる。但し移住に正當な理由があるとき、例へば移住すれば、家族と共に生活し得る場合の如きは、特に住所地の高い扶助率によつて家族扶助が與へられるのである（第一六條）。

尚被扶助権者を扶助すべき第三者の義務は、家族扶助により何等の影響を

うけない。従つて被召集者の妻の直系尊属や子女の直系尊属は――此の場合被召集者自身は包含されない――尚之等の者を扶養する義務を負ふのである（第一七條第一項並に一九三九年七月一一日附「施行布告」C XV 78参照）。

又年金請求権その他の公的資金による所得も、公的救護を除き、家族扶助によつて影響を受けないし（第一八條）、救護法上の要救護性も家族扶助によつて中断されることはないのである（第二〇條）。この故に例へば家族扶助開始の際には救護法上の要救護性が存在せざりしも、もし家族扶助を停止すれば公共救護を要するときは、救護団体は家族扶助開始の時に救護を要したるときと同様に救護義務を負ふこととなるのである（第二〇條第二項）。

最後に家族扶助がもし不法に得られたときは言ふまでもなく返還せねばならない。かゝる返還請求については家族扶助の支給を許可した都市・地方郡が決定する。尤もこの返還請求の決定につき異議あるときは異議申立及び抗告をすることが許されてゐる（第二二條）。又返還請求をするに當つても、若し申請者又は受領者が善意にして正當に交附を許可されたものと信じてゐた場合には、過剰に支給された家族扶助と雖も返還請求されることはないのである（一九三九年七月一一日附「施行布告」C XXI 96参照）。

IV　特別規定

ズデーテン地方並にオストマルクが新に独逸帝國に所属するに至つた結果、之等の地域にも家族扶助を実施する要あるに至り、かくて本令に於ては第二三條乃至第二九條に於て家族扶助をかゝる地域に実施する旨特別に規定するに至つたのである。

V　家族扶助法の其他の適用範囲

家族扶助法並に家族扶助施行令は單に上述せる人々にのみ適用されるのではなく、夫以外の種々の公的勤務義務者にも適用される。今その一二を挙げて置くと

1　防空勤務（一九三七年五月四日附防空法第一次施行令 Erste Durchführungsverordnung zum Luftschutzgesetz）第一三條、第

二二條、第二三條）に服務せる防空勤務義務者

2　一九三八年一〇月一五日附緊急勤務令（Notdienstverordnung）に基く勤務履行のため服務せる緊急勤務義務者

3　國防軍指導者のための教課及び試驗のため召集された者

4　ナチス自動車団参加者

5　技術的國防経済部隊員

その他である

五　結　語

以上で極めて概括的ではあるが、独逸に於ける出征兵士のみならず凡ゆる被召集者の家族に対する國家の扶助制度を見ることが出来たのであるが、これによって我々が感ずることは、独逸の家族扶助制度が出來得る限り公式的・劃一的に堕することを避けて、極めて弾力性ある、具体的な個々の事態に合致した

扶助を行ひつゝある事実である。例へば妥當な住居費の支弁のため家賃補助金が支給されることは既述せる通りであるが、所謂妥當なる住居費を決定するに當っても決して劃一的に決定することなく、被扶助権者の社會上の地位・家族の員数・健康状態等を斟酌して決定するを要し、且つ此の場合には被召集者に召集令状が交附された時に被召集者がその家族と共に居住してゐた住宅が、之等の被扶助権ある家族の社會上の地位ニ相應せる住居なりと看做されるのである（一九三九年七月一一日附「施行布告」C VI 55参照）。この故に家賃補助金は現に支拂はるゝ家賃に従って決定されるのであって現在よりもより低廉なる住居に移轉することを要求することは許されないのである。又被召集者の妻が得る扶助料の如きも決して劃一的ではなく、種々の差異があるのである。即ち妻は次の表定料率によって扶助を受けるのである。

所得額	扶助料率
一〇〇ライヒスマルク乃至　一一〇ライヒスマルク	四〇ライヒスマルク
一一〇　〃　〃　一二〇　〃	四四　〃
一二〇　〃　〃　一三〇　〃	四八　〃
一三〇　〃　〃　一四〇　〃	五二　〃
一四〇　〃　〃　一五〇　〃	五六　〃
一五〇　〃　〃　一六〇　〃	六〇　〃
一六〇　〃　〃　一七〇　〃	六四　〃
一七〇　〃　〃　一八〇　〃	六八　〃
一八〇　〃　〃　一九〇　〃	七二　〃
一九〇　〃　〃　二〇〇　〃	七六　〃
二〇〇ライヒスマルク乃至　二一〇ライヒスマルク	八〇ライヒスマルク

所得額	扶助料率
二一〇　〃　〃　二二〇　〃	八四　〃
二二〇　〃　〃　二三〇　〃	八八　〃
二三〇　〃　〃　二四〇　〃	九二　〃
二四〇　〃　〃　二五〇　〃	九六　〃
二五〇　〃　〃　二六〇　〃	一〇〇　〃
二六〇　〃　〃　二七〇　〃	一〇四　〃
二七〇　〃　〃　二八〇　〃	一〇七　〃
二八〇　〃　〃　二九〇　〃	一一〇　〃
二九〇　〃　〃　三〇〇　〃	一一三　〃
三〇〇ライヒスマルク乃至　三一〇ライヒスマルク	一一六ライヒスマルク
三一〇　〃　〃　三二〇　〃	一一九　〃
三二〇　〃　〃　三三〇　〃	一二二　〃
三三〇　〃　〃　三四〇　〃	一二五　〃

三四〇ライヒスマルク乃至　三五〇ライヒスマルク	一二八ライヒスマルク
三五〇　〃　〃　三六〇　〃	一三一　〃
三六〇　〃　〃　三七〇　〃	一三四　〃
三七〇　〃　〃　三八〇　〃	一三七　〃
三八〇　〃　〃　三九〇　〃	一四〇　〃
三九〇　〃　〃　四〇〇　〃	一四三　〃
四〇〇ライヒスマルク乃至　四一〇ライヒスマルク	一四六ライヒスマルク
四一〇　〃　〃　四二〇　〃	一四九　〃
四二〇　〃　〃　四三〇　〃	一五二　〃
四三〇　〃　〃　四四〇　〃	一五五　〃
四四〇　〃　〃　四五〇　〃	一五八　〃
四五〇　〃　〃　四六〇　〃	一六一　〃
四六〇　〃　〃　四七〇　〃	一六四　〃

四七〇　〃　〃　四八〇ライヒスマルク	一六七ライヒスマルク
四八〇　〃　〃　四九〇　〃	一七〇　〃
四九〇　〃　〃　五〇〇　〃	一七三　〃
五〇〇ライヒスマルク乃至　五二〇ライヒスマルク	一七六ライヒスマルク
五一〇　〃　〃　五二〇　〃	一七九　〃
五二〇　〃　〃　五三〇　〃	一八二　〃
五三〇　〃　〃　五四〇　〃	一八五　〃
五四〇　〃　〃　五五〇　〃	一八八　〃
五五〇　〃　〃　五六〇　〃	一九一　〃
五六〇　〃　〃　五七〇　〃	一九四　〃
五七〇　〃　〃　五八〇　〃	一九七　〃
五八〇　〃　以上	二〇〇　〃

（一九三九年一〇月二日附「被召集者ノ家族ノ家族扶助施行ニ関スル第二次回章」

参照）。

以上の表定料率は全國にわたり施行され、被召集者の妻に支給さるる最低額を示すものであるが、もし之よりも先に都市・地方郡が定めた扶助料率が本表所定の料率より高ければ前者の料率が引続き支給されるのである。従って、例へばベルリン市では最低額六四・五〇ライヒスマルクが支給さるゝに對し、ハンブルク市では最低七二ライヒスマルクが支給されてゐるのである。

ともあれ之等の一二の事例によっても独逸に於ける家族扶助が極めて具体的場合に妥當するやうに、劃一的に陥ることをさけつゝ実施されてゐることが明白となるであらう。

更に独逸に於ける家族扶助が出来る限り被扶助権者をして平時と異りなき生活を営ましめんとすることを目標として行はれつゝあることも、亦我々が注意すべき点であらう。かくてこそ初めて軍人その他あらゆる國務のために召集せられたる者をして後顧の憂なく祖國のために一死報公の誠を盡さしめ得るのである。

第五節　除隊軍人及労役勤務者職業保障法

一

「現役勤務義務ノ履行後名誉裡ニ現役勤務ヨリ除隊セル軍人ハ公的勤務ニ於ケル求職ニ當リ同一素質ノ他ノ求職者ニ優先ス　自由経済ノ労働場所ニ於ケル紹介ニ當リテモ之ヲ優先的に考慮スヘシ　民間職業ヘノ復帰ニ當リテハ現役勤務ニ基ク不在ニヨリ其者ニ何等ノ不利益ヲモ生セシムルヲ許サス　戦時被害者ノ法律上決定セラレタル権利ハ之ニ依リ影響ヲ受クルコトナシ（兵役法第三二條第一項）。

除隊軍人其他國防上重要勤務に服せる者に対し十全なる職業上の保障を賦與し以て彼等をして兵役及労役等の勤務の前後を通し経済的危惧の念なからしむるは國防國家の當然の責務である。斯る目的を達成する手段として採用せられるものは、公的勤務及自由経済の職場への優先的紹介、原則としての原職復帰、兵役＝労役勤務期間の職業及経営所属期間への算入、原職復帰の不可能なる場合に於ける除隊軍人特に傷痍軍人の職業再教育及企業者に對する採用強制、轉業扶助料の支給等であるが、ナチス独逸に於ても之等の處置が最初から完全に行はれたのではなかつた。それは種々の經驗、経済的並に社會的事情の変移に伴ひ次第に高度の職業保障に進んだのであるが、唯我國に於けると異り、兵役＝労役勤務中は夫等勤務者の俸給又は給料の支給は停止せられる点が稍注意すべきであらう。但し此の点に関しては兵役＝労役勤務者の遺家族に対し別に十全なる扶助が賦與せられ以て兵役＝労役勤務者の後顧の憂なからしめて居るのであるが、之に就ては別項家族扶助法に於て述べる。

二

本節に於ては除隊軍人及労役勤務者の職業保障にその叙述を限る。従つてその他の國防勤務関係者例へば防空勤務義務者、緊急労務義務者等に対する職業保障に関しては叙述の範囲外とする。防空勤務義務者に対する職業保障に就きては一九三九年九月一日附防空法第一次施行令（*Erste Durchführungsverordnung zum Luftschutzgesetz*）第一四條に、緊急労務義務者に対する保護に就ては一九三九年九月一五日附緊急労務令第一次施行令（*Erste Durchführungsverordnung zum Notdienstverordnung*）に夫々の保護がなされてゐる。

又本節の叙述は一九三八年八月二六日附國防軍救護及扶助法、一九三九年七月六日附託置國防軍救護及扶助法に基く除隊軍人及傷痍軍人に対する職業保障一九三八年九月八日附「國労役勤務団前所属者及其遺族ニ対スル救護及扶助法」（*Fürsorge= und Versorgungsgesetz für die ehemaligen Angehörigen des Reichsarbeitsdienstes und ihre Hinterbliebenen*）に基く除隊労役勤務者に対する職業保障に就いても直接叙述しない。之等に就ては既に述べた。

右以外に於て軍事職業保障法の基本法令としては左のものが存する。何れも

後記の條文を参照せられたし。発布順に記せば左の如し。

一九三六年九月三〇日附及一九三七年一二月二九日附軍人及労役勤務者救護令

一九三九年三月一五日附國防軍演習召集令

一九三九年九月一日附労働法関係規定改正及補充令

一九四〇年九月一八日附戰時中及戰後ノ除隊セル軍人及國労役勤務団男子所属者ニ對スル職業救護ニ関スル命令

以上は夫々、二ケ年の現役勤務義務又は戰時應召兵役勤務義務履行のための召集、國労役勤務義務履行のための召集、國防軍演習のための召集の各場合に於ける應召者の職業保障を規定せるものであり、時日の推移と共に漸次強化せる職業救護對策が規制せられて居る。左に除隊軍人及労役勤務者の職業救護の推移を大要延べ[?]ることゝする。

三

(1) 一九三七年一二月二九日附軍人及労役勤務者救護令による職業救護は次の四点に集約することを得る。

(イ) 自由経済に於ける労務者・使用人又は徒弟の就業関係は兵役＝労役義務履行のための召集により解約せられたことゝなり、従つて除隊者は除隊後従前の経営に再就業するのであるが、それが不可能なるときは労働局の責任に於て他の経営へ紹介せられる。除隊後の就業関係に於ては履行せる現役勤務期間は職業所属期間に算入せらるゝも、経営所属期間への算入は一定の制限を受ける。徒弟の従前の見習期間は徒弟が同一の職業に就業する場合にのみ新徒弟関係に於て算入せられる。初めて自由経済の経営へ就業せる除隊者は六ケ月就業せる後初めて現役勤務期間の職業所属期間又は経営所属期間への算入を問題とし得る。

(ロ) 公的勤務に於ける労務者・使用人又は徒弟としての就業関係は兵役＝労役義務履行のための召集により解約せられたことゝなり、従つて除隊者は従前の又は同種の就業関係に再就業するのであるが、それが不可能なると

きは労働局の責任に於て他の官署又は経営へ紹介せられる。履行せる現役義務期間の国勤務期間への算入は除隊者の三ヶ月間の公的勤務就業を要件とし、徒弟の見習期間の取扱ひは(イ)の場合と同様である。

公的勤務に於ける官吏としての勤務関係は召集により消滅せず俸給を停止して休暇が與へられる。従って除隊者は當然舊勤務場所又は其者に與へられた勤務場所に復帰する。履行せる現役勤務期間は正規外勤務期間として勤務期間に算入せらるるが、教育及見習勤務期間には算入せられない。

(ハ) 除隊軍人及労役勤務者は公的勤務又は自由経済の労働場所へ同一素質を有する他の求職者に優先して採用せられる。

(ニ) 戰傷者及重傷者の職業救護については別に規定せられてゐる。

(2) 一九三九年三月一五日附國防軍演習召集令による演習召集者に対する職業救護は次の如くである。

(イ) 自由経済に於ては召集を受けたる従属者には演習のための休暇が賦與せらるゝに止り、その労働関係は依然存続する。但し労働報酬は支払はれない。右演習休暇は原則として慰労休暇に算入しない。

(ロ) 公的勤務関係に於ては召集を受けたる官吏及使用人並に労務者には演習のための休暇が賦與せらるゝに止りその就業関係は依然存続する。演習服務のための官吏に対しては一定の期間内に於ては勤務俸を支給するも、慰労休暇は其年又は翌年に於て三分の一だけ但し最高演習により欠けたる作業日数だけ之を短縮する。右は公務勤務に於ける使用人及労務者についても全様である。

(3) 一九三九年九月一日附労働法関係規定改正及補充令は、戰時労務者の大量動員とそれに伴ふ召集者の職業関係保障のため、従前の規定より数歩を進め、兵役勤務給付のための召集により既存の就業関係（労働関係・徒弟関係）は一切解消せらるゝことなき旨の原則を樹立した。但し召集期間中の召集者に対しては給料の支拂は依然として行はれない。唯召集者遺家族保護の見地から彼等がそれを必要とするときは工場住宅供與に関する約定は存続せしむるも遺家族は若しそれが従前賃借せるものなるときは勿論賃借料を支拂はねば

ならぬ。解約告知権につきては一方的制限が行はれ、企業者は原則として兵役義務召集に際し解約告知権を行使し得ざるも、召集を受けたる従屬者はその行使を制限せられない。蓋し當然の規定と謂ふべきである。

(4) 更に戰時態勢の進展と共に「戰勝ニ輝ク國防軍ノ卓越セル業績ヲ認識シ且軍人ニ対シ國民ノ感謝責務ノ一部ヲ果スタメニハ軍人及國労役勤務者ニ対スル職業救護ハ現在マテノ規定ヲ超ヘテ拡張セラルヘキナリ」との認識の下に職業保障法は一段と強化せしめられた。一九四〇年九月一八日附「戰時中及戰後ノ除隊セル軍人及國労役勤務団男子所屬者ニ対スル職業救護ニ関スル命令」が即ちそれである。

四

今、之に関し発布せられたる「戰時中及戰後ノ除隊セル軍人、國労役勤務団男子所屬者等ニ対スル職業救護ニ関スル準則」に基き現行軍事職業保障法を述ぶれば次の如くである。

即ち「戰争勤務カラ名誉裡ニ除隊セル者ヲ従前ノ経営又ハ民間職業ニ優先的ニ復帰セシムルハ銃後ノ自明ノ義務ナリ　同時ニ彼等ヲシテ彼等ノ應召セサリシ同僚ニ對シ経営的又ハ職業的ニ何等ノ不利益ヲモ蒙ルコトナカラシムル様配慮セラルヘキナリ　従前ノ経営又ハ民間職業ヘノ復帰ハ原則タルモノトス」との趣旨に基き左の如き諸点が挙げられて居る。

(1) 従屬者に対する職業救護

(イ) 原則としての従前の経営又は民間職業への復帰

兵役勤務（労役勤務）に於ける勤務給付のための召集に依り原則として既存の就業関係は解消せられないのであるから（前記労働法関係規定改正及補充令第一條）、名誉裡に除隊せる者に対しては、彼等が兵役勤務（労役勤務）に関聯して直に従前の経営に復帰せるときは就業関係に基く諸権利は再び復活するものとせられる。右のためには除隊者が経営指導者を最初の日に訪問して労働開始の日が決定せらるることを要する。

(ロ) 優先的職業紹介

兵役勤務(労役勤務)よりの除隊後従前の経営に復帰すること不可能なる者(例へばその間に生じたる法律上有效なる解約告知の為、單なる一時的若くは期限付雇入のため又は経営が休止若くは閉鎖せられたるため)は労働場所の紹介に際し優先的に考慮せられる。傷病者に対しては特別の紹介が行はれる。紹介は最初の日に訪問を受けたる労働局の責任である。

(ハ) 経営所属期間に對する算入期間の擴張

除隊後従前の経営に復帰し得ざる場合に於て新たなる就業関係に基く諸請求権が職業所属期間にかゝる時は従前の職業所属期間は兵役勤務等の期間と共に職業所属期間に算入せられる。新たなる就業関係に基く諸請求権は新就業関係に適用せらるゝ規定に従ふものとす。除隊者は慰労休暇請求権を規定の期待期間の終了後初めて得るものとす。解約告知期間に附ては除隊者は兵役勤務期間等が加算せられる以前に三ヶ月間経営に所属したることを要す。傷病者には高度の保護がなされる。

四二八

(ニ) 過失なき労働場所喪失の際の保護

以上(ロ)(ハ)に述べたるところは除隊者が除隊後一旦舊就業関係に復帰し又は新就業関係に入りたるも、右労働場所を自己の過失なくして一ヶ年内に失ひそれと関聯して新労働場所を得たる場合にも亦可能なる限り適用せらるべきものとす。

(ホ) 徒弟の見習期間

従前の徒弟が従前の経営に於て見習を継続し又は終了すること能はざるときは従前の見習期間は新徒弟関係に於て考慮せらる。但し徒弟が他の経営及同一の職業に於て更に教育せらるゝときにかぎる。除隊後初めて徒弟関係をはじめんとする者は直ちに労働局に依頼するを要す。

(ヘ) 一時扶助料の支給

名誉裡に除隊せる者に對しては民間職業への轉業は金銭的にも亦扶助せられる。一九四〇年七月一四日以後の除隊軍人(国防軍官吏)は十四日間の軍俸給、看護賜金、家族扶助料若くは戦時手當を得る。之に依り通例最

四二九

初の賃金支拂までの生活が保障せられる。右の處置は労働所得又は收入が未だ確保せられざるときには、特別の場合最高三ヶ月間に至るまで許されることを得る。但し失業者は求職者として申告し且未だ過失なくして失業せる旨労働局に依り證明せらるゝを要す。以上は除隊に至るまで軍俸給を受け居りし國労役勤務団男子所属者に對しても亦同じ。その他の國労役勤務団所属者に對しては特別規定が適用される。

(2) 営業経営者、事業主及自由職業の所属者に對する職業救護

(イ) 営業経営者　事業主に對する救護

企業者若くは事業主として経済に復帰せるものは、彼の所属する職業組織(*Berufsorganisation*)により助言を與へられ、保護せられ、且召集中休止せる経営は間もなく続行せられ又閉鎖せられた事業は間もなく再開せられ得るやう扶助を與へられる。

(ロ) 自由職業所属者に對する救護

醫師・歯科醫師・義肢製造者・弁護士・藝術家等の自由職業所属者は(イ)

四三〇

と同様なる手段により彼等の所属する労働戦線の分肢たる職業団体により助言を與へられ且扶助を與へられる。

(ハ) 傷病者には特別の助成がなされる。

(ニ) 更に以上の除隊者に對しては、差當り(1)(ヘ)に於て述べたると同様の一時扶助料が支給せられる。

除隊軍人及労役勤務者職業保障法関係法令

軍人及労役勤務者救護令(一九三六年九月三〇日附)

(*Verordnung über Fürsorge für Soldaten und Arbeitsmänner*)

(一九三七年一二月二九日附第一次改正及補充令ニヨル)

四三一

四三二

第一編　軍人救護（Fürsorge für Soldaten）

召集マデ及現役義務履行後ノ就業関係

第一　労務者・使用人又ハ徒弟トシテノ自由経済ニ於ケル就業関係

第一條　召集マテノ就業関係

(一)　自由経済（freie Wirtschaft）ニ於ケル労務者・使用人及徒弟ノ就業関係ハ　ソノ者兵役法第八條ニヨリ國防軍ニ於ケル現役義務履行ノタメ経営ヨリ離レタル日ヲ以テ終了ス　右ノ者現役志願ヲナシタルトキ亦同シ　解約告知ヲ要セス

(二)　召集令状ハ遅滞ナク経営指導者ニ之ヲ提示スヘシ

第二條　現役義務履行後ノ就業関係

(一)　名誉毀損ニ又ハ過失ナクシテ現役義務履行後現役勤務ヨリ早ク離レタル軍人ハ自由経済ノ労務場所ノ紹介ニ際シテハ優先的ニ考慮セラルベキモノトス　右軍人ハ其者其現役勤務召集前労務者・使用人又ハ徒弟トシテ就業シ居タリシ経営ニ於テ従前ノ又ハ同種ノ就業関係ニ再就業シ得ベキモノトス　経営ヘノ再編入ハ現役勤務解除前適當ナル時期ニ申出ツヘシ　法上ノ請求権ハ之ニ因リ基礎ツケラルルコトナシ

(二)　前軍人ヲ従前ノ経営ニ再就職セシムルコト能ハサルトキハ其者直チニ他ノ経営ノ労務場所ニ紹介セラルベシ　右紹介ハ原則トシテ労働局（Arbeitsamt）ノ責務トス

第三條　新就業関係ヨリ生ズル請求権

(一)　民間職業ヘノ復帰ニ際シ現役勤務ニ基ク不在ニ因リ軍人ニ如何ナル（請求権ヲ生セシムルヲ許サス　右ハ請求権ガ職業又ハ経営所属（Berufs- u. Betriebszugehörigkeit）ノ一定期間ニカヽルトキニ於テ留意セラルベキナリ

四三三

四三四

(二)　就業関係ヨリ生スル請求権職業所属期間ニカヽルトキハ履行セル現役義務期間ハ職業所属期間ニ算入セラル　之ニ反シ就業関係ヨリ生スル請求権経営所属期間ニカヽルトキハ軍人カ現役勤務ニ関聯シ従前ノ又ハ他ノ経営ニ就職セルトキニ限リ履行セル現役義務ノ期間ハ経営所属期間ニ算入セラル　但シ休暇請求権取得ノタメノ期待期間（Wartezeit）ヘノ算入ハ行ハレサルモノトス　解約告知期間ニ際シテハ履行セル現役義務期間ハ三ケ月ノ経営所属後始メテ算入セラルベキモノトス　國民労働秩序法第五六條第一項ニヨル解約告知取消ノ訴ニ付キテモ亦同ジ

第四條　現役義務履行後ノ徒弟ノ就業関係

(一)　見習カ従前以外ノ経営ニ於テ続ケラルルトキハ徒弟カ同一職業ニ於テ更ニ教育セラルルトキニ限リ之マテノ見習期間ハ新徒弟関係ニ於テ考慮セラルヘキモノトス

(二)　軍人現役義務履行後徒弟関係ニ入リタルトキハ第三條第二項第一段又第二段ノ規定ハ見習期間終了後始メテ之ヲ適用ス

第五條　自由経済ノ経営ニ始メテ就職セル労務者及使用人ノ就業関係

現役義務履行後名誉毀損ニ又ハ過失ナクシテ現役勤務ヨリ早ク解除セラレ且未タ自由経済ニ於テ活動シタルコトナキ軍人ハ六ケ月ノ自由経済ノ経営ヘノ所属後第三條第二項第一段及第二段ノ規定ノ意味ニ於テハ其者カ現役義務ヲ果セル期間中既ニ同一方法ニ於テ就業シタルモノトシテ取扱ハルベキモノトス

第六條　軍人トシテ編入セラレザリシ應召者ノ就業関係

第二條乃至第四條ノ規定ハ現役義務履行ノタメ経営ヲ離レタルモ部隊到着後軍醫診断ノ結果軍人トシテ編入サルルコトナク民間職業ヘ復帰セル労務者・使用人及徒弟ニ對シテ之ヲ準用ス

第二　公的勤務ニ於ケル就業関係

甲　労務者・使用人又ハ徒弟トシテ

第七條　召集マテノ就業関係

(一)　公的勤務ニ於ケル労務者・使用人及徒弟ノ就業関係ハ現役義務履行

四三五

ノタメノ國防軍編入ノ日（兵役法第八條）ノ前日ノ経過ト共ニ終了ス．右ノ者現役志願ヲナシタルトキ亦同シ　解約告知ヲ要セス

（二）召集令状ハ遅滞ナク之ヲ主務官廳ニ提示スヘシ

第八條　現役義務履行後ノ就業関係

（一）現役義務履行後名誉裡ニ又ハ過失ナクシテ早ク現役勤務ヨリ解除セラレタル軍人ハ公務勤務ニ於ケル就業志望ニ際シ同一素質ノ他ノ志望者ニ優先ス　其者現役勤務編入直前公的勤務ニ就業シ居タリシトキハ其者ハ従前ノ又ハ同種ノ就業関係ニ再就業スルコトヲ得ヘキモノトス　再就業ハ現役勤務解除前適當ナル時期ニ従前ノ就業官署ニ申出ツヘシ　法上ノ請求権ハ之ニヨリ基礎ツケラルルコトナシ

（二）前軍人ヲ従前ノ就業官署ニ再就業セシムルコト能ハサルトキハ其者ハ直チニ他ノ勤務官署又ハ経営ノ労働場所ニ紹介セラルベキモノトス　右紹介ハ原則トシテ労働局ノ責務トス

第九條　新就業関係ヨリ生ズル請求権

履行セシ現役義務期間ハ前軍人カ三ヶ月間労務者又ハ使用人関係ニ於テ就業セルトキハ公的勤務ニ於ケル就業ニ際シ公的勤務ノ賃率規則ノ意味ニ於ケル國勤務期間ト看做サルヘキモノトス　第三條第二項後段ハ之ヲ準用ス

第一〇條　現役義務履行後ノ徒弟ノ就業関係

現役義務履行後名誉裡ニ又ハ過失ナクシテ早ク現役勤務ヨリ解除セラレタル軍人ハ公的勤務ニ於ケル従前既ニ始メラレタル徒弟関係ヲ継続シ又ハ新徒弟関係ヲ始ムルコトヲ得べキモノトス　第四條第一項及第八條ノ規定ハ之ヲ準用ス　見習期間終了後ハ第九條ノ規定ヲ適用ス

第一一條　軍人トシテ編入セラレサリシ召集者ノ就業関係

第八條乃至第一〇條ノ規定ハ現役義務履行ノタメ公的勤務ニ於ケル就業関係ヨリ離レタルモ部隊到着後軍醫ノ診断ノ結果編入セラルルコトナク且民間職業ヘ復帰セル労務者、使用人及徒弟ニ之ヲ準用ス

乙　官吏トシテ

第一二條　召集マテノ勤務関係

（一）現役義務履行ノタメ召集セラレ又ハ志願セル國・州・市町村及市町村聯合並ニ其他ノ公法団体ノ官吏ニ対シテハ俸給ヲ停止シテ必要ナル賜暇カ賦與セラルべキモノトス

（二）賜暇ハ遅滞ナク申出ツヘシ　召集令状ハ申出ニ添付スヘシ

第一三條　現役義務履行後ノ官吏関係及一般勤務年限

（一）賜暇中ノ官吏トシテ現役義務ヲ履行シ又ハ過失ナクシテ現役勤務ヨリ早期ニ解除セラレタル軍人ハ遅滞ナクソノ最終ノ勤務場所ニ復帰シ又ハ直ナニ現役勤務中ソノ者ニ與ヘラレタル新勤務場所ニ出頭ス

（二）正規的官吏ノ一般勤務年限ハ現役服務履行ニヨリ影響ヲ受クルコトナシ

（三）文官職業ヘノ復帰ニ當リテハ軍人ニ如何ナル不利益ヲモ生スルヲ許ナク　ソノ者現役義務履行ニヨリ

（イ）官吏関係ノ開始又ハ

（ロ）従前非正規的官吏トシテノ正規的任命又ハ

（ハ）正規的官吏トシテノ進級

カソノ過失ナクシテ一定期間遅延セルコトヲ立證シタルトキハ該期間ハ将来ノ一般勤務年限ニ之ヲ算入ス

第一四條　新勤務関係ヨリ生スル請求権

現役義務履行期間ノ俸給及日給勤務年限ヘノ算入ハ正規外勤務期間トシテ俸給規定（Besoldungsvorschriften）之ヲ規制ス

第一五條　現役義務履行期間ノ不算入

（一）教育及見習勤務期間（Probedienstzeit）ニ對シテハ現役義務履行期間ハ之ヲ算入セス

（二）準備年限（Vorbereitungsjahre）ニヨリ梯増セシメラルル家計手當（Unterhaltszuschüsse）及日報酬（Tagesvergütungen）ノ額ノ算定ニ対シテハ現役義務履行期間ハ依然考慮セラレサルモノ

トス

丙　官吏職業志願者トシテ（文官候補者 Zivilanwärter）

第一六條（一）名誉裡ニ現役義務履行後又ハ過失ナクシテ早期ニ現役勤務ヨリ解除セラレ官吏職業ヲ選択セル軍人ハ其者官吏職業ニ適シ且文官候補者ニ対スル其他ノ要件ヲ充ストキハ同一素質ノ他ノ志願者ニ優先ス

（二）官吏職業ニ対スル準備及教育ノ期間ニ対シテハ現役義務履行期間ハ之ヲ算入セス

第二編　労役勤務者援護（Fürsorge für Arbeitsmänner）

召集マデ及労役勤務義務履行後ノ就業関係

第一七條　本令第一編ノ規定（第一條乃至第一六條）ハ労役勤務者ニ対シ亦之ヲ準用ス

第三編　除隊軍人及労役勤務者ノ優先的就職

第一八條（一）公的勤務ニ於ケル就業志願ニ際シ兵役勤務又ハ労役勤務又ハ其ノ両者ヲ服役セル者ハ勤務期間ノ長サニ基キ同一素質ノ他ノ志願者ニ優先ス　右ニ付キ兵役及労役勤務期間ハ総計セラルルモノトス　二ケ年以下ノ勤務期間ハ区別評價セラルルコトナシ

（二）自由経営ノ労働場所ヘノ紹介ニ際シ除隊軍人及労役勤務者ハ第一項ニ於ケルト同様ノ方法ニ依リ優先的ニ考慮セラルベキモノトス

第四編　一般規定

第一九條　戦傷者及夫レト同等ナル重傷者ノ法律上確定セラレタル権利並ニ優先就職ニ関スル一般訓令ハ本令ト抵触スルコトナシ

第二〇條（一）本令ノ規定ハ現役義務期間ヲ超エテ志願ニヨリ職業軍人（Berufssoldaten）ニ属スルコトナク現役勤務ニ長期残留セル軍人ニ対シ之ヲ準用ス　労役勤務義務期間ヲ超エテ志願ニヨリ國労役勤務指導者ニ属スルコトナク國労役勤務ニ長期残留セル労役勤務者ニ付キ亦同シ

（二）之ニ反シ短期教育召集軍人ハ本令ノ規定ノ適用ヲ受クルコトナシ　其者ハ一九三五年一一月二五日附國防軍演習召集令（Verordnung über Einberufung zu übungen der Wehrmacht）ノ規定ニ従フ

第二一條（一）本令施行ノタメ必要ナル一般的行政訓令ハ所轄國大臣之ヲ発布ス

（二）國労働大臣ハ國内務大臣及國軍務大臣及國防軍総司令官ノ同意ヲ得テ例外ノ場合ニツキ個々ノ経営（行政）ニ対シ又ハ個々ノ経営部門ニ対シ又ハ個々ノ従者ニ対シ経済的又ハ社會的理由ニ基ク緊急必要トセラルルトキハ第二〇條第一項ノ規定ヲ全部又ハ一部適用セサル旨ノ訓令ヲナスコトヲ得　國労働大臣ハ右訓令ヲ國内務大臣及國軍務大臣及國防軍総司令官ノ同意ヲ得テ國労働管理官（特別労働管理官）ニ委任スルコトヲ得

國防軍演習召集令（一九三九年三月一五日附）（Verordnung über die Einberufung zu übungen der Wehrmacht）

第一章　國防軍演習召集

第一　演習義務

第一條（一）本令ノ意味ニ於ケル演習ハ兵役義務履行又ハ志願服役現役勤務ニ於ケル現役勤務義務以外ニ帰休役ノ各兵役義務者ニツキ之ヲ行フ

（二）従ツテ亦本令ノ意味ニ於ケル演習ハ左ノ場合ヲモ謂フ

（イ）現役勤務義務履行ニ代ル短期教育ノタメノ召集

（ロ）其ノ他ノ現役勤務ノタメノ召集

(ハ) 兵役法第二条第二項ニ基ク現役勤務ノタメノ再召集

第二條 (一) 兵役義務者ハ之ヲ左ノ規定ノ規準ニヨリ演習ノ義務ヲ課シ且左ノ全最高期間マテ義務演習ニ召集スルコトヲ得

(イ) 現役勤務義務履行ノタメ召集セラレサル限リノ
第一補充豫兵トシテ　二八週間
(ロ) 第二補充豫備兵トシテ　一六週間
(ハ) 第一豫備兵トシテ　二六週間
(ニ) 第二豫備兵トシテ　三六週間
(ホ) 第一及第二後備兵役義務者トシテ　一六週間
(ヘ) 東プロシヤニ於テ第一及第二國民兵役義務者トシテ　一六週間
(ト) 将校（Offizier d. B.）及國防軍官吏（Wehrmachtbeamte d. B.）トシテ　一六週間

(二) 志願ニ依リ行ハレタル演習及進級演習ノ勤務期間並ニ第一條第二項(ロ)ニ基クソノ他ノ現役勤務ノ勤務期間ハ之ヲ義務演習ノ期間ニ算入セス

第二　召集――召集猶豫

第三條 (一) 兵役補充事務所（Wehrersatzdienststelle）ハ兵役義務者ヲ召集令ニ依リ演習ニ召集ス

(二) 二日間以上ノスヘテノ演習ノタメノ召集ハ通例演習開始六週間前ニ之ヲ行フ　後補充（Nachersatz）トシテ召集サルル兵役義務者又ハ動員演習ニ當リテハ右期間ハ之ヲ短縮スルコトヲ得　第一條第二項(ハ)ニ基ク演習ノタメノ召集ニハ何等ノ期間ヲ要セス

(三) 二日間以下ノ召集ニ當リテハ兵役義務者ニ対シ召集令ハ通例演習開始四日以前ノ作業日マテニ之ヲ交付スヘシ　右期間ハ動員演習及第一条第二項(ロ)ニ基ク演習ニ対シテハ之ヲ適用セス

第四條 (一) 第三條ニ基キ召集セラルル兵役義務者ハ之ヲ特別ノ家庭上、経済上又ハ職業上ノ事由存スルトキハ演習服務ヨリ猶豫スルコトヲ得　一九

三八年四月一四日附及一九三九年三月七日附改正令ニヨル一九三七年四月一七日附査閲及徴兵ニ関スル命令（Verordnung über die Musterung und Aushebung）第二一條第一項、第二二條第五項及第六項、第二三條及第二四條ハ之ヲ準用ス

(二) 動員演習ノ召集猶豫ハ特別止ムヲ得サル場合ニ於テノミ之ヲ行フコトヲ得　第一條第二項(ロ)ニ基ク演習ニ當リテハ召集猶豫ハ之ヲ許サス

(三) 左ノ者ハ特ニ之ヲ召集猶豫スルコトヲ得

一　農業・工業・営業又ハ商業ノ経営ノ所有者、占有者、賃借人、経営指導者又ハ経営指揮者タル兵役義務者、但シ之等ノ者ノ召集延期ナクシテハ所属者、家政又ハ経営カ過度ニ大ナル経済上ノ損失ヲ蒙ル場合ニ限ル　召集者ハ経営等ノ指揮ノ代理カ特別ノ事由ヨリ行ハレ得ルコト又ハ代理人ノ得ラレサルコトヲ立證スルコトヲ要ス

二　各個ノ止ムヲ得サル場合ニ於テ左ノ事項ノ證明セラルル兵役義務者

(イ) ソノ者自身召集履行セラレサルトキハソノ営業生活又ハソノ営利活動ニ於テ償フヘカラサル損害ヲ蒙ルコト

(ロ) ソノ者ノ職業ヨリノ不在カ止ムヲ得サル共同経済上ノ自由ニヨリ行ハレ得サルコト

(四) 査閲令（Musterungsverordnung）第二五條第八号及第一〇号、第二六條及第二七條ハ茲ニ之ヲ準用ス

(五) 召集猶豫ノ期間ハ召集猶豫ノ事由ノ性質ニ従フヘキモノトス　通例召集猶豫者ハ翌暦年ニ於テソノ義務演習服役ノタメ之ヲ召集スヘシ　特ニ存スル例外ノ場合ニ於テノミ同一種類ノ演習ヨリノ数度ノ召集猶豫カナサレルコトヲ得

第五條 (一) 召集者ハ二日間以上ノ演習ニ當リテハ召集令状送達後一週間ノ期間内ニ召集猶豫ヲ管区警察官廳（Kreispolizeibehörde）ニ対シ書面又ハ口頭ヲ以テ申請スルコトヲ得　同時ニ申請者ハ召集令ヲ下セル兵役補充事務所（第三條第一項）ニ対シ右ニ付キ書面又ハ口頭ヲ以テ通知スルコトヲ要ス　電話ニヨル申請又ハ通知ハ之ヲ許ス　申請期間ハ後補充タル召

集者ニ対シテハ之ヲ三日ニ短縮スルコトヲ得

(二)　経営指導者及企業者ハ召集ヲ受ケタル従属者ノ召集猶予ヲ管区警察官廳ニ対シ一週間ノ期間内ニ申請スルコトヲ得。ソノ他ニツキテハ第一項ノ規定ヲ準用ス

(三)　召集猶豫ニ対スル事由後ニ至リ初メテ生シタル時ハ申請ハ之ヲ後ニナスコトヲ得

(四)　査閲令第四二條第二項及第四六條第六項ハ茲ニ之ヲ準用ス

(五)　二日間マテノ演習ニ當リテハ召集猶予申請ノタメノ期間ハ二日トス　第一項第三段ハ之ヲ準用ス　危急ノ場合ニハ召集猶予申請ハ亦電話ニヨリ之ヲ行フコトヲ得　但シ然ル後遅滞ナク書面ニヨリ之ヲ證明スヘシ

第六條　(一)　管区警察官廳ハ出來ル限リ速カニ申請ヲ審査ス　管区警察官廳ハ必要アル場合ニハ査閲令第三七條第三項(ハ)一号乃至三号ニ掲クルモノ又ハ國内務大臣ノ細目規定ニ基クソノ他ノ事務所ノ意見ヲ求ムルモノトス

(二)　管区警察官廳ハ自己ノ意見ニ基キ國防軍地区司令官ヘ(Wehrbezirkskommandeur)ニ對シ左ノ通リ申請ヲ傳達ス

(イ)　第五條第一項及第二項ニ基ク申請ニアリテハ通例召集者ニ對スル召集令状ノ送達後遅クトモ二週間(後補充タル召集者ニアリテハ一週間)マテニ

(ロ)　第五條第五項ニ基ク申請ニアリテハ召集猶豫申請ノ受領後直チニ

(三)　國防軍地区司令官ハ管区警察官廳ノ決定及意見ニ基キ決定ヲ行フ

(四)　決定ハ書面ニ依リ召集者及必要アル時ハ申請者ニ対シ之ヲ送達シ且ソノ寫シヲ管区警察官廳ニ傳達スヘシ

(五)　査閲令第三二條第二項、第五〇條第一項及第二項、第五一條第一項乃至第三項及第五項乃至第八項ハ茲ニ之ヲ準用ス　第五〇條第二項ニ基ク兵役補充兵監(Wehrersatzinspekteur)ノ決定ハ之ヲ最終的トス

第七條　(一)　國及州ノ官廳及事務所ノ長、更ニ一万人以上ノ住民ノ市町村及

市町村聯合ノ長並ニ國立専門学校ノ長ハ各個ノ召集ヲ受ケタル官吏、使用人及労務者ノ演習召集猶豫ヲ申請スルコトヲ得　但シ其ノ者ノ代理止ムヲ得サル勤務上ノ事由ニヨリ不可能ナルカ又ハ代理人ノ得ラレサル場合ニ限ル　申請ニハ故障ノ自由及見込期間ヲ申述スヘシ　市町村及市町村聯合ノ長ノ申請ハ自治団体ニ所属スル公的経営(一九三四年三月二三日附公行政及公経営労働秩序法第一條第一項(ロ)及(ハ)及第三項参照)ノ機関ニツキ亦同シ　右公的経営カ法人性ヲ有スルヤ否ヤ又ハ直接自治団体ニヨリ管理サレオルヤ否ヤハ之ヲ問ハス

(二)　公法団体、設備及施設並ニ職能上ノ自治団体及組織更ニ一万人以下ノ住民ノ市町村及ソレ等ニ所属スル公経営ノ官吏、使用人及労務者ニツキテハ監督官廳又ハ國内務大臣ノ同意ヲ得テ右官廳ニヨリ定メラレタル官廳ノ長及監督官廳ナキ場合ニアリテハ地域管轄ヲ有スル上級行政官廳(査閲令第三二條第二項)ノ長ハ第一項ノ要件ノ下ニ召集猶豫ヲ申請スルコトヲ得ルモノトス　右ハ公立学校ノ長及教員並ニ其ノ官吏ニツキ亦同シ

(三)　國民社會主義独逸労働党、ソノ肢体及附属団体ノ事務所ノ半官的ニ就業セルモノニツキテハ党指導者代理ハ第一項ノ準用ニヨリ召集猶豫ヲ申請スルコトヲ得

(四)　召集猶豫申請ハ召集者ニ対スル召集令状ノ送達後遅クモ二週間内ニ管轄兵役補充事務所ニ対シ書面ニヨリ之ヲ行フヘシ　但シ危急ノ場合ニ於テハ口頭又ハ電話ヲモッテ行ヒ遅滞ナク書面ニヨリ之ヲ證明スヘシ　期間ニツキテハ第六條第二項ヲ適用シ後ニ行フ申請ニツキテハ第五條第三項ヲ適用ス

(五)　國防軍地区司令官ハ通召召集猶豫申請ニ應スルコトヲ要ス　申請ハ止ムヲ得サル重要ナル兵役勤務上ノ事情ニヨリ必要ナルトキニノミ之ヲ却下スルコトヲ得　召集猶豫ハ故障ノ期間但シ最高一ヶ年ニ対シ之ヲ行フコトヲ得　國防軍地区司令部ハ召集猶豫ニ関シ書面ニヨル決定ヲ與フルモノトス　却下ノ場合ニアリテハ召集猶豫ヲ申請セル事務所ハ決定送達後二週間内ニ抗告スルコトヲ得　抗告ハ國防軍地区司令官ニ対シ書面ニヨリ

之ヲ行フ　第四項第二段ハ之ヲ準用ス　査閲令第五〇條第一項第二段及第二項ハ兵役補充兵監最終的ニ決定ヲ行フトノ規準ニヨリ之ヲ適用ス

第八條　第五條及第七條ハ一九一三年及ソレ以後ノ出生年ノ短期教育ノタメ召集セラレタル第一補充豫備兵ニ対シテハ之ヲ適用セス

第二章　召集者ノ就業関係ニ對スル演習ノ效果

第一　自由經濟ニ於テ

第九條　演習服役ノタメノ休暇

(一)　経営指導者及企業者ハ第三條ニ基キ召集セラレタル從属者ニ対シ演習服役ノタメ休暇ヲ賦與スルコトヲ要ス　休暇賦與義務ハ召集者外國ニ於テ就業セル場合ニ於テモ亦生スルモノトス

(二)　從属者ハ休暇ノ申出ト共ニ召集令状ヲ遅滞ナク經営指導者及企業者ニ提出スルコトヲ要ス

第一〇條　労働関係ノ存続

(一)　演習ノタメノ休暇賦與ハ経営指導者及企業者ニ対シ労働関係ヲ解約スル権利ヲ與フルコトナシ

(二)　期限附労働関係ハ演習ノタメノ召集ニヨリ延長セラルルコトナシ

(三)　演習期間中ニ終了ニ至ルヘキ労働関係モ亦同シク延長セラルルコトナシ

第一一條　労働報酬

從属者ハ第一二條ノ規定ヲ除キ経営指導者及企業者ニ対シ演習休暇期間中労働報酬及ソノ他ノ給料ノ支拂請求権ヲ有セス

第一二條　慰労休暇

(一)　演習休暇ハ左ノ例外ヲ除キ之ヲ慰労休暇ニ算入スルコトヲ得ス

(二)　経営指導者及企業者召集者ニ対シ演習休暇期間中ソレマデノ労働報酬及ソノ他ノ給料ヲ継続支給セルトキハ慰労休暇ヲ其年又ハ其翌年ノ休暇年度ニ於テ三分ノ一タケ但シ最高演習ニヨリ缺ケタル労働日タケ短縮スル

コトヲ得　休暇短縮権ハ経営指導者又ハ企業者カ國保険法及労働紹介及失業保険ニ関スル法律ノ規定ニ基キ演習期間中停止スル保険料ノ被傭者持分ヲ労働報酬ヨリ控除スルコトニヨリ喪失スルコトナシ

(三)　第二項ニ基ク休暇短縮ニ當リ日数計算ニ於テ端数生シタルトキハ端数ハ之ヲ切棄ツヘシ

(四)　從属者一休暇年度ニ於テ数度ノ演習ニ召集セラレ又ハ一休暇年度ニ於テ第二項ニ基キ同時ニ前年ヨリノ休暇短縮ノ行ハルヘトキハ第二項及第三項ハ、慰労休暇ハ総計シテ三分ノ二以上之ヲ短縮スルコトヲ得ストノ規準ニヨリ之ヲ適用ス

(五)　從属者ニ対シテハ休暇短縮ニ拘ハラス各休暇年度ニ於テソノ要求権アル休暇中最低全六日間ノ労働日ヲ休暇日トシテ残スコトヲ要ス

第二　公的勤務ニ於テ

第一三條　演習服役ノタメノ休暇

(一)　國・州・市町村・市町村聯合・公法団体・施設及設備ノ官吏並ニ一九三四年三月二三日附公行政及公経営労働秩序法第一條ノ意味ニ於ケル公行政及公経営ノ使用人及労務者ハ演習服役ノタメノ休暇申請ヲ召集令状ノ送達後遅滞ナクソノ勤務長官ニナスコトヲ要ス

(二)　演習休暇申請ニツキテハ第七條ニ基キ官廳若クハ事務所ノ長ニ対シ又ハ監督官廳ニ対シ與ヘラレタル権利ハ之ヲ害フコトナク許スヘキモノトス

(三)　第一〇條ハ之ヲ準用ス

第一四條　官吏ノ勤務俸及慰労休暇

(一)　官吏ノ勤務俸ハ最高二十八週間マテノ各個ノ演習ノタメノ演習休暇中、更ニ入隊日及除隊日ヲ除ク必要ナル旅行日ノタメノ演習休暇期間中之ヲ継続支給スヘシ　右ハ二演習間ニ存スル最高期間三日マテノ期間ニツキ亦同シ

(二)　演習期間中ノ疾病及ソレニヨリ必要ナル軍醫ノ治療ノ結果召集令ニヨリ演習ノタメニ定メラレタル期間ノ超過セラレタルトキト雖モ勤務俸

ハ軍醫ニ依ル診察ヨリノ解除ノ日ノ満了ニ至ルマテ之ヲ継続支給スヘシ演習ノタメ定メラレタル期間ノ召集者ノ責ニ帰スヘカラサル遅延除隊ニ起因スル又ハ其ノ他ノ超過ニ際シ亦同シ

(三)　官吏ノ慰労休暇ハ其年又ハ翌年ノ休暇年度（會計年度又ハ事務年度）ニ於テ三分ノ一タケ、但シ最高演習ニヨリ欠ケタル作業日タケ之ヲ短縮スヘシ　第一二條第三項乃至第五項ハ之ヲ準用ス

(四)　第一項及第二項ノ規定ハ一九一四年度及ソレ以後ノ出生年ノ勤務義務者ニ対シ第一條第二項(ロ)ノ意味ニ於ケル演習期間ハ之ヲ適用セス　慰労休暇ノ短縮ハコノ場合ニハ之ヲ行ハス

第一四條　公的勤務ノ使用人及労務者ノ勤務俸及慰労休暇

(一)　第一四條ノ規定ハ演習期間中ニ於ケル勤務関係ノ存続期間中公的勤務ノ使用人及労務者ニ對シ亦之ヲ適用ス　但シ勤務俸ハ國保険法及労働紹介及失業保険ニ関スル法律ニ基ク演習期間中停止スル保険料ノ被傭者持分タケ之ヲ節減スヘシ

(二)　第一四條第三項ニ基ク慰労休暇ノ短縮ニ當リテハ從属者カ翌年度ニ於テ尚又ハ再ヒ慰労休暇ヲ得テ就業スル場合ヲ考慮ス

第一六條　公的勤務及労働関係ノ内部ニ於ケル演習期間ノ算入

(一)　國内務大臣ハ國財政大臣ノ同意ヲ得テ國防軍演習服役ニヨリ経過セル期間カ公的勤務ニ置テ行フヘキ教育及見習期間ニ算入セラルヘキ範囲ヲ定ム　演習服役ニヨリ教育又ハ見習期間ノ終了延期セシメラレタルトキハ召集者ノ一般在職年限ハ右期間タケ之ヲ早ムヘシ

(二)　演習服役ニヨリ経過セル期間ハ官吏ニアラサル從属者ニアリテハ之ヲ公的勤務ノタメノ國管理官ノ細目規定ニ基キ公的勤務ノ賃率規則（賃率規則トシテ引ツヽキ適用セラルル賃率契約ヲ含ム）ノ意味ニ於ケル勤務期間ト解スヘキモノトス

第三章　過渡及終結規定

第一七條　(一)　本令ハ公布ノ日（三月二九日）ノ翌日ヨリ之ヲ施行ス　同日ヲ

以テ一九三六年三月二八日附改正令ニヨル一九三五年一一月二五日附國防軍演習召集令ハソノ效力ヲ失フ

(二)　施行ノ日以前ニステニ召集セラレタル演習ニ対シテハ従前ノ規定ヲ適用ス

労働法関係規定改正及補充令（一九三九年九月一日附）

（VO. zur Abänderung u. Ergänzung von Vorschriften auf dem Gebiete des Arbeitsrecht）

第一　兵役勤務召集ノ場合ニ於ケル労働関係ノ存続

第一條　兵役勤務給付ノタメノ召集ニヨリ既存ノ就業関係（労働又ハ徒弟関係）ハ解消セラルルコトナシ　両當事者ノ権利及義務ハ召集期間中停止ス　勤務義務者又ハソノ家族ノ生存必要トスル工場住宅ノ供与ニ関スル約定モソノマヽ存続ス

第二條　就業関係ノ解約ニ関スル從属者ノ権利ハ兵役勤務召集ニ際シソノ行使ヲ妨クルコトナシ　企業者ハ就業関係ヲ解約スルコトヲ得ス　但シ労働管理官例外ヲ許可スルコトヲ得

戦時中及戦後ノ除隊セル軍人及國労役勤務男子所属者ニ對スル職業救護ニ関スル命令（一九四〇年九月一八日附）

（Verordnung über Berufsfürsorge für entlassene Soldaten und männliche Angehörige des Reichsarbeitsdienstes im und nach dem Kriege）

戰務ニ趨ク國防軍ノ卓越セル業績ヲ認識シ且軍人ニ對シ國民ノ感謝責務ノ一部ヲ果スタメニハ軍人及國労役勤務男子所属者ニ対スル職業救護ハ　現在マテノ規定ヲ超ヘテ拡張セラルヘキナリ

最高國防會議（Der Ministerrat für die Reichsverteidigung）ハ之故法律效力ヲ有スル左ノ命令ヲ発布ス

第一條　軍人及國労役勤務男子所属者ニ対シ

㈠　戰時中及ソノ後ノ平和関係ヘノ過渡期ニ際シ名誉裡ニ除隊シ且一九三九年九月一日附労働法域諸規定改正及補充令第一條ニ基キ存続セル就業関係ニ在ラサルスヘテノ軍人及國労役勤務団男子所属者ニ對シテハ一九三七年一二月二九日附軍人及労役勤務者救護令第二條乃至第六條、第八條乃至第一一條及第一三條乃至第一八條ヲ準用ス　就業関係ヨリ生スル請求権経営所属期間ニ累ルトキハ軍人及労役勤務者救護令第三條ノ規定ヲ超ヘ、履行セル兵役及國労役勤務ノ期間ニ如ヘ最終ノ就業関係ニ於テ考慮ニ入レラルヘキ期間モ亦之ヲ経営所属期間ニ算入ス　其他ニツキテハ同令第三條第二項ハ影響ヲ受クルコトナシ

㈡　軍人及労役義務者救護令第一條及第七條ハ労働法域諸規定改正及補充令第一條及第二條ノ規定ノ適用サレル範囲ニ於テハ之ヲ適用セス

㈢　傷痍者ニハ高度ノ職業救護ヲ與フヘキモノトス　必要アルトキハ労務配置前傷痍者ハ教育セラルヘキナリ　傷痍軍人ノ時宜ヲ得タル教育ハ國防軍救護士官（Wehrmachtfürsorgeoffiziere）カ、國労役勤務ノ傷痍者ニ対シテハ労働管区指導者（Arbeitsgauführer）カ仲介スルモノトス　教育後傷痍者ハ能フル限リ其者カ尠クモ其従前ノ労務收入ヲ得ルカ如キ労働場所ニ就職セシメラルヘキモノトス　個々ノ場合ニ於テ右就職不能ナルトキハ更ニ発布セラルル規定ノ規準ニヨル救護ニ依リ救済セラルヘキナリ

第二條　國防軍補充官吏（Ergänzungsbeamte der Wehrmacht）ニ対シ

第一條ノ規定ハ國防軍補充官吏ニ対シ亦之ヲ適用ス

第三條　本令施行及補充並ニ他ノ人的範囲ニ対スル準用

㈠　國防軍総司令部長官ハ所管國大臣ノ同意ヲ得テ本令施行及補充ノタメ必要ナル法的及行政規定ヲ定ム

㈡　國防軍総司令部長官ハ所管國大臣ノ同意ヲ得テ特別ノ場合ニ於テ右規定カ國防軍又ハ國労役勤務ニ所属セサルモ國土防衛ノ目的ノタメ配置セラレタル人的範囲ニ対シ準用セラルヘキヤ否ヤ及如何ナル範囲ニ於テ準用セラルヘキヤヲ規定スルモノトス　但シ防空及緊急勤務（Notdienst）ニ対シ特別規定カ発布セラレサル範囲ニ限ル

第四條　本令ノ適用

本令ハ一九三九年八月二六日ノ效力ヲ以テ之ヲ施行ス

第六節・戰時人的損害補償法

一

現代戰は國家総力戰である．それは國防軍を中核とし國家のあらゆる人的並に物的総力を戰爭目的に集中せしむることをその積極面に於ける要請とする．従って戰爭の消極面に於ける要請としての軍事救護及扶助に於ても武器の担當者としての軍人の被害塡補並に其の生活安定を第一目標とし更に労役勤務者、防空関係者、赤十字関係者等の間接的國防関係者の救護及扶助を之に次く目標とするは當然である．然し総力戰の要請は更に右の如き特別身分関係にあらざる一般國民に対しても、彼等が戰爭遂行に伴ふ人的又は物的被害を蒙りたる場合に於ては之に可及的十全なる補償を與ふることを要求する。蓋し其処に於て初めて完璧なる且均衡を得たる軍事扶助体制が実現せらるるからである．斯る意味に於て特別身分関係に在らざる一般國民の戰爭被害對策としてナチ

四六四

ス独逸の採用せるものは人的並に物的被害に対する國家補償制である。勿論かかる方策は財政的配慮をその前提要件とするがナチス國家がその困難を排除して敢然國家補償制を採用せる点に我々はその社會政策の徹底と余裕を見出すのである。

二

一般國民の戦時被害國家補償に対する法規制は左の法令により行はれた。

一九三九年九月一日附人的損害補償令（Verordnung über die Entschädigung von Personenschäden - Personenschädenverordnung）（一九四〇年一一月一〇日附改正令ニヨリ改正）及同施行令

一九三九年九月八日附物的損害評價令（Verordnung über die Feststellung von Sachschäden - Sachschädenfeststellungsverordnung）及同施行令（左記戰時物的損害補償令ニヨリ廃止）

一九四〇年一一月三〇日附戦時物的損害補償令（Kriegsachschädenverordnung）及同施行令

三

戰爭に基く一般國民の死傷救護及扶助対策は最高國防會議により発布せられたる右「人的損害補償令」によれば左の如くである。

本令の人的適用範囲は人的損害（人命死傷）を蒙りたる独逸國民及其遺族である。特別身分関係を有する軍人、國労役勤務者等に対しては本令を適用しない。

本令の物的適用範囲は人的損害である。人的損害とは独軍、同盟軍又は敵軍兵力の戦闘行為其他戦闘行為と関聯せる軍事的處置、官廳の處分、独逸に対する破壊處置、犯罪等による人命死傷を謂ふ。但し一般的燈火管制による損害を除く。實際に於ては空襲による人命の死傷が最も多い。

四六五

四六六

人的損害に対する救護及扶助は被害を蒙りたる本人及其遺族に対し國防軍救護及扶助法の準用により大体に於て兵役勤務損害と同様なる救済が與へられる。

人的損害に基く被害者本人及其遺族の請求権は本令に基き國家に対してのみ之を行使すべく第三者に對する請求権は排除せられるのを原則とする。

四

戰爭に基く一般國民の物的損害の補償は開戰當初に於てはその被害額の見込が立たず、従って如何なる補償を與ふるかは後日に譲り、先づ損害額の算定を目標として前記物的損害評價令として発布せられた。其後戰爭の進展に伴ひ戰爭による物的被害の程度が或程度明かとなるに至り、物的損害評價令及同施行令を廃止して新に戰時物的損害補償令の成立を見ること〻なり此処に人的損害補償令と並んで一般國民の戰爭被害対策が完成せられた訳である。その内容は大要左の如くである。

本令補償の対象は物的損害である。物的損害とは大独逸國領土内に於て独逸國領土に対する攻撃又は兵力の配置の結果、戦闘行為・破壊・毀損・掠奪・喪失・散逸・遊離・船舶自沈等により生ぜしめらる〻動産又は不動産の損害を謂ふ。但し例へば防空のために要する個人の費用の如き万人の負担すべき費用は補償を受けない。

補償の時期は國民経済上の必要性及可能性に従ひ行はれる。

補償の方法は金銭補償と現物補償に分れ、金銭補償は即金による補償と然らざる場合とに分れる。即金によらざる金銭補償の場合には別に其の補償時期が示される。現物補償は原物と同價値のものを得ることを原則とする。但し國民経済に反せぬことを要する。

損害額の評價については評價官廳として損害の生じたる地域の下級行政官廳、船舶につきては國交通大臣の定むる官廳、下級行政官廳故障あるときは上級行政官廳、上級行政官廳故障あるときは、内務大臣所管の評價官廳が損害額を決定する。

物的損害補償の額は原則としてその全額である。即動産については其再生産

四六七

又は製造の額、建物については被害者に対し同價値ある新建物の建築費全額である。而して此の再建費中には建築警察、消防警察等の理由に基く敷地変更、構造改善等の費用をも含まれる。

以上の如き物的損害補償の外、戦時物的損害補償法に基き戦時被害たる建物其他の設備の破壊による営業不能より生ずる減收に対し、亦営業補償が行はれる。但し単なる燈火管制、警報又は空襲による減收は補償を受けない。更に物的損害により労働場所を喪失せる労務者の減收対策として、右労務者は第一に復舊工事に、第二に京給を以て他の重要國策業務に就業せしめ、それが不能なるときは十四日間京給の九割を給す。使用人に対しては給料全額が継続支給される。

人的損害ノ補償ニ関スル命令（人的損害令）
（一九三九年九月一日附）
（Verordnung über die Entschädigung von Personenschäden
（Personenschädenverordnung）
（一九四〇年一一月一〇日附人的損害令改正令ニヨル）

最高國防會議ハ法律タルノ效力ヲ以テ次ノ如ク命令ス

第一章　救護及扶助

第一條　本令ノ目的及適用範囲

(一)　独逸國領土ニ対スル攻撃又ハ軍隊ノ特別配置ノ結果身体又ハ生命ニ於ケル損害（人的損害 Personenschäden）ヲ蒙リタル独逸國公民（Deutsche Staatsangehörige）及其遺族ハ申請ニ依リ本令ニ依ル救護及扶助ヲ受クルモノトス

(二)　國防軍所屬者又ハ一九三八年八月二六日附國防軍救護及扶助法第六

ハ條ノ人的範囲ニ屬スル准軍人（Zivilperson）ノ蒙リタル人的損害ハ之ヲ國防軍救護及扶助法ノ意味ニ於ケル人的損害トシ直接國防軍救護及扶助法ノ規定ニヨリ補償セラルルモノトス

(三)　國労役勤務所屬者ノ蒙リタル人的損害ハ一九三八年九月二九日附改正ニヨル一九三八年九月八日附國労役勤務扶助法（Reichsarbeitsdienstversorgungsgesetz）及一九三九年一一月一一日附「國労役勤務女子所屬者及其遺族ノ暫定的救護及扶助ニ関スル命令（Verordnung über die vorläufige Fürsorge und Versorgung der weiblichen Angehörigen des Reichsarbeitsdienstes und ihrer Hinterbliebenen）ノ意味ニ於ケル労役勤務損害（Arbeitsdienstbeschädigung）トシ之等規定ニヨリ賠償セラルルモノトス

(四)　國内務大臣ノ認可ヲ以テ独逸國籍ヲ有セサル者ニモ亦救護及扶助カ賦與セラルルコトヲ得

(五)　國内務大臣ハ其原因カ第一項ニ規定セラレタル範囲ヲ超ユル身体傷害（Körperschäden）ニ対シテモ亦本令ノ適用ヲナス旨ノ訓令ヲナスコトヲ得　國内務大臣ハ其際本令ノ適用ヲ期間ヲ限リ且一定ノ地域ニ制限スルコトヲ得ルモノトス

(六)　本令ハ本令施行前成立セル損害ノ場合ニ対シテハ之ヲ適用セス　但シ國内務大臣國防軍総司令部ノ同意ヲ得テ除外例ヲ規定セルトキハ此ノ限ニアラス

第二條　人的損害

(一)　第一條第一項ノ意義ニ於ケル損害（人的損害）トハ左ニ因リ生シタル身体又ハ生命ノ損害ノミヲ謂フ

(イ)　独軍、同盟軍又ハ敵軍兵力ノ戦闘行為又ハ戦闘行為ト直接関聯セル軍事的處置ニ因リ、特ニ武器又ハ其他ノ戦闘手段ノ影響ニ因リ生シタル損害

(ロ)　戦闘行為ノ直接ノ結果トシテノ若クハ戦闘行為ノ直接ノ準備ノ目的ノ

シメ又ハ直接切迫セル敵ノ攻撃ヲ豫期シテノ独逸官廳ノ處置ニ因リ生シタル損害

(ハ) 独逸國、独逸人全体（Deutschtum）又ハ直接被害者ニ向ケラレタル敵國官廳、組織又ハ個人ノ處置又ハ行為ニヨリ生シタル損害

(ニ) 敵ノ處置ヨリノ避難ニ因リ生シタル損害　但シ夫カ身体又ハ生命ニ対スル切迫セル危険ノタメ避ケラレサリシトキ及損害ノ発生カ直接避難ノ特別状況ニ帰セラルヘキトキニ限ル

(二) 第一項(ロ)ニ謂フ處置ニハ一般的燈火管制（allgemeine Verdunkelung）ハ之ヲ算入セズ

(三) 大独逸國（Grossdeutschen Reich）又ハ独逸兵力ニヨリ占領セラレタル領域内ニ於テ戦争中又ハ兵力ノ特別配置中ニ行ハレタル犯罪（Verbrechen）又ハ犯行（Vergehen）ハ之ヲ第一項(ハ)ノ意義ニ於ケル敵対處置ト看做ス　但シソレカ独逸民族ノ軍事力及抵抗力ヲ危殆ナラシメルガ如キトキ及其行為カ敵ノ意思ト関聯シ居ルトノ推定カナサルルト

四七二

キニ限ル　右ノ要件存スルヤ否ヤニ付キ疑点存スルトキハ國内務大臣國財政大臣ノ同意ヲ得テ之ヲ決定スルモノトス

(四) 生命又ハ健康ノ個人的配置ノ結果國領土ニ対スル攻撃又ハ兵力ノ特別配置ト関聯スルニ至レル身体損害（Körperschäden）モ亦之ヲ人的損害トス　但シ独逸官廳カ右ノ配置ヲ要求シタルトキニ限ル

(五) 人的損害ト認メラレサル身体損害第一項、第三項及第四項ニ掲クル原因ノ一ニ因リ悪化セシメラレタルトキハ悪化ハ之ヲ人的損害トス

(六) 被害者（Beschädigte）ノ故意ニ惹起セシメタル身体又ハ生命ノ損害ニ対シテハ本令ニ依ル救護及扶助ハ賦與セラレサルモノトス

第三條　被害者救護及扶助

(一) 被害者ハ本令又ハ施行規則ニ例外規定ノ存セス又ハ存セシメラレサル限リ人的損害及其結果ニ対シ申請ニ基キ國防軍救護及扶助法（WfVG.）第六六條、第七〇條乃至第八九條及第九一條乃至第九六條ノ準用ニ依ル救護及扶助ヲ受クルモノトス　第二條ニ掲クル原因ニ因ル損害ハ國防軍救護

四七三

及扶助法ノ意義ニ於ケル兵役勤務損害（Wehrdienstbeschädigung）ニ関スル限リ同等ナルモノトス　兵役勤務解除時期ニ付キテハ損害事故ノ時期ヲ以テ之ニ代フ

(二) 第一項ニ依ル救護及扶助ハ権利消滅ヲ避クルタメ損害事故後二年内ニ申請サルヽヲ要ス　右期間経過後ニ於テハ請求ハ損害又ハ其結果カ後ニ至リ始メテ認メラレタルカ又ハ根本的ニ悪化スルニ至レルトキニ於テノミ申立ツルコトヲ得ルモノトス　右ノ場合ニ於テ請求ハ損害、悪化又ハ結果カ認メラレタル後三ケ月以内但シ遅クモ損害事故後十年内ニ申立ツルコトヲ要ス　期間遅滞（Fristversäumnis）ノ異義ハ棄却サルヽコトヲ得

(三) 救護及扶助料（Fürsorge- und Versorgungsbezüge）ノ支給ハ國防軍救護及扶助法第九七條第一項及第九八條ニ依リ之ヲ行フ支給ハ救護及扶助ノ賦與又ハ増額ニ対スル諸要件ノ充タサレタル月ノ初日、　ニ早クトモ請求カ申立テラレタル月ノ初日ヲ以テ之ヲ開始ス

四七四

(四) 國内務大臣ハ國防軍総司令部及國財政大臣ノ同意ヲ得テ如何ナル場合ニ被害者カ一九三九年七月六日附配置救護及扶助法ニ依ル救護及扶助ヲ受クルヤヲ規定スルモノトス

第四條　労務使用不能者年金（Rente für Arbeitsverwendungsunfähige- AVU= Rente）ノ額及傷痍賜金ノ額

(一) 労務使用不能者年金ハ左ノ額トス

被害者未タ満十四才ニ達セス且損害ノ結果扶養義務者ニ特別支出ノ生シタルトキハ國防軍救護及扶助法ニ基キ支給セラルル年金ノ百分ノ二〇

被害者満十四歳ニ達シタル後ハ該年金ノ百分ノ四〇

被害者満十五歳ニ達シタル後ハ百分ノ六〇

被害者満十六歳ニ達シタル後ハ百分ノ八〇

被害者満十七歳ニ達シタル後ハ百分ノ一〇〇

(二) 労務使用不能者年金ノ百分率ニ加ヘテ傷痍賜金カ全額賦與セラルル

四七五

モノトス

第三條　遺族救護及扶助

㈠　被害者ノ遺族ハ死者死亡ノ時ニ至ルマテ傷痍賜金ヲ受ケサリシトキハ喪葬料（Bestattungsgeld）支給セラルトノ基準ヲ以テ國防軍救護及扶助法第百條乃至第百二條ノ準用ニヨル遺族救護ヲ受クルモノトス

㈡　人的損害ニ基ク遺族扶助料ハ左記第六條及第七條ノ補充規定ノ考慮ノ下ニ國防軍救護及扶助法第一〇六條乃至第一一三條、第一一五條、第一一六條、第一一八條　第一二〇條、第一二一條及一二二條ノ準用ニヨリ之ヲ定ム

㈢　第一項及第二項ニ掲クル國防軍救護及扶助法ノ規定カ兵役勤務損害ヲ要件トスル限リ人的損害ヲ以テ之ニ代フルモノトス

㈣　第三條第四項ノ規定ハ茲ニ之ヲ準用ス

第六條　鰥夫年金（Witwerrente）

㈠　鰥夫ハ人的損害ノ結果死亡セル妻其ノ夫ノ労務使用不能ノタメ夫ノ生計費ヲ大体ニ於テ其ノ労務收入ヨリ支弁シ居タルトキハ必要ノ期間中鰥夫年金ヲ受クルモノトス

㈡　鰥夫ノ労務使用不能ノ確認ニ付テハ國防軍救護及扶助法第八八條ノ規定ヲ準用ス

㈢　鰥夫年金ニ対シ其他ノ点ニ付キテハ寡婦年金（Witwerrente）ニ対スル同様規定ヲ適用ス

第七條　母死亡ノ際ノ孤児年金（Waisenrente）

㈠　孤児ノ母人的損害ノ結果死亡セルトキハ孤児ハ孤児ノ父カ鰥夫年金ヲ受ケ又ハ父既ニ生存シ居ラサルトキニ限リ孤児年金ヲ受クルモノトス

㈡　孤児年金ハスヘテノ子ニ対シ　其父尚生存シ母死亡ノ時ニ於テ鰥夫年金手當請求権ヲ有シタルトキハ鰥夫年金ノ五分ノ一トス

㈢　孤児年金ハスヘテノ子ニ対シ其ノ父既ニ生存セサルトキハ鰥夫年金ノ二分ノ一トス

㈣　私生児（uneheliches Kind）ノ母人的損害ノ結果死亡シタルトキハ私生児孤児年金ヲ受ク　孤児年金ハ鰥夫年金ノ五分ノ一トシ其ノ子ノ父既ニ生存セサルトキハ鰥夫年金ノ三分ノ一トス

㈤　母死亡ノ際ノ孤児年金ニ対シテハ其他ノ点ニ付キテハ父死亡ノ際ノ孤児年金ニ対スル同様ノ規定ヲ適用ス

第八條　被害者及其遺族ニ対スル共通規定

國防軍救護及扶助法第一二三條乃至第一三〇條、第一三二條、第一三三條、第一三五條ノ規定ハ茲ニ之ヲ準用ス

第九條　他ノ救護及扶助請求権トノ競合

㈠　官吏カ同時ニ一九三七年一月二六日附独逸官吏法（das Deutschen Beamtengesetz）第一〇七條ノ意味ニ於ケル勤務災害（Dienstunfalle）タル人的損害ノタメ独逸官吏法第一〇七條以下ニヨル災害救護ヲ受クルトキハ本令ニヨル傷痍金及看護手當（Pflegezulage）又ハ失明手當（Blindenzulage）ハ夫等カノ規定ニヨル扶助及独逸官吏法ニヨル災害救護トノ間ノ差異ヲ超過スル範囲ニ於テノミ之ヲ賦與ス

㈡　第一項ノ規定ハ之ヲ他ノ規定ニ依リ公法的勤務関係又ハソレト同視スヘキ勤務関係ニ基ク勤務期間扶助（Dienstzeitversorgung）ノ賦與セラルル場合ニ準用ス

㈢　被害者又ハ其遺族カ人的損害ノタメ

(イ)　國法律ニヨル災害保険又ハ國大管区オストマルク又ハ國大管区ズデーテンランドニ於テ適用セラルル相當法規ニ基キ又ハ

(ロ)　俘虜ニ対シ適用スヘキ救護法律ニ基ク給付請求権ヲ有スルトキハ右ノ者ハ本令カ右ヲ超ユル給付ヲ規定スル範囲ニ於テノミ本令ニヨル救護及扶助ヲ受クルモノトス

第一〇條　他ノ法律規定トノ関係

㈠　人的損害ノタメ國家ニ対スル被害者又ハ其遺族ノ請求権ハ本令ノ規準ニ依リテノミ成立スルモノトス　戰闘行為又ハ戰闘行為ト直接ノ関係ニ

立ツ軍事的處置ニ因リ惹起セシメラレタル人的損害（第二條第一項イ）ニ基キテハ第三者ニ対スル請求權亦排除セラル　但シ其ノ請求權故意又ハ重大過失ニヨリ始メラレタル不法行爲ニ基キ生シタル場合ハコノ限ニアラス　第二條ノ其他ノ場合ニアリテハ第三者ニ対スル請求權ハ影響ヲ受クルコトナシ　請求權ノ排除ハ独逸官吏法ニ基ク　國保險ニ基ク及俘虜ニ対シ適用サルル救護法ニ基ク請求權ニ対シテハ之ヲ適用セス

(二)　被害者又ハ其遺族第三者ニ対シ本令ニヨル救護及扶助ノ賦與セラルヘキ法律的損害賠償請求權ヲ有スルトキハ其請求權ハ損害ノ發生ト共ニ國家ニ移轉ス　但シ被害者又ハ其ノ遺族カ本令ニ從ヒ給付ヲ受クルヲ要シ且國保險規則（Reichsversicherungsordnung）第一五四二條ニヨリ請求權カ未タ保險担当者（Versicherungsträger）ニ移轉シ居ラナル限リニ於テ然リトス　財産損害（Vermögensschaden）ニアラサル損害ノタメノ請求權ニアリテハ移轉ハ生セサルモノトス　請求權ノ移轉ハ被害者又ハ其遺族ノ不利益ニ適用セラルルコトヲ得サルモノトス

(三)　独逸官吏法、國法ニヨル災害保險ニ基ク災害救護又ハ俘虜ニ対スル災害救護ノ担當者カ第二條第一項(イ)ニ基ク人的損害ノタメ給付ヲ賦與シタルトキハ其担當者ハ夫レニ対シ本令ノ給付額ノ補償ヲ受クルモノトス　但シ給付カ第九條ニヨル救護及扶助権利者ニ賦與セラルベキトキハ此ノ限リニアラス　國カ救護及扶助担當者ナルトキハ補償給付（Ersatzleistung）ノ問題ハ特別規制ニ留保セラルルモノトス

第二章　手　續

第一一條　一般規定

手續ニ対シテハ左ニ異ル規定ナキ限リ又ハ施行規則ニ異ル規定ノナサレサル限リ國防軍救護及扶助法第五編及第一九四條及第一九五條ノ規定ヲ準用ス

第一二條　救護及扶助事務所（Fürsorge= und Versorgungsstelle）

(一)　本令ニ基キ施行セラルル救護及扶助ニ就キテハ　國防軍救護及扶助法ニ定ムル國防軍救護及扶助局ニ對シテハ扶助局ヲ以テ、國防軍管区司令部ニ対シテハ中央扶助局ヲ以テ之ニ代フ　國防軍中央救護及扶助裁判所（Reichsfürsorge= und Versorgungsgericht der Wehrmacht）ニ於テハ特別評議會（besondere Senate）ヲ構成ス

(二)　第一項ニ謂フ特別評議會ハ左ノ構成ニヨリ決定ヲ行フ

(イ)　常設評議員

議長トシテ上級行政裁判所判事又ハ市参事會議長ノ官等ノ一人ノ文官、更ニ一人ノ將校（佐官）又ハ一人ノ司法官資格ヲ有スル國防軍官吏又ハ文官及一人ノ軍醫又ハ公職ニアル醫師

(ロ)　臨時評議員

一人ノ高級勤務ノ行政官及一人ノ國内務大臣ノ定ムル國民社會主義戰爭犠牲者扶助団ノ団員

第一三條　手續区分（Verfahrensabgrenzung）

(一)　爭訟中損害補償請求ニ関スル決定ニシテ一ツ身体傷害本令ノ意味ニ於ケル人的損害ト解セラルルヤ否ヤニカヽルモノナルトキハ裁判所ハ職権ニ依リ該疑点カ扶助事務所ニ於ケル手續ニヨリ有效ニ（國防軍救護及扶助法第一五五條第一項）決定セラルルマテ審理ヲ中止スルコトヲ要ス　右ハ假差押及ヒ假處分ニ対シテハ之ヲ適用セス

(二)　扶助事務所ハ訴訟當事者ノ申請ニ基キ決定ヲ行フ　被害ヲ蒙ラサル當事者ハ裁判所手續ノ中止ヲ却下セルトキ亦申請ヲナスコトヲ得　被害者ノ申請ハ訴ノ申出ノトキ本令ニ基ク申請期間未タ終了セサル場合ニ於テ通常救護及扶助ノ賦與ニ対スル有效期間内ノ申請トシテ、其他ノ場合ニ於テハ第一條第一項及第二項ノ要件存スルヤ否ヤニ関スル確認請求トシテ之ヲ行フモノトス

(三)　第二項ニ基ク扶助事務所ノ決定ニ対シ訴訟ノ両當事者ハ決定ニシテソノ申請ニ應セサル限リ抗告ノ権ヲ有ス　其他ニ付キテハ例外規定存セス又ハ存セシメラレサル限リ國防軍救護及扶助法第一四九條乃至第一八三條

ヲ準用ス　許ノ申出ノ時ニ於テ既ニ有效ナル決定ノ存スル場合ニ於テ申請者新事実及證據方法ニ依リ決定ノ不當トナレルコトヲ立證スルトキハ扶助事務所ハ當事者ノ一方ノ申請ニ基キ新ナル決定ヲ與フルコトヲ要ス

(四)　法律手段ニヨリ取消シ得サル扶助事務所ノ決定ハ裁判所ニ対シ拘束力ヲ有ス

(五)　第一項乃至第四項ノ規定ハ行政裁判所ノ手続又ハ他ノ形式手続ノ決定ニシテ一ノ身体傷害身体損害ト解セラルヽヤ否ヤニ存スル場合ニ之ヲ準用ス

第三章　終結規定

第一四條　國防軍救護及扶助法ノ準用

國防軍救護及扶助法ノ規定ヲ適用スヘキ場合ニ於テハ例外規定存セサル限リ其ノ時ニ於ケル現行法ヲ準用ス

第一五條　困難規定（Härtebestimmung）

國内務大臣ハ國防軍総司令部及國財政大臣ノ同意ヲ得テ本令ノ規定ヨリ生スル特別困難ノ各個ノ場合ニ於テハ一九四三年一二月三一日マテノ過渡期間内ニ補償ヲ賦與スルコトヲ得

第一六條　施行規則

本令施行及補充ノタメ必要ナル法的及行政規定ハ國内務大臣國防軍総司令部及國財政大臣ノ同意ヲ得テ之ヲ發布ス

第一七條　本令施行

本令ハ一九三九年八月二六日ノ效力ヲ以テ之ヲ施行ス

第七節　軍事扶助立法表

左にナチス政権樹立以來一九四〇年末に至る軍事扶助関係法令の立法表を掲ぐ。それによりナチス政権が此の領域に於て如何なる問題に如何に努力をなしたかを知り得るであらう。餘り重要ならざる法令については適宜省略したが、

大体の法令については網羅し得たと信ずる。

法令表

一九三三年二月一八日　社會保険及國扶助ノ嚴格ノ緩和ノタメノ命令
一九三三年五月一八日　社會保険及國扶助ニ於ケル名誉職ニ関スル法律
一九三四年二月二七日　戰時人的損害法改正法律
一九三四年二月二七日　國民革命ノタメノ戰士扶助法
一九三四年二月二七日　同施行令
一九三四年七月三日　國扶助ノ領域変更ニ関スル法律
一九三四年七月五日　扶助事件手続法第五項改正法
一九三四年一一月二日　扶助事件手続法
一九三五年三月一六日　國防軍建設ニ関スル法律
一九三五年五月二一日　兵役法
一九三五年六月二六日　防空法
一九三五年六月二六日　國労役勤務法
一九三五年一一月六日　國防軍扶助法改正法律
一九三五年一一月二五日　國防軍演習召集令
一九三五年一二月一九日　現役義務履行ノタメ召集セラレタル兵役義務者及労役勤務義務者ノ家族ノ扶助ニ関スル命令（家族扶助令）
一九三五年一二月一九日　同施行規則
一九三六年三月二八日　國防軍演習召集令改正令
一九三六年三月三〇日　召集セラレタル兵役義務者及労役勤務義務者ノ家族扶助ニ関スル法律（家族扶助法）
一九三六年三月三〇日　家族扶助法施行及補充ニ関スル規則（家族扶助規則）
一九二六年六月二六日　兵役法改正法律
一九三六年九月三〇日　軍人及労役勤務者救護令
一九三六年一〇月一四日　國防軍扶助法ノタメノ總統兼國総理大臣命令

一九三六年一二月一日　國扶助法ノ停止規定ノ緩和ノタメノ法律
一九三七年一月二六日　独逸官吏法
一九三七年三月一九日　國扶助ノ領域変更ニ関スル法律
一九三七年四月一三日　國扶助ノ領域変更ニ関スル法律
一九三七年四月一七日　査閲及徴兵ニ関スル命令
一九三七年五月四日　防空法第一次施行令
一九三七年六月三〇日　防空訓練及演習ニ参加セル防空勤務義務者ノ家族扶助ニ関スル法律（防空家族扶助法）
一九三七年六月三〇日　防空家族扶助規則
一九三七年七月二一日　二ヶ年ノ現役勤務ニ召集セラレサル者ノ納税ニ関スル法律（兵役税法）
一九三七年八月一〇日　軍事扶助ノ領域変更ニ関スル法律
一九三七年一一月三日　國防軍扶助法改正法律
一九三七年一一月一八日　家族扶助法及身体毀損ノタメノ賜暇ノタメノ雇用人及労務者ノ賜暇ニ関スル法律施行及補充ノタメノ命令
一九三七年一二月二九日　軍人及労役勤務者救護令第一次改正及補充令
一九三八年五月三〇日　家族扶助規則改正令
一九三八年八月二六日　國防軍前所属者及其ノ遺族ニ対スル救護及扶助法（國防軍救護扶助法）
一九三八年八月二六日　國防軍救護扶助法ニ基ク扶助料ノ税法上ノ取扱ニ関スル國財政大臣布告
一九三八年九月三日　墺太利洲ニ於ケル救護法規ノ採用ニ関スル命令
一九三八年九月八日　國労役勤務団前所属者及其ノ遺族ニ対スル救護及扶助法（國労役勤務団扶助法）
一九三八年九月二七日　國扶助法及扶助事件手続法改正法律
一九三八年九月二七日　将校恩給法及軍人遺族扶助法改正法律
一九三八年九月二七日　再服役軍人扶助法
一九三八年九月二九日　國防軍救護扶助法施行規則

一九三八年九月三〇日　國防軍救護扶助法施行細則
一九三八年九月三〇日　墺太利州ニ於ケル醫療救護ノ施行ニ関スル國防軍救護扶助法ノタメノ命令
一九三八年一一月三日　國防軍國救護及扶助裁判所ノ臨時構成員ノ補償ニ関スル命令
一九三八年一一月一〇日　親衛隊處分部隊ニ関スル國防軍救護扶助法施行規則
一九三八年一一月二五日　軍人トシテ國防軍ニ移管又ハ編入セラレタル舊墺國國防軍所属者及其ノ遺族ニ対スル國防軍救護扶助法補充規則ニ関スル命令
一九三八年一二月二七日　舊國防軍再服役下士官及其遺族ノ扶助ニ関スル法律
一九三八年一二月二八日　ズデーテン独逸領域ニ於ケル救護法規ノ採用ニ関スル命令
一九三九年一月二〇日　國防軍救護扶助法施行規則第一次改正及補充
一九三九年二月三日　國労役勤務団扶助法施行及補充ノタメノ第一次命令
一九三九年三月一五日　國防軍演習召集令改正令
一九三九年三月三一日　國扶助法改正法律
一九三九年四月一日　勤務傷害ノ際ノ軍人及其ノ遺族ノ扶助ニ関スル法律（國扶助法）
一九三九年六月二〇日　官吏関係任用證書所持者ノ任用ニ関スル命令
一九三九年七月六日　特別配置國防軍前所属者及其ノ遺族ノ救護及扶助ニ関スル法律（配置救護及扶助法）
一九三九年七月六日　舊墺太利國防軍所属者ニ對スル國防軍救護扶助法ノタメノ補充規則ニ関スル命令改正令
一九三九年七月七日　配置救護及扶助法及國防軍救護扶助法ノタメノ命令
一九三九年七月一一日　家族扶助法補充及施行ノタメノ命令
一九三九年七月一二日　國防軍救護扶助法補充令
一九三九年七月二一日　長期志願勤務國防軍軍人及國労役勤務団所属者ノ後保険ニ関スル命令
一九三九年八月一日　親衛隊武装部隊前所属者及其ノ遺族ノ救護及扶助ニ関ス

ル総統兼國総理大臣布告

一九三九年八月三日　親衛隊武装部隊前所属者及其ノ遺族ノ救護及扶助ニ関スル総統兼國総理大臣布告ノタメノ施行規則

一九三九年九月一日　防空法第一次施行令

一九三九年九月一日　人的損害補償令（人的損害令）

一九三九年九月一日　特別配置國防軍ノ家族扶助ニ関スル命令（配置家族扶助令）

一九三九年九月一日　國防軍特別配置ノ際ノ危険建物及ヒ住宅ヨリノ撤退又ハ立退家族扶助ニ関スル命令（撤退家族扶助令）

一九三九年九月一日　労働法関係規定改正及補充令

一九三九年九月二日　扶助制度ニ関スル命令

一九三九年九月七日　國防軍救護及扶助制度ニ関スル命令

一九三九年九月八日　防空法改正ノタメノ命令

一九三九年九月八日　國労役勤務法改正ノタメノ命令

四九二

一九三九年九月八日　物的損害補償令

一九三九年九月二八日　國労役勤務団扶助法第二次施行及補充ノタメノ命令

一九三九年九月二九日　國労役勤務法施行及補充ノタメノ命令

一九二九年一〇月五日　配置家族扶助令補充ノタメノ第一次命令

一九三九年一〇月一三日　親衛隊武装部隊前所属者及其遺族ノ救護及扶助ニ関スル総統兼國総理大臣ノ布告ノタメノ施行規則

一九三九年一〇月一七日　配置國防軍救護扶助法施行規則

一九三九年一〇月一七日　軍人トシテ國防軍ニ移管セラレタル旧墺太利國防軍所属者及其ノ遺族ニ対スル國防軍救護扶助法補充規則ニ関スル第二次命令

一九三九年一一月一一日　國労役勤務団女子所属者及其ノ遺族ノ暫定的救護及扶助ニ関スル命令

一九三九年一一月一二日　同第一次施行及補充令

一九三九年一二月五日　國防軍救護扶助法施行規則第三次補充

一九三九年一二月二九日　人的損害令第一次施行令

四九三

一九三九年一二月三〇日　軍候補者、國労役勤務団候補者及旧法ノ扶助候補者ノ官吏関係採用確保ノタメノ命令

一九四〇年二月一日　國防軍救護及扶助制度ニ関スル命令改正令

一九四〇年二月八日　軍候補者、國労役勤務団候補者及旧法ノ扶助候補者ノ官吏関係採用確保ノタメノ命令施行規則

一九四〇年二月一一日　國防軍救護及扶助制度ニ関スル命令改正令

一九四〇年二月二三日　配置救護及扶助法補充ノタメノ命令

一九四〇年四月二九日　國扶助法改正法律

一九四〇年五月一四日　家族扶助法改正ノタメノ命令

一九四〇年五月三〇日　配置家族扶助令補充ノタメノ第二次命令

一九四〇年六月二六日　配置家族扶助法施行及補充ノタメノ命令

一九四〇年六月二八日　戦争ニヨル失明者及脳傷害被害者ノタメノ救護ニ関スル命令

四九四

一九四〇年七月八日　國防軍救護扶助法ノタメノ命令

一九四〇年八月二〇日　兵役法改正法律

一九四〇年八月二〇日　國防軍救護扶助法改正及補充ノタメノ法律

一九四〇年八月二〇日　國防軍救護扶助法施行規則第四次改正及補充

一九四〇年八月二〇日　國防軍救護扶助法施行細則改正及補充

一九四〇年八月二〇日　配置國防軍救護扶助法改正法律

一九四〇年八月二〇日　配置國防軍救護扶助法施行規則第一次補充

一九四〇年八月二〇日　配置國防軍救護扶助法施行細則

一九四〇年八月二〇日　軍候補者給料ニ関スル命令

一九四〇年八月二〇日　同施行規則

一九四〇年八月二〇日　同施行細則

一九四〇年九月一八日　戦時及戦後ノ除隊軍人及國労役勤務団男子所属者ニ対スル職業救護ニ関スル命令

一九四〇年一一月一〇日　人的損害補償令（人的損害令）

四九五

一九四〇年一一月一〇日　人的損害令第一次施行令
一九四〇年一一月三〇日　戰時物的損害補償令

第二章　救護法並に社會救済事業

第一節　総説

第一項　救護の語義

独逸に於ては普佛戰争後に、從來行はれ來たれる貧民救済事業の外に、扶助事業、保險制度が行はれる樣になり、之等の内容として貧民救済事業、労働者保護、戰傷者救済、教育上の救護等が含まれてゐたが、救護（註一）なる概念は之等を総稱するものである。

更に最近では所謂「厚生事業」をも包含してゐるので、本章では此の意味に於ける救護を内容として取扱ふ。

即ち通例の如き、扶助と對比して使用される救護に非ずして扶助・保護・救

助（註二）を包含する救護を問題とする。

（註一）　Fürsorge
（註二）　Versorgung, Unterstützung, Hilfe.

第二項　独逸救護法の根本理念

ナチスが政権を獲得するまでの救護は単なる貧民救済事業の程度に過ぎず何等かの確固たる根本理念をも有しなかつた。

然しナチスが之を行ふに當つては「民族協同体」なる理念を、その核心としたのである。即ち民族共同体の福祉の為に。民族の保護、種族の保護の為に。と謂ふ理念である。

有用なる國民を民族協同体の生産能力を有する構成員となすべく、又協同体に対してその義務を果したる者のみがその責に帰すべからざる事由に依る困窮状態に陥入つたる場合に民族協同体に救済を要求する権利ありとする所の理念である。

而してかくの如く民族協同体を重視する結果は當然に、その最後の単位たる家族の問題が採り上げられずには済まない。又之を問題として初めて民族協同体理念に基く救護が完遂され得るのである。

独逸に於ける救護が、ナチス以前には単に個人のみをその対象として來たのに反して、ナチスが救護の対象として家族を重視してゐるのは當然である。

第三項　救護法の目的

救護法の目的は個々の人間の窮境を豫防しその原因を探究し之を除去するにある。

然し乍ら個々人の個々の窮境を一つ一つ採り上げ之を處理して行くと謂ふが如きことは尨大なる機構の下に於てのみその可能性を見出し得ることである。そして之は容易なることではない。之を可能ならしむる唯一の道は救済を要する個々人の数を著減せしむることにつきる。

ナチスが政権を獲得して先づ行つたことはこれで労働振興策に依り之に成功

したのである。

即ち労働振興策に依り多数の救済を要する失業者は職を與へられて稼得能力を得、要救済群から離脱したのである。

又、窮境を豫防し、その原因を探求し、之を除去すると云ふことは、單に表面に現はれたる困窮状態を除去するためにのみ、即ち單なる要救済と云ふ外面的事象の克服の為のみでなく、要救済状態への顚落を防止するやうな根本的豫防策が最重視されてゐることを意味するのである。

全獨逸民族福祉の観点から、健全なる民族層も亦、救済を要する事態に陥入ることあるを顧慮して、厚生事業全般に亘り困窮、要救済事態の原因を探り、それに依って之が解決方法を研究してゐるのである。

こゝに初めて各個人の要救済事態への顚落が防止され、又要救済事態に處しては尤も適したる救護が行はれることになるのであると云ひ得やう。

第四項　救護の補助的性質

救護は須く補助的なるものである（註二）

多くは救護が與へられる前に、残されたる労働力その他で以て生活必需品を自力で調達するやう努力することが要請されてゐる。

即ち、生活必需品調達の為に、その「資産、労働力、所得」を使ひ果し、「第三者に対して有する請求権」を利用しつくさねばならない。如何にしても自活の方法がつかなくなつて初めて救護が與へられるのである。之を救護の補助的性質と云ふ。

又この補助的性質はその反面に自救自助の念の喚起と云ふ作用を有してゐる。或意味から云へば救護法の效果としてこの自救自助の観念養成と云ふ点は相當高度の價値を有するとも謂ふ。

（註二）　「公共的救護ノ條件、方法、限度ニ関スル法律」第七條

第二節　公共的救護

救護は之を担當する者の如何に依り公共的救護（Öffentliche Fürsorge）と私的救護（Freie Fürsorge）に分ける。

公共的救護の担當者は官廳である。

現行の公共的救護に関する法令は、

一、義務救護令（Reichsverordnung über die Fürsorgepflicht vom 13. Februar 1924.）

二、公共的救護ノ條件、方法及限度ニ関スル國根本法則（Reichsgrundsätze über Voraussetzung, Art und Maß der öffentlichen Fürsorge vom 4. Dezember 1924.）

三、小額年金受領者救護ニ関スル法律（Gesetz über Kleinrentnerhilfe vom 5. Juli 1934.）

があるが、前二者は何れもナチスが政権を獲得する以前から存在するものである。

即ち、前大戦前まで存在してゐた處の、一八七〇年六月六日附救助籍ニ関スル法律」に依る救貧事業が、大戦の為に激増したる戦傷者、従軍者遺家族、小額年金受領者、社會保険受領者の為にその事業の統一を害され、一九二〇年五月八日附「戦傷者遺族救護法」、一九二一年一二月七日附「疾病保険及職員保険年金受領者救助法」、一九二二年六月九日附「妊産婦救助法」等が発布されるに至つたのである。

そして之等の法令を綜合整理したるものとして、一九二四年二月一三日附を以て義務救護令、一九二四年一二月四日附を以て「公共的救護ノ條件、方法及限度ニ関スル國根本法則」が発布され、現行法となつてゐる。

而してナチスは政権獲得後に多少の追加改正を行つたが、全面的に改革されたる新法令は未だに発布されてゐない。

それ故にナチス政府は之を実際に運用して行くに當つては、總説に於て記述

したるが如き理念の下に行はるべきことが、政府及事業担當者の必然の任務として要請されてゐる。

この理念の下に既に行はれ、又行はれつゝある事を挙ぐれば

一、労働振興に依る要救護者の減少

一、要救護者の労働力培養、及之に伴ふ労働神聖視観の普及

一、救護の出発点、到達点としての家族の重視

等である。

第一項　義務救護令、公共的救護ノ條件、方法及限度ニ関スル國根本法則

第一目　担當者及担當範囲

一、担當者に就ては義務救護令第一條より第五條に亘り規定されてゐる。

即ち、地区救護組合（Bezirksfürsorgeverband）及邦救護組合（Landesfürsorgeverband）が、之を担當する。

地区、邦救護組合の任務分担に就ては邦（Land）が之を決定する。

地区救護組合は通常、都市及地方、地方廳、上級行政廳に。邦救護組合は州、郡、管区に各々分れる。

救護組合は義務救護令第四條に依り公法上の団体となつてゐる。

二、担當範囲は同令第一條に依り次の如く定められてゐる。

(1) 戰傷者、從軍者遺族並に扶助法により之に準ずる地位にありとされる者等に対する社會的救護

(2) 保險担當者の任務に非る廃疾、職員保險（Invaliden- Angestelltenversicherung）年金受取人の救護

(3) 小額年金受領者及それに準ずる者への救護（註一）

(4) 労働に因り生じたる重傷者及稼得能力（erwerbsfähig）を極度に制限されたる者への救護

(5) 救済を要する年少者の救護

(6) 姙産婦救護

以上の他に貧民救護事業（Armenfürsorge）も亦救護組合の任務とされてゐる。

尚邦は更に他の救護事業を救護組合に移管し得る権能を有してゐる。

（註一）　小額年金受領者に対する救護は、一九三四年七月五日に新しく小額年金受領者救護法が発布され、本令と相まって完璧に近き救護が行はれてゐる。第二項に於て詳述すべし。

第二目　公共的救護の條件、方法及限度

公共的救護の條件、方法及限度は一九二四年一二月四日附の同令に関する國根本法則に規定されてゐる。

その内容は

一、一般救護

二、特別規定

三、附則

に分れ、特別規定は更に

(1) 小額年金、社會年金受領者及それに準ずる者の救護

(2) 戰傷者及從軍者遺家族救護

に分れてゐる。

小額年金受領者救護は第二項に、戰傷者及從軍者遺家族救護は第一章に、夫々讓ることゝする。

一般救護に於ては公共的救護全般に妥當する基準が示されてゐる。こゝに示されたる公共的救護の

(1) 根本的任務は救護を要する者に生活必需品（註二）を給するにある。

その際救護は形式的に流れず、困窮の特性を探究して、それに適する救済

手段を與へることが要請されてゐる。

（註二）　生活必需品とは單に物品のみならず、生活上不可欠の物を指稱す。以下同じ。(2)(ロ)参照。

又その

(2) 目的は要救済者及その扶養家族に生活必需品を自身調達せしむべくするにある。

即ち、要救護者と意思と能力を強化して、自己の労力・労苦・労働により稼得し、殊に扶養家族を自身で養ふ様にするのである。

(イ) 要救護者とは生活必需品を自身の為又は扶養家族の為、自己の労力或は財産に依り調達し得ないか、或は充分には調達し得ず、又他の者特にその家族から得られぬ者を云ふ。

(ロ) 生活必需品とは第六條に從へば次の如きものである。（而して生活必需品三活上不可欠なる物――とは生存條件に生計の為に絶対に必要なる物と

算されるべきではなく、むしろ健康、労働力の恢復に貢献する迄の物を此の部類に入れるべきであるとする見解は重視されて良いであらふ）。

(a) 生計費特に住宅費・食費・衣服費・看護費

(a') 住宅費は通常貸室料を與へられる。食費としては通常現金を、部分的には現物を支給される。衣服も通常、現物を支給される。

(b) 病人の手當費及労働能力恢復に要する費用

(b') 手當費としては、醫者の治療を受けること、薬品・医治材料の支給があり、労働能力恢復の為には病院、療養所その他へ収用される。

(c) 姙産婦手當費

(c') 姙産婦手當費には、常に要救護の方法、程度に從ひ、醫療費・分娩費・産褥費、授乳中の産婦には授乳費が認められる。

(d) 未成年者の、教育及所得能力職業に要する費用

(d') 教育としては実際に教育を施し、又教育材料、授業料の支給も行ふ。

(e) 盲・聾・唖者及不具者の所得能力職業に要する費用

(e') 之等不具者にはその欠陥に相當する技能の賦與及技能教育が與へられる。

(f) 更に必要なる場合には埋葬費。

(f') 埋葬費としては棺が支給される。

（生活必需品の説明に附してそれが欠乏せる際救護として與へられる場合の形式を各（リ）〔ダッシュ〕に依り説明せり）

(ハ) 「困窮の特性に應じたる救護が行はれねばならぬ」との意味は、困窮の種類・期間、要救護者の人物、場所、及それ等と國民の一般的生活の平均との関係を考慮して行はるべきなりとの事を意味する（例へば青少年の肉体的・精神的・道徳的発達障害の場合には、その救済は根本的・継続的でなければならぬが如し）。

而してこの事より如何なる救護が與へられるかゞ決定される。

その形式は次の如きものである。

(a) 金銭給與

(b) 物品給與及人手を貸し與へる救護。

救護は金銭を與へるだけだと云ふ観念は捨てらるべきである。状況に應じて現物を與へたり人手を貸し與へる方が有效なる場合もあり得るのである。

(c) 非収容救護

(d) 収容救護

要救護者の申出に反しても、その欲せざる収容（収容所又は他人の家庭）に依る救護も行はれねばならぬ場合もある。

例へば肉体的・精神的・道徳的状態が、その治療・看護・保護に特別の基準の要る者は収容所、又は他人の家庭に収容すべきである（但し強制的方法は法の許す時にのみ行ひ得る）。

(e) 貸費

(a') 貸費の形式の救護は次の場合に許されてゐる。

一時に多額の金銭を使用してそれが為に經済的自立が確立されるか、

又はそれが確実なる場合、即ち要救済者の経済的自立の建設又は保全に役立つ處の所謂生産貸費。

(b) 今、要求されてゐる支出が、要救済者にとり、彼の収入では分割払には堪へ得る様な場合。

(c) 豫防的救護の場合。

(二) 要救護者をして自己の能力・労働力に依り、自己及その扶養家族を養はしむることを得しむべき即ち自立の精神を養成するに就ては、本令の第八條が重視されるべきである。

第八條は次の如きものである。

「公共的救護を申請せんとする者は、何人も先づ生活必需品を調達するために、自己の全資力を支出せねばならぬ。その為に換價しうる全財産――現金・債権・各種の請求権――並にその全収入を支出しなければならない。就中現在又は從前の労働関係、若くは勤務関係から得られる所の金錢又は物品の給附と、公私の扶養請求権、または年金請求権がこゝに属する。かゝる請求権や收入を有する者は、まづそれらを生活必需品を調達する為に支出しなければならぬ、それでも不足の場合に初めて、之を補足する為に公共的救護が関與する」。

而してこの規定は、一面公共的救護の補足性を意味するものではあるが他面、飽く迄自立すべしとの観念も、救護を申請する者に対してその申請に際して植へつける点の重要性をも見逃してはならぬと思はれるのである。

又、この自立の精神養成の直接的規定としては主として第七條が挙げられる。

第七條に曰く

「各要救護者は充分なる労働能力がないとしても、自身、及その扶養家族の生活必需品を得るために、その労働力をつくさねばならぬ」

「救護はその際出來る限り、補足的たるべし」

又、

「要救護者が働くことを好んでゐるときには、年齢・健康状態・家政・家

族の看護を考へてやらねばならぬ。働かせると云ふことは、その次の問題である」。

又、第六條の(b)、(d)、(g)の各該當者への所得能力賦與の費用が生活必需品に入ってゐる規定へ(ロ)のb、d、g参照)。

及第八條第五項の

「老齢又は稼得能力なき要救済者が、特別の努力を以て、尚ほ労働に依って幾分でも儲けたる場合には、彼等の労働意志を阻害しない様に、彼等にその儲けの適當なる部分をそのまゝにしておかねばならぬ」

等々の規定も亦この意味に採られて然るべきである。

(3) 救護は適當なる時期に初めらるべく、申請に依存してゐてはゐけない。又、救護は困窮を、永久的に阻止し、一時的困窮状態が永続的になることの豫防にも力を用ふべきである。

(イ) 救護に行ふに當り、それに着手することを申込にのみ依ってゐてはいけないとの意味は、要救護者の不知、忌憚に依り救護が失はれる可能性があるからである。故に之は政府から積極的に救護に着手すべきものなのである。又救護の性質として、要救済者が救護をうけることを断念することは、救護を行ふ義務から解放されることを意味しない。

又、多数の、貧しいがしかし救護をうけることを躊躇する恥しがりの要救済者の困窮は、私的厚生事業との協同に依り防止されるべきものなのである。

(ロ) 救護を要する事態の防止及健康と労働能力を守る為にも豫防的に行はれねばならぬ。

青少年に就ては、肉体的・精神的或は道徳的発達を阻害される事を防止するためにも豫防的に行はれねばならぬ。

豫防的救護の大きな意義は特に健康能力、労働能力及青少年の肉体的・精神的・道徳的発達障害の豫防と云ふ面にその重点が置かれてゐる。

(ハ) 救護を要する事と困窮状態の出現とは、同じ意味では無いのである。

豫防處置と救済處置との間には――区別するのが困難なるだけではある

が—屡々この両者は区別がつかなくなることがある。

救護は明瞭になつた困窮が、甚しいものであるときに、正しく行はれるべきものなのである。

(4) 救護は個々的なる救護を行ふ以外に、要救護者に対する施設、特に收入の減少せる者に仕事をなさしむべき施設（例へば授産所の如きもの）を助成すると云ふ方面もあるのである。

この施設は屡々尤も有效に困窮状態を除去し、救護組合が行ふべき個々の救護義務を軽減するに大いに役立つものであり、又、要救済者の方面から言へば、特に收入の減少せる者、例へば小額年金受領者の如き稼得不馴れなる者に対して大いに役立ち得るのである。

(5) 怠惰者・浪費者・労働厭悪者に就て

價値少き國民の為に價値ある國民にして而も救護を要すべき者へ使用されるべき費用を支出しなければならぬと云ふ必要は無い筈である。

故に怠惰なる人間、浪費者に対する救護の要否決定條件は厳めて厳密に審査され、救護の方法、限度は露命をつなぐに足る程度に限らるべき事は當然である。

而してその救護は收容救護に限られてゐる。又労働能力を有してゐる者で而も労働を厭悪し、拒否し、自身又はその扶養家族をして、救護を要する状態に立ち至らしめたる者は、労働訓練所・教育所・飲酒癖矯正所に收容し得るのである。

(6) 外國人に就いて

外國人も救護をうけ得る、その内容としては住宅・養育・衣服・各費用及び病気手當金等であるが、必要な場合には埋葬費も支給される。

國・州政府の規定があらば、本令の他の條項も亦適用されうる。

第三目・経費の補塡及償還

一、経費の補塡

(1)・救護組合は所要経費を支弁するに當つては土地償却税（Grundstü-

ckentschuldungssteuer）を自由に使用し得ぬ限り、組合員に対する賦課金を以て、又必要なる場合には手数料（Gebühr）、組合費（Beitrag）を以て之に充てる。

(ロ) 救護組合が法律上當然の救護義務を遂行せず、その為に他の救護組合に救護費を負担せしめたる場合には、負担を負ひたる救護組合に対して、その費用を償還し、更に行政事務に対する報酬として実費の二五%を支拂はねばならぬ。勿論被救護者を自己の救護に引きとらねばならぬ。

(ハ) 暫定的に救護を行ひたる組合は、その費用が一〇ライヒスマルクを下らざる時は終局的救護義務を有する組合に対して償還を請求し得る。

但し通常の事務費は償還を求め得ない。

(a) 救護組合は次の者に対して終局的救護義務を負ふ。

(a) 當時そこに居所を有する者、原則として地区救護組合が負ふ。居所の意義は生活の中心地である。故に入院者等は除外される。

(b) 當時そこに居住を有せざる者

(c) 私生児及その母

(d) 入院者及育児所に收容されてゐる者

(e) 罹病被傭者及その家族

(f) 外國から来た要救護者

原則として要救済事態の発生したる當時、その居住地を管轄する地区救護組合は終局的救護義務を有する。

要救済事態が発生した時、通常の居所を有しない場合(b)には救護を要するに至つた邦の、邦救護組合が終局的救護義務を有する。要救済事態発生個所が決定し難い場合には救済事態が発生し、救護費用を必要としたる地区の邦救護組合が終局的に義務を負ふ。

私生児が出生後六ヶ月以内に要救済事態が発生したる時は、その母が入院前十ヶ月間居所を有したる地区の地区救護組合が義務を負ふ。

收容者の收容中又は出所の際要救護事態が生じた場合は收容直前に義務を負ふべき救護組合が終局的義務を負ふ。

(ㄅ)の場合には労働場所の地区救護組合が二十六週間の治療費・看護費を負担する。

(ㄅ)の場合は要救護者が一年以上外國に居住してゐた際は独逸領を退去したる年の前年中最後の通常の居所を有してゐたる地区の地区救護組合が、又一年以内しか外國にゐなかつた者は要救済者、その父又は母の生れたる邦救護組合が義務を負ふ。三人共外國で生れたる場合は要救済事態の発生したる土地の邦救護組合が義務を負ふ。

(ニ) 終局的救護義務は通常看護の必要なる事態の継続する限り続く。

終局的義務を有する救護組合に償還請求をなすには、三ケ月以内に行はねばならない。

而して請求をなすも履行されぬ場合には行政的手続に依つてのみその目的を達しうるのである。

二、経費の償還

(1) 公共的救護を申請したる者は、原則として所要の経費を救護組合に対して償還する義務を有する。

(2) 次の場合はこの義務を免除される。

(イ) 産婦救護の費用

(ロ) 盲者、聾唖者、不具者の職業教育の費用

(ハ) 十八歳未満の際に與へられたる救護給付

(3) 被救護者死亡の後は原則としてその相続人がその遺産の範囲内に於てのみその義務を負ふ。

(4) 被救護者と同一の範囲及條件の下に、その夫に償還義務があり、又救護を要する小供が十八歳未満の場合にはその両親が償還義務を有する。

第二項　小額年金受領者救護

少額年金受領者に對する救護は、前項の義務救護令、國根本法則、及一九三四年七月五日附小額年金受領者救助に関する法律（屡々補充規定、解釈規定が発布されてゐる）に依り行はれてゐる。

第一目　義務救護令及國根本法則に依れるもの

一、救護は有料救護に依り行はれる

二、被救護者

(1) 老齢又は所得能力なき者(註二)でしかも自己又は他人の注意により、通貨價値下落が生じない限り、公共的救護を受けることを命ぜられ得ない者。

而して一定の調査日(註三)に於て一定の資本財産(註三)を有する事は條件では無い。

（註二）　小額年金受領者にして、肉体的、精神的欠陥の為に、一時的にのみならず、労働に依つてその生活必需品の主要部分を調達し得ぬ如き者は、所得能力無き者と見做される。

（註二）　小額年金受領者救護法第一條に依れば、一九一八年一月一日を以て調査日とされてゐる。

（註三）　同法同條に依れば一二、〇〇〇ライヒスマルクの資本財産を意味す。

更に母の家（Mutterhaus）が貨幣價値下落の結果、最早充分なる扶助を與へ得ない處の老年又は所得能力無き尼院執事、看護尼は本法の適用を受ける。

又、外國に於て、或は以前の独逸領土に於て、前大戦間、或はヴエルサイユ條約に基く処の、財産喪失がなくば公共的救護に依存しなかつたであらふ所の「外國から来たる者」も亦適用される。

(2) 老年、廃疾、勤務不能となりたる社會保険年金受領者

本條の意味に於ける社會保険年金受領者に属する者は次の如し(註二)。

(イ) 廃疾保険の領域にては

(ㄅ) 廃疾年金受領者、所得能力の三分の二を失つたか、又は六五才以上の者、

(b) 寡婦、鰥夫年金の受領者

(ロ) 職員保険の領域にては

(a) 恩給受領者、職務上の労働力を半分以上失ひたる者、又は六五才以上の者

(b) 鰥夫年金受領者、或は職業不能又は疾病或は六五才以上の寡婦年金受領者（職員保険法第三二條に依る）

(ハ) 鉱夫共済保険の領域にては

(a) 廃疾年金又は退職金の受領者

(b) 職業不能か、廃疾か、或は六五才以上の寡婦年金受領者

(ニ) 災害保険の領域にては

(a) 災害年金受領者にして而も同時に國保険法に依る廃疾年金か又は職員保険による退職金、或は鉱夫共済保険に依る廃疾恩給をうける者

(b) 災害の結果、職業不能或は六五才以上の時、は傷害年金の受領者

(c) 職業不能、或は廃疾、或は六五才以上である寡婦年金の受領者

d. 鰥夫年金受領者

（註二）　こゝでは一時的稼得喪失が問題となるのであるから、國保険法の一二二五條三項に基く廃疾年金の永続的ならざる受領者及職員保険令第三〇條二項に基く恩給の、一時的職業不能の受領者は、こゝに云ふ社會年金受領者には屬さない。

同様な事が失業の継続に対して職員保険令第三九七條に基く恩給受領請求権のある事に就いても云へる。

又、廃疾年金、廃疾恩給、退職金を少くとも三ケ年続けて、或は更に既に満五五才であるか、或は少くとも一ケ年続けて受取つてゐた時は、社會年金受領者とされる。

又、年金受領者が、満六五才を過ぎるか、或は、管轄の保険担當者の信用ある醫者の診断に依り、永続的稼得不能が證明されたる場合には、直に、こゝに云ふ處の社會年金受領者となるのである。

(3) 老年或は肉体的・精神的障害に依る、所得無能力者で、質素なる生活を

営んでゐるに拘らず、公共的救護をうけてゐる者。

(4) 次の者に對しても小額年金受領者に対すると同様なる救護が與へられる。即ち、年來の労働に依り経済的安定を得たるも、貨幣價値下落、或は大戦により、その安定を破られたるもの。

三、特権

國救本法則第八條に依れば、公共的救護を申請せんとする者は、先づそれに先立ち、その換價し得る全財産、全收入を生活必需品調達の為に支出せねばならぬことになつてゐるが、本法に依り救護される者には、その点に就き、本法第一五條に依り多大の特権が與へられてゐる。

即ち、小額年金受領者救護には次の物を使用したり、換金して終ふことを條件とせずに與へられるのである。

(1) 比較的僅少の財産

(イ) 独身者にありては、現金又は債権にて五、〇〇〇ライヒスマルク、夫婦者は六〇〇〇ライヒスマルク

(ロ) 救助を要する子孫と共に住んでゐる独身の小額年金受領者は、夫婦に於ける場合と同様即ち六、〇〇〇ライヒスマルクを認められる

(2) 適當なる世帯道具

(イ) その際要救護者のこれ迄の生活関係が考慮される。

(3) 家重代の什器

(イ) 市場價格が、家族のそれに抱く主観的價値と釣合がとれぬ程のもの、及それを取上げる事が家族に気の毒な時

(4) 精神的、特に科学的・藝術的要求を充足するもの（贅沢ならざるもの）

(5) 不動産（家屋）

(イ) 要救済者独り、及びその死後更に住宅として用立てるべきその要救済者の家族が全部又は大部分居住してゐるもの。

而してその他の財産の換金、使用は要救護者及その扶養家族にとり特別の苦痛を與へないことが表示されたる時にのみ許されてゐる。

救護の要否、方法、範囲の査定に當つては従來の生活関係と独逸國民の一

般的生活関係とを比較考量して考慮されねばならない。

小額年金受領者が貨幣価値下落に依り蒙つたる損害の中から、どうにかして残し得たる残産を更に失ふことに対しては之を防止すると云ふことは、救護が与へられる迄に先づ保護されねばならぬことなのである。

第二目　小額年金受領者救護法に依る救護

一、本法の適用ある小額年金受領者は、本法に別段の規定なき限り、前目の義務救護令及國本法則が全面的に適用される。

例へばその救護は、小額財産の換價、支出を條件とせずに与へられる如し。

二、被救護者

(1) 老人（註一）又は稼得能力なき者（註二）で一九一八年一一月二日に最低一二、〇〇〇ライヒスマルクの資本財産（註三）を所有してゐたか、又はこの時に於て年額最低五〇〇ライヒスマルクの終身年金請求権（註四）を有してゐたる者にして貨幣価値下落の犠牲と（註五）なつたことを證明したる（註六）要救護者。

（註一）本法施行の日に於て、男子は満六〇才以上、女子は満五〇才以上を以て本條に於ける老年とされる。

（註二）本法に於て稼得不能者とは、労働に依り自己の生活必需品の半分を得ることが、肉体的或は精神的欠陥の故に單に一時的でなく不能なる者を云ふ。

稼得不能は醫師の診断書に依り證明されるべきである。しかし、既に小額年金受領者救護を受けてゐる者は新なる證明の必要は無い。

（註三）資本財産

(a) 或る財産が資本財産であるか否か疑はしき場合は、「資本」と云ふ概念は、一九三四年十月十六日附所得税法に依り決定さられる。

(b) 会社持株には、土地財産、経営財産は算入されないが、之が担

保となつてゐる債務を償還して後、正味一二、〇〇〇ライヒスマルク以下しか残らぬ様な債務を負ふてゐないことが確実でなければならぬのである。

(c) 土地或は資本財産が一九一八年一月一日より一九二三年一一月三〇日の間に譲渡され、その収入が貨幣價値下落の犠牲となつたる時は、資本財産と同様に扱はれる。

(d) 資本財産については、之が詳細なる解釈規定が、一九三五年一月二日附國労働大臣の訓令中「Ⅱ、一條について」の項に定められてゐる。

例へば

有價證券の場合。諸権利の價格。請求権の換價價格。資本財産以外に土地、経営財産を所有してゐる者にして且負債ある者の、負債償却と資本財産との関係。證明提出の細則　等々。

（註四）労働を行つたことより得たる所の終身繰返へさるべき金銭給付に対する請求権。

（註五）(a) 自己又は他人の注意に依り貨幣價値の下落なくば公共的救護をうけざりし老人又は稼得不能なる者。

(b) 貨幣價値下落の犠牲とは、貨幣價値下落の時に資本財産を消費したる場合を云ふ。

(c) 調査日に認定されたる財産があつた事が證明されたならば、この財産は貨幣價値下落の犠牲となり、損失したと云ふ一般的推定が下される。

（註六）調査日の前又は後に最低財産の存在が證明されたら、通常その證明は調査日になされたる物と見做される。

附

共同の家計にある救護を要する小額年金受領者夫婦に就いては、夫婦の財産は互に共同計算が行はれるのである。

(2) 法律は小額年金受領者救護をうける者が、調査日に於て自身、資本財産の所有者たりしことを望むのであるが、例外として次の者及(4)の場合に之を認めてゐる。即ち

一九一八年一月一日に財産が夫に属してゐたる時は、一九一八年一月一日以降夫の死亡に依り要救済者が得たる財産は自己の財産と見做される。

又、一九一八年一月一日に財産が両親或はその中の一人に属して居り、一九一八年一月一日以降に妻が彼等から、その死亡に依り得たか、或は貨幣價値下落なくば、得られた筈の財産は自己の財産と見做される。

而して死亡の際の存在額が一部分であるか、零であるかは関係がない。

(3) 救護を要する老年或は稼得能力なき所の、外國から來たる者及追放されたる者(註二)にして、外國に於て或は元独逸領土に於て、大戦の結果少くとも一二、〇〇〇ライヒスマルクの價値ある財産を失つたか、而してこの損失なくば公共的救護を受けなかつたであらう様な者は、本法に依る救護をうけうるのである。

尚、この財産に就いては、(1)の一定の調査日の適用は無い。

(註二) 大戦の結果、外國又は元の独逸領土から逃出したか、或は追放されたる者を云ふ。

(4) 外國から來たる者或は追放されたる者の夫及娘にして、財産を彼等の死亡により得たるも、(3)の如き意味に於て喪失したるか、或は喪失なくば、死亡に依り得られたる時は、本法の適用をうける。

(5) 小額年金受領者にして、(1)、(2)の條件を充たし得ない者は、單に國根本法則第一四條以下の規定に依る救護(本節第二項第一目既述)をうけるに過ぎない。

三、救護標準率

(1) 小額年金受領者救護の際の救護標準率は、一般的救護の場合に於けるより尠くとも2、高率である。

(イ) 同一家計にある小額年金受領者救護を受ける者の夫(註二)卑属に對する割増は一般的救護の場合より尠くとも $\frac{1}{4}$ 増額される。

(ロ) 小額年金受領者救護をうける者には、一時的小額年金受領者救護の外に、一般的なる條件の下に公共的救護の總ゆる特別給付(例へば、冬期の必需品、食料品、價格割引證明書、賃貸料補助)が與へられる。

(註一) 妻に対して、小額年金受領者救護を受ける條件を満足してゐるか否かは無條件である。

(2) 小額年金受領者の救護の方法、範囲を定めるに就いて、勤労所得は、(1)に基く標準率(= $\frac{1}{4}$)の $\frac{1}{2}$ を越へない限り算定から控除される。それ以上の所得は $\frac{1}{2}$ 以下算入される。

(3) 價値恢復に依る所得は、小額年金受領者救護の決定に際して、年額二七〇ライヒスマルク迄は算定から控除される。

四、費用償還義務に就いて

(1) 小額年金受領者及びその夫、両親は小額年金受領者救護の費用を、救護組合に償還の義務を負はない(義務救護令第二一條aの除外例)。

(2) 小額年金受領者救護を受ける者の相続人は義務救護令第二五條三項二一四の規定に依り救護費用を救護組合に償還するものとす。

但し、被救護者の夫、尊属卑属たる親族が相続人たる時は、相続人としての償還義務を負はない。

(3) 相續人に対する費用償還請求権は救護を與へられたる時以後、四ヶ年を以て時效にかゝる。

以上は本法発布前第二目(二)の(1)、の意味に於て與へられたる公共的救護の費用に就ても適用される。

而してその際の老年の意味は、小額年金受領者が、一九三四年九月一日に、男子六五才、女子五五才に達してゐたか、又はその日以前に死亡したるも、今日にはこの年齢に達してゐる筈の者を云ふ(第二目(二)の(1)、(註二)の補足)。

又この時に小額年金受領者救護を受けてゐたる者は、稼得不能なる條件が存してゐたものと認められる。

小額年金受領者が、本法公布前に既に要救護性の條件を満足しなくなり小額

年金受領者救護をうけてゐない時は、彼が一九三四年九月一日に老年であつたか、或は小額年金受領者救護を受けてゐた間、稼得不能であつたかであれば、(1)、(2)、(3)に於ける小額年金受領者とされる。

五、其の他

(1) 小額年金救護をうけてゐる者に対しては、労働義務、労働保護、及び扶養義務者に対する行政手続に関する義務救護令の規定(第一九、二〇、二三條)は適用されない。

(2) 小額年金受領者救護を受けてゐる者の要救護性に就ては、申請なくとも常に二ケ年後に再び審査が行はれる。

但し被救護者が救護組合に対して、多大なる収入を黙秘したり、小額年金受領者救護を受けてゐる間に、被救護の経済的状態が根本的に改善されたる事を秘してゐる事が確実なる時は、この期間経過前に再審査を行ふ事が許される。

(3) 本法に依る被救護者は、大部分が、自己に責なくして陥りたる困窮の為に請求者に多大の真価を示してゐる者であるから、本法施行に當つては之の如き方針を以て行はるべき事が、一九三四年八月二三日附施行細則に於て要請されてゐる。

(イ) 親切であること

(ロ) 解釈に疑点あらば、被救護者に有利に解釈さるべきこと

(ハ) 被救護者の個人的取扱ひに格別の配慮あること

(ニ) 本救護は比較的年長の、特別の経験ある、思慮ぶかき者に依つて行はれるべきこと。

(ホ) 更に具体的に云へば、面會時間を特別に設けて、面會に際し長時間待たすことなき様にすべきこと

彼等が身体に欠陥あることに鑑み、小額年金受領者救護所に於ては、入室に困難を感ずるが如き部屋は之を避くべきこと

等。

第三節　私的救護

独逸に於ける私的救護は本章の初めに於て述べたるが如く、民族共同体なる理念に基いて行はれてゐる。故に決して個人の恣意的なる事業に放任されるべきではない。

総ての私的救護事業は皆、党に遡るものである。即ち

一、党自体にて行ふ救護

一、党の肢隊、機関にて行ふ救護

一、党の指導の下に行ふ救護

かゝる系路により、ヒットラー総統の意思は一つは政府を通じて公共的救護へ、他は党を通じて私的救護へと貫流し独逸救護事業の隅々に迄その理念が浸透し、全き遂行が確保されてゐるのである。

第一項　党自体にて行ふ救護

第一目　國粋高揚戦の闘争者に対する救護

これは一九三四年二月二七日附　國粋高揚戦の闘争者扶助法(*Gesetz über der Kämpfer der national Erhebung vom 27.2.1934*)に依り行はれてゐる。

一、目的

ナチス党がコンミユニズムの危険打倒と、ナチス的世界観確立の闘争を成功裡に完遂し得たのは、ナチス党及特に親衛隊(S.S)、突撃隊(S.A.)の各員の政治的闘争及その間に死亡したる國粋諸團体員の献身の為であることは改めて云ふ迄もない。故に独逸國民は彼等の英雄的行為に対して、戦争でその健康生命を祖國に奉還したる國民に対するが如き方法で感謝と表彰の意を現はさうと努力してゐる。

かゝる観念の下に、この闘争に依り生じたる傷病者を救護せんとするのが本章の各規定の目的である。

二、被救護者

一九三三年一一月一三日以前に、共産党、マルキシズム党の各党員、組織シンパサイザー、との闘争に於て負傷したるナチス党員、鉄兜団員並にその被傭員及その遺族並に元の義勇隊、住民軍でこの戦ひに依り身体に傷害を受けたる者及その遺族等にして、國共助法に何等適用條項の無い者。

三、内容

(1) 國共助法(註二)が適用される。

(2) 年少者(一七歳以下)の場合、又は扶養義務者が健康に障害があり特別の配慮を要する場合は年金が支給される。而してその率は、國共助法に依り與へられる手當に対する次の如き一〇〇分比に依る。

即ち、

一四歳以上	30/100
一五歳以上	60/100
一六歳以上	80/100
一七歳	100/100

(3) 負傷したる為に死亡せる者の遺族にして死者が年金受領者でなかった時は、死亡手當金(Sterbegeld)が與へられる。

(4) 本法に依り扶助をうけ得る有権利者は、重傷者職業法が適用される。

(5) 又、一九三六年一月二四日附國労働大臣の回章に依り、汽車汽船に於て切符賣場、プラットフォームに於ける優遇、及特に車輌を整へ「重傷者用」なる札をかゝげること、官廳ではその申込を優先的に処理すべき事等が要請された。

(6) 労働紹介及失業保険法第一一二條a一項二号、二項、三項の規定は、本法に依り與へられる扶助手當に月額二五ライヒスマルク除外される割合で適用される。

(註一)　國共助法第二八條、三三條、三六條、四一條二項四号、五二條

五五條二項、四項の各條項の軍務奉仕期間は負傷時期に代る。

暫定金についての國共助法の規定は適用されない。

第二目　榮誉保護、榮誉報酬
(Ehrenunterstützung und Ehrensold)

一、これは一九三五年一一月九日附ヒットラー総統の指令に基き行はれたるものである。その指令中総統は「犠牲多かりし我々の闘争に於て、数多の國粋社會主義者が重大なる肉体的障害を蒙つた。かゝる國粋社會主義理念への奉仕にその全力を捧げたる者に對して感謝することはナチス党の名誉ある任務である」と述べてその趣旨を宣明してゐる。

而して、その内容として、かゝる者の為に毎年五〇、〇〇〇万ライヒスマルクが用立てられるのである。

二、被保護者

第三國家建設の戦に於て、進んでその全力を捧げ、これが為に永続的職得不能、又は困難を惹起したる重大なる肉体的障害を受けたる者である。

三、内容

(1) 毎年ナチス党資金中より五〇万ライヒスマルク(註一)が支出され、之を各人の肉体的障害の状態、社會的・経済的関係等を考慮して割當てる。

(2) 之を與へられる者は、ヒットラー総統の意思に依り、公共的救護を與へる條件たる所の、要救護性調査に當つて、失業保護を無條件にて與へられる。

(註一)　重大なる原因が生じたる際は、この額は変更される。而してこの変更権は國大藏大臣が有する。

四、之は党の自発的給付であるから、之に対する請求権は認められない。

五、これに依り得たる收入は官廳に於て、收入の部類には入れない。

六、本令は一九三六年度より初められる。

第三目　アドルフ・ヒットラーシュペント・アドルフ・ヒットラーダンク（Adolf Hitler=Spend und Adolf Hitler=Dank）

一、アドルフヒットラーシュペント

(1) 之はヒットラー総統の発意に依るもので、国粋高揚に奉仕中その生命を失ったる突撃隊員、親衛隊員、警察官、救助警察官等の遺族に対して、総統の総理大臣としての毎月の俸給を振り向けるものである。

(2) 担当者は総統の指令に依る事務局である。

(3) 原則としては、事務局の保有する資金（寄附財産）を連続的に與へるのでは無く特別の困窮の場合に、個々の救護を行ふのである。且し、特殊なる時は、この救護は繰返して與へられる。

(4) 與へられる金額、確認されたる必要性の程度、及総統の特別なる要望に基く個々の場合等に應じて行はれる。

二、アドルフヒットラーダンク

(1) 一九三七年四月二〇日附のヒットラー総統の指令に依り行はれたる物である。その指令中、之が理由として「功労ある国粋社會党員の経済状態、健康状態の危険を除去或は軽減する目的を以て、余は感謝と表彰の心を以て……規定せり」と云ってゐる。

(2) 被救護者

(イ) ベエヂエーグング勲章（Ehrenzeichen der Bewegung）或は鮮血勲章（Blutorden）を所有する党員。

(ロ) 一九三三年一月三〇日迄に入党し党員たる身分の中断なく、少くとも五ケ年間党員たる者にして、特に運動に功労ありしもの。

以上の者にして、経済的・肉体的危険に陥り、而もその危険が自己の責に帰せられぬ者。

(3) 之等の者に対して、党資金中より、毎年五〇〇、〇〇〇ライヒスマルクを用立てるのである。

(4) 目的

(イ) 闘争期間中に運動をしてゐたことにより惹起されたる事が確実なる處の経済的危険を除く為。

(ロ) 健康上の障害を除去或は改善するため。

(ハ) 老齢又は病気に依り働き得ない稼得不能者の危険除去

(5) 與へられる形式は

(イ) 一回の補助

(ロ) 貸費

(ハ) 一時的補助

(6) 本令は大蔵大臣が之を施行す。

第四目　ナチス党の救助資金に依る保護（Unterstützung der Hilfskasse der NSDAP）

一、次の者に対してナチス党資金より與へられる保護である。

(1) 党員にして名誉ある労務、會合、行進等に於て、又政敵よりの攻撃、襲撃、復仇に依り蒙りたる不幸に依る健康障害者

(2) 党員が確実に党の催しに参加する為住居を離れ、こゝから直接に帰途につき、家に帰着する迄の間に蒙りたる不幸に依る健康障害者（註二）。

（註一）　党員が突然外部から肉体に影響のある椿事を心ならずもうけて生じたる健康障害を不幸なる障害と云ふ。

三、次の者は除外される。

(イ) 給料を貰って党務に従事中、蒙りたる災害にしてそれが政敵の直接的不法（暴力）の影響には帰し得ないもの。

(ロ) 不法（暴力）の傷害の結果ではない総ゆる種類の発病、殊に傷害に依り悪化すべき場合に従来からの病気や神経衰弱の結果の現はれが悪化しない所の総ゆる種類の発病。

而して発病は決して不幸では無い（不幸＝*Unfälle*）。故に例へば次の如きものは不幸ではない。

中毒。傳染病。心理的作用の結果の発病。同様、光線・気温・天候等の影響に依る健康障害。

之等の影響に依る障害は、(ニ)の障害から除去される。又凍死・浮浪・飲酒も除去される。

又、神経的疾患に就ては、神経疾患者が、(ニ)の意味に於ける不幸に有機的関係ある條件を有する場合は保護が與へられる。

(ハ) 痩型ヘルニア形式の健康障害（例へば鼠蹊ヘルニア）。

第二項　党の肢体及機関にて行ふ救護

第一目　ナチス厚生団に依り行はれるもの

一、冬期救済事業（*Winterhilfswerk*）

この事業は一九三三年九月、ナチス政府が飢餓と寒気に対する闘争として始められたるものである。即ち一般的に失業者は除かれたが、然し冬期にはその気候的必然性から、この時期には困窮者の生ずることを防ぎ得ない。それで之等を救助する為にこの事業を起したのである。

而してこの事業の計画者たる宣傳相ゲツベルスは之をナチス厚生団（*Nationalsozialistische Volkswohlfahrt*）に委託した。

一九三六年一二月一日附独逸民族ノ冬期救済事業ニ関スル法律（*Gesetz über das Winterhilfswerk des Deutschen Volk vom 1. Dezember 1936.*）及この法律第一條第三項に基き宣傳相が作製せる定款が一九三七年三月二四日附で発布されこゝにその法的体系が確立された。

この法律第一條により法的能力ある財団たる資格を獲得した。

(1) 本事業は宣傳相に依り遂行され管理され、その提案に依り総統が國全権受任者を任命し免職する。

(2) 担當者、遂行者

ナチス厚生団を中心にして、ナチス党の各組織団体、私的慈善団体、独逸赤十字社、救世軍、自治体、その他の群少団体、自発的援助者が之を行ふ。

(3) 定款に依ればこの事業は民族協同体理念の下に民族協同体の常設的事業として「公益優先」（*Gemeinnutz vor Eigennutz*）なるスローガンの下に遂行されてゐるのである。

この事業は全國民を「愛」を以て一つの協同体の中に纒めると云ふ大きな役割をも果してゐる。

(4) 被救助者

次の如き特殊の緊迫したる事情にある者

失業者、福利扶助の受領者、長年の病臥者、永続的失業者、子澤山の人々、等。

(5) 地域的範囲

舊独逸國、及オストマルク、ズデーテン地方

(6) 資金募集方法

本法第四條に依れば一九三四年一一月五日附寄附募集法第一五條一号に依る公共的寄附に依り調達される。具体的には次の如きである。

月月の俸給賃銀の自発的寄附

独逸経済団体の原料品の寄附

月々の投入募集、街頭募集

(ワ) 救助方法
(イ) 募集金の分配
(ロ) 原料品(註一)の分配
(ハ) 大衆的給食(註二)
(註一) 原料品には食料品(馬鈴薯・製パン用穀物・植物性動物性生産品)、衣服、燃料等である。

(註二) 専ら國防軍、労働奉仕団、警察、その他に依り行はれる。

二、母子救護事業(Das Hilfswerk Mutter und Kind)
(1) ナチス世界観たる民族協同体理念はその最下部基底としての家族を重視してゐる。又彼等が抱懐する種族保護の立場からも家族の重視が要請されてゐる。
かく家族を重視する結果は当然その中核構成員たる「母性」及未来の国家担当者たる「子」の保護は人口政策的にも教育的見地よりも当然必要である。
こゝに一九三三年―三四年度の冬季救済事業に関聯して主として夏期事業として、この母子救護事業が採り上げられる必然性が存じたのである。
(2) 内容
(イ) 家族に対する救護
(ロ) 母に対する救護
(ハ) 少年時代の教育、健康に関する場所的問題の研究、解決
(ニ) 社會教育的幼少年救護に於ける幼少年の保護
(ホ) 幼少年保養事業
以上に對して行ばれてゐる具体的施設、事業は次の如し。
(a) 経済的援助(註一) 職業紹介援助、労働救助所(註二)、住宅援助。
以上(イ)に対するもの。
(b) 母の健康増進、妊娠中及産褥にある母の救護(註三)、母の休養所(保養救護―Erholungsfürsorge)の設置。

以上(ロ)に對するもの
(c) 学齢前の児童に対する幼稚園に於ける鍛錬に依る健康増進及保養、保養救護施設(註五)に於ける保養、都市及農村に於ける託児所、收獲時及危険なる國境地方に於ける託児所
以上(ハ)(ニ)(ホ)に対するもの
その他として
(d) 母子救助相談所、巡回相談所、
(註一) 公共的救護に依る扶助を受けない家庭に與へられる。被服、食料品、家庭用品、乳児用品その他が與へられた。

(註二) 失業中の父と労働してゐる母とが交替させられるものである。

(註三) 姙産婦には、食料品、産婦用品、乳児用品が與へられ、産院への無料収容及び手傳人の家庭への派遣等が行はれた。

(註四) 母の為には母性保養所、子供をつれた母の為には「母と子の家」があり、不在中の家政には、婦人奉仕団、有給家政婦が之に當る。

(註五) 都市及田園に設けられるが、その重点は田園に置かれ、児童を田舎の無料の家政救護所への派遣が強力に行はれてゐる。

(3) 担當者はナチス厚生団であるが、冬期救済事業に於けると同様に、この目的を遂行しうる處の総ゆる勢力―団体・個人―が之に當つてゐる。
(4) 資金
(イ) 事業員の負担金
(ロ) 街頭募集
(ハ) 一般からの金銭、物品の寄附
三、営養救助事業(Das Ernährungshilfswerk)
(1) 四ヶ年計画に際して、ゲーリング元帥がナチス厚生団に対して之を行ふ様に指令したるものである。
(2) 本事業はナチス厚生団主局の指導者(Der Leiter des Hauptamt

für Volkswohlfahrt）に直屬してゐる。

(3) 家庭に通知票が配付され、それにより、各家庭の台所の残屑の蒐集、利用を行ひ、以て独逸國民の栄養を保全する為の大規模なる豚の飼養を行ひ、又万一の場合の脂肪欠乏に備へるものである。

(4) 各市町村は残屑の處理に就き援助を與へる義務を負ふてゐる。

四、住宅制度、郊外住宅制度（Wohnungs= und Siedlungswesen）

一般的に見て住宅、郊外住宅を造るについて、その資力が不足するので、ナチス厚生団は必要なる場合には之に対して、不足額の補助、近隣と救済とを通じての参加、特別なる救護、等を行ふ。

五、保健救護（Gesundheitsfürsorge）

(1) ナチス厚生団はこの部門に於ても亦州、國民厚生主局の保健事業を隣保共助に依る日常生活の窮境打開の面から補完すべく努力してゐる。

(2) 即ち経済的・社會的困窮状態が、屡々健康障害を惹起することに想を致し、ナチス厚生団は遺傳的種族的見地に基き行はれる所の、州の保健事業等を経済的側面から促進し、補完すべき任務を有してゐる。

(3) 而してこれに就いては、病院制度の領域に対しては、ナチス世界観の下に完全に教育されたるナチス厚生団下のナチス看護婦會（NS-Schwesternschaft）が積極的に之に従事すると云ふ企画が行はれてゐる。

(4) 本事業にては、次の者は除外されてゐる。

(イ) 反社會的なる者の救護

(ロ) 遺傳病者救護

(ハ) 精神薄弱者及び精神病者に対する救護

これはこの事業の緊急性に鑑みてかゝる除外が行はれるのである。

六、結核救助事業（Tuberkulose= hilfswerk）

(1) 本事業は可能なる限り速かに結核罹病者の稼得能力の恢復及傳染源の除去を目的とする。

(2) 之が為に全快見込或は病菌除去見込ある者を、治療所に於て療養せしめるのである。

即ち罹病者を強壮にすると共に、病人の周囲の健康者を危険から遠ざけることを重視してゐる。つまり單に個人的恢復のみならず、傳染源の除去、全家族の診療を目的としてゐるのである。

(3) 次の者が本事業に依って救助される。

(イ) 罹病者自身、或は扶養すべき者が費用負担に堪へざる場合

(ロ) その他にも治療費支出のない場合

(ハ) 扶養義務者或はその他の費用担當者が費用の一部を負担しうる罹病者はその残りの費用が與へられる。

(4) 治療所は國民厚生主局と契約ある組織で以て行はれる。

(5) 地方局例へば國民厚生主局の地方グループの任務として、家族に対する配慮が要請されてゐる。

(イ) 罹病者が治療所に行った後の経済的保護を與へる（例へば衣服等を支給する）

(ロ) 同様な場合で経済が困難なる場合は家計を整理してやったり、救助を行ったりする。

(ハ) 全家族の診療につき、計画的なる住宅救護に依り例へば寝台の供給等の救護を行ふ。

(ニ) 全任務範囲の該當家族を完全に全快せしめ、療養所から帰郷後に新しい傳染者の発生とか、本人が元の環境に復帰したることに依る悪化の阻止。

等が地方局に要請されてゐる任務の主なるものである。

七、浮浪人救護（Wandererfürsorge）

反社會的なる者を監護する現行法には多少の欠陥が存するのであるが、特に全國的なる浮浪者救護法が目下の懸案となってゐる。故にナチス厚生団はその欠陥を補ふ意味に於てこの部分にても活動してゐる。

即ち、所謂徒歩旅行者達から、反社會性格を有する浮浪人を分離し、適當なる處理を行ってゐるのである。

五六〇

(1) 労働意思あり、労働能力ある者は出来る限り定住せしめる。
(2) 労働所に入れて労働教育を行ふ。
等に依り彼等を國家の生産過程内の一分子として再組織してゐるのである。
又、労働厭悪者には、どしく刑法を適用してゐる。

八、囚徒、刑餘者救護（Gefangenen- und Strafentlassenenfürsorge）

前述の七、に於けると同様にして、國民協同体の中に於て、その善導、改悛を勉めてゐる。

九、飲酒者救護（Trinkerfürsorge）

ナチス厚生団は飲酒家その他の麻酔薬中毒者に対する處理をも委ねられてゐる。

ナチス厚生団は之を遂行するに當って、浮浪者、刑務者に対する如き方針と同じく、國民協同体中の良き一員たらしめ國家生産過程の一分子に再編入すべく救護を行ってゐるものである。

一〇、独逸造形美術に対する救助事業（Das Hilfswerk für die deutsche bildende Kunst）

無名の而かも才能ある画家、彫刻家を、展覧會を開催して之を救助し、藝術的指導を行ふのである。

一一、ヒットラーフライプラッツシユペント（Hitler-Freiplatz-Spend）

ナチス厚生団が母子救護事業を発展せしめて、成人に対する保養事業を行ひ、豫防的健康救護に貢献せんとしてゐる一つの施設が之れである。

(1) 之れに派遣される資格のある者は、
(イ) ナチス党員
(ロ) 突撃隊員
(ハ) 親衛隊員
(ニ) ナチス自動車隊員
(ホ) ヒットラーユーゲント
(ヘ) 特にナチス厚生団で経済的にみて必要と考へられる以上構成外員

五六一

五六二

等の中にありて
(イ) 疾病保険に関係なき者
(ロ) 所要の療養費用を負担し得ぬ者
(ハ) 醫者の證明ある者
(ニ) 派遣に際して同伴者又は健康に危険なき者
が許される。

又、資格者の近親者も次の如き場合には許される。
(イ) 失業保護、厚生保護をうけてゐる者
(ロ) 年金受領者にして、その月収入が一〇〇ライヒスマルクを超へない者。
(ハ) 窮迫せる労働者

以上の場合に於て、老党士は除外例をなし、特別の配慮が與へられる。

(2) 内容としては
(イ) フライプラッツ
(ロ) 保養所
(ハ) 療養所
(ニ) 湯治所
(ホ) サナトリユウム
が挙げられる。

(3) 派遣については総て國民厚生主局が之を取扱ふ。申込は系統指導者例へば地方グループ指導者の推薦に依る。

(4) 各派遣者は往復旅費の半額を割引される。残りの半額をも支拂へぬ者には全額の切符が與へられる。
必要なる場合は小遣銭が支給される。

一二、結　語

以上ナチス厚生団の行ふ救護事業を見て来たのであるが、ナチス厚生団がかゝる事業を行ふ根拠は、一九三六年一〇月五日附総統代理官の発布せし次の如き命令に依る任務指定、即ち「一九三三年五月三日附総統訓令」に依りナチス党内に於てはナチス厚生団

五六三

に対して、国民厚生及び救護に関する凡百の問題処理の権能が與へられたり。

この権能声明はナチス党の全国指導部に国民厚生局が創設されたる事に依り実現されたるが、同局の指導者は同時に全私設厚生施設に対して責任を有す。

尚、ナチス党の各組織及加盟団体に依り行はれたる厚生施設的事業も亦その権能と責任とに帰す」云々、及びナチス厚生団の定款第二條の任務及目的即ち、

「ナチス厚生団は……厚生並に救護の凡ゆる問題につき権能あるナチス最高機関である。

ナチス厚生団は私設厚生施設の指導権を有し、共通的任務に関する方針書及指令を発する」云々、

等に存するのである。

故にその実際活動に當っては、法律に依る最低の救護を補足し或は規定なき部門に対して立法に先馳して行ふと云ふ任務を有し又行ってゐるのである。

ナチス厚生団の組織、内容その他については多数の邦文文献あるに依り、本章に於ては之が紹介は省略す。

第二目　独逸労働戦線に依り行はれるもの（Deutsche Arbeitsfront）

ナチス党が政権を獲得したる後、その存在理由を失った労働組合は、創造的独逸人の協同体たる独逸労働戦線が成立したので、之に吸収された。

而してこれには勤労する総ての独逸人の加入が要請された。

この独逸労働戦線は国民協同体組織に置かれナチスの根本理念にその存在根拠を有する。独逸労働戦線の行ふ救護事業はその加盟員の救護を本来的任務としてゐる。

一、独逸労働戦線の行ふ救護事業に関する一般的規定

(1) 独逸労働戦線は現在加盟員で、以下、(イ)(ロ)(ハ)(ニ)(ホ)、の該当者が困窮にあ

り、而もそれが加盟員自体の責に帰せられない場合に之等の者に対して、補足的救護を行ふ任務を有する。

(イ) 失業、疾病の際の稼得喪失に対する救護
(ロ) 廃疾者に対する救護
(ハ) 死亡手當金（Sterbegeld）
(ニ) 困窮状態にある者に對する救護
(ホ) その他の救護（例へば結婚救助、労働に依り災害をうけ、それに依り死亡したる者 ― Opfer der Arbeit ― の遺族救助）等。

(2) 救護申込に対する諾否最終決定権は資金局保護課（Unterstützungsabteilung des Schatzamtes）が之を有する。

而して死亡手當金以外は、救護は加盟員に個人的に與へられる。即ち対人的関係が重視される事である。故に救護請求権の入質及第三者への讓渡は禁止されてゐる。

(3) 與へられる金額は一般的に云って、その時迄に納付され、且加盟員手帳（Deutsche Arbeitsfront-Mitgliedsbuch）に対し承認されたる全組合費（Voll Beitrag）の額に應じて考慮される。

(4) 資金の関係から一時に多数の者には救護を與へ得ない現状にある。救護を與へられたる者は、その旨加盟員手帳に記入されることになってゐる。

(5) 救護請求資格取得前は、如何なる場合も之を與へられない。

二、疾病、失業保護、附稼得喪失保護

(1) 疾病及失業の際の保護は、之れに依り生ぜしめられたる収入杜絶を軽減する為に次の場合に與へられる。故にこの保護はその本来的性質から、之を與へられる迄、労働に依りその収入を得て来たる加盟員に與へられるのである。

(イ) 最低一二ヶ月の會費を支拂ひたる加盟員なること
(ロ) 自己に責なくして疾病又は失業に至り、その為に稼得能力を喪失せしこと
(ハ) 妊娠、産褥の結果、稼得能力を喪失せる婦人加盟員。

五六八

(2) 失業保護について
申込に當つては、スタンプカード（Stempelkarte）或は所轄労働局（Arbeitsamt）の證明、又は労働手帖（Arbeitsbuch）或は経営指導者（Betriebsführer）の免職證明（例へば所轄団体長の證明）を提出しなければならぬ。

結婚せる加盟員は所轄団体長の證明で充分ではあるが、その証明に依り失業加盟員の家族の状態が推知出來ることを必要とする。

失業保護は一週間失業の後與へられる。そして再び労働を始めたる日より、その請求権を失ふ。

保護請求申込は次の者以外は、失業して七日以内に行はねばならぬ。
(イ) 内地河川運河航行労働者
(ロ) 機械組立工

(3) 疾病保護、附、稼得喪失保護
保護請求申込に當つては、證明として醫師の診断書並に收入例へば俸給支拂その他の支拂の支拂はれたる最後の日の推定出來うる証明書の提出を要する。

疾病金庫（Krankenkassen）の加盟員に非ざる者は診断書の代りに労働不能を證明する醫者の證明書の提出を要する。

申込は疾病保護の場合は、病気が治つてから七日以内に、稼得喪失保護の場合は、保護を受くべき事態が生じて後七日以内に行はれねばならぬ。

保護は疾病の場合は発病一週間後、稼得喪失の場合は稼得喪失第二週の初まりから、各々與へられる。

法律上の癈疾となり、労働戰線の癈疾保護請求権を有しない加盟員は、稼得喪失保護をうける。

(4) 次の場合には保護は與へられない。
(イ) 加盟員が俸給或は報酬をうけてゐる間（例へば弁償とか何等かの種類の報酬をこれ迄の労働関係から俸給・報酬・收入として受けてゐる間）
(ロ) 申請提出に際して故意又は重大なる過失により、虚偽の申立をなした

五六九

五七〇

る場合
(ハ) 経営協同体に対する敬意を失したる態度に基く解雇猶予期間（註二）の権利の無い解雇の場合（註二）
（註一）　Frist
（註二）　労働保護政策の一部をなす解約告知保護に依り與へられるもので、通例企業家が國労働管理官への届出、許諾と共に初る。而してその期間内は雇傭の義務を負ふものである。大量解雇の場合は四週間継續する。
個々の解約告知の場合は通例二週間以内に労働裁判所に対して解約告知取消、或は賠償金支拂申立をなしうる。
(ニ) 保護期間中、規定されたる最高保護期間（註一）の經過したるもの
（註一）　この期間は全組合費支拂高に應じて規定されてゐる。即ち

最低一二ヶ月の全組合費を支拂ひしものに対しては　七週間
〃　二四ヶ月　〃　八〃
〃　四八ヶ月　〃　一〇〃
〃　七二ヶ月　〃　一二〃
〃　一二〇ヶ月　〃　一六〃

(ホ) 加盟員が癈疾保護請求権を有して労働関係から離脱したる場合
(ヘ) 加盟員にして、癈疾保護に依る收入期間が満了したる後、一二ヶ月の全組合費支拂に依る新なる請求権取得をなさなかつた時
(ト) 疾病の場合に與へられる額は、通常收入の八〇パーセント以上九〇パーセント以下であるから、九〇パーセントを超過せし場合には最早與へられない。

(5) 保護として賦與される額について。
(イ) 保護額は保護を必要とする時以前に支拂はれたる最後の一二ヶ月の全組合費の平均組合費に基き決定される。即ち支拂はれたる全組合費を等級に分け、それに対して一週に幾何と決定される。

五七一

五七二

四等級は　一週に　一・〇五マルク
五〃　〃　一・四〇〃
六〃　〃　二・一〇〃
七〃　〃　二・四五〃
八〃　〃　三・一五〃
九〃　〃　三・八五〃
一〇〃　〃　四・九〇〃
一一〃　〃　五・九五〃
一二〃　〃　六・六五〃
一三〃　〃　七・七〇〃
一四〃　〃　九・四五〃
一五〃　〃　一〇・五〇〃

(ロ) 確定されたる保護は二ヶ年の制限ある保護期間内のみ請求権がある。

三、廃疾保護

(1) 老年又は廃疾の為永続的稼得不能又は労働関係より除外されたる加盟員は、全組合費の必要額を納付すれば、廃疾保護を受け得る。

(2) 有資格者

(イ) 二四〇ヶ月の全組合費を支払済のもの

(ロ) 経過規定として、一九三六年一二月三一日に最低二四ヶ月の全組合費を支払たる加盟員が一九三七年一月一日に一〇ヶ年加盟員たることに不足する年を増加せる場合、及以前の左官組合員で最低二四〇ヶ月の全組合費を支払ひしもの（註）

(ハ) 確認されたる廃疾と共にそれに続いて労働関係から除外されたる者

（註一）　この左官組合員たりし者で、二四〇ヶ月の全組合費を支払ひたる者は、月額七・〇〇ライヒスマルクの保護額が与へられる。

(3) 廃疾証明

廃疾証明は、国・邦・共済組合・災害等の各保険、その他の年金決定書

五七三

五七四

の原本（之に依り[illegible]パーセントの稼得不能の廃疾の存在が判断されうるもの）により行はれる。

老年廃疾者としては六五才以上を云ふ。この場合には廃疾証明書は不必要である。

州の年金決定書は提出し得ぬ故、独逸労働戦線に依り認められ、指定されたる医師の証明書に依る事が許される。

(4) 保護として与へられる金額

(イ) この額は支払はれたる組合費の額及び平均による。

(ロ) 保護額は尠くとも

二四〇ヶ月の全組合費につき五ヶの月平均額
三〇〇〃　〃　六ヶ〃
三六〇〃　〃　七ヶ〃
四二〇ヶ月の全組合費以上は八ヶ〃

(5) 保護開始について

廃疾保護は通常申込の次の月よりその支払が始まる。しかし申込が年金決定依頼後、遅くとも四週間後に出されたら、この支払は三ヶ月後迄に受取られる。

(6) 保護の取消及再許容について

(イ) 廃疾保護の許可は加盟員が就職したる際は取消される。

(ロ) 独逸労働戦線の与へる廃疾保護の許可条件が存在しなくなったら、その日を以て保護支払は中絶される。

(ハ) 就職の結果保護支払が中絶したる後、再び稼得能力喪失が生じたる場合は、廃疾保護は原始的に始められる。

(ニ) 療養所にある精神病者たる加盟員には保護支払は生じない。然し必要なる場合には法上の扶養義務者に与へられる。

四、死亡手当金保護

(1) 一般的規定

(イ) 独逸労働戦線は加盟員の死亡に際して、死亡手当金を与へる。

五七五

死亡手當金の支拂は、死亡證明書の提出後、その正妻にして死亡者と共同家計にありし者及び妻死亡の後なりし場合は未成年の小供又は共同の家計にありし成年の小供に與へられる。

(ロ) 死亡手當金は埋葬を自己の資力にて行ひし者にも與へられることがある。この場合には埋葬費全額の證明書並に具体的支出表（各入費を項目別にしたるもの）を申込所に提出することを要する。

(ハ) 死亡手當金は分割を許されざるにより、一人の申込者にのみ與へられる。

受領者が疑はしき場合は独逸労働戰線が之を決定する。

(ニ) 本手當金は死亡加盟員の遺産には属せず。

(ホ) 本手當金は、官廳・営造物・遺産管理人、特に埋葬営業者等には支拂はれることは許されない。

(ヘ) この保護は加盟員が死亡したる後、一三週以内に申込が提出されたる時に、與へられる。

(ト) この保護は加盟員の独逸労働戰線加盟が満五五才以前に行はれたる時許容される。

但しこの規定は、一九三四年九月一日以前に入会したる加盟員には適用されない。

(2) 保護として與へられる額

(イ) 手當金の額は、支拂はれたる全組合費の額に應じて決定される。

(ロ) 表示すれば次の如し。

三六ケ月全組合費を支拂ひたる者には	三〇・一 マルク
七二ケ月 〃	六〇・一 〃
一二〇ケ月 〃	一〇〇・一 〃
一八〇ケ月 〃	一二五・一 〃

(3) 妻及小供の死亡に対する死亡手當金について

(イ) 妻の死亡に際しては、共同家計にありし加盟員に対して死亡手當金が與へられる。

この場合は加盟員自身が死亡せる場合與へらるべき額の $\frac{1}{2}$ なり。

(ロ) 一八才以上の小供の死亡に対しては、納税證明書に依り減税が許されてゐる時は、死亡手當金が與へられる。

この場合は加盟員死亡の際與へらるべき額の $\frac{1}{4}$ なり。

(4) 不慮の災害に依り労働中死亡せる加盟員に対する死亡手當金（Sterbe-geld für Arbeitopfermitglieder）

(イ) 労働中不慮の災害により加盟員が死亡したる時、その加盟員の組合費等級が、B、C である場合は、その加盟員と同一の家計にありし者、或は埋葬費を支出したる者かに死亡手當金が與へられる。

(ロ) 賦與額

次の表に基き與へられる。

七ケ月以下組合費を支拂ひたる者には	二〇・一 マルク
一九ケ月 〃	二八・一 〃
三一ケ月 〃	三六・一 〃
四三ケ月 〃	四四・一 〃
五五ケ月 〃	五二・一 〃
六七ケ月 〃	六〇・一 〃
七九ケ月 〃	六八・一 〃
九一ケ月 〃	七六・一 〃
一〇三ケ月 〃	八四・一 〃
一一五ケ月 〃	九二・一 〃
一二七ケ月 〃	一〇〇・一 〃

(ハ) その他

(a) 死亡手當金は分割給付を許されぬ故申込者一人にのみ與へられる。

(b) 本死亡手當金は遺産には属さない。

(c) 本死亡手當金は、官廳・営造物・遺産管理人、特に埋葬営業者等には支拂はれない。

(d) 本死亡手當金は申込が死亡後、一三週間以内に提出されることを要する。

五、困窮状態保護（Notfallunterstützung）

(1) 加盟員にして次の如き特殊なる困窮状態にある時は、困窮状態保護をうける。

即ち、

(イ) 永年の失業

(ロ) 間断なき病気・妊娠・出産

(ハ) 子澤山

(2) 條件

(イ) 尠くとも一二ケ月の組合費を支拂ひたる者

(ロ) 他の保護に依り収入を得て居ない者

等である。

六、結婚救助

(1) 独逸に於て結婚奨励はその人口政策的見地よりして、一九三三年六月一日附結婚奨励法（その後、一九三七年一一月三日、第三次改正ありたり）に依り行はれてゐる。これはその本来的任務から、全独乙結婚適齢期男女をその對象とし、一定條件の下に、一〇〇〇ライヒスマルクを貸付けるのであるが、独逸労働戦線に依る結婚救助は、加盟員たる女子にのみ與へられるものである。

(2) 即ち加盟員にして、結婚に際し労働関係及び独逸労働戦線から離脱する婦人に対して與へられる。

(3) 一回のみである。

(4) 但し稼得喪失保護（失業保護、疾病保護）で婚資が存する時はこの救助は與へられない。

(5) 本救助額は、最低三六ケ月の全組合費を支拂ひし者に対して三〇・― ライヒスマルクが與へられる。

この額は更に、二四ケ月の全組合費を支拂ふ毎に、一〇・― ライヒスマルクから最高額、一五〇ライヒスマルクに迄増加される。

(6) 申込は、加盟員が結婚契約を行ったる場合、遅くともその三ケ月後に労働関係から離脱し、その離脱せる際、之を行ふことを必要とされてゐる。

七、労働中不慮の災害に依り死亡せる者に対する救助（労働犠牲者救助―Unterstützung für Opfer der Arbeit）

(1) 自然の惨事、或は強き暴力の為に一時に多くの國民が共同の職場に於て死亡するか或は致命的結果をうけた時は、その「男子」たる独逸労働戦線加盟員の遺族には特別の保護が與へられる。

(2) 自然の惨事、或は強き暴力に帰せられない他の大きな災難の為、死亡せる際に、この救助を與へるか否かに就ては、独逸労働戦線の國指導者又は彼に依り定められたる地位の者が之を決定する。

(3) この救助に於ける遺族とは、次の者を云ふ。

(イ) 妻

(ロ) 加盟員死亡の日迄、同一家庭にありし子供にして、納税證明書に依り減税が考慮される者

(4) 救助として與へられる金額、及び期間に就ては、独逸労働戦線が各個の場合に當って適當に決定する。

(5) 國宣傳省が「労働犠牲者に対する寄附」に依り労働犠牲者の遺族に支拂ってゐる保護は附加的なるものである。

八、その他

「『鉱山』『石と土』」の國經営共同体の忠実なる一員が災難に依り死亡したる際は、遺族に対して一回の保護が與へられる。

九、独逸労働戦線の詳細なる紹介は、第二目末尾に記したるナチス厚生団に對すると同一理由に依り之を省略す。

第三項　党の指導に依る救護

党の指導に依る救護の事業担當者としては次の三つが挙げられる。

(1) 独逸赤十字社

(2) 内地傳道會

(3) ドイツカリタス組合

而して党の指導に依るとは云ふもの丶、実際的には、党の委任にナチス厚生団の指導下にある。即ち

「本節、第二項第一目、一二結語」の所に於て記述したるが如く、ナチス厚生団は私的厚生事業を指導し問題処理の権限を有するからである。

又、ナチス厚生団の定款第二條（前述の本節第二項第一目、一二結語の部参照）の後段に依れば『ナチス厚生団は、「内地傳道中央委員會」、「カリタス組合」、「独逸赤十字社」等の加盟してゐる全國私設厚生施設団を指導する……』云々によってもその指導権の根拠が判るのである。

第一目　独逸赤十字社（Deutsche Rote Kreuz）

ドイツ赤十字社は國家的団体として國際赤十字社の一員であり、一八六四年のジュネーヴ條約に依り独逸各邦に結成されたる多数の赤十字社にその起源を有し、一九二一年に全國的に統一されたる組織となり、一九三三年にナチス党の指導下に置かれ、同年ナチス厚生団の指導に属することゝなり、一九三五年三月一六日の國防高権（Wehrhoheit）恢復と共に新なる意義を有するに至つたものである。

そこで一九三七年一二月九日附独逸赤十字社法（Gesetz über das Deutsche Rote Kreuz vom 9. Dezember 1937）の発布を見るに至つた。

即ち本法発布の理由は國防高権恢復に依る独逸赤十字社の任務増大に依る。その立法理由は次の如し。

「独逸赤十字社は、一九二九年七月二七日附野戦軍隊の傷病兵境遇改善に関するジュネーヴ協約第十條に基く自発的相互救済団体として、國政府より承認され、権能が與へられたる軍務の、公的醫療奉仕部門に協力する団体である。

ドイツ赤十字社のこの根本的性格は國防高権の恢復及び再軍備に依りその任務の方法、範囲に於て非常なる高揚が行はれた。又官廳的防空衛生奉仕の分野

に於ける協力と云ふ任務増大も生じた。

ドイツ赤十字社は、この昂揚・増大されたる要求を統一ある強力なる指導とその完全なる利用と云ふ方法に於て、軍の要求を充分充足し得た。

更に國防軍の公的醫療奉仕に必要なる準備として、多数の男女を得る為、充分なる教育を行ふ為、要求されたる設備・道具・器具を準備する為、又之が為にドイツ赤十字社の経済力を保護する為等に必要なる特権を許容されねばならぬ。

而してこの二重目的に奉仕する為、即ちその任務遂行の為にドイツ赤十字社の準備を、その力の強力なる結集に依り高揚するため、この法律が立法されたのである。云々」

一、組織

(1) 本法第一條に基き、同種、類似目的を有する団体、組合、同盟その他その分肢組織は総てドイツ赤十字社に統合されることとなつた。

その中主なるもの左の如し。

独逸赤十字社國婦人同盟、独逸赤十字社協會、海上独逸赤十字社婦人同盟、独逸赤十字社男子女子同盟（邦・州・都市・地方各同盟）、独逸赤十字社看護婦団、独逸赤十字社衛生縦列、看護組合、慈善家同盟、独逸赤十字社営造物、独逸赤十字社営造物担當者、その他。

(2) ドイツ赤十字社の保護者は総統兼宰相であり、監督は國内務大臣が之を行ふ。

ドイツ赤十字社の長官たる総裁は、総統兼宰相が、國内務大臣、國軍部大臣、國防軍長官並に総統代理官の共同提案に基いて、選任及び解任を行ふ。

総裁は事務執行を司る事務総裁とも云ふべき恒久的代理人を、國内務大臣、國軍部大臣、國防軍長官並に総統代理官の同意の下に、選任及解任する権限を有する。

下部組織としては、州組合、都市管区、地方管区、各町村管区、組合支部がある。

二、ドイツ赤十字社は國防軍の公的醫療奉仕及び一般の救助救護をその目的とす。即ち國防軍の公務に從事し、戰時及び公共的非常事態に際しての協働、一般の救助救護、一般的國民厚生施設への參加、殊に保健救護及び傳染病並に國民病防止等への參加を任務としてゐる。

而してこの目的の爲、所要の施設の準備並に國防軍の公務從事への要求充足の爲の人的資源確保の爲の所要人員教育に関する規定が、本法第一一條より第一六條にわたり規定されてゐる（註一）。

（註一）　第一一條より第一六條について。

之には所要の教育を施し、以て有事の際のドイツ赤十字社技能及び任務の増加増大に充分対處し得る樣平素から私營業の使用人、労務者、官吏、ドイツ赤十字社に屬する公法的団体員を召集して、之に所要の教育を施すこと及び之が爲に休暇の與へらるべき事、召集中の應召者の收入関係及び之等に対する企業家との関係、この休暇の他の休暇（例へば軍務召集、屋外射擊召集その他の召集に関する休暇）との関係、應召者の扶養すべき家族の生活必需品調達に関して適用さるべき法律、担當者、費用関係、召集と既存の諸社會保險との関係、之が適用に就ての細則。以上の者に関する公共的災難の救助に就てのドイツ赤十字社定款の関係、等の規定及び據るべき法律・命令・訓令が示してあるが、本章記述目的外なるに依り詳述せず。

三、一般救護、救助の施設

一般の救護、救助は平時に於て、大いに努力してゐる處であるが、その施設としては左のものが挙げられる。

(1) 非公開営造物（註一）
(2) 半公開営造物（註二）
(3) 公開施設（註三）

（註一）　本営造物には次の物がある。

名称	数
病院	四三
乳幼兒病院	八
乳幼兒の家	二五
幼兒保養所	三一
兒童の家	一八
産院・母の家	五
成人・看護婦保養所	四〇
老人・病人の家	八〇
結核及不具者療養所	五
鑛泉浴場・湯治所	一一
家政学校	四
指導看護婦学校	一
職業人の家	九

（註二）　本施設に屬する物は次の如きである。

名称	数
幼兒保育所	二八
幼稚園	五八〇
托兒所	三三
日帰保養所（Tagesschiite 小區保養救護）	八五
料理学校、家政学校、裁縫学校その他	五三

（註三）　本施設に屬する物は次の如きである。

名称	数
市町村療養所	二、二七五
結核療養所	五五
母・乳兒相談所	八一五
乳兒牛乳給與所	二九

料理場・食堂　七三
患者用食餌調理場　九
（以上、註一、二、三の数字は一九三六年度のものである）
この数字及び施設に依り、ドイツ赤十字の一般的救護の部門に於ける活動範囲、程度、方法が充分に判明する。

四、独逸赤十字社の法的性質
独逸赤十字社は本法に依り（第一條第二項）法的能力ある社団たる資格が與へられた。

五、財政関係
(1) 資金は會費、寄附募集、國庫補助、等による（註二）。
(2) 独逸赤十字社は、訴訟費・行政費を免除される。
（註二）　ドイツ赤十字社の財政は、本法第六條二項に依り、一九三四年三月二四日附「國庫補助法」に依ることになってゐる。

六、その他
(1) 独逸赤十字社の定款は、國内務大臣が、國軍務大臣、國防軍長官並に総統兼宰相代理官の同意の下に之を許可する権限を有してゐる。
(2) 國内務大臣はこの法律の施行や、補足に必要なる司法行政命令を、関係各大臣と合意の上で発布する権限を有す。
(3) 本法は一九三八年一月一日よりその実施を見てゐる。

第二目　内地傳道會（Die Innere Mission）

一、内地傳道會は一八四八年のウイッテンベルグ宗務會議に際して設立され、一九二〇年、邦・州の組合及び個々の厚生事業部門の専門的団体を内地傳道中央団体に結成し、之をその傘下に入れ今日に至ったるものである。

二、組織
内地傳道會は初め一八四八年頃は「ラウヘンハウス」及び「看護婦養成所」より成り、一九二〇年に前述の如く内地傳道中央団体を含む様になった。

下部組織としては「福音教會厚生奉仕団」（Evangelische Wohlfahrtsdienste）（註一）を各教区に有し、又、邦・州には邦組合・州組合を、及び結成されたる内地傳道中央団体中の専門的団体の中に専門群（註二）に分れてゐる専門組合を有してゐる。

（註一）　通常一人の牧師に指導され、専任職員・名誉職員が存在する。

（註二）　専門群の内容は、例へば職業活動、婦人組合（特に福音教會婦人救護事業、病院・療養所等を有する保健救護、教育機関を有する教育救護、浮浪者及旅行者に対する経済的救護（宿坊、労働者街、宿泊所）、危険に曝らされてゐる者に対する救護。

三、目的
内地傳道會が教會機関と密接なる聯関を有するドイツ福音教會の厚生機関たる本来的任務から見ても當然その目的として厚生事業を行ふことは明瞭である。

行ふ所の厚生事業は左の如し。
(1) 婦人救護事業
(2) 保健救護
(3) 教育救護
(4) 浮浪人及び旅行者に対する経済的救護（註一）
(5) 危険に曝されてゐる者の救護
（註一）　浮浪人及旅行者に対する救護は、本節第二項第一目七の浮浪人救護の所で記述せる如く、目下全國的なる浮浪人救護法制樹立が懸案となってゐる時、この内地傳道會が行ふ救護以外は僅かにナチス厚生団と次目のドイツカリタス組合が行ってゐるにすぎぬことより見て、内地傳道會の行ふ浮浪人救護は重視されて然るべきものと思はれる。

四、施設について

名　　　称	数
病院	四三七
施療所	四二
結核療養所	三二
療養所（註一）	二三五
市町村救護所	四、五〇七
不具者監護所	一四四
幼稚園男児保育所	二、九〇〇
保育所	七七
一四歳以下の遺児及び孤児の教育の家	七八三
卒業生救護の為の教育の家	一四五
日帰りの家（註二）	二八
母子の家	一八二
老人の家	七八九
路次の家（註三）　及び監護の家（註四）	一一・五
給仕人の家	五
郷土の宿（註五）	二九七
労働者街（註六）	四、七五一
（之のみ看護婦の数である）	
海員及び河川漁夫の家	二二
読書室	二五
（国内は	一五）
深夜傳道會	三〇
鉄道終夜傳道の家	四六
鉄道傳道會	三三〇
鉄道奉仕団	一一五

（註一）　Erholungsheim

（註二）　Tagesheim
（註三）　Durchgangsheim
（註四）　Verwahrungsheim
（註五）　Herbergen zur Heimat
（註六）　Arbeiterkolonien

五、資金

資金は會費、寄附金募集、教會補助金、國庫補助金を以て充てゝゐる。

第三目　ドイツカリタス組合
（Deutsche Charitas Verband.）

一、ドイツカリタス組合は独逸とカトリック教會との間に締結されたる條約に依り國家の認可を得たる、純宗教的、純文化的及び慈善目的を有する總てのカトリック組合をその傘下に抱合し以て教應（Karitatio）に服從し、施設及活動に就き國家の保護を受けてゐる所のドイツ・ローマ・カトリック教會の厚生団体である。

二、組織

大僧正領カリタス組合、地区カリタス組合、市町村神父カリタス委員會等を有し、修道尼・修道僧よりなる專任職員と自發的名誉職職員が實際に當つてゐる。

三、目的

純宗教的、純文化的、慈善的目的を持つてゐる。
之を救護事業面から見ると次の如し。

(1)　保健救護
(2)　教育救護
(3)　經濟的救護
(4)　非收容保健救護
(5)　半收容保健救護

(6) 半収容養育救護
(7) 非収容養育救護
(8) 非収容経済救護

等である。

四、事業（救護部門に於ける）

事業としては前述の救護諸事業及び之が実際従事者たる職員の養成とに分れる（註二）。

（註一）　職員養成施設左の如し。

名称	数
救団の母の家の教育所	二〇〇
看護学校	一三〇
保姆養成所	四〇
女子育児保養成所	
女子青年指導者養成所	
乳児保育婦養成所	一五
カリタス保健救護学校	一一
國民看護学校	二
婦人慈善事業専門学校	九

五、救護施設

(1) 保健救護施設

(イ) 保健救護所　一七〇ヶ所
(a) 病院
(b) 療養所
(c) 保養所
(d) 母子の家
(e) 不具者の家

(ロ) 非収容保健救護施設　六、三〇三ヶ所
(a) 相談所
(b) 救護所
(c) 軽症患者救護所

(ハ) 半収容保健救護施設　一五四ヶ所
(a) 幼児預所
(b) 日帰りの家

(2) 教育救護施設

(イ) 教育救護所　一、一四七ヶ所
(a) 教育の家
(b) 救護教育の家
(c) 救護の家
(d) 職業人・在学中の者の家

(3) 経済的救護施設

(イ) 収容のもの　一、二二五ヶ所
(a) 養老院
(b) 釈放者・浮浪人の家
(c) その他

(ロ) 非収容のもの　一〇、七一五ヶ所
(a) 扶助組合
(b) 事務室
(c) カリタス委員會

(4) 養育救護施設

(イ) 半収容のもの　四、一三五ヶ所
(a) 幼稚園
(b) 育児所

(ロ) 非収容のもの　一、五四五ヶ所

（数字は一九三六年度のものなり）

六、事業資金

ドイツカリタス組合の事業資金は、會費、公共の寄附、補助、カトリック教會の補助金等に依つてゐる。

第四節　青少年救護について

青少年救護については今迄本章中に於て、夫々の個所に於て所要事項を記述してはゐるが、本問題の重要性に鑑み特に節を設けて総括的に記述する次第である。

青少年に関する問題は単に救護の部門に於けるのみならず、一般的にみて、その将来性が國家の運命に拘はると云ふ点を考へ、國家のその将来への貢献の如何に重きかを想へば、如何程之を重視しても、しすぎると云ふことは無いであらふ。

ナチスドイツの國家に於ても、この点は同じである。否ヴェルサイユ体制を破碎して将来にその運命をかける独逸にては他の國々よりも真剣に考慮されてゐる問題なのである。

故にその青少年の健全なる発育、成長、発展を全からしむる任務を負ふ救護事業に対する配慮の深厚なることも當然である。

「青少年の中に民族の未来が存し、頑強にして健康なる青少年から頑強にして健康なる民族が生れる」と云ふのが、民族社會主義の、独逸青少年に對する種々なる施策へのスローガンである。

ナチス独逸の青少年救護は先づ「血の價値」の探究から初る。

ナチスの根本理念たる民族協同体、この民族協同体の最小の細胞であり、最後の単位たる家庭・家族、而して家族の血の共通性、血縁の関係の考察が続く。

家族は生存の為に共同の敵と戦ひ、順境にも逆境にも、誠实・共同の観念を失はない。この家族が當然あらゆる救護方策の出発点であり到達点であるべく、個人を救護するには飽く迄家族の一員としての彼を救護するのであるとの根本原則を導き出した。

この原則から理解される施設として、保育所、幼稚園、青少年の家、その他類似のものがあり、救護を行ふに際して払はれる考慮としては、例へば小供の病気についてはその全家族の生物遺傳学、道徳、経済、その他万般の方面からの考察が払はれるべく、保養所よりの帰還児童の帰省前にその家庭の環境を改善するに費やされる努力等が挙げられるのである。

又家族が生活戦線に相扶け合ふと云ふことは、青少年が自立の精神を養成するに大いに役立ち得べく、又民族協同体員は各自互に協力し扶け合ふべきであるとの思念を植えつけると云ふことが考へらるべきである。

さて根本原則が確立されると次には之を如何にして生かして行くかの問題が生ずる。

殊に青少年救護の部門に於ては、救護と並行して、否或る意味では之に先行する教育についてこの原則の適用である。

義務救護令以前の時代には、救護に教育が入るかと云ふことさへ問題であつた。

而して義務救護令中の生活上不可欠なるものに教育が加へられてからも、未だ確然としたる教育目的はなかつたのである。

しかしナチスが政権を獲得したる後はかゝる不明確・不明瞭・曖昧の中に事態を放任して置くことは許されない。こゝに、彼等の根本理念、根本原則から生じる明確なる教育目的を樹立したのである。

「ドイツの血統の純正から出発する處の肉体と精神とを綜合的に淘冶し、能率原理に従つた教育を包括的に行ひ、民族生活に於て血族的に價値あり、血族意識を有する人間を作ること」を目的と定めた。

之は即ち青少年救護の目的でもある。

こゝにナチスの青少年救護はその先行條件を完備したのである。

一、担當者

青少年局がその事業の一部門として之を担當する。

青少年局は「國青少年厚生法」に基きその組織が定められ、政党の害毒が多分に浸透してゐたのであるが、ナチスは政権を獲得するや、直ちに之に政党の介入することを禁じて終つた。

今では局長が決定的権力を有してゐる。

二、事　業

(1) 未成年者救護

未成年者救護は「國青少年厚生法」第一九條以下に基き行はれてゐる。家庭が貧困なる場合には「他人の家庭」又は「教育の家」に収容して行ふ救護が採られ、その他必要なる場合には「自宅救護」が認められてはゐるが、最近の顕著なる傾向として、「田舎に派遣」される場合が多い。田舎に於ける土に親しむことのもたらす心身に與へる利益を考ふれば、當然のことであらう。

(2) 精神薄弱者、精神病者救護

精神薄弱者、精神病者の如く欠陥ある者でも、それが價値ある素質を有して居り、民族協同体に役立ちうる分子たり得る見込がある者は必要なる救護が與へられる。

但しこの際特別の醫学的試験が行はれる。

又見込の無い者は不充分なる救護しか與へられないが、尚、彼等の有する力を出來るだけ発揮せしむる様に努力してゐる。

(3) 盲者、聾唖者、不具者救護

その欠陥に適したる技能を得て以て稼得能力を得る為の教育救護が與へられる。

之が為各邦に於て各個に特別の規定を有してゐる。例へばプロイセンに於ける不具者救護法には

邦救護組合は宿舎及び入院救護を必要とする不具者を救護し、

地区救護組合は不具者救護所を設けて、訓誡・指導・不具者に必要なる特別救護を行ふべき事が規定されてゐる。

(4) 母性救護

青少年救護の部門より見る母性救護はその出産前後の救護であるが之は本章各當該所を、又母子を一緒に行ふ救護も考察さるべきであるが、之は

私設厚生事業中の各施設表を参照されたい。

(附一)　本事業諸施設は前節の各施設表を参照され度い。

(附二)　救護児童数

（(イ)は一九三六－七會計年度、(ロ)は一九三七－八會計年度なり）

	男	女	合計
(イ)	三六、三〇五	三〇、〇七七	六六、三八二
(ロ)	三八、九七七	三二、四五三	七一、四三〇

	教育の家に於て	家庭救護に於て	教育奉仕団又は労働所にて	その他にて
(イ)	五〇・〇%	二三・八%	二二・六%	三・六%
(ロ)	四七・〇	二五・三	二四・〇	三・七

	終局的教育救護	
	就学	退学
(イ)	一七、一三五	一〇、五五八
(ロ)	一六、八七三	一一、八二五

（附三）　地区救護組合に於ける収容救護及び他人の家庭に於ける救護
（イ）は一九三三－四、（ロ）は一九三四－五、（ハ）は一九三五－六各會計年度）

	収容救護	家庭救護
（イ）	四二六、〇四四	一六八、七五二
（ロ）	四二九、七八八	一六五、七三五
（ハ）	四三七、七四一	（本年度より非収容救護に算入さる）

（附四）　邦救護組合に於ける非収容救護及収容救護
（（イ）は一九三三－四、（ロ）は一九三四－五、（ハ）は一九三五－六各會計年度）

	非収容救護	収容救護
（イ）	五、〇七〇	四四、一〇五
（ロ）	三、一九四	四三、七八九
（ハ）	四、一六四	四六、一八四

（附五）　公共的青少年救護費
一九三三－一九三四會計年度　一三・五百万ライヒスマルク
一九三四－一九三五　〃　一六・九　〃
一九三五－一九三六　〃　一九・三　〃

第五節　公共的救護と私的救護との関係に就て

今迄述べて来たることにより判明せる如く、救護とはその狭義の意味にては、夫々の具体的なる場合に於て、個々なる特定の現在の救護必要者に附着してゐ

る處の生活不可能状態の除去に直接役立つ行為である。

例へば貧困者に食事を支給する行為の如きである。

然しこの狭義の救護が充分有意義に行はれ得るにはそれに先立ち、又は夫れに附随して諸々の行為が為されねばならない。

例へば狭義に於ける救護で醫藥を與へるには、之に先立ちて病院へ収容せねばならぬことがある。そしてこの病院なる施設は必要となつて初めて設けられるのでは遅く、豫め準備され、將來を見透して保證し先見的なる信頼し得可き將來への用立として、施設されねばならない。

之が廣義の救護である。

而してこの廣狭両義の救護を要する事態発生の原因は、個人的原因・社會的原因・特別なる事故等、実に雑多であり、要救護者の要救護性の態容も亦複雑を極めてゐる。

之を完全に遂行して行くには單に法令に依る公的なるもののみに依存してその完璧を期することは、難きに失する方が多い。


ここに公私機関協同の必然性が生じるのである。

然し乍らその協同も公私各機関及び個人に、その存在理念、行動原理に相違あらば、救護事業に分裂・並存及び互の妨害等が生じて決して満足なる結果は生じない。むしろ逆の效果を挙げる位が落であらう。

之を防止しその貫行・完遂を計る為にナチスは公的私的救護を共にそのナチス理念の下に統一し、國家及び党がその大本を握ると云ふ方法を採用したのである。

故に公共的救護、私的救護の両面に於て救護事業にたづさはつてゐる官廳、市町村、ナチス厚生団、内地傳道會、独逸赤十字社、カリタス組合、労働戦線その他に完全に根本理念・原理が流下し浸透してその統一ある事業遂行がなされ得るのである。

而して公私の協同を法的に統一づけるものとしては「義務救護令」第五條及び一九三五年一月三〇日附「独逸市町村制」（Gemeindeordnung）第二條及び第五條を指摘し得る。

「義務救護令」第五條に曰く

「邦は自己の責任に於て、本法が救護組合に任ぜし個々の任務を、私設厚生施設の組合又は組織に後者が同意したる場合には委任しうる」（第一項）又「公共的救護組合は自己の責任に於て、その個々の任務を、私設厚生施設の組合又は組織に後者が同意したる場合には委任し得る……後略」（第二項前段）、「私設厚生施設の適當なる組織が充分に存在してゐる限り救護組合は独自の組識を新に創り出し得ない」（第三項）、「救護所は公共的救護事業の中心点であり、同時に公共的救護、私的救護の紐帯（*Bindeglied*）である。それは公共的救護施設並に私的救護施設が、合目的的に補足し合ひ、両者の独立を正しく認めると云ふ形式に於て協力する樣、努力すべきものである」（第四項）云々。

又、独逸市町村制第二條及び第五條を要約すれば、「市町村住民の福祉を増進すべき市町村の義務の強調と市町村住民の協同体の福祉貢献の為の市町村に対する奉仕協力」が述べられてゐる。

更に一九三六年一月二二日附協定に依り「全国公私厚生施設及び青少年救助

聯盟」を結んだる國民厚生中央局及び市町村會議も亦公私救護事業協同に奉仕し、公私事業を綜合統一的に行ふべき任務を以てこの聯盟を結成したのである。

義務救護令第五條に就いては、私的救護事業部門に入り込んでゐる處の、半公共的性格を帯びる党、ナチス厚生団、独逸労働戦線の影響を見ればよく判るから、こゝには省略する。

次に市町村のこの方面に関する実際活動について、二、三の具体例を記する。

一、ナチスが政権の獲得後直に行つたる處の要救護者減少策としての失業者の建設事業への吸収に際して行ひたる市町村の協同。

一、反社會的なりとされたる人間を市町村が教育を施して、之に労働能力、労働意志を與へ、以て稼得能力を賦與し、要救護者群より離脱せしめること、（例へばベルリンに於ける市有地教育）。

一、救護を受けることを躊躇し申込まぬ者の早期発見等。

青少年救護事業分野に於ける協働について

青少年救護の分野に於ても公私機関協同の必要性は一般的部門に於けると勝るとも劣らない。

而して茲に於ける協働の形は、青少年救護事業を担當する青少年局が「ナチス厚生団」「独逸赤十字社」「ドイツカリタス組合」「内地傳道中央委員會」等を補足的・協力的に参加せしめると云ふ形態をとつてゐる。

之等が青少年救護部門に於ける協働態容は既述の當該個所に附記せし施設表により、その一班が察せられるから省略して次に箇條的にその行ひつゝあることを附記す。

一、個々の後見人・保護者・救護者の調査並にそれ等の教育

一、救護所の調査

一、保護監視の引受

一、救助者及び監護者の供給

一、教育上の相談

一、保養救護・保養派遣

一、放任された子供の監護

一、少年裁判所救助

及び、

一、職業教育救護に於ける「独逸労働戦線」の職業教育局の協働

一、母子救護事業に於けるナチス厚生団の役割

等が挙げられる。

以上

（附）　ナチス厚生団の施設一覧表

名称	数
一、保健救護施設	三九四
(1) 病院	一二
(2) 児童治療所	一九

(3) 眼科・耳鼻科治療所	五
(4) 神経科治療所	二
(5) 性病科治療所	一
(6) 酒精中毒症治療所	四
(7) 結核・肺病治療所	一七
(8) 精神病科治療所	三
(9) 兒童保養所	一五三
(10) 子供の家	六
(11) 母と子の家	六六
(12) 産院及び姙婦の家	一五
(13) 乳兒の家及び治療所	一七
(14) 成人の保養所	二〇
(15) 特殊職業郡の保養所	四
(16) 畸形者の家	一五
(17) 盲人の家	二四
(18) 聾唖者の家	九
(19) 其他障害者救護所	二
(20) 看護婦の家	二
二、教育救護施設	五七
(1) 小兒及学童の教育の家	三六
(2) 特に教育し難き者及び危険に曝されてゐる者に対する家	四
(3) 精神病者の家	一
(4) 在学中の者の家	一一
(5) 職業人の家	五
三、経済救護施設	一一一
(1) 老年の家	六八
(2) 無宿者の家	一

(3) 浮浪人の家	五
(4) 特殊職業者の家	一
(5) 救世軍の家	三八
総　計	五六二

第三章　労働保護法

第一節　労働時間保護法

第一項　総　説

独逸の労働者保護立法の起源は、工場経営の発展に伴ひ工場労働者がその危険に曝されたる重大なる健康の危害を認識せることに存する。未だ一九世紀の初期に於ては独逸に於ては、當時の支配的な自由主義的学説に從つて産業活動に官憲の干渉を為すことは原則的に否認せられたから法規に依る労働保護といふことは行はれなかつたのである。併し一九世紀の二十年代に於て既にプロシヤの工業地帯では工場労働に依る兒童の危害が著しく認められて来たために、兒童労働の制限手段による國家の工場への干渉が必要となつて来た。茲に於て一八三九年三月九日に「工場ニ於ケル幼年工ノ就業ニ関スルプロシヤ條例」(Preußische Regulativ über die Beschäftigung jugendlicher Arbeiter in Fabriken)が発布された。労働者保護は独逸に於ても他國に於けると同様に、兒童の保護を以て始まったのである。

右の條例はプロシヤに付九歳以下の兒童の工場労働を禁止し、又、一六歳以下の年少者の労働時間も一日に付一〇時間に制限した。夜間労働は二一時から五時迄禁止され、日曜労働は全く禁止された。併しこの條例の実施も工場監督制度は一八五三年迄は一般に存在せずそれ以後に於ても唯二三の特殊の工場区域に設けられたに過ぎなかつた事情もあり、餘り捗々しくなかつたと云へる。しかし一八五三年には、青少年保護が改善されてゐる。即ち工場労働に対する保護年齢は、九歳から一二歳迄に高められた。一二歳から一四歳迄の兒童の労働時間は、六時間以内に引下げられ、二〇時半から五時半迄の夜間労働は禁止された。尚労働中に於ける義務的休憩も規定されたのである。独逸の大多数の邦がプロシヤの例にならつて、従へ分離されて居た労働者保護規定は一八六九年には一個の営業條例(Gewerbeordnung)の下に総括せられ之が尚今日も舊形を存せぬ迄に改められたりとは言へ帝國営業條例として存してゐる。その後抬頭して来た独逸工業の発達と之に関聯したる青少年並に婦人労働者の増加は遂に一八七八年に婦人労働者保護の第一歩を踏み出しその規定が現れたのである。當時の政府は労働者保護の拡表に対して杞惧の念を懐いてゐた。即ち政府の見解とする所は労働者保護法を更に完成せしむれば工業の活溌なる競業能力を減殺するを以て、政府の発意に依り労働者保険の領域に於て労働者保護の擴張の澎湃たる要求に答へんとするにあつたのである。独逸の労働保護は一八九一年六月一日附「労働者保護法」(Arbeiterschutzgesetz)によつて改善された。本法がもたらした根本的の改正なるものは左の諸点である。

(1) 日曜日及び祭日に於ける労働の制限(第四一條ノa、第五五條ノa、第一〇五條ノa乃至第一〇五條ノi)

(2) 労働者全般に對し健康及び風紀の危険防止に對する徹底的の保護(第一二

〇條ノa乃至第一二〇條ノc)

(3) 経営官吏、親方及び技術家の私法的関係の統制(第一三三條ノa乃至第一三三條ノi)

(4) 大経営に於ける就業規則の強制(第一三四條ノa乃至第一三四條ノh)

(5) 工場に於ける年少労働者の使用を更に制限し(第一三五條、第一三六條)

(6) 工場婦人労働者の最高労働日及び夜業禁止の定め並に産婦保護(第一三七條)

(7) 工場監督官の權限の擴張(第一三九條ノb)

(8) 特に「モーター」を以てする経営の作業場(Werkstätte)をも含ましむることに依り工場経営者に関する規定の適用範囲の拡張(第一五四條)

之等諸規定の分類は従前の如く、工業労働者に對する一般の保護規定と工場労働者に對する特別保護規定に分れてゐた。更にこの一般の保護規定の内容は特に日曜日及び祭日の労働、危険防止に分れ工場労働者に對する特別保護規定の内容は其主なるものに従へば、婦人労働者保護、年少労働者保護に関する規定である。一八九一年のこの労働者保護法の規定は爾後労働者保護の根柢をなすものであつた。

爾後一九一四年一一八年の世界大戦の勃発に至る迄の数十年間は、必要なる施行細則の発布に依つて一八九一年六月一日附「労働者保護法」を実施せる以外に労働者保護の益々専門的分化と発達を来し其為に遂に営業條例に一九〇〇年六月三〇日、一九〇八年一二月二八日、一九一一年一二月二七日の三回の改正が行はるゝに至つた。

之等の改正法は労働契約に関する幾多の規定の外手工業及び小規模営業に於ける日曜日の休業、小賣商に於ける休養時間及び休憩時間、午後九時の店仕舞、婦人及年少労働者の保護の強調、所謂保健的なる労働日の定め等の諸種の問題に関する規定を含んでゐたのである。一九〇八年の改正法に依つて「工場」(Fabrik)なる不明瞭の概念を除去したことは、重大なる意義を有する改正である。この改正法は従来所謂工場に對してのみ適用されてゐた年少労働者の就業に関する規定をすべての経営へ拡大した。即ち常時一〇人の労働者が従業してゐる手工業の経営へも拡大したのである。一九〇八年に為されたる営業條例の改正時に婦人及び幼年工に対し一日最高一〇時間労働制の創始に依り労働保護の状況は戦前の如き状態まで持来されたのである。

其後工業労働者の労働時間は健康又は風紀の点より必要と思はるゝ範囲内に於てのみ原則として法律的に制限せらるゝこととなつた。

上記の保護規定特に幼年者の工業労働の禁止、年少労働者及び婦人労働者の労働時間の制限、一定の作業に於てこれ等の者の使用禁止の規定等は全然又は主として此の健康、風紀の理由に基いてゐるのである。しかし尚成年労働者に対しては労働時間の制限規定は一般には存在しなかつた。唯、特に健康に有害なる工業又は一日の労働時間が餘り長きに渉るに於ては労働者の健康を損ふが如き種類の経営に於ては営業條例第一二〇條ノe及びfに基いて最高労働時間を定むるを得た。これは勿論、労働者のみならず、経営官吏、職工長、技術家にも当時適用されたのである。男女使用人に対しては、労働保護は兎角公の販売所に限られ、これに対しては少くも継続一〇時間より一一時間の休養と適当なる昼休みとを与ふべき旨を規定したのである。

世界大戦中は、労働者保護はやむを得ず弛緩したが、一九一八年には従前の状態に迄保護を復せるのみならず以前の範囲外に保護を進めた。一九一八年一一月一二日附「人民代表委員会の布告」(*Ankündigung des Rates der Volksbeauftragten*)の趣旨に従ひ工業労働者には一九一八年一一月二三日附(一二月一七日改正)「工業労働時間ニ関スル復員命令」(*Demobilmachungsverordnungen über die Arbeitszeit der gewerblichen Arbeiter*)に依り、使用人には一九一九年三月一八日附「使用人ノ労働時間ニ関スル復員命令」に依つて、年齢及び性の差別なきあらゆる労働者及び使用人のために八時間労働制が義務として確定された。茲に於て初めて独逸立法の中に衛生上の見地よりする最高労働時間の思想と相並んで文化の見地よりする最高労働時間の思想が顕はれたのである。一九一九年の第一次ワシントン国際労働会議は八時間労働制を決議した。しかし独逸は既にそれに先んじ

て居たのである。

一九一八年の後既に八時間労働制を全く劃一的に実施するは個々の或場合に於ては諸種の困難なる事情に逢着するに相違ないと云ふことが認められたので命令に依り復員委員会に例外を許容する権能が与へられた。斯くの如くして條文の規定を経済生活の要求に適應せしめ得るやうにした譯である。之に反し之等の諸命令を既存の法律体系中に編入するはその成立の特殊なる点より唯限られたる範囲に於てのみ可能であつた。茲に於て復員命令の規定に反する法律の規定は廃止せられたりと宣言せざるを得なくなつた。しかし斯くの如き簡単なことでは再び疑義を生じ難問に逢着せざるを得なくなつたので、間もなく統一的規定を設くることが非常に切望せらるゝ様になつて来た様である。一九二一年八月には独逸参議会及び暫定独逸経済委員会に先づ工業労働者の労働時間法の草案が提出された。この法案は復員命令の形式に依る立法を正規の立法に戻し正規の立法の領域に於て必要なる統一と明確とを期せんとしたのであつた。

この草案に続いて一九二二年五月には使用人の労働時間に関する法律の草案が表はれ今迄行はれたる労働時間規則に代らんとするのであつた。併し立法団体(*Gesetzgebende Körperschaft*)に於て一九二三年の早春に於て行はれたる暫定経済委員会の鑑定により法案の審議を開始せんとする際に経済界全般の不況が独逸に始まり全然従来とは異つた基礎の下に従来の法規に対し眞に必要なる変更を加へねばならぬ様になつて来た。

一九二三年一〇月五日及び六日に政府党と独逸政府との間に協定が成立し協定中に於て労働時間の新規立法の問題に言及した。即ち

「我國現時ノ困窮ハ貨物生産ノ向上ヲ期スルコトが切実ニ必要ナリト思ハル。此向上ハ國民経済ヲ組織的ニ改善シ其際之ニ技術ノ進歩ニヨリ得タ所ヲ充分ニ利用シ之ト並ンデ各人ノ熱誠ナル努力ニヨツテ到達スベキデアル。此方法ニヨル生産ノ向上ト相並ンデ一日八時間労働制ヲ正規ノ労働時間トスルコトヲ原則トスル労働時間法ノ新規定ヲナスコトモ避クベカラザルコトノ如ク思ハル。但シコノ規定ヲナスニ際シテハ國民経済上生産ヲ向上セシムルハ必然的必要ナルヲ以テコノ為ニ現時ノ労働時間ヲ労働協約又ハ法

六三二

律ニヨリ超過スルコトモ可能ナル裁定ヽメザルベカラズ」

この協定の趣旨により新なる草案が作成せられ労働時間に関する暫定法律草案として一九二三年一〇月に議會に提出せられた。該草案に添付せられたる理由書によると本案は能ふ限り社會政策的関係を顧慮して労働意志の活動に対する本質的障害を除去することに依り貨物生産を増進し之を廉價ならしめんことを計つた様に思はれる。

之に次いで草案は原則として八時間労働制を厳守して一定の例外規定を第一次には労働協約の協定に基き第二次には官廳の許可に基き設け得べき餘地を存した。本草案は唯復員命令に對する修正に過ぎず且つ工業労働者及び使用人の労働時間に関する法律案にして上述の如く独逸參議會に提出中のものの内容全部を採用することは之を閑却せざるを得なかつた。さりながらその間に起つた政治的及び経済的事情の困窮益々激しきを加へたる為本案は議會を通過するに至らなかつた。

又他面に於て労働時間に関するこの二箇の復員命令も更に続行の気運を失せる為に一九二三年一一月七日にその效力を失ひたる為頗る不安定なる状態が出現したのである。其後は即ち鉱山並に「パン」及び糖菓製造業者に適用ある特定規定を除き復員命令の発布迄に效力を有せる労働時間に関する営業條例の規定のみが再び效力を有するに至つた。

當時の事情斯くの如き場合であつたから政府は再び労働時間に関する暫定法律の起草に着手し當時存在の権限委任法（Ermächtigungsgesetz）の規定に基き草案に些少の修正を加へ命令の形式に於て之を実施した。一九二三年一二月二一日附「労働時間令」（Arbeitszeitverordnung）は再び八時間労働制の原則を確立したが従前にも増してこの原則に例外を設け得ることを認容した。これ等の例外の最も重要なる点は労働協約の當事者が——勿論官廳が異議を唱ふる権限はあるが—— 一定の範囲内に於て労働時間の規定を為すに當り規定の自由を持つた点であつて労働時間令が效力を生じて後其初期の間は當事者が著しくこの権利を利用したのである。しかし二三の特に衛生上有害なる

六三三

六三四

営業部門に對しては衛生上の見地より八時間制を固守した。而して命令はこれ等の衛生上有害なる営業部門の決定を——地下に於て行はるゝ石炭業を除き——労働大臣に一任し労働大臣はその後此点に関し五個の命令を発布してゐる。この五個の命令とは、一九二五年一月二〇日附「コークス及び熔鉱炉工場ニ於ケル労働時間ニ関スル命令」、一九二七年二月九日附「ガス工場ニ於ケル労働時間ニ関スル命令」、一九二七年二月九日附「金属工場ニ於ケル労働時間ニ関スル命令」、一九二七年二月九日附「硝子磨キ工場ニ於ケル労働時間ニ関スル命令」、一九二七年七月一六日附「鋼工場、展鉄工場、其他大規模ノ鉄工業ノ工場ニ於ケル労働時間ニ関スル命令」等である。

一九二三年の労働時間令は始めより唯暫定的規定として世間に思惟せられ又暫定的なるものとして特色があつた。この暫定労働時間令は之に依り再び效力を生ぜる復員命令に緊密な関係を保つてゐたのであるが、此点より見ても決して独逸の労働時間関係を最終的に有效に規定するに適せるものではなかつた。労働法の最も重大なる部門の一が正規の立法に依らずして規定せられたと云ふ不満な事実を須く論外に置くもこの労働時間令は特に在来の状態の特色たる不明確をも多分に存置した。この不明確なる事実とは営業條例の規定と復員命令の規定とが並存して競合せることより生ずるのである。而もこの不明確性は新労働時間令により愈々以て高めらるゝに至つたと言ふのは即ちこの労働時間令は再び效力を主ぜる前記従前の規定と相並んで自己自身もそれに関連する規定を有し、其の際屡々矛盾する両者の規定相互の関係を明確に規定することがなかつたからである。それに加ふるにこの労働時間令はその内容より見るも著しき缺陥を包藏してゐたのであつて一九二七年四月一四日附「労働時間令ノ変更ニ関スル法律」（Gesetz zur Änderung der Arbeitszeitverordnung）——所謂「労働時間緊急法」（Arbeitszeitnotgesetz）なる別名を有す——により兎に角唯二、三の緊急状態の對策を講ぜんとせることに依り僅かに一部は除去され得た譯である。労働時間令は復員命令の規定に基き非常に廣汎なる幾多例外の権限を認めたがこれは大革命の當時に於ては無理からぬことはあつたが、併し長期に亘つては堪へ難きことの様に思はれた。その

六三五

外既に今詳述した所であるが、長きに亘っては差支があるといふのは、第一に公法的規定の為すべき任務たる労働保護の事柄を労働協約の當事者が殆んど無制限に專決するからである。

一九二三年の労働時間令中に認められたる労働時間延長を可能ならしむる餘地のある規定は或工業に於て法外にこの超過時間の権利を乱用すると云ふ弊害を生ずるに至り、其結果他面に於ては同時に著しく失職者が増加した。

前述の如く一九二三年一二月二一日附「労働時間令」は八時間労働制を確立したが、この原則に對して例外を設け得ることを認容した。その例外規定は賃率契約によって廣汎に行はれて、労働時間は九時間乃至一〇時間に高められた。一九二七年四月一四日附「労働時間緊急法」は、工業労働者の労働時間を原則的に八時間と定め、例外的の場合と雖も一〇時間を超ゆることを認めなかった。又、時間外労働の超過時間に對しては割増賃金を與ふべき旨を定めた。併し世界経済恐慌期に入ると共に「一週四〇時間制の闘爭」（Kampf um die Vierzigstundenwoche）が開始され、日曜休息（Sonntagsruhe）、

店舗閉鎖（Ladenschluß）、婦人及び兒童労働に対する一定の制限及び就業禁止等に関する労働時間問題は全く分裂した。

一九二三年の「労働時間令」は屢々変更され、補充された。最後は一九三四年一月二〇日附「國民労働秩序法」（Gesetz zur Ordnung der nationalen Arbeit）によって変更された（第六八條）。

上述の如く、労働時間法（Arbeitszeitrecht）は実に不統一なものとなつてゐたので、國民労働秩序法は、新しい労働時間を公布しその際法律テキスト（Gesetzestext）のあるひは有るべき不一致を除去すべき特別の権限を國労働大臣に與へた。新しい労働時間令は一九三四年七月二六日附「労働時間令ノ更新ニ関スル命令」（Verordnung über die neue Fassung der Arbeitszeitverordnung）として公布された。本令が、從来散在してゐた諸規定を一つの命令の中に結合させたことによつて、若干の改善をもたらしたことは疑ひない。本令は四章、三二條に亘る極めて詳細な規

定を含んでは居るが、これは格別実質的変化を伴つたものではなかつたのである。

一九三八年四月三〇日附「兒童労働及ビ青少年労働時間ニ関スル法律」（Gesetz über Kinderarbeit und über die Arbeitszeit der Jugendlichen）（青少年保護法 Jugendschutzgesetz）による青少年保護の新規制は、労働時間法を簡單化し且つ同時に事業上の改善を図るための新しい機會を提供した。青少年保護法の適用範囲を凡ての青少年の上に拡張するには、他の法律を変更することが必要であると同時に、特に一九三四年の「労働時間令ノ更新ニ関スル命令」から、青少年を除外することが必要となる。その上、婦人及び其他の成年従業者に對する保護は、從來通り「労働時間令ノ更新ニ関スル命令」の規定に従つてゐるのであるが、それも多くの点に関して、青少年保護に適合せしめられねばならなかつた。かうして「労働時間令ノ更新ニ関スル命令」には多くの変更が加へられ、青少年保護法に含まれてゐる國労働大臣の権限に基き、一九三八年四月三〇日附「労働時間規則」（Arbeitszeitordnung）が制定されることになつたのである。この規則は多くの改善された点を含んでゐる。労働時間の他日割當（andere Verteilung der Arbeitszeit）に関する規定は先づ一日の労働時間を十時間に制限した。次に、凡ての被傭者に對する、從つて又成年男子従業者に対する統一的な休憩規定（Pausenvorschriften）の採用は大きい進歩を意味してゐる。擴張された休憩規定は、婦人に對する特別な保護の必要について考慮を拂つてゐる。この休憩規定は、青少年のために新たに制定された規定に本質的に應ずるものであつて、又、從来の規定とは異り婦人労働者に対してだけではなく婦人使用人（weibliche Angestellte）に対しても適用されるのである。継続的休業時間に関する規定はすべての被傭者の上に及ぼされる。常時少くとも一〇人の労働者を使用する経営又はそれに準ずる経営にその適用を制限されてゐた從来の労働時間法の全ての規定は廃止された。一九三八年四月三〇日附「労働時間規則」は前掲の「青少年保護法」と共に一九三九年

一月一日より效力を発生する。

併し、單に一般的労働時間規制の領域のみならず、労働保護の他の領域（青少年及び婦人の保護強化、日曜休業、店舗閉鎖、経営保護、労働監督）に於ても、屡々又部分的に変更と補充がなされ漸次に発展するうちに、概要の掴めない不統一な規定が出來上つてゐた。國民社會主義國家に於ては、独逸國民の現在と將來に對する労働力の價値は從來よりも遥かに高く評價されてゐるから、この價値ある労働源（Kraftquelle）は以前とは異つた又より高い觀点の下に保全されねばならぬのである。このことは、就中民族の力の維持及び向上のために特に重要な、青少年及び婦人保護に関して云はれる。

從來労働時間令と営業條例とがからみあつて、青少年保護も亦非常に不統一なものとなつてゐる。それ故青少年使用人及び兒童を含めての青少年保護の総括的な、明瞭な新規定が要求された。かくて一九三八年四月三〇日附「兒童労働及ビ青少年労働時間ニ関スル法律」（青少年保護法）が制定された。本法は青少年保護に廣範圍に亘り改善を加へた。本法は、特別の労働保護を、一八歳迄のすべての青少年労働者と使用人の上に拡げ、兒童保護を新たに規制し、職業学校（Berufsschule）に於ける授業時間（Unterrichtszeit）を労働時間中に組入れて計算することによつて、青少年に対して充分な専門教育（Fachausbildung）を與へ、超過労働の徹底的制限及び夜間労働の禁止によつて職業に於ける過労を避けるやうにしてゐる。この外に、本法は、一週の中に自由な午後を與へ、日曜労働を禁止し、充分な休暇を與へることによつて充分な自由時間（Freizeit）を與へてゐる。

青少年保護法の制定とともに、青少年保護は全く新しい基礎の上に据えられた。本法の前文（Vorspruch）の一節、「青少年保護ハ、國民保護デアル。スベテノ青少年ヲ精神的肉体的ニ健全ナル國民ニ教育スルコトハ、民族的必要デアリ且ツ國民社會主義的義務デアル。独逸ノ青少年ニ保護及ビ育成措置（Förderung）ヲ加ヘシメ且ツ之ニヨリソノ給付能力ヲ高メルコトハ、國政府ノ意志デアル」とは最もよく本法の基礎となつてゐる精神を明かにしてゐる。

青少年保護法によつて、從來種々の法律中に散在してゐた保護規定は統一的に総括され、青少年の精神的発展、成長、職業的訓練等のための要求は出來る限り統一されたのである。

第二項　成年男子及び婦人の労働時間保護法

一九三八年四月三〇日附「労働時間規則」の主要條文を以下に掲げ、以て成年男子被傭者及び婦人労働者の労働時間保護についての解説に代へることゝする。

労働時間規則（Arbeitszeitordnung）
——一九三八年四月三〇日——

目　次

第一部　一般的規定
第一條　適用範囲
第二條　労働時間ノ概念
第二部　労働時間一般
第三條　正規ノ労働時間
第四條　労働時間ノ他日割當
第五條　準備及ビ整理労働
第六條　労働時間ノ延長
第七條　賃率規則ニヨル労働時間ノ延長
第八條　営業監督官廳ニヨル労働時間ノ延長
第九條　危険労働ニ於ケル労働時間
第一〇條　継續労働
第一一條　労働時間延長ノ最高限
第一二條　自由時間及ビ休憩時間

六四四

第一三條　公的經營及ビ管理ニ對スル特別規制
第一四條　非常ノ場合
第一五條　超過勞働報酬
第三部　婦人ニ對スル保護強化
第一六條　就業禁止
第一七條　最高勞働時間
第一八條　休　憩
第一九條　夜間休業並ニ日曜及ビ祭日ノ前日ニ於ケル早仕舞
第二〇條　官廳ニヨル例外ノ許可
第二一條　緊急ノ場合ニ於ケル例外
第四部　平日ニ於ケル店舗閉鎖
第二二條　公開販賣店
第二三條　其他ノ販賣所
第五部　施行規定

第二四條　掲　示
第二五條　刑罰規定及ビ強制措置
第二六條　抗　告
第二七條　勞働監督及ビ官廳管轄
第二八條　公共ノ利益ノタメノ例外
第二九條　施行規定

第一部　一般的規定

第一條　適用範圍
(一)　勞働時間規則ハ各種ノ經營及ビ管理ニ於ケル一八歳以上ノ被傭者ニ對シ之ヲ適用ス　該經營及ビ管理ガ利潤追及（Gewinnerzielung）ノ目的ヲ有セザル場合ニ於テモ亦同ジ。次ノ部門ハ之ヲ除外ス。
一、農業（園藝、葡萄栽培業及ビ養蜂業ヲ含ム）、林業・狩獵・牧畜

六四五

六四六

及ビ營利的性質ノ農林業ノ兼營、但シ最後ノモノハ、ソレガ自己ノ必要ノタメニノミ勞働スルトキニ限ル
二、漁業・海運及ビ航空、但シ附屬地上經營ヲ除ク
(二)　（省略）
(三)　（省略）

第二條　勞働時間ノ概念
(一)　勞働時間トハ休憩時間ヲ除ク勞働ノ開始ヨリ終了ニ至ルマデノ時間ヲ謂フ
(二)　石炭鉱業ニ於テハ交替勞働時間（Schichtzeit）ヲ以テ勞働時間ト看做ス　交替勞働時間ハ入坑ニ際スル鋼索運搬機ノ運轉開始ヨリ出坑ニ際スル運轉再開始ニ至ルマデ若クハ個々ノ被傭者ノ坑道入口ヘノ入坑ヨリソノ出坑ニ至ルマデヲ以テ之ヲ算定ス
(三)　勞働時間ハ又ソノ他ノ場合ニ於テ經營内ニ於テ從業スル者ガ自己ノ住居又ハ作業場若クハソノ他經營外ニ於テ從業スル時間ヲモ含ム　被傭者ガ二以上ノ場所ニ於テ從業スルトキハ個々ノ從業ヲ一括シテ法定最高限度勞働時間ヲ超ユルコトヲ得ズ

第二部　勞働時間一般

第三條　正規ノ勞働時間
正規ノ作業日ノ勞働時間ハ八時間ヲ超ユルコトヲ得ズ

第四條　勞働時間ノ他日割當
(一)　勞働時間ガ個々ノ作業日ニ於テ經常的ニ短縮サルルトキハ、不足勞働時間（ausfallende Arbeitszeit）ハ同一週若クハ前週又ハ翌週ノ臨時ノ作業日ニ之ヲ割當ツルコトヲ得　カヽル調整ハ更ニ經營ノ種類ニヨリ勞働時間ノ不平均割當ヲ必要トスル場合ニ於テモ之ヲ認ム　營業監督官廳ハカカル前提ノ存スルヤ否ヤヲ定ムルコトヲ得
(二)　經營祭禮、國民祝典、公的行事又ハ類似ノ理由ニヨリ生ジタル作業日ニ於テル不足ノ勞働時間ハ、不足ヲ生ジタル日ヲ含ム前後五週間ノ作業

六四七

ヨニ之ヲ割當ツルコトヲ得　同一ノ規定ハ祭日ニ關聯シ被傭者ニヨリ長キ継続的自由時間ヲ與フルタメニ次業日ニ於ケル労働時間不足ヲ生シタル場合ニモ之ヲ適用ス

(三)　日労働時間ハ第一項及ビ第二項ノ適用ニ當リ日一〇時間ヲ超ユルコトヲ得ズ　営業監督官廳ハ右ノ限界ノ超過ヲ許可スルコトヲ得

第五條　準備労働及ビ整理労働

(一)　経営又ハ経営部門ニ對シテ認メラレタル労働時間ノ長サハ之ヲ左ノ場合ニ於テ日二時間延長スルコトヲ得　但シ労働時間ガ最高限一〇時間マデノトキニ限ル

一、経常的作業時間中ニ於テ中断又ハ著シキ混乱ナクシテ行ヒ得ザル如キ清掃及ビ整備労働ノ場合

二、労働技術的ニ完全ナル作業ノ再開又ハ維持ノ基礎トナル労働ノ場合

(二)　報知事務ノ完成（之ト関聯シテ必要ナル整理労働ヲ含ム）ノ場合ハ労働時間ヲ半時間延長スルコトヲ得　但シ日一〇時間ヲ超ユルコトヲ得ズ

(三)　（省略）

(四)　営業監督官廳ハ如何ナル労働ヲ以テ準備及ビ整理労働ト看做スベキヤヲ定ムルコトヲ得

第六條　労働時間ノ延長

経営又ハ経営部門ノ従業者ハ之ヲ年三十日正規ノ労働時間ヲ超エ日二時間（一日ニ付労働時間一〇時間ヲ超エズ）超過労働ニ従事セシムルコトヲ得

第七條　賃率規則ニヨル労働時間延長

(一)　正規ノ労働時間ハ賃率規則ニヨリ之ヲ日一〇時間マデ延長スルコトヲ得

(二)　労働時間中ニ常例的ニ且ツ著シキ程度ニ於テ労働準備ヲ含ム場合ハ労働時間ヲ一日ニ付一〇時間以上ニ延長スルコトヲ得

(三)　一九三四年三月二三日附「公的管理及ビ経営ニ於ケル労働秩序法」第一六條第二項ニ從ヒ國務大臣ニヨリ発布セラレタル共通的服務規則ハ

「労働時間規則」ノ意味ニ於テ賃率規則ト同一ニ之ヲ取扱フ

第八條　営業監督官廳ニヨル労働時間延長

(一)　営業監督官廳ハ、必要已ムヲ得ナルコトガ立証サレタル場合ニ於テハ第三條、第四條及ビ第七條トハ異ル期限付キノ労働時間ノ規制ヲ許可スルコトヲ得

(二)　営業監督官廳ハ、労働時間中ニ通例的ニ且ツ著シキ程度ニ於テ労働準備ヲ含ミ又ハ公共福祉ノ緊急ノ理由ニ基キ労働時間ノ延長ガ必要トナルトキニ限リ、日一〇時間ヲ超ユル労働時間ヲ許可スルコトヲ得

第九條　危険労働ニ於ケル労働時間

(一)　生命又ハ健康ニ対スル特別ノ危険ノ下ニ労働スル被傭者ノ属スル営業部門又ハ被傭者群、特ニ地下石炭鉱業ノ労働者並ニ異常ナル程度ニ熱、有害物質、塵埃又ハ類似ノモノヽ影響ヲ受ケ若クハ爆発物ニヨル危険ヲ受クル労働者ニ對シテハ、第四條及ビ第一〇條ニヨル労働時間ノ他日割當ヲ除キ、第三條ノ限界ノ超過ハ、第七條ニヨル賃率規則又ハ第八條ニヨル営業監督官廳ノ許可ニ基イテノミ又労働時間ノ延長ガ公共ノ福祉ニ基キ緊急ニ必要ナルトキニノミ之ヲ許容ス。賃率規則又ハ営業監督官廳ノ許可ニ基ク労働時間ノ延長ハ、ソレガ長年ノ訓練ニヨリ危険ナキコト明カニシテ且ツ半時間ヲ超過セザルトキ、之ヲ許容ス　國労働大臣ハ如何ナル営業部門又ハ被傭者群ニ対シカカル制限ヲ行フヤヲ決定ス

(二)　國労働大臣ハ被傭者ノ健康ニ対シ特別ノ危険ヲ伴フ就業又ハ個々ノ種類ノ経営ニ對シテ労働時間規則ノ規定ヲ超ユル労働時間ノ制限ヲ命ズルコトヲ得

(三)　地下鉱山業ニ在リテハ摂氏二八度以上ノ温度ヲ有スル作業地点ニ対シ管轄鉱山監督官廳ハ従業者ノ労働時間ノ短縮ヲ命ズベキモノトス　其他ノ鉱山法税的規定ハ影響ヲ受クルコトナシ

第一〇條　継續労働

作業日及ビ日曜日ニ間断ナキ進捗ヲ必要トスル作業ニ在リテハ　常例的週交替ヲ可能ナラシムルタメ、男子労働者ハ之ヲ三週間以内ニ一回休憩時

間ヲ加ヘ最高一六時間ニ亘ル就業時間（Schicht）ノ労働ニ従事セシムルコトヲ得　但シソノ者ニ對シテハ三週間ニ二回各二四時間ノ中断セラレザル休業時間ヲ與フベキモノトス

第一一條　労働時間延長ノ最高限

労働時間ハ、第四條第三項第二句、第五條第三項、第七條第二項、第八條第二項、第一〇條及ビ第一四條トハ別個ニ多クノ例外ノ競合スル場合ニ於テモ日一〇時間ヲ超ユルコトヲ得ズ

第一二條　自由時間及ビ休憩時間

(一) 被傭者ニ對シテハ日労働時間ノ終了後最低限一一時間ノ継続的休業時間ヲ與フベシ　旅館及ビ飲食店営業、其他ノ宿泊施設及ビ交通業ニ於テハ継続的休業時間ヲ一〇時間ニ短縮スルコトヲ得　営業監督官廳ハ、必要已ムヲ得ザルコトガ立證セラレタル場合ニハ他ノ例外ヲ許可スルコトヲ得

(二) 男子被傭者ニ對シテハ、六時間ヲ超ユル労働時間ニ在リテハ半時間ノ休憩一回又ハ一五分ノ休憩二回ヲ與フルコトヲ要ス、但シ休憩時間中ニ

於テハ経営内ニ於ケル就業ヲ許サザルモノトス　休憩中ニ於ケル居所トシテ出來ル限リ特別ノ居室又ハ戸外場所ヲ用意スベシ（以下省略）

第一三條　公的経営及ビ管理ニ對スル特別規制

(一)「國自動車道」営団、國銀行及ビ州ノ経営及ビ管理並ニ地方自治団体及ビ地方自治団体聯合ノ管理ニ関シテハ上長勤務官廳ハ官吏ニ適用セラル丶労働時間ニ関スル服務規定ヲ被傭者ニ準用スルコトヲ得

(二) 公法上ノ団体ニ於テ官吏ト共ニ就業スル使用人ニ対シテハ、別段ノ単独約定（Einzelabrede）、服務規則又ハ賃率規則存セザルトキ、第一項ニヨル轉用明文ナクトモ官吏ニ適用セラル丶労働時間ニ関スル服務規定ヲ準用ス

第一四條　非常ノ場合

(一) 労働時間ノ長サ、自由時間及ビ休憩時間ニ関スル第三條乃至第一三條ノ規定ハソノ影響ヲ受クル者ノ意志ト無関係ニ生ジ且ツソノ結果ヲ他ノ方法ニヨリ除去シ得ザル如キ緊急ノ場合及ビ非常ノ場合、特ニ原料又ハ食

糧品缺乏シ若クハ労働生産ノ不足スル如キ場合ニ於ケル臨時的労働ニ対シテハ之ヲ適用セズ

(二) 比較的ニ少数ノ被傭者ガ個々ノ日ニ於テ労働ノ結果ヲ危殆ナラシメズ若クハ異常ナル経済的損害ヲ生ゼシメザルタメニ不可缺ナル労働ニ従事シ且ツ企業者ガ他ノ豫防手段ヲ講ズルコト能ハザル場合ニ於テハ前項ノ規定ヲ適用ス

第一五條　超過労働報酬

(一) 労働時間ノ延長ニ関スル第六條、賃率規則ニヨル労働時間延長ニ関スル第七條、営業監督官廳ニヨル労働時間延長ニ関スル第八條及ビ非常ノ場合ニ関スル第一四條ノ規定ニ基キ超過労働ガナサレタルトキハ、被傭者ハ徒弟ヲ除キ第三條及ビ第四條ノ限界ヲ超ユル労働時間ニ対シ経常的労働時間ニ対スル賃銀ノ外ニ適當ナル報酬ヲ請求スルコトヲ得　但シ第五條ニヨリ超過労働ノ許容セラルル場合若クハ緊急時、天災地変、災害事故又ハ其ノ他ノ不可避ナル妨害ノ結果ノミニヨリ必要ナル場合ハコノ限リニ非ズ

賃率規則又ハ官廳ノ許可ニヨル労働時間ノ延長ノ場合ニアリテハ、労働時間中ニ常例的ニ且ツ著シキ程度ニ於テ労働準備ヲ含ムトキ超過労働ニ對スル請求権ハ消滅スル

(二) 當事者ガ異レル條件ノ協定ヲ行ハザルカ若クハ國務大臣ガ共通的服務規則ニヨッテ異レル規定ヲ設ケズ、國労働大臣又ハ國労働管理官（特別労働管理官）ガ異ナル規定ヲ設ケザル場合ニ於テハ、二五％ノ割増賃金ヲ以テ適當ナル報酬ト看做ス

(三) ソノ種類ニ應ジ経常的ニ一年ノアル期間ニ著シキ労働強化ヲ必要トスル営業ニ於テ、カカル期間中第三條ノ限界以上ニ労働シタル場合ハ、國労働大臣ハカカル超過労働ガ一年ノ他ノ期間ニ於ケル労働時間ノ短縮ニヨリ相殺セラルル限リ第一項及ビ第二項ノ規定ヲ適用セザルベキ旨ノ規定ヲ設クルコトヲ得。

第三部　婦人ニ對スル保護強化

第一六條　就業禁止

(一) 婦人労働者ノ鉱山・塩坑・選鉱所・地下作業石坑オヨビ鉱坑ニ於テ地下労働ニ従事スルコトヲ得ズ　更ニ又選鉱（選別・洗滌）ヲ除ク採掘作業、選鉱及ビ積降作業ニ於テハ地上労働ト雖モ之ニ従事スルコトヲ得ズ

(二) 婦人労働者ハコークス製造所及ビ各種建造所ニ於ケル原料及ビ工場資料ノ運搬ニ従事スルヲ得ズ

(三) 國労働大臣ハ健康若クハ風紀上特ニ危険ヲ伴フ個々ノ種類ノ経営又ハ作業ニ於ケル婦人労働者ノ就業ヲ完全ニ拒否シ若クハ條件ヲ附シテ許容スルコトヲ得

第一七條　最高労働時間

(一) 婦人労働者ニ對シテハソノ希望ニ基キ妊娠及ビ産褥中第三條及ビ第四條ノ限界ヲ超ユル労働ヲ免除スベシ

(二) 婦人労働者ハ経営又ハ経営部門ニ對シ認メラルル労働時間ノ長サヲ超エテ最高限一時間迄之ヲ第五條第一項ニ掲グル準備労働及ビ整理労働ニ従事セシムルコトヲ得

(三) 第二部ノ例外ノ適用ニ當リテハ、婦人労働者ハ之ヲ日一〇時間ヲ超エテ就業セシムルコトヲ得ズ　日曜及ビ祭日ノ前日ニ於テハ、労働時間ハ八時間ヲ超ユルヲ得ズ

(四) （省略）

第一八條　休憩

(一) 婦人労働者ニ對シテハ四時半ヲ超ユル労働時間ノ場合労働時間内ニ一時間又ハソレ以上豫定セラレタル休憩ヲ適當ニ継続セシメテ與フベシ　休憩時間ハ最低限四時間半乃至六時間ノ労働時間ニアリテハ二〇分、六時間乃至八時間ノ労働時間ニアリテハ三〇分、八時間乃至九時間ノ労働時間ニアリテハ四五分、九時間以上ノ労働時間ニアリテハ一時間ヲ給與スルコトヲ要ス（中略）　婦人労働者ハ之ヲ四時間半以上休憩ナク従業セシムル

コトヲ得ズ

(二) 最低限一五分ノ労働中断ノミヲ以テ休憩ト看做ス

(三) 休憩中ハ経営内ニ於ケル婦人労働者ノ従業ヲ許可スルヲ得ズ　休憩中ニ於ケル居所トシテ出来得ル限リ特別ノ居室又ハ戸外場所ヲ用意スベシ　労働室ニ於ケル在室ハ婦人労働者ノ在室スル場所ニ於ケル経営ノ一部ノ労働ガ休憩中完全ニ休止セラレ且ツ必要ナル休養ノ妨ゲトナラザル場合ニ限リ之ヲ許可スルコトヲ得

第一九條　夜間休業並ニ日曜及ビ祭日ノ前日ニ於ケル早仕舞

(一) 婦人労働者ハ夜間二〇時ヨリ六時マデ之ヲ従業セシムルコトヲ得ズ日曜及ビ祭日ノ前日ニハ一七時以後之ヲ就業セシムルコトヲ得ズ．

(二) 交替制ノ経営ニ於テハ被傭者ヲ二三時マデ従業セシムルコトヲ得　前従業時間ハソレニ應ジ後従業時間ヨリ早ク終了セシムル場合豫メ営業監督官廳ニ通告シテ常例的ニ五時以後ニ之ヲ開始スルコトヲ得（以下省略）

(三) 第一項及ビ第二項ノ規定ハ次ノ経営ニハ之ヲ適用セズ．

交通業・旅館及ビ飲食店営業・其他ノ宿泊施設・理髪業・浴場・病院・音楽會・劇場・展観又ハ娯楽・映画上映・公開販賣店・市場、等

第二〇條　官廳ニヨル例外ノ許可

(一) 國労働大臣ハ経営技術的又ハ一般経済的理由ニヨリ最高労働時間ニ関スル第一七條並ニ夜間休業及ビ日曜・祭日ノ前日ニ於ケル早仕舞ニ関スル第一九條ノ規定　例外ヲ許可スルコトヲ得

(二) （省略）

(三) 営業監督官廳ハ重要ナル理由ニヨリ第一八條トハ異ル休憩時間ノ規制ヲ許可スルコトヲ得　該官廳ハ労働ノ重度ニヨリ又ハ其他少年ノ健康ニ對スル従業ノ影響ニヨリ緊切ニ必要ト認メラルヽ限リ経営又ハ経営部分若クハ一定ノ労働ニ対シ第一八條第一項及ビ第二項ノ規定ヲ超ユル休憩ヲ命ズルコトヲ得

(四) 営業監督官廳ハ第一九條第一項ノ規定ニ拘ラズ労働者ガ異常ナル程度ニ高熱中ニ作業スル如キ経営ニ於テ比較的高温ナル期間六時前ニ於ケル

婦人労働者ノ従業ヲ許可スルコトヲ得

第二一條　緊急ノ場合ニ於ケル例外

最高労働時間、休憩時間、夜間休業並ニ日曜及ビ祭日ノ前日ニ於ケル早仕舞ニ関スル第一七條乃至第一九條ノ規定ハ緊急ノ場合ニ於テ直チニ行フコトヲ要スル臨時的労働ニ対シテハ之ヲ適用セズ　経営指導者ハ遅滞ナクカカル労働ノ遂行ヲ営業監督官廳ニ届出ヅルコトヲ要ス

第四部　平日ニ於ケル店舗閉鎖

第二二條　公開販賣店

(一) 各種ノ公開販賣店ハ一九時ヨリ七時マデソノ取引ヲ中止スベシ　但シ薬局ハコノ限リニ非ズ　閉店時ニ在店セル顧客ニ対シテハ販賣ヲ行フコトヲ得

(二) 一二月二四日ニハ、第一項第一句ノ規定ニ拘ラズ公開販賣店ハ一七時以後ソノ取引ヲ中止スベシ　但シ薬局並ニクリスマス樹ノ販賣店ハ之ヲ除外ス

(三) 販賣者ハ年最大限二〇日管轄地区警察官廳ノ定ムル日ニ於テ一九時以後二一時以内マデ取引ヲ行フコトヲ得

(四) 食料品取引業務ハ管轄地区警察官廳ノ細目規定ニ従ヒ五時以後七時以前ニ開店スルコトヲ得

(五) 地区警察官廳ハ除外例ノ許容ニ先立チ営業監督官廳ノ意見ヲ徴シ且ツ許容シタル除外例ニ関シ文書ヲ以テ営業監督官廳ニ通知スベシ　営業監督官廳ガカカル除外例許容ヲ以テ従業者ノ保護ニ合致セザルモノト認メタル場合ハ、該官廳ハ遅滞ナク上級行政官廳ノ決定ヲ仰グコトヲ要ス

(六) 第一項乃至第五項ノ規定ハ独立的販売施設（商品自動販賣器）ニシテ継続的経営ノ目的ヲ以テ設立セラレタル公開販賣店ノ所有者ニヨリカカル公開販売店ニ附属シテ設ケラレ且ツ公開販賣店自体ニ存スル商品ノミヲ販賣スルモノニヨル商品ノ販賣ニ對シ之ヲ適用セズ　商品自動販賣器ノ管理ハ第一項乃至第五項ノ規定ニヨリ平日ニ於ケル公開販賣店ニヨル販賣ニ

関シ一般的ニ許容セラルル時間内ニ於テノミ之ヲ行フコトヲ得　國労働大臣ハ國経済大臣ト協議シテソノ細目ヲ定ムルコトヲ得

第二三條　其他ノ販賣所

第二二條ニヨリ販賣店ノ閉店セラルル時間中ニ於ケル公道・街路・廣場又ハ其他ノ公開ノ場所ニ於テ若クハ豫メ注文ナクシテ戸別的ニ又ハ常設営業又ハ行商営業ニヨル商品ノ販賣ハ之ヲ禁止ス

第四部　施行規定

第二四條　掲示

(一) 経営指導者ハ左ノ義務ヲ有ス

一、経営内ノ閲覧ニ適當ナル場所ニ労働時間規則ノ複寫ヲ掲示スルコト

二、経営内ノ閲覧ニ適スル場所ニ正規ノ日労働時間及ビ休憩時間ノ開始及ビ終了ニ関スル掲示ヲナスコト

三、第四條ニヨル労働時間ノ他日割當、第五條ニヨル準備労働及ビ整理労働、第六條ニヨル労働時間ノ延長及ビ第一四條ニヨル非常ノ場合ニ於ケル労働並ニコノ場合ニ於ケル労働時間ノ状況並ニ継続時間及ビ従業者ニ対スル割當ニ関スル指示ヲ遅滞ナクナスコト　関係従業者ニ對シテハソノ要求ニ基キ證明書ノ閲覧ヲ許スベシ

(二) 第一項第三號ニ規定スル證明書ハ要求ニ基キ営業監督官廳ニ之ヲ提示シ又ハソノ閲覧ノタメ之ヲ送付スベシ

（第二五條ヨリ第二九條マデ省略）

第三項　青少年労働時間保護法

一九三八年四月三〇日附「兒童労働及ビ青少年労働時間ニ関スル法律」(青少年保護法)の主要條文を以下に掲げ、以て兒童労働時間及び青少年労働時間についての解説に代へることゝする。

兒童労働及ビ青少年労働時間ニ関スル法律
（青少年保護法）
（Gesetz über Kinderarbeit und die Arbeitszeit der Jugendlichen (Jugendschutzgesetz)）
——一九三八年四月三〇日——

目　次

前　文（Vorspruch）

青少年保護ハ國民保護タリ。

スベテノ青少年ヲ精神的・肉体的ニ健全ナル國民ニ教育スルハ、民族的必要ニシテ且ツ國民社會主義的義務タリ。

独逸ノ青少年ニ保護及ビ育成措置ヲ加ヘシメ且ツ之ニヨリソノ給付能力ヲ高メシムルハ、國民ノ意志タリ。

左ノ根本觀念ノ實現ハ右ノ目的ニ資セントスルモノナリ。

兒童労働ハ原則的ニ之ヲ禁止スル。

青少年ハ労働時間ノ制限及ビ夜間労働ノ禁止ニヨリ過度ノ要求ヨリ之ヲ保護ス。

職業的再教育、肉体的強化、人格ノ形成及ビ國家政策的教育ノタメニ必要ナル餘暇（Freizeit）ハ之ヲ確保ス。

青少年ノ休暇（Urlaub）及ビソノ有意義ナル利用ハ之ヲ保障ス。

六六八

コノ故ヲ以テ國政府ハ左ノ法律ヲ決定シ茲ニ之ヲ公布ス。

第一部　一般的規定

第一條　適用範囲

(一) 本法ハ徒弟又ハ労働関係ニアリ且ツ徒弟又ハ労働関係ニ於ケル労働給付ト類似セル其他ノ勤務活動ヲ行フ兒童及ビ青少年ノ従業ニ對シテ之ヲ適用スル。

(二) 兒童トハ十四歳ニ達セザル者ヲ謂フ

(三) 青少年トハ一四歳以上ニシテ且ツ一八歳ニ達セザル者ヲ謂フ。尚未ダ國民教育義務アル青少年ニ對シテハ兒童ノ従業ニ関スル規定ヲ適用スル。

第二條　適用範囲ノ限定

(一) 左ニ於ケル従業ハ労働條件ノ特殊性ヲ理由トシテ特別ノ法律的規制ヲ以テス

一、家事（Hauswirtschaft）

二、農業（園藝、葡萄栽培業及ビ養蜂業ヲ含ム）・林業・狩猟及ビ牧畜

三、漁業・海運・水運・航空、但シ附属地上経営ヲ除ク

(二) 第一項第二號ニ揭グル経済部門ノ兼営（Nebenbetrieb）ニ對シテハソノ種類ニ於テ本法ノ適用範囲内ニ属シ且ツ單ニ自己ノ必要ノタメニノミ労働セザルトキハ本法ヲ適用スル

(三) 家族経営（Familienbetrieb）ニ就業セル青少年ニシテ企業者又ハソノ配偶者ト三親等以内ノ親族関係ニアルモノニ對シテハ本法第二〇條ノ危険労働ニ関スル規定ノミヲ適用スル　其ノ他ノ規定ハ営業監督官廳（Gewerbeaufsichtsamt）ガ必要ナル場合ニ個々ノ経営ニ対シテソノ遵守ヲ強制的ニ命ジナイ限リ單ニ規準（Richtlinien）トシテ之ヲ適用スル　家族経営トハ企業者又ハソノ配偶者ト三親等以内ノ親族関係ニアル家族世帯員（Mitglieder des Familienhaushalts）ノミ常時従業スル経営ヲ謂フ

(四) 國労働大臣ハ管轄國務大臣（zuständiger Fachminister）

六六九

六七〇

ト協議シテ個々ノ種類ノ経営又ハ就業ガ上記ノ例外ニ属スルヤ否ヤニ関ハル規定ヲ発布スルコトヲ得　カカル規定ノ発布セラレザル限リ営業監督官廳ハ個々ノ場合ニ於テ必要ナル決定ヲ行フコトヲ得

第三條　労働時間ノ概念

(一) 日労働時間（tägliche Arbeitszeit）トハ労働ノ開始ヨリ終リニ至ル迄ノ時間（休憩時間ヲ除ク）ヲ謂フ　週労働時間（Wochenarbeitszeit）トハ月曜日ヨリ日曜日ニ至ル（日曜日ヲ含ム）労働時間ヲ謂フ

(二) 労働時間ハ又其他ノ場合ニ於テ経営内ニ於テ従業スル者ガ自己ノ住居（Wohnung）又ハ作業場（Werkstätte）若クハ其他経営外ニ於テ従業スル時間ヲモ含ム　兒童又ハ青少年ガ二以上ノ場所ニ於テ従業スルトキハ個々ノ従業ヲ一括シテ法定最高限労働時間ヲ超ユルコトヲ得ズ

(三) 兒童又ハ青少年ガ著シキ程度ニ於テ本法ノ範囲内ニ属スル労働ニ従事シ且ツ徒弟関係又ハ労働関係ニ於テ他ノ経済部門（第二條第一項）ニ於テモ従業スルトキハ労働時間ニ関スル第五條第三項第二号及ビ第七條乃至第一三條ノ規定ヲ適用スル

第二部　兒童労働

第四條　兒童労働ノ禁止

(一) 兒童労働ハ原則的ニ之ヲ禁止スル

(二) 例外ハ左ノ規定ニ於テ明白ニ規定セラルル場合ニ於テノミ之ヲ認メル、

第五條　國民学校就学義務終了前ニ於ケル兒童労働

(一) 國民学校就学義務アル兒童ハ就業ノ開始前ニ企業者ニ対シ兒童労働票（Arbeitskarte des Kindes）ガ手交セラレタル場合ニ於テノミ就業スルコトヲ得　本規定ハ一二歳以上ノ兒童ノ個々ノ労働給付ニ於ケル臨時的就業ニ対シテハ之ヲ適用セズ

(二) 一二歳以上ノ國民学校就学義務アル兒童ハ手工業ニ於ケル軽労働

六七一

六七二

（leichte Arbeit）、商品ノ配達（Austragen von Waren）其他ノ運ヒ走リ及ビ運動競技ニ於ケル手傳（Handreichungen bei spiel (Sport)）ニ従事スルコトヲ得　家族経營ニ於テハ國労働大臣ガ作業ノ体力ニ不適當ト指定セザル限リ他ノ作業ニ就業スルコトハ之ヲ認メル

(三)　第二項ニヨル兒童ノ就業ニ對シテハ左ノ制限ヲ適用スル

一、兒童ハ八時ヨリ一九時迄ノ時間ニ於テノミ就業スルコトヲ得ルモ午前ノ授業前ニ就業スルヲ得ズ

二、就業ハ日二時間、学校休暇中ニ於テハ四時間以上ニ亘ルコトヲ得ズ午前ノ授業後ニ於テハ少クトモ二時間、午後ノ授業後ニ於テハ少クトモ一時間ノ中断セラレザル自由時間（ununterbrochene arbeitsfreie Zeit）ヲ與フルコトヲ要スル

三、日三時間以上ノ就業ニ當ツテハ三〇分ノ休憩時間（Ruhepause）ヲ與フルコトヲ要スル　三〇分ノ休憩ハ一五分ノ休憩二回ヲ以テ之ニ代フルコトヲ得

四、学校休暇中ニ於テハ少クトモ一年ニ付一五作業日（fünfzehn Werktage）ノ休業ヲ與フルコトヲ要スル　カカル自由時間ハ出來ル限リ勝関的ニ之ヲ與フルコトヲ要スル　カカル自由時間ハ三回以上ニ切離スコトヲ得ズ

五、日曜日及ビ祭日ニハ兒童ヲ就業セシムルコトヲ得ズ

(四)　音樂會、芝居及ビ其他ノ興業又ハ展覧（Darbietungen）ニ於テハ藝術又ハ科学ノ重要性ノタメ必要ナル限リ営業監督官廳ハ例外的ニ兒童ノ就業ヲ許可スルコトヲ得　映画上映ニ於テモ営業監督官廳ハ例外的ニ兒童ノ就業ヲ許可スルコトヲ得　但シ三歳以下ノ兒童ノ使用ハ著シキ科学的又ハ藝術的必要アル場合ニシテ明ラカニ兒童ノ健康保護及ビ実物教育上ノ保護及ビ監督ノタメノ特別ノ準備ガナサレタルトキニ限リ之ヲ許可スルコトヲ得　営業監督官廳ハ就業ノ状態及ビ継続時間、休憩時間及ビ日曜労働ニ関スル詳細ナル規定ヲ設クルコトヲ要スル

六七三

六七四

第六條　國民労校就学義務終了後ニ於ケル兒童労働

(一)　國民学校就学義務ヲ有セザル兒童ハ日六時間迄之ヲ就業セシムルコトヲ得　ソノ他ニ関シテハ第八條第二項ヲ除ク青少年労働時間ニ関スル第三部ノ規定ヲ適用スル　徒弟関係ニ於テハ國民学校就学義務ヲ有セザル兒童ハ営業監督官廳ニ届出デタル後青少年ト同様ニ之ヲ就業セシムルコトヲ得

(二)　音樂會・芝居・其他ノ興業・展観又ハ娯樂及ビ映画上映ニ於テハ営業監督官廳ノ同意ヲ得タルトキニ限リ就業ヲ認ム　営業監督官廳ハ就業ノ状態及ビ継続時間、休憩時間及ビ日曜労働ニ関スル詳細ナル規定ヲ設クルコトヲ要スル

第三部　青少年ノ労働時間

第七條　正規ノ労働時間

(一)　青少年ノ日労働時間ハ八時間、週労働時間ハ四八時間ヲ超ユルコトヲ得ズ

(二)　作業ノ性質ニヨリ中断セラレザル進捗ヲ必要トスル作業ニ於テハ一六歳以上ノ青少年ノ週労働時間ヲ二週間ノ平均ニ於テ五二時間迄増加スルコトヲ得

第八條　職業学校

(一)　青少年ニ對シテハ法定ノ職業学校就学義務ノ履行ニ必要ナル時間ヲ與フルコトヲ要スル

(二)　職業学校ニ於ケル授業時間ハ之ヲ労働時間ニ算入スル　教育補助金（Erziehungsbeihilfe）又ハ賃銀ハ授業時間ニ對シテ引続キ支拂ハルルモノトスル

第九條　労働時間ノ他日割當（Andere Verteilung der Arbeitszeit）

(一)　労働時間ガ個々ノ日ニ於テ規則的ニ短縮セラルルトキハ喪失労働時間（ausfallende Arbeitszeit）ハ同一週若クハ前週又ハ翌週ノ爾

六七五

餘ノ日ニ之ヲ割當ツルコトヲ得　カヽル調整ハ更ニ経営ノ種類ニヨリ労働時間ノ不平均割當（ungleichmäßige Verteilung）ヲ必要トスル場合ニ於テモ之ヲ認ム　営業監督官廳ハカヽル前提ガ存スルヤ否ヤヲ定ムルコトヲ得

(二) 経営祭禮（Betriebsfeier）、國民祝典（Volksfeste）、公的行事（öffentliche Veranstaltungen）又ハ類似ノ理由ニヨリ生ジタル喪失労働時間ハ喪失日ヲ含ム前後五週間ノ作業日ニ之ヲ割當ツルコトヲ得　同一ノ規定ハ祭日ニ関聯シテ被傭者ニヨリ長キ継続的自由時間ヲ與フルタメニ作業日ニ於ケル労働時間ガ缺ケタル場合ニモ之ヲ適用スル

(三) 日労働時間ハ第一項及ビ第二項ノ適用ニ當リ九時間ヲ超ユルコトヲ得ズ

第一〇條　準備及ビ整理労働（Vor- und Abschlußarbeiten）

(一) 準備及ビ整理労働ハ原則トシテ労働時間ノ開始ヲ遅クシ又ハ終了時間ヲ早クシ若クハ休憩時間ヲ長クスルコトニヨリ之ヲ調整スベキモノトス

ル

(二) 青少年ノ訓練（Ausbildung）ノタメ必要ナル場合若クハ緊急ナル経営上ノ理由アル場合ニハ第七條及ビ第九條ニヨリ許容セラルル一六歳以上ノ青少年ニ對スル労働時間ヲ左ノ場合ニ限リ日半時間延長スルコトヲ得

一、清掃（Reinigung）及ビ整頓（Instandhaltung）ノタメノ労働ノ場合、但シ之等ノ労働ガ通常ノ作業中ニ於テ中断又ハ著シキ障碍ナクシテ行ヒ得ザル場合ニ限ル

二、労働技術的ニ完全ナル作業ノ再開又ハ維持ノ基礎トナル労働ノ場合

三、報知事務（Kundschaft）ノ完成（之ト関聯シテ必要ナル整理労働（Aufräumungsarbeit）ヲ含ム）ノ場合

(三) 営業監督官廳ハ如何ナル労働ヲ以テ準備及ビ整理労働ト看做スベキヤヲ定ムルコトヲ得

第一一條　官廳ニヨル労働時間延長許可

営業監督官廳ハ第七條、第九條及ビ第一〇條ニヨッテ認メラレタル一六歳以上ノ青少年ニ対スル労働時間ノ長サヲ左ノ場合ニ限リ日一〇時間及ビ週五四時間迄ノ延長ヲ認ムルコトヲ得

一、労働時間中ニ通常且ツ著シキ範囲ニ於テ労働準備（Arbeitsbereitschaft）ヲ含ミ、コノ理由ニヨッテ成人被傭者ノ労働時間ガ延長サレル場合

二、公共福祉特ニ少年ノ訓練ノタメノ緊急ノ理由ニ基キ超過労働ヲ必要トスル場合

第一二條　労働時間延長ノ最高限

労働時間ハ労働時間ノ他日割當、準備及ビ整理労働ノ場合及ビ官廳ニヨル労働時間延長許可ニヨル例外ノ競合スル（Zusammentreffen）場合ニ於テモ日一〇時間及ビ週五四時間ヲ超ユルコトヲ得ズ

第一三條　超過労働報酬（Mehrarbeitsvergütung）

(一) 第一一條第二號ニ基キ超過労働ヲ給付シタル場合青少年ハ徒弟ヲ除キ第七條及ビ第九條ノ限界ヲ超ユル労働時間ニ対シ通常ノ労働時間ニ對スル賃銀ヲ超ユル適當ノ報酬ニ対スル請求権ヲ有スル

(二) 當事者ガ異レル協定ヲ行ハズ若クハ國務大臣（Reichsminister）ガ共通的服務規則（Gemeinsame Dienstordnung）ニヨリ異レル規定ヲ設ケズ、國労働大臣又ハ國労働管理官（特別労働管理官）ガ異レル規制ヲ設ケザル限リ二五％ノ割増（Zuschlag）ヲ以テ適當ナル報酬ト看做ス

第一四條　自由時間（arbeitsfreie Zeit）

(一) 日労働時間ノ終了後ハ青少年ニ対シテ少クトモ一二時間ノ中断セラレザル休業時間（Ruhezeit）ヲ與フベキモノトス

(二) 旅館及ビ飲食店営業、其他ノ宿泊施設（Beherbergungswesen）、パン製造所及ビ菓子製造所ニ於テハ一六歳以上ノ青少年ニ對スル中断セラレザル休業時間ヲ一〇時間迄ニ短縮スルコトヲ得ル

第一五條　休憩時間

(一)　青少年ニ對シテハ四時間半以上ノ労働時間ノ場合ニハ一時間又ハソレ以上ノ豫定セラレタル休憩ヲ適當ニ継続シテ労働時間中ニ與フルコトヲ要スル　休憩時間ハ少クトモ四時間半乃至六時間ノ労働時間ニアッテハ二〇分、六時間乃至八時間ノ労働時間ニアッテハ三〇分、八時間乃至九時間ノ労働時間ニアッテハ四五分、九時間以上ノ労働時間ニアッテハ一時間ヲ継続スルコトヲ要スル　青少年ハ之ヲ四時間半以上休憩ナク就業セシムルコトヲ得ズ

(二)　最低限一五分ノ労働中断ノミヲ以テ休憩ト看做ス

(三)　休憩時間中ハ経営内ニ於ケル少年ノ従業ヲ許可スルヲ得ズ　休憩中ニ於ケル居所トシテ出來ル限リ特別ノ居室（Aufentaltsräume）又ハ戸外ノ場所（freie Plätze）ヲ用意スベキモノトス　労働室ニ於ケル在室（Aufenthalt in den Arbeitsräumen）ハ青少年ノ在室スル経営ノ一部ニ於ケル作業ガ休憩中完全ニ休止セラレ且ツ必要ナル休養（Erholung）ノ妨ゲトナラザル場合ニ限リ之ヲ許可スルコトヲ得　休養及ビ養力（Kräftigung）ニ役立ツ体育（Heranziehung zu körperlichen übung）ハ之ヲ許容ス

(四)　営業監督官廳ハ青少年ノ保護ノ必要（Schutzbedürftigkeit）ニ對スル考慮ト一致スル限リ重要ナル根據ニ基キ第一項乃至第三項ト異ナレル規制ヲ許容スルコトヲ得　該官廳ハ労働ノ重度（die Schwere der Arbeit）ニヨリ又ハ其他青少年ノ健康ニ對スル従業ノ影響ニヨリ必要ト認メラルル限リ経営又ハ経営部分若クハ労働ニ関シ第一項又ハ第二項ノ規定ヲ超ユル休憩ヲ命ズルコトヲ得

第一六條　夜間休業（Nachtruhe）

(一)　青少年ハ夜間二〇時ヨリ六時迄之ヲ就業セシムルコトヲ得ズ

(二)　旅館及ビ飲食店及ビ其他ノ宿泊施設ニ於テハ一六歳以下ノ青少年ヲ二一時迄　一六歳以上ノ青少年ヲ二三時迄就業セシムルコトヲ得　通例深夜ニ営業ガ主トシテ行ハレル旅館及ビ飲食店営業ニ於テハ、営業監督官廳ハ一六歳以上ノ青少年ノ給仕（Kellner）及ビ料理人トシテノ就業ヲ許可スルコトヲ得　女子青少年ニ對シテハ二二時以後客ノ給仕ヲ行ハシムルコトヲ得ズ

(三)　パン製造所及ビ菓子製造所ニ於テハ一九三六年六月二九日附「パン製造所及ビ菓子製造所ニ於ケル労働時間ニ関スル法律」ニヨリ夜間ニ於ケルパン及ビ菓子製造ガ許可セラルヽ限リ一六歳以上ノ青少年ヲ夜間ニ於テ就業セシムルコトヲ得

(四)　音樂會・芝居・其他ノ興業・展覧又ハ娯楽及ビ映画上映ニ於テハ青少年ヲ二四時迄就業セシムルコトヲ得　但シ一六歳以下ノ青少年ノ就業ハ営業監督官廳ニ對シ豫メ之ヲ届出ヅルコトヲ要スル　営業監督官廳ハ一六歳以下ノ青少年ノ二〇時以後ニ於ケル就業ヲ拒否シ又ハ條件ヲ附シテ之ヲ許可スルコトヲ得

(五)　交替制経営ニ於テハ一六歳以上ノ青少年ヲ隔週ニ三時迄就業セシムルコトヲ得（以下省略）

(六)　営業監督官廳ハ労働者ガ異常ナル程度ニ熱ノ作用ヲ受クル如キ経営ニ於テハ比較的高温ナル期間六時前ニ於ケル青少年ノ就業ヲ許可スルコトヲ得

第一七條　日曜及ビ祭日ノ前日ニ於ケル早仕舞

(一)　土曜日及ビ降誕祭及ビ新年ノ前日ニハ青少年ヲ非交替制経営（ein-schichtiger Betrieb）ニ於テ一四時以後ニ就業セシムルコトヲ得ズ　早仕舞ニヨリ生ズル労働時間ノ不足ハ第九條ノ労働時間他日割當ニ関スル規定ニ應ジ之ヲ調整スルコトヲ得

(二)　第一項ノ規定ハ、従來土曜日午後ニ於ケル就業ヲ常例トシタル限リ交通業・生肉業・パン及ビ菓子製造業・旅館及ビ飲食店業・其他ノ宿泊施設・理髪業・演劇・自動車及ビ自轉車修繕業・病院・音樂會・劇場・其他ノ興業・展覧又ハ娯楽・映画上映・公開販賣店・市場及ビ運動競技ノ手傳ニハ之ヲ適用セズ　該規定ハ更ニ公開販賣店ニ附設セル加工作業場（An-lernungswerkstätte）ニ従業セル一六歳以上ノ青少年ニ對シテハ

該作業ガ適當ナル成人ニヨリテ行ハレザル限リ之ヲ適用セズ　本規定ニ基キ第一項ト異レル從業ヲ行フ青少年ハ最近週ノ他ノ日ニ於テ一四時ヨリ労働ヲ休止セシムベキモノトス

(三)（省略）

(四)公共福祉ノ緊急ナル理由ニ基キ若クハ他ノ方法ニ於テ防止シ得ザル大イナル損害ガ経営ニ対シ生ズル虞レアル場合ニハ、営業監督官廳ハ一暦年ニ於テ総計六土曜日但シ継続的ニ最高限ニ土曜日ニ、第一項ノ規定ト異ナル一六歳以上ノ青少年ノ就業ヲ許可スルコトヲ得（以下省略）

第一八條　日曜及ビ祭日休業

(一)日曜及ビ祭日ニハ青少年ヲ就業セシムルコトヲ得ズ

(二)作業ノ性質ニヨリ中断セラレザル進捗ヲ必要トスル作業ニ於テハカカル作業ニ對シ日曜及ビ祭日ニ於ケル成人被傭者ノ就業ノ許サルル限リ一六歳以上ノ青少年ノ就業ヲ認ム　二週間毎ノ日曜日ニハ休業セシムルコトヲ要スル

(三)旅館及ビ飲食店業・其他ノ宿泊施設・病院・音楽會・芝居・其他ノ興行・展覧又ハ娯楽及ビ市場ニ於テハ青少年ノ就業ヲ認ム　之ニヨリ日曜及ビ祭日ニ於テ就業スル青少年ニ對シテハ毎週全一日ノ休業ヲ與フルコトヲ要ス　休業日ハ四週間毎ニ日曜ニ當ツルコトヲ要スル

(四)（省略）

(五)公共福祉ノ緊急ナル理由ニ基キ若クハ他ノ方法ニ於テ防止シ得ザル大イナル損害ガ経営ニ対シ生ズル虞レアル場合ニハ　営業監督官廳ハ一暦年ニ於テ総計六日曜日但シ最高限継続的ニ二日曜日ニ第一項ノ規定ト異リ一六歳以上ノ就業ヲ認ムルコトヲ得

第一九條　緊急ノ場合ニ於ケル例外

第七條ノ正規ノ労働時間ニ関スル規定及ビ第一四條乃至第一八條ノ休業時間、休憩時間、夜間作業、日曜及ビ祭日ノ前日ニ於ケル早仕舞及ビ日曜及ビ祭日休業ニ関スル規定ハ緊急ノ場合ニ於テ直チニ行フコトヲ要スル臨時的労働ニ對シテハ之ヲ適用セズ　経営指導者ハ遅滞ナクカヽル労働ノ施

行ヲ営業監督官廳ニ届出ヅルコトヲ要スル

第二〇條　危険労働

(一)國労働大臣ハ健康又ハ道徳ニ對スル特別ノ危険ヲ伴フ個々ノ種類ノ経営マタハ労働ニ於ケル青少年ノ就業ヲ全部的ニ禁止シ又ハ條件ヲ附シテ許可スルコトヲ得

(二)第一項ニヨル規制トハ別個ニ営業監督官廳ハ個々ノ場合ニ於テ危険ナル労働ニ於ケル青少年ノ就業ヲ禁止シ若クハ條件ヲ附シテ之ヲ許可スルコトヲ得

第二一條　休暇

(一)経営指導者ハ各青少年ニ對シテソノ三ケ月以上徒弟又ハ労働関係ノ中断ナク自己ノ経営ニ於テ活動シタル各暦年ニツキ教育補助金（Erziehungsbeihilfe）又ハ賃銀ノ継続支給ノ下ニ休暇ヲ與フルコトヲ要ス　休暇許與ノ義務ハ青少年ニ對シテ既ニ他ノ経営指導者ニヨリ該暦年ニ対スル休暇ノ與ヘラレタル限リ成立セズ　青少年ガ即時解雇ヲ正當ナラシムル如キ理由ニ基キ自己ノ責（Verschulden）ニヨリテ解雇セラレタルトキ若クハ青少年ガ徒弟及ビ労働関係ヲ不當ニ（unberechtigt）早期ニ解除シタルトキハ右ノ義務ハ消滅スルモノトス

(二)休暇ハ出來ル限リ職業学校ノ休暇ト関聯セシメ且ツヒットラー少年団ノ野営（Lager）又ハ航海ノ時期ニ於テ與フベキモノトス　休暇ハ遅クトモ翌年ノ三月三一日迄ニ之ヲ與フベキモノトス　休暇ノ最低期間ハ一六歳以下ノ青少年ニ對シテハ一五作業日、一六歳以上ノ青少年ニ對シテハ一二作業日トス　該期間ハ青少年ガ最低限一〇日間ヒットラー少年團ノ野営又ハ航海ニ参加シタルトキハ一八作業日マデ之ヲ増加ス

(三)青少年ハ休暇中ニ於テ休暇ノ目的ト背反スル如キ生業活動（Erwerbsarbeit）ヲナスコトヲ得ズ

第二二條　公的経営及ビ管理

「國自動車道」営団、國銀行（Reichsbank）及ビ州ノ経営及ビ管理並ニ地方自治団体及ビ地方自治団体聯合（Gemeindeverbände）ニ

関シテハ上長勤務官廳（*vorgesetzte Dienstbehörde*）ハ國労働大臣ト協議シテ官丈ニ適用セラルル労働時間ニ関スル服務規定（*Dienstvorschriften*）ヲ一六歳以上ノ青少年ニ對シテ準用スルコトヲ得

第四部　施行規定

第二三條　掲示及ビ名簿作成

㈠　青少年ヲ就業セシムル各経営指導者ハ左ノ義務ヲ有スル

一、青少年ノ生年月日及ビソノ経営参加ノ日ヲ記入セル名簿ノ作成　該名簿ニ於テハ第二一條ニヨリ各青少年ニ対シテ與ヘラルル休暇ヲ記入スベキモノトス　名簿ハ最後ノ記入後最低限二年間之ヲ保存スベキモノトス

二、経営内ノ閲覧ニ適當ナル場所ニ本法ノ複寫ヲ掲示スルコト

三、経営内ノ閲覧ニ適スル場所ニ正規ノ日労働時間及ビ休憩時間ノ開始及ビ終了ニ関スル掲示ヲナスコト

四、第九條ニヨル労働時間ノ他日割當並ニ第一〇條ニヨル準備及ビ整理労働及ビ第一九條ニヨル緊急ノ場合ニ於ケル労働並ニコノ場合ニ於ケル労働時間ノ状況並ニ継続時間等ニ関スル指示ヲ遅滞ナクナスコト

五、（省略）

六、（省略）

（第二四條ヨリ第三〇條マデ省略）

第四項　特殊労働時間法

一、パン製造所及び菓子製造所に於ける労働時間に對しては、多くの点に於て一般の規則とは異つた特別の規則が存する。この特別規則の特徴は「夜間製造禁止」である。既に一八九六年三月四日附「パン製造所及ビ菓子製造所ノ経営ニ関スル首相布告」（*Bekanntmachung des Reichskanzlers über den Betrieb von Bäckereien und Konditoreien*）に於てパン製造所に於ける被傭者の一定の最小休養が規定せられたる後、其の

業は一九一五年一月一五日の聯邦議會の命令を以て最初は戰時措置として一般に禁止せられた。パン製造所及び菓子製造所の始業時間は、従前より大変問題とされてゐた。一九一六年に、貯藏穀物の引伸の為め一九時より七時迄の間のパン及び菓子の製造は禁止された。一九一八年一一月二三日附「パン製造所及ビ菓子製造所ノ労働時間ニ関スル命令」によつて、八時間労働制と共に、二二時より六時（例外がある）迄の夜間製パン禁止と日曜日製パン禁止が規定された。これは社會政策的見地より採られた措置である。一九三四年三月二六日の法律によれば、一九三四年四月一日から同年九月三〇日迄の時期に対しそれまで五時であつた労働始期は四時に、販賣始期は六時半から六時に定められた。一九三四年九月二六日附「パン製造所命令ノ変更ニ関スル法律」（*Gesetz zur Änderung der Bäckereiverordnung*）を以て、労働始期はそれ以来四時から四時半に、販賣始期は六時から六時半に定められた。このやうな労働時間の規制は、非常に多くの困難を伴ひ且つ屡々規則違反（*Zuwiderhandlung*）が行はれたので、政府は、一九三六年六月二九日附「パン製造所及菓子製造所ニ於ケル労働時間ニ関スル法律」によつて統一的に四時と規定した。労働始期の半時間の短縮は、それ自体として考へるならば社會政策的退歩を意味するが、それは、公共の福祉（*Gemeinwohl*）の点からは必要であつた。この規制は、永年に亘つてたたかはされた論爭を、すべての人に適切な希望に副つた仕方で解決したのである。

二、十九世紀の半迄は、労働休養は全く教會の命令（*kirchliches Gebot*）に基けるものであつた。この休養も、日曜に於ても作業をなすことが技術的にも将来経済的にも望ましいと思はしめる程工場経営が進歩して来ると、この趨勢に抗しては教會の命令も中々実行することが出来なくなつた。かくの如き事情の為前世紀の半頃以来此事に関して國家的規制を設け様とする運動が著しくなつて来た。

而してこの運動が第一次的に成功せる程度と云ふのは、妨害的又は騒音的作業を禁止して日曜日の外部的神聖保持を保障し、被傭者をして禮拝に出席

することが味ふ機會を與ふることであった。併し社會的立場より観た日曜休業の制度は一八九一年六月一日附「労働者保護法」が始めてもたらしたもので、営業條例第一〇五條ノa乃至第一〇五條ノiに至る新規定がそれである。

勿論日曜の労働を全然禁止すると言ふことは到底出来ないことであったし、萬一之を禁止するとせば當時既に著しく発達せる独逸経済組織を極度に破壊し、當該日曜を現実に休業して安息せる一般大衆に非常なる迷惑を及ぼすことになるからである。

この故に経済的経営、技術的其他一般公衆に對する見地より若干の例外は認めねばならぬ所であった。日曜に働ける被傭者には禮拝の為作業の交替を認めるか又は他の平日に於て代償として休養時間を與ふる旨の規定がなされた。併し地方による差異と職業による差異が著しい為、各個の場合に於ける施行細則は聯邦議會及び各邦政府の命令に留保して置かねばならなかった。然るに商業には第一〇五條b第二項の規定は其施行の為には独逸國家の施行命令を必要とすることになって居なかったので、営業的・工業的経営に付き聯邦議會の細則規定が発布せられ（一八九五年二月五日附布告）其後幾度か変更が加へられたものである。日曜休業に関する規定は同時に一八九一年の労働者保護法に依って設けられた日曜の店舗閉鎖に関する規則によって補充せられ（営業條例第四一條ノa）更に一九〇〇年六月三〇日の改正に依り規定せられた酒場に於ける日曜の経営休止に関する規定に依り補充せられた（営業條例第四一條ノb）。日曜に於ける兒童労働の件は、工業経営に於ける兒童労働に関する一九〇三年三月三〇日附の法律により規定せられた。

世界大戦中は非常に廣汎なる例外を設くるの已むなきに至ったが、この大戦の終了後は従前の規則は再び其效力を生ぜるのみならず、更に進んで修正増補を加へられたのである。一九一九年二月五日の命令に依り商業経営に於ては、従來の制限的態度の代りに原則として日曜労働の禁止が行はれた。同命令に於ては商業の被傭者に対する日曜休業に関する規則も定められたのであるが、一九一九年三月一八日の復員命令は其後経営の[illegible]

使用人全般に及ぼしたのである。

此の発展に基いて、殆んど総ての工業経営に於ては労働者の日曜日使傭は原則として禁止せられたが、旅館並に飲食店営業・音楽演奏・観世物・演劇興及び其他の娯楽的催し物等の経営並に交通営業だけはその例外である。

更に法律の規定に依り許可されたる種類の労働は、緊急なる場合又は公共の利益の為に為さるゝ種類の労働、更に又、経営技術的又は経済的見地より各経営に於て行はざるべからざるもの例へば清掃・整頓・監視等のための労働、全経営の作業を再び開始せしむる為に必要なる労働、原料又は生産物が無用に帰せんとする場合の労働等之である。その他聯邦議會の命令によりその他継続労働、季節的産業及び農繁期産業に對する例外も存在してゐる。上級行政官廳は所謂酒場並に其原動力が風及び不規則なる水力に依る経営に対しては例外を許容することが出来る。下級行政官廳は、各々一定の場合に於て過度の損害防止の為必要已むを得ざるときは最終的には日曜労働を許容し得ることになってゐる。

商業経営に對しては営業條例第一〇五條ノc及ビ第一〇五條ノeの例外を除き、一九一九年二月五日の命令以来完全なる日曜休業の制度が存在するに至り、更に一九一九年三月一八日の命令第八條に基いて其他総ての使用人に押及ばすに至ったのである。併し、商業経営に於ては、警察官廳は一ケ年間に日曜祭日六日間、上級行政官廳は更に夫以上四日間は労働時間八時間に至る迄は許可することが出来る。

三、店舗閉鎖に関する法規が独逸に於て制定されたのは、極めて最近のことに屬し、其必要は最初日曜及び休日に関して生じた。店舗を備ふる商業経営（*offene Handelsgeschäfte*）に日曜休業の制度を施行すると同時に僅くなくともその経営を維持することを得る営業よりの競争を除外する必要に迫られたのである。この理由に基き帝國議會は一八九一年六月一日附改正法に一箇條の規則を附加へ第四一條ノaとして営業條例に移って行ったのである。平日に於ける店舗閉鎖の規則は営業條例第一三九條ノe及び第一三九條ノfに規定せらるゝ所であるが、この規定は労働者統計委員會に依り確定せられた所の労働時間の過長に渉る為生ずる弊害を防止する為に一九〇〇年の改正をもたらすに至つた。この法律状態には更に一九一九年三月一八日附「使用人ノ労働時間ニ関スル復員命令」によつて僅かに本質的の変更が加へられたるのみで、之に依ると平日に於ける店舗閉鎖は九時であつたのが七時に改められたのである。

四、営利経営に於ける就業者の日曜休業制の規制に関する規則は、大部分、大戦前の時代のものである。それ故多くの点に於てそれは技術的経済的発展に追ひ越されてしまつてゐた。だから、商業をも含めたすべての営利経営に於ける日曜休業制を根本的に規制するためには豫備工作（Vorarbeit）から始められねばならなかつた。それと同時に、之と結びついて、店舗閉鎖制の新しい規制が行はれねばならなかつた。併し時局は従来労働保護のこの部分の決定的な規制を許さなかつた。何故なら、國民社會主義的建設事業の必要から、この二つの領域に於て先づ最初に考慮されねばならなかつた所の特別の諸関係が生じてゐたからである。完全な社会的、進歩した、今日の諸見解と諸要求を考慮した全体の規制は、國民社會主義的建設事業の一定の段階──例へば四箇年計画──が、一時的にでも完了したときに可能となるのである。併し、少くとも個々の領域では、従来認められてゐた例外を制限する目的で新しい規制を行ふことは、このことが、経済を阻害したり経済に負担を負はせたりしないで行はれる限り、可能であつた。かくて一九三四年には営業條例第一〇五條ノeを実施するための新しい方針がつくられた。この方針によつて住民の毎日の需要又は特に日曜又は祭日の需要を満足させるために、日曜及び祭日に完全に営業するか、又は部分的に営業することが必要であるやうな一聯の営業部門に於いて、従来許可されてゐた日曜労働を廃止するか、或はひどく制限することに成功した。一般の需要が日曜の営業を必要とする場合には、日曜労働に従事する被傭者の休憩時間が改善された。他面に於て、國民に對して、その健康にとつて大切な食料をよりよく供給することを可能にするために、新鮮な果実の日曜販売のための例外が認められてゐる。店舗閉鎖制の領域では、一九三八年に、従来の厳しい規制が緩和された。

一九時閉店制（19 Uhr-Ladenschluß）を一般的に実施する場合には、農村に於ては収穫期と播種期に大変な困難が生ずる。それ故所轄行政官廳には、農村民の要求に従つて、夏季に、閉店時間を二一時まで延長することを認める権限が與へられた。このやうに店舗閉鎖時間を必要に應じて自然的條件に適合させることは、販賣従事者（Verkaufspersonal）又は店主（Geschäftsinhaber）に對して労働時間の長さの点では何等負担を負はすものではなかつた。何故なら、夜間に於ける営業時間の延長は、多くの場合、晝間に於ける営業休止によつて調整せられ得るからである。

更に店舗閉鎖制の領域では、自動販賣機（Automat）による商品の販賣に関する新しい立法が特に注目に價する。従来、自動販賣機による商品の販賣は、閉店に関する一般的規則に従つて、公開販賣店（offene Verkaufsstellen）が閉されてゐる時間即ち通常、作業日には一九時から七時まで、日曜及び祭日には終日禁止されてゐた。一九三四年七月六日附「自動販賣機ニヨル商品販賣ニ関スル法律」（Gesetz über den Verkauf von Waren aus Automaten）によつて作業日及び日曜の閉店に関する規則は、永続的に営業を継続する目的をもつ公開販賣店の店主によつて、この店と接続して設けられ、且つ公開販賣店でも販賣されてゐる商品だけを販賣する商品販賣機に関しては、適用されないこととなつた。

第五項　戦時労働時間法

一、戦時に於ける労働時間保護に関しては、一九三九年九月四日附「戦時経済令」（Kriegswirtschaftsverordnung）第二〇條は、國労働大臣に對して、通常の労働時間に関して現行法規と異る規定を制定する権限を與へてゐる。又、独逸最高國防會議自らも、一九三九年九月一日附「労働法関係規定改正及び補充令」（Verordnung zur Abänderung und Ergänzung von Vorschriften auf dem Gebiete des Arbeitsrechts）に於て労働時間に関する例外規定を設けたのである。開戦直後は、就業時間制限規定は広範囲に亘つてその解除を見るに至つたのであ

七〇〇

る。即ち、「労働法関係規定改正及ビ補充令」第四條第一項は、一八歳を超ゆる男子労働者及び使用人については、一九三八年四月三〇日附「労働時間規則」、一九三六年六月二九日附「パン製造所及ビ菓子製造所ニ於ケル労働時間ニ関スル命令」、一九二四年二月一三日附「病院労働時間令」（Verordnung über die Arbeitszeit in Krankenpflegeanstalten）「営業條例」第一二〇條ノナ等に收められてゐる就業時間の長さの制限規定は、當分の間その效力を失ふ旨規定した。しかし自由時間及び休憩時間に関する規定、経営休業（閉店、夜間パン製造禁止）に関する規定等の廢止は留保された。又、婦人労働者及び青少年労働者に対する特別保護規定（労働時間制限も含む）も留保された。

國労働大臣は、一九三九年九月一一日附布告（労働保護ノ例外ニ関スル件）を以て、次の如く規定した。一六歳を超ゆる青年及び婦人は、緊急の必要ある場合には、青少年保護法第七條及び第九條、労働時間規則第三條、第四條、第七條及び第一七條第三項後段、「パン製造所及ビ菓子製造所ニ於ケル労働時間ニ関スル法律」第二條、第三條及び第四條の規定に拘らず、之を一日に付一〇時間迄就業せしむることが出来る。但し就業時間は一週に付五六時間を超えることを得ない。職業学校に於ける授業時間を労働時間の長さへ組入れることに関する青年年保護法第八條第二項の規定は、一六歳を超ゆる青年には適用されない。前掲の例外規定は、妊娠最後の三箇月間及び産褥期間中に於ける婦人に對しては適用されないし、又、衛生上有害なる作業に對しても適用されない。衛生上有害なる作業に對しては、労働時間の特別規定が存する（労働時間規則第九條、第一六條第三項、青少年保護法第二〇條、営業條例第一二〇條ノd及びe）（同布告第一節）。

一六歳以下の青少年は、緊急の必要ある場合には、青少年保護法第七條、第八條第二項及び第九條の規定に拘らず、職業学校に於ける授業時間を含めて之を一日に付一〇時間迄就業せしめることが出來る。但し、就業時間は授業時間を除外して一週に付四八時間を超ゆることを得ない（同布告第二節）。

青少年及び婦人の休憩時間は、青少年保護法第一五條及び労働時間規則第

七〇一

七〇二

一八條の規定に拘らず、六時間乃至九時間の労働時間の場合は最小限度半時間、九時間以上の労働時間の場合は一時間とする。六時間以内の労働時間の場合には何等休憩時間を與ふるを要しない（注二）（同布告第三節）。

規則的な交替を以て早番と遅番で働く一六歳以上の青少年及び婦人は、青少年保護法第一六條第五項及び労働時間規則第一九條第二項の規定に拘らず五時より二四時迄の間に之を就業せしめることが出來る（同布告第四節）。

日曜及び祭日の前日に於ける早仕舞に関する青少年保護法の規定は、第一節の規定に依り緊急の必要ある場合に於て超過労働に従事する一六歳以上の青年に對しては適用されないのである（同布告第五節）。

職業学校に於ける授業時間を労働時間中へ組入れる旨の青少年保護法の規定は、一六歳以上の青少年には適用されぬこととなつたのであるが、これは耐へ難いことだつたから、一九三九年一〇月二四日附國労働大臣布告に於て次の如く改められた。「職業学校に於ける授業時間は、一六歳以上の青少年に於ても夫等の青少年が緊急の必要ある場合に一日に付一〇時間迄且つ一週に付五六時間迄就業する場合には、之を労働時間中へ算入する。更に授業時間に對する教育補助金及び賃銀は之をつゞけて支拂ふ」と。

前述の如く、戰爭開始と共に就業時間に関する制限を解いたのであるが、之は戰時經濟への轉換を促進せしめるために必要なことであつた。しかし乍ら、高度の労働給付は、勤労階級の過労が避けられるときにのみ長期間に亘つて可能なのであるから、戰時に於ても労働保護の重大なる意義が閑却されなかつた。労働保護を強化し得るに至るに及んでは、次第に舊に復して行つたのである。

一九三九年一二月一二日附「労働保護令」（Verordnung über den Arbeitsschutz）は、先づ前文に於て、次の如く述べてゐる。

「スベテノ勤労者ノ保健上ノ對策ヲ講ズルコトハ、戰時ニ於テモ労働保護ノ緊急ナル任務デアル。高度ノ給付ヲナスベキ必要アルニモ拘ラズ、労働力ニ對スル過度ノ要求ハ之ヲ避ケネバナラナイ。從ツテ、開戰時ニ際シ一時中止セラレタル労働保護對策ハ、更ニ新シキ任務ヘノ轉換ノ初期ニノ

七〇三

ミ之ヲ認ムベキモノデアル．其轉換ノ完了セル後ハ、國家ノ目標ヲ再ビ労働力ノ保護ニ置クコトハ當然ノコトデアル．超過労働時間ハ避ケラレネバナラヌ．又、婦人及ビ青少年ノ保護ハ再ビ強化サレネバナラヌ．併シ、一切ノ勤労者ガ其全力ヲ挙ゲテ祖國ノタメニ奉仕スル義務ヲ負フベキコトハ、言ヲ俟タザル所デアル」

右の前文は最もよくこの命令の基礎となつてゐる精神を明かにするものである。

本令は、先づ一日の労働時間は――断続すべからざる労働に於ける交替の轉換の場合を除く――一日に付一〇時間を超ゆるべからず（第一條）。労働時間中に通常且つ著るしき範囲に於て労働準備を含むときは、一八歳以上の男子被傭者の日労働時間は之を一二時間迄延長することが出来る。労働準備の前提が存するや否やに付疑問生じたるときは、之を営業監督官廳が決定する（第二條）旨定めた。一九三八年四月三〇日附「青少年保護法」第一六條、労働時間規則第一九條及び一九三九年九月一一日附布告第四節の規定の限界を超えて、青少年及び婦人を夜間に於て就業せしめることは禁ぜられた（第三條）。第一條乃至第三條の規定の限界を超ゆる労働時間の延長及び夜間労働は、非常の場合に於てのみ特別の許可に基き認められる（第四條第一項）．営業監督官廳は、三週間以内の期間に對して例外が與へられるべきとき又は労働時間の他日割當（andere Verteilung der Arbeitszeit）に関するときに限り許可に関して決定を下すのである（第四條第二項）．他のすべての場合に於ては、國労働大臣の決定を得ねばならない（第四條第三項）．一日労働時間一〇時間を超えて労働する場合には、それに對して適當なる（原則として二五%）．超過労働割増賃金（Mehrarbeitszuschlag）が支拂はれるのである（第五條）．

第一條乃至第五條の規定は、緊急の必要ある場合に直ちに行はれねばならぬ所の臨時の労働に對しては之を適用することが出来ないのである（第六條）．國労働大臣は本令の実施並に補充のために他の規則を設けることが出来る（第九條）．本令は一九四〇年一月一日より効力を発生する．但し超過労働

割増賃金に関する第五條の規定は一九三九年一二月一八日より効力を発生するのである（第一〇條）．

一九三九年一二月一二日附國労働大臣の布告（労働保護令ニ関スル件）は労働保護令を補充してゐる。以下は本布告の内容である。

(イ) 一八歳以上の男子被傭者の労働時間

従来の法的に定められたる労働時間の限界は成年男子被傭者にとつては一九三九年九月一日附「労働法関係規定改正及ビ補充令」第四條によつて取除かれた。労働保護令は、今や認めらるべき労働時間の延長に對して最高限度を確定した。それに依ると、一日に付一〇時間を超えて、成年男子被傭者を就業せしめることが出来ない。又、労働時間中に通常且つ著しき範囲に於て労働準備を含む場合でも、日労働時間は一二時間以上に亘ることは出来ないのである．併し、茲に注意すべきことは、所謂八時間労働が戦時下に於ても、原則たることに変りはなかつたことである．特別の理由なしに日労働時間八時間を超えるべきではなかつたのである．八時間労働の原則が、決して最高一〇時間制によつて変化されたわけではなかつた．労働時間の延長によつて、労働力に過労を生ぜしめるやうなことがあつてはならない。経営指導者は、寧ろその被傭者の福祉について方策を講ずる義務を有する．それ故経営指導者は、個々の場合に於て綿密に如何なる範囲に於て超過労働を定め得るかを審査せねばならぬ．営業監督官廳は、必要の場合には、労働時間の短縮を強制的に命ずることが出来る（同布告第一節）．

(ロ) 婦人及び青少年の労働時間

労働保護令の前文によると、婦人及び青少年の保護は再び強化されねばならない。それゆえ八時間労働の例外は、婦人及び青少年については、厳格なる前提の下に於てのみ認められ得るのである．一九三九年九月一一日附布告によると、一日に付一〇時間迄の婦人及び青少年の就業は、緊急の必要ある場合に限り認められてゐる．かゝる場合には、一六才以上

婦人及び青少年の週労働時間は五六時間を超えてはならない。一九三九年一二月二一日布告に示された婦人及び青少年労働者の超過労働の法定條件たる緊急の必要ある場合といふことを嚴格に解釈せねばならない。所謂緊急の必要ある場合といふのは、一切の戦時経済的註文ある場合を指すのではなくして、単に、特別重要且つ要急の註文にして、夫を定められた期間内に片附けないことが、國民経済的乃至戦時経済的の損失となるやうな註文がある場合のみを指すのである。労働保護令に於ては、最高限度一〇時間制が採用されたが、これは婦人及び青少年に對しては既に一九三九年九月一一日附布告によつて採用されてゐる。婦人及び青少年は、労働準備を要する場合を除き、非常の場合及び労働保護令第四條の規定に基き許可が與へられたるときに限り、右の最高限度を超えて、之を就業せしむることが出来る（同布告第二節）。

(い) 婦人及び青少年の夜間労働

労働時間規則第一九條第一項及び青少年保護法第一六條第一項に依れば、婦人労働者及び青少年労働者は、夜間二〇時より六時迄之を従業せしめることが出来ない。夜間休業に関する規定は、労働時間規則第一七條第四項に掲げられたる経営（旅館及び飲食店業、その他の宿泊施設、理髪業、浴場、病院、音楽會、劇場、其他の興業、展観又は娯楽、映画上映、公開販賣店等）にて従業する成年婦人労働者に對しては之を適用することが出来ない。更に青少年に對しては、一聯の営業部門に於て夜間又は早朝に従業することが許されてゐる（青少年保護法第一六條第二項、第三項、第四項）。労働時間規則第一九條第二項及び青少年保護法第一六條第五項は、婦人及び青少年の、交替制経営に於ける就業時間に関して規定してゐる。労働保護令第三條は婦人及び青少年の夜間労働の禁止について規定してゐる（同布告第三節）。

（註一）　かゝる休憩時間の短縮は、労働が著しく肉体的の緊張を伴ふか又は其他の苦痛を伴ふ労働條件の下でなされるときは認められないのである。かゝる場合は、短い休憩時間は必要な休養を確保するには不充分で

ある。それ故一般的に規定された比較的に長い休憩時間が與へられねばならぬ、とされてゐる。

二、休暇の賦與は、能率を維持するための一つの重要な手段であり、そして又同時に廣義に於ける労働保護である。休暇の領域に於ても亦戦時経済の円滑なスタートを切るために、厳しい干渉が必要とされた。戦時経済令第一九條は、「休暇ニ関スル規定及ビ協定ハ暫時之ヲ廃止ス　其再施行ニ関スル細則ハ國労働大臣之ヲ定ム」と規定してゐる。休暇に関する規定及び協定とは、青少年保護法第二一條の規定、賃率規則・経営規則・従業規則中の規定及び休暇に関する労働契約上の定めのことである。

併し、國労働大臣は、一九三九年一一月一七日附「休暇再施行ニ関スル指令」（*Anordnung über die Wiedereinführung von Urlaub*）を以て、休暇に関する規定及び協定は一九四〇年一月一五日以後再びその效力を生ずる旨定むるに至つた。休暇の廃止のため履行を受けなかつた休暇請求権は、事後的に履行を受け得るのである。休暇賦與の時期は、企業者（経営の指導者）が経営能力に應じて之を定める（第一條、第二條）。一九三九年度の残りの休暇は、遅くとも一九四〇年六月三〇日迄に與へられねばならぬ。休暇請求権は右時期以前には消滅しないのである（第三條）。

三、一九三八年四月三〇日附「労働時間規則」第二二條は商店の営業時間乃至閉店時間に関して規定してゐる。この規定は平時的規定である。併し開戦後は、戦争によつて変化した事態と営業時間乃至閉店時間との関係についての問題が起つて来た。茲に於て一九三九年一二月二一日附「閉店ニ関スル命令」（*Verordnung über den Ladenschluss*）が制定せられ、又、同日に國労働大臣は本令の施行に関する一つの訓令を発してゐる。

國労働大臣は、右の訓令に於て、「閉店ニ関スル命令」の制定の理由を次の如く述べてゐる。即ち「戦時状態ノ結果閉店ノ領域ニ於テ委々現ハレル不規律性ト恣意トヲ除去スルタメニ、本令ヲ制定スル。カカル新規定ノ目的ハ、営業時間ヲ戦争ニヨツテ変化シタル事態（燈火管制、商品不足、食料品切符

制、購買券）ニ適應セシメ、特ニ現在非常ナ負担ヲ背負ツテ井ル妻及ビ母親ニ對シテ買物ヲ出來ル限リ容易ナラシムルコトニアル」而してかゝる目的を達成するためには、「(a)從來ノ法定販賣時間ヲ短縮スルコト、(b)商店主ニ販賣時間中ハ其販賣所ヲ開店シテ置ク義務ヲ負ハシメルコト」が必要であるとされてゐる。

閉店法は藥局を包括するすべての販賣店に適用される。藥局の日曜及び夜間の營業については從來の規定がそのまゝ適用されるのである（閉店ニ関スル命令、第三條）。必要な場合には、官廳の指令によって卸賣商に對しても之が適用されるのである（同第四條）。勞働時間、日曜休業及び青少年勞働者の保護に関する法規は、從來通り有效である。（同第五條）。

公開販賣店（offene Verkaufsstelle）がその取引を中止せねばならぬ時間は、官廳の指令によって定められるのであつて、かゝる指令が發せられない限り、從來の規定がそのまゝ有效である（同第一條）。公開販賣店の店主は、販賣時間中に於ては必ず開店せねばならぬのである（同第二條）、閉店時間を定むるに當つては夫々の地方の實情が考慮されねばならぬ、とされてゐる。國勞働大臣は「閉店ニ関スル命令」の實施を地方上級官廳に一任し、夫々の地方の實情に應じて運用せしめることゝした。それに関して基準となるものが、一九三九年一二月二一日附國勞働大臣の訓令である。以下はその訓令の内容である。

「閉店ニ関スル命令」の實施に際しては、食料品販賣店（Lebensmittelgeschäfte）と其他の販賣店（Geschäfte）とを区別し、更に燈火管制の實施されてゐる地域と然らざる地域とを区別すべきである。

(一) 食料品販賣店

(1) 食料品切符を伴ふ仕事を容易ならしめるために、食料品販賣店に対しては晝間の閉店を定めることが出來る。晝間の休憩時間は二時間以内、大都市に於ては一時間半以内とする。晝間の休憩時間は住民の要求を考慮して右の範囲内で夫々定める。この場合に於て、比較的に長い晝間の休憩時間を有する勞働者が、この間に買物をすることが出來る様な時間配置が望ましい。

(2) 販賣時間は通常一九時までとする。但し、住民の生業状態に應じて、必要なるときに限り販賣時間を延長することが出來る。

(3) 土曜日及祭日の前日に於ては、晝間の閉店は認められない。

(二) 其他の販賣店（百貨店の食料品部門を含む）

燈火管制の實施されてゐる地域

(1) 販賣時間は一八時までとする

(2) 晝間の閉店は認められない。

(3) 土曜日及び祭日の前日に於ては、販賣時間は一九時まで、緊急なる必要ある場合と雖も二〇時までとする。

燈火管制の實施されてゐない地域に於ては、特別な規定を必要としない。

尚一二月二一日附訓令は次の如く命じてゐる。「住民が主としてその食料品を購入するを常とする晝間時間に於ては、公開販賣店の全營業部門が營業しなければならない。個々の營業部門に対する特別規制は避けられねばならぬ。尤も商品不足（コーヒー・カカオ）又は其他の已むを得ざる事情あるときは別である」と。云ふ迄もなく「閉店ニ関スル命令」は商業勞働者の保護をも目標とするものである。

第二節　空襲と賃金

一

国勞働大臣は一九四〇年五月一六日附布告に於て、国勞働管理官に対して、国勞働管理官は直ちに賃金形成指令を發し以て空襲警報又は發射警報に因る勞働時間の喪失のために蒙つた勞働者の賃金喪失に対して勞働者が企業者より一定の最低補償を受けることを確保するやうに求めた。この補償は勞働報酬の一部をなすものである。其後同年五月三一日附回章に於て、国勞働大臣は企業者が自發的に警報中賃金喪失に対して国勞働管理官の賃金形成指令に於て定められた補償額以上の補償額以上の補償をなし更に喪失賃金の全額を支拂ふも賃金形成上からは何等差支へなきことを認めた。併し右によつてかゝる高度の補償に対する勞働法上の請求權が理由づけられるのではない。

企業者をして勞働喪失に対する補償を容易ならしむるために、国勞働大臣は一九四〇年六月一九日附布告（註二）を以て、労働局が企業者に対して企業者が労働者へ実際に支払つた補償を次の程度及び條件に従つて労働配置国基金より償還することを命令した。

償還に当つては、空襲警報又は発射警報の為に労働者が労働時間の喪失によつて蒙つた賃銀喪失の填補として企業者が其工場の労働者へ支拂つた金額が基準とされる。労働局は企業者の実際支拂つた補償を償還せねばならぬが、償還額は如何なる場合にあつても工場の労働者が空襲警報又は発射警報によつて蒙つた賃金喪失の九〇％を超えざる額である（同布告一）。

賃金形成指令は、空襲警報又は発射警報のために喪失したる労働時間は出来る限り追加労働（Nacharbeit）によつて現行労働時間規定の範囲内で之を填補すべき旨の規定を包含す。賃金喪失の填補がこれ等の規定の定むる時間内でなされたる限度に於いて、労働局に依る償還の可能は消滅するものとする（同布告二）

労働局は工場の賃金計算期間を基準として償還するが、喪失労働時間が追加労働によつて填補され得る期間の経過前にあつては補償額の何れの額が最後的に償還せらるべきものか決定しないから、工場の償還申出は賃金計算期間後五週間を経て之を労働局になすべきものとする。併し労働局は、企業者に対してその申出により右期間前に、必要な場合には賃金計算期間中に、豫測し得る償還金の前渡をせねばならない（同布告三）。

喪失労働時間とは、空襲警報又は発射警報の為に喪失したる労働時間即ち警戒の開始より解除迄に喪失したる労働時間を云ふ。何等一般的空襲警報又は発射警報なき場合には、直接の空襲危険又は発射危険を理由として工場防護団長（Werkluftschutzleiter）かその権限内で採れる措置に基く喪失労働時間か喪失時間とされる（同布告四）。

本布告は一九三四年三月二二日附「公的管理及び経営に於ける労働秩序法」第一條第一項(イ)及び(ロ)の意味に於ける公的管理又は経営には適用されない。又、他の工場に於ても、労働局は工場が其の労働者へ支拂ひたる補償についてのみ償還し使用人へ支拂ひたる補償については償還せず（同布告五）。

次に労働者が空襲警報の為に適時に出勤の途に就き得ず又は工場へ向ふ途中に於て突然に空襲警報が発せられた場合は、空襲警報に帰せらるべき労働開始の遅延に基く賃金喪失も亦償還され得る。直接に空襲警報に基かざる労働者の遅刻は、労働局に依る償還の対象とされない（一九四〇年八月七日附国労働大臣布告(ロ)）。

空襲警報解除後工場が完全に再び生産活動を開始するに至る迄には一定の時間を必要とする。かゝる時間は工場の種類及びその時の生産状態により必ずしも同一ではない。されども要するに労働者が防空壕を出て作業を開始するに至る迄は、一定の時間を必要とするのである。この点を考慮して、空襲警報解除後三〇分間内の時間は之を空襲警報中の時間に加算し、この時間中の賃金喪失の補償については償還を認めた（同布告(ハ)）。

（註一）本布告は同年五月一〇日に遡つて実施された。

二

労働喪失及び賃金喪失は空襲警報以外に、空襲に依つて工場又は工場の一部が被害を受け其の結果当該工場又は其生産が当該工場に依存する工場に於て一時的生産喪失が生ずることによつても起り得る。例へば電氣工場又は瓦斯工場の被害によつて一時他の工場に対する電気又は瓦斯の供給は中断され又は減少すべく、或は一鉱山に於ける捲上機械の被害又は其他の機械の破損によつて一時的生産喪失が起り得る。茲に於て、国労働大臣は一九四〇年七月六日附「空襲に依る工場被害に基く賃金喪失の償還に関する指令」（註二）に於て次の如く命令した。

空襲に依つて工場又は工場の一部が被害を受けたるとき、工場又は工場部門の労働者は先づ第一に取片附及び復旧作業に配置されねばならない。労働者は此等の作業に就業中従来の就業に於て受けたる労働報酬と同額のものを受くる請求権を有する（同指令第一節）。此等の作業に就くことに依つて其労働喪失が避けられ得ない労働者は、之を喪失労働時間中出来るだけ先づ当該工場内で国家上重要な労働に就かしめ、それが不可能なるときは当該工場内又は外で他の労働に就かしめねばならぬ。労働者が労働局より指定さるゝ労働を拒否するときは、労働者は次の規定による補償請求権を失ふものとする（同指令第二節）。

労働者の賃金喪失が、喪失時間中取片附及び復旧作業に就業することにより又は他の労働配置に依つて避けられ得ない限り、労働者は企業者に対して其の賃金喪失の七五％（註三）に当る補償を受くる請求権を有する。この補償請求権は被害の発生と共に成立するが、空襲警報又は発射警報の解除前には成立しない。右請求権は労働の再開始と共に消滅するが、遅くとも被害発生後十四労働日の経過と共に消滅するものとする（同指令第三節第一段）。補償の計算に当つては、労働喪失なかりせば労働者が普通の労働時間に於て受くべかりし賃金が基準とされる。補償は労働報酬である。他所の労働に於て得たる賃金は補償へ算入される（同指令第三節第二段）。

第三節第一段に掲ぐる期間を経過するも作業が再開始され得ないときは、解約告知を要せずして労働関係は消滅する。但し企業者と労働者間に別異の協定あるときは然らず。労働関係の消滅と同時に一般「奉仕義務」（*Dienstverpflichtungen*）も消滅する。而して之がために労働者が失業するならば直ちに失業手当金が支給される（同指令第三節第三段）。

第三節第一段に規定する補償請求権の存する限り、企業者は自己の工場の労働者へ支拂ひたる補償については労働局より償還を受けることが出来る。企業者が自己の工場の労働者へ支拂ひたる補償に対してのみ償還され、使用人へ支拂ひたる補償に対しては償還されない。償還は第三節第一段の期間に対してのみなされる。一九三四年三月二二日附公的管理及び経営に於ける労働秩序法第一條第一項(イ)及び(ロ)の意味に於ける公的管理又は経営の支拂ひたる補償に対しては償還されない（同指令第五節第一段、第二段）。

右の一九四〇年七月六日の国労働大臣の指令は、同年九月二日附国労働大臣の布告（註二）及び同年一〇月九日附国労働大臣の決裁に依つて其適用範囲に関して重要な点に於て補充された。

コークス製造場が空襲警報の為に其コークス製造を制限し従つて瓦斯供給を制限せざるを得ざるに立到つたが為に、瓦斯の遠距離供給を受くる工場に於て労働の喪失生ずるとき、当該工場の労働者の労働喪失による賃金喪失は之を空襲に因る被害の場合と認むべきである。それ故右の賃金喪失に対しては企業者より労働者に一九四〇年七月六日附指令の規定せると同額の補償がなさるゝこと及び此等の補償は企業者に対し其申出に依り労働局から償還されることが認められた（一九四〇年九月二日附布告(イ)）。

労働者の住宅が空襲被害を受けその為に労働者が他の宿所を求むること、世帯道具の補充又は家族の保護等避け難い配慮を通常の労働時間中になさねばならぬことによつて、労働者にとつては或る程度の賃金喪失は免れ難いであらう。それ故かゝる賃金喪失も亦それが個々の場合に於て避けられ得ない限り、企業者より労働者に賃金喪失の七五％（註四）が補償され且つこの補償は労働局より償還されることが認められた（同布告(ロ)）。

この規定（同布告(ロ)）は、労働者の住宅が敵の空襲によつて直接には被害を受けざるも、住宅が空襲のために遮断せられ又は片附けられねばならぬ事によつて一時又は永続的に住宅が使用出来なくなつた場合に之を適用しても差支へなしとされた（一九四〇年一〇月九日附裁決）。

（註一）本指令は一九三九年九月一日附「労働配置及び失業救済関係諸法規修正令」第一條に基いて制定され、一九四〇年七月一日に遡つて実施された。

（註二）本布告も一九四〇年七月一日に遡つて実施された。

（註三）七五％は九〇％に改められた（一九四〇年一〇月二二日附国労働大臣訓令）

（註四）仝　上

第三節　経営保護（安全、衛生施設）法

一

労務者を時間的に過長なる労働より保護する立法に就ては既述の如くである。此他独逸に於ては夙に労務の種類、原料、機械、器具、工場施設、作業室の状態等より発生する労務者の生命、健康に対する危険の保護立法が制定されてゐた。斯る労務者の安全、衛生に対する保護は所謂経営保護（Betriebsschutz）と称せらるゝものであつて、労働時間保護と並んで労働保護法の中重要なる二部門を構成するものである。

経営保護に関する基礎法は彼の独逸産業條例（Gewerbeordnung für das Deutsche Reich vom 21. Juni 1869）である。本法は一八九一年の労働者保護法に依り拡張され、其後屡次の改正に依り独逸に於ける労働保護の基礎立法として君臨した。而してナチスに於ても本法が労働保護の基礎法たることには変りはない。即ち同法に依れば工業経営者（Gewerbeunternehmer）は経営の性質の許容する限度に於て生命保護に対する危険から労務者を保護する如く作業室、経営施設、機械、器具を整備し経営を規制する義務を負ふとされるのである（産業條例第一二〇條a第一項）。殊に作業室の採光、通風に留意し塵埃、蒸気、瓦斯、廃物等の除去を行ひ又器械、器具や其の部分品には安全装置を施し危険なる接触より労務者を保護する義務を有するのである。斯る目的を以て労働大臣は詳細なる規定を発する権限を有し又産業監督官庁は工場に対し災害防止、健康保護の処置に関し指令を発することを得る。斯くの如き労働大臣の命令、監督庁の指令、方針に依り経営保護の詳細なる取締規定が存するのであつて、例へば機械の安全装置、塵埃の吸引濾過、換気装置、便所洗面所の設置等が強制さるゝこととなる。（註）

（註）災害の防止、健康保護の問題は独り国家の関心事たるに止まらない。企業自体の立場よりしてより具体的に妥当的に保護施設をなさしめるのは極めて望ましき事態である。斯る観点より国家は同業組合（Berufsgenossenschaften）に労務者を経営内の災害から保護するための設備乃至規則に就き必要なる規定（災害防止規定 Unfallverhütungsvorschriften）を制定する義務を負はしめてゐる（独逸保険條例 Reichsversicherungsordnung 第八四八條a以下）。

以上の如き概括的規定に基き従来詳細なる経営保護規定が設けられたのであつて、技術の進歩、工場施設に対して相應する許多の命令が存在する。例之、印刷工場、活字鋳造所、精鉛所、鉛染料工場、塗色業、蓄電池工場、亜鉛精錬所等に於ける鉛毒防止規定、或は鉛、クロームに依る傷害保護の為めのクローム酸アルカリ製造に関する命令、硅肺（塵肺 Silikosis, Silikose）豫防の為めの採石場及び石工場経営に関する命令、其の他危険性傳染性粉末の危害防止の為めの馬毛紡績工場、毛髪剛毛調整工場、剛毛刷毛製造工場に関する規定、汽罐蒸気の容器、昇降機等の構造及び運轉に関する規定、瓦斯容器の装造及び運用に関する規定、圧縮瓦斯液化瓦斯に依る運輸に関する規定、アセチ

二

階級主義を抛棄し民族共同体の建設を目途とするナチスが労働保護乃至経営保護に就て肯定的であることは明白である。只茲に於てはもはや社会民主政府時代に於けるが如く資本家的慈恵として或ひは階級闘争の調節安全弁として労働保護乃至経営保護を配慮してゐるのではない。企業者と共に相共同提携して民族、国家のため尽すべき労務者は民族共同体の構成員として保護の対象たるべきは勿論である。只其の立場に於て単なる「保護」といつた消極的態度より更に進んでより積極的方策に進轉すべく又着々其れの実現に向ひつゝあることは次節に於て見る如くである。彼の国民労働秩序法（Gesetz zur Ordnung der nationalen Arbeit vom 20. Januar 1940）が経営指導者たる企業者に対して強力なる民族的責任を課したるのも此の意味に

外ならない（第二條第二項）。従つて労働保護に関する限り経営指導者は單に高権的指令に服するを以て充全とはされず、其の義務として栄誉として従者たる労務者の保護を計るのみならず積極的に其の福祉を増進することを要求されるのである。経営保護に於ては後見的監視者たる政府官吏の他に「独逸労働戦線」（Die Deutsche Arbeitsfront）（D.A.F.）特に「労働美化局」（Amt : Schönheit der Arbeit）が貢献する処極めて大なるは特筆に値する。此の点に就ては特に次節に於て述ぶることゝする。以下ナチス政権獲得後なされたる経営保護立法を概観することゝする。

三

前掲産業條例第一二〇條ａに依り産業監督官は経営に対し災害防止の設備を要求することを得るのであるが、之が基準として、一九三四年四月一日統一的な災害防止規則が制定された。労働、機械、工具に関する新しき技術の発達が経営設備、作業方法に新しき保護規定を必要たらしめたのである。同時に商工業、交通業の領域に於ても統一的な災害保護制度の確立を見た。

ナチスの失業撲滅闘争は国内の活発なる建設事業例之国自働車道路其他道路の建設、河川工事、耕地開発工事等を促進した。此の為め充分なる宿泊設備のない地方に多数の労務者の集中を必要とした。一九三四年一二月一三日附土木建築ノ宿泊所ニ関スル法律（Gesetz über die Unterkunft bei Bauten vom 13. Dezember 1934）及び一九三五年一月一〇日附同施行令は各労務者に健康的な宿泊を保障する宿泊所の規模、設備に就て詳細に規定を設けてゐる。本施行令は一九三八年一〇月二四日附施行令（Ausführungsverordnung zum Gesetz über die Unterkunft bei Bauten vom 24. Oktober 1938）に依つて改正拡張せられ、單に一ケ月二十人以上の労務者の従業する建築場に限らず更に小規模、短期間の建築場にも適用を見ることゝなり、又休憩時間中必要なる休憩所にも適用を見ることゝなつた。只此際注意すべきは独逸労働戦線が各地に模範宿泊所を建設し斯る傾向を助長する外種々の娯楽を供与して土木建築労働者の娯楽、教養に資

した事である。土木建築に関して注目すべき保護立法は一九三五年五月二九日附圧搾空氣中ノ作業ニ関スル命令（Gesetz über Arbeiten in Druckluft vom 29. Mai 1935）である。之は橋梁架設、隧道工事等大規模の建築工事に於て橋脚、土台等を河川、海等の中に設置する場合圧搾空氣を利用する。其の際作業場への浸水を防止する為めに潜函（Caisson）中で高氣圧の下で作業する労務者を保護せんが為めに設けられたるものである。本法は高氣圧下の作業を容易且つ安全に遂行せしめんと配慮するものである。

運輸貨物及び作業材料の重量上或ひは衛生上の危険を避ける為めにも立法は配慮した。即ち一九三三年六月二八日附船積重量貨物ノ重量表示ニ関スル法律（Gesetz über die Gewichtsbezeichnung an schweren, auf Schiffen beförderten Frachtstücken vom 28. Juni 1933）は港湾に於ける船荷の積上、積卸に際し起重機の重量超過、破損に依る船上、陸上の災害を防止するために船積荷物の重量の表示を要求してゐる。其他有害なる作業材料に依る災害及び衛生上の危険を防止する為め特に指定された有毒性又は引火性の成分を含む物質には同じく特別の表示（Kennzeichnung）を附する義務を課して居る。一九三九年三月二五日附有毒性引火性作業材料ニ関スル法律（Gesetz über gesundheitsschädliche oder feuergefährliche Arbeitsstoffe vom 25. März 1939）即ちこれである。一九三八年三月八日附マグネシウム合金ニ関スル法律（Gesetz über Magnesiumlegierungen vom 8. März 1938）及び一九三八年七月二八日附マグネシウム合金安全規則（Sicherheitsvorschriften für Magnesiumlegierungen vom 28. Juli 1938）はマグネシウム合金を使用する場合マグネシウムの極めて微細なる薄片が飛散して引火する危険があるのでマグネシウム合金の鎔解、鋳造、加工等に関する詳細なる規定を設けて居る。其他前述の表示強制（Kennzeichnungszwang）ある物質としてベンゾルは其の少量でも吸入すれば慢性の中毒を惹起するので作業室の喚氣を特に良好にすることが要求され、又レントゲン其他放射線物質を用ひて破壊を行ふことなく材料を検査する場合に於ける場合の労

務者の保護規定も企図されて居る。一九三八年三月二六日附ヘアーネット工場規則（Verordnung über Haarhutfabriken vom 26. März 1938）はヘアーネット製造に用ふる水銀腐蝕剤に依る水銀中毒から労務者を保護せんとするものである。之は水銀腐蝕剤は現在禁止することを得ない為め有効適切な保護施設と医学的監督の下に其の使用を許して居るのである。一九三四年七月十四日附「セルロイド」ニ関スル命令ノ変更命令（Verordnung zur Änderung der Verordnung über Zellhorn vom 14. Juli 1934）は従来の如きニトロフイルムの危険が単に経営規則及び建築上の方策を以てしては除去されざる処からニトロフイルムに代へて安全フイルムを以てせんとするのである。従つて映画館に於ては将来安全フイルムのみの使用が要求されるのであつて、本令はフイルム製造加工工場に於ける労務者のみならず広く工場の隣地者、映画館入場者の保護にも資するものである。

四

婦女子の労働の保護に就ては多数の規定が存する。ナチス政権獲得の直後に於ては失業克服のため将又人口政策的見地よりする結婚奨励の意味を以て女子の労働を制限し成年男子の就業機会の増加を計つた。然し乍らナチスの独逸経済復興と共に一般労働力は過剰から不足へと急速に其の様相を変化し、茲に女子の労働は従前の職場のみならず男子の其れへも補充する必要を見るに到つた。然し乍ら民族共同体の繊弱なる構成員として将又次代の子供の母胎としての女子労働力がナチスの立場からしては一層保護の対象となることは言を俟たない。従つて女子の健康状態よりして其の職場に就ては絶対的に禁止さるべき労働と例へ使用する場合に於ても其の作業の種類を制限する必要が存する。斯くの如くして女子の労働時間制限と相俟つて女子の労働保護が完全となるのである。即ち蓄電池工場に於ける特定労働、クローム酸アルカリの取扱、塗色作業、鉛塗料工場、精鉛場に於ける労働、護謨硬化、ニトロ化合物、二硫化炭素の製造、採石場の労働、トマス燐肥の製造及び包装、精糖工場の労働等は夙に之を禁ぜられて居た。其の他菓子製造業（Süsswarenindustrie）に於ける労働に

就ても広汎なる取締が存し重いパン粉袋の運搬、コヽア圧搾作業等も禁止された。一九三七年六月五日附煉瓦工業令（Ziegeleiverordnung vom 5. Juni 1937）に依れば大物細工、精巧細工に関する労働の禁止の外煉瓦屑取扱作業、原料選別作業、手工鋳造作業、煉瓦の積込及び運送作業に婦女子の従事することは禁止され、女子の手で運搬すべき荷物の最高重量は一五キログラムと法定せられた。一九三八年三月二六日附硝子工業ニ於ケル年少労務者及ビ女子労働者保護ニ関スル規定（Verordnung über den Schutz der jugendlichen Arbeiter und der Arbeiterinnen in der Glasindustrie vom 26 März 1938）に依り硝子工場に於て女子を使用する場合の詳細な規定が設けられた。竈作業、原料の潰細及び混和作業、硝子瓶及び石室作業、噴射作業、硝子製品の乾燥研磨作業は禁止せられ、濕潤研磨、粗剛研磨には十八才の保護年齢が存する。其他女子の足踏式機械の使用も一般に制限せられ、女子労務者は起立の儘足踏式機械の使用を禁止せられて居る。尤も石鹸圧搾作業の如き軽度の足踏作業は許さるゝも四時間以上連續作業をなすことは許されてゐない。其他洗濯物プレス作業、火熨斗作業、製紙工場等に就ても同様なる制限規定が存し過労に依る女子労働力の磨耗を防止せんとしてゐる。

五

、次期の世代を背負つて立つ可べき青少年の保護についてもナチスは周到なる注意を用ひて居る。保護の対象たるべき年令は十六才以下、労働の種類に依つては十八才以下の年少者である。年少者の経営保護は既に述べたる青少年保護法（Jugendschutzgesetz）に依る労働時間保護と相俟つて完成され茲に年少者は其の能力の範囲内に於て職業教育の保障の下に労働に従事することを得るのである。年少者は原則として鉛を取扱ふ作業を禁ぜられて居る（一九三八年一一月二八日附塗色作業ニ於ケル鉛毒保護ニ関スル命令ノ変更命令 Verordnung zur Änderung der Verordnung zum Schutze gegen Bleivergiftung bei Anstricharbeiten vom 28. November

１９３８参照)。即ち塗色作業、クローム酸アルカリ工場、鉛染料製造、製鉛所、亜鉛製錬所に於ける作業、鉛鎔接作業等に於て鉛の中毒防止の為め就業禁止規定が存する。其他採石場、石彫作業、煉瓦工場、金属腐蝕工場、硝子製造工場エーテル、二硫化炭素、ニトロアムモニヤ化合物、ニトログリセリン含有爆発物等の製造作業、護謨製品硬化作業、ヘアーネット製造工場(但し水銀腐蝕剤使用の場合)、馬毛紡績工場、煙草製造工場、製糖工場、セルロイド加工作業等の就業には著しい制限が存する。更に凹版印刷工場の就業制限が存在し、蒸氣汽缶、昇降機の使用には最低年令十八才、圧縮空氣中に於ける労働に就ては最低年令二十才と規定されて居る(註)。

(註) 以上の他同業組合に依る災害防止規定の中には年少者の就業禁止に就き多数の作業を列記して居る。例へば建築業に於ける発動機の作業製靴工場に於ける皮革穿孔、靴底圧縮作業、被服工業に於ける遠心機作業、印刷工場に於ける輪轉機作業等である。

六

以上が戦前に於ける経営保護規定の概要であるが経営保護は單に強制規定の発布を以て完全の使命を果すものを云ふことを得ない。茲に強制力を伴はない方針(Richtlinien)や注意書(Merkblätter)に依り保護の必要性、正当なる災害防止方策が明示せられる。例へばベンゾル取扱注意書、商工業住込労務者の宿泊所に関する方針、防寒装置に関する方針等である。更に同業組合の災害防止規定がある。既に述べたる如く斯る災害防止規定は経営保護の下部秩序として極めて重要なる意義を有する。同業組合は災害の補償、救護の外災害の防止に就ても極めて枢要な役割を有し、特別の役員を置いて規定の実施を監視する外に専門家や機械製作者の参加せる各種の委員会を設け各産業部門に應じた統一的規定の制定改変を為すのである。斯くして今日の独逸に於ては政府官廳の法令の外右の如き尨大なる災害防止規定の組織を有し、各種の機械、工場施設、作業等に相應した個別條項は詳密を極め到底説明の詳細を尽すこと

を得ないまでに達してゐる。

尚注意すべきは独逸労働戦線殊に労働美化局に依る事実上の諸種の保護施設である。例へば作業室の衛生化、洗面所、更衣室の設置、快適なる休憩所、食堂の建設、完全なる医療設備、等ナチス治下に於ける経営保護は著しい充実を示して居る，之に就ては次節に説明する。

七

経営保護の問題と関聯して考慮すべきものは所謂職業病(Berufskrankheiten)である。換言すれば職業病の防止と其の賠償の問題(通常の災害を補償する災害保険を職業病に迄拡張するやの問題)である。之が対策として国労働省は大規模の調査を実施し鉱山労務者、金属研磨労務者、鋳物労務者、砂噴労務者、製陶労務者の所謂塵肺、更に農業婦人労務者の健康状態、家内工業に於ける女子労務者、金属鉱山の砒素水素中毒、鉛中毒、放射物質並びに騒音に依る傷害、洗濯工場、硝子製造工場に於ける瓦斯廃除及び換気通風等広範囲の調査を実施した。その結果多数の職業病殊に鉛、水銀、砒素、マンガン、ベンゾル及び其のニトロ化合物、アムモニヤ化合物、ハロゲン化炭化水素、一酸化炭素、レントゲン光線、圧搾空氣器具等に依る疾病、重症の塵肺の賠償となり、災害保険による斯る賠償義務は同時に科学的研究を促進し此等職業病の防止策を考案せしめた。斯くして噴砂工、研磨工のアスベスト肺、塵肺の豫防方法が完成し、燐、水銀、砒素等による傷害防止の方策がなり、例へば噴砂工場に於ては石英砂の代りに鋼鉄砂を、又刃物工場に於ては砂石が金剛砂又は硅素カーバイトに代る様になった。

ナチス以前に於ては災害保険を職業病に擴張する為め一九二五年及び一九二九年の二回に亘り命令が出てゐるのであるが、それは極めて狭少の範囲に限定されたものであった。ナチスの熱心なる調査研究は茲に一九三五年十月十七日附職業病給付計算ニ関スル命令(Verordnung über die Berechnung der Leistungen der Berufskrankheiten vom 17. Oktober 1935)及び一九三六年十二月十六日附災害保険ノ職業病ヘノ擴張ニ関スル第三次命令(Dritte Verordnung über Ausdehnung der Unfallversicherung auf Berufskrankheiten vom 16.

Dezember）となって結実した。本法に依り塵肺及び肺結核が災害保険に参加して居る経営、設備の中で罹患される場合には如何なる場合にも補償すべきことが明規された。本法は更に肺結核の原因となるべき塵肺に就ても、塵肺が假りに重患でなくとも病気全体が重患であり塵の変化に依り結核の積極的な進行を惹起する場合には補償義務を負はしめてゐる。職業病の範囲は更に石綿加工に依る肺疾患、アスベスト及びクローム酸塩製造業に於ける肺癌にも擴張を予定されて居る。本法に於ては更に起電氣労働、外国産木材、煤、パラフィン、茶、無煙炭、瀝青等に依る皮膚病に対しても其の物質、労働様式の如何に拘らず、重患の皮膚疾患、繰返し再発する疾患、重症による轉業不能又は職業活動不能なる場合に於ける皮膚疾患に就き保険保護を加ふる旨規定してゐる。斯くして第三次命令に依り職業疾患の範囲は著しく擴張せられ、給付計算、診療手續等に就ても著しく簡易化さるゝこととなった。

八

今次大戦勃発と共に生産力擴充の要請と軍務應召者の労働力減少は當然労働力の強化を惹起した。然し労働保護法に関する限り労働時間に就ては其の変更を見たのであるけれども経営保護に就ては何等変更さるゝ処を見ない。労働時間法と異なり此の分野に於ては其の必要を感ずる処がないからである。況して労働強化に伴ふ災害件数の激増が推論さるゝ限り災害保険の強化を豫想されこそすれ其の緩和は許され難く又許されざるものと断ずるのが至当である。

尚戦前独逸が新たに合併したズデーテン独逸及びオーストリヤ地方に就ては既存の保護立法との照合の下に経営保護施行区域の拡張が推論される。例へば既に述べたる土木建築ノ宿泊所ニ関スル法律の如き之であらう。

第四節　厚生施設

一

ナチスに於ける労働保護政策は民族主義、国家主義の立場より行はれる。従つて以前の如き個人主義、階級主義の立場から個人を又階級を保護せんとするものではない。労働は民族のもの国家のものとして保護せられる。ナチス労働保護政策は労働精神の涵養を主眼とし、労務者の人格を重視する。従つて以前の如き非人格的、唯物的な労働の取扱は極力之を排斥する。ナチスは生産主義創造主義を標榜する。従つて労働の保護は国家本位の生産政策の立場から考慮され生産を無視したる階級的分配政策は排せられる。ナチスは労働保護に於ける劃一主義、形式主義を排斥する。其処に各労働自体の、経営自体の、又産業部門自体の特性が尊重せられるのである。斯る根本方針より生ずべき労働保護法乃至政策はナチスに於ては事後的処置としてなさるべきものに非ずして寧ろ事前的になさるべきものとされる。即ち眞の保護は消極的なる救済策に非ずして積極的なる予防方策でなければならぬ。即ち労務者の日常の労働生活自体が民族、国家に奉仕すべく共同体的な精神と機構の下になされねばならぬとされる。労働生活の場所は即ち各個の経営である。経営に於ける生活が眞に共同体的となつて居るならば其処には事後的救済策も其の意味を減少すべきは当然である。彼の国家労働秩序法が経営共同体を提唱し之が実現に周到なる配慮をなして居るのは此の謂に他ならない。経営は最早資本家の営利機構にも非ず、又単に労働者の賃金報酬を得るための場所でもない。経営は単に物的に結ばれた社会的敵手の闘争場裡ではない。民族、国家に奉仕すべく義務と責任と名誉の精神を以て結ばれた社会的協力者の労働共同体、給付共同体でなければならぬ。

経営の共同体化は然らば如何にしてなさるべきか。経営に於ける労働が営利の手段に非ずして民族、国家に奉仕すべきものであり、作業が単に商品を製造することを目的とするより人格の発現たらねばならぬとすれば、経営に於ける労働生活に対する保護は既に前節に述べたる如き消極的救済策としての経営保護を以て足れりとせない。單に災害を防止し衛生上の危険を塞ぐが如き範囲に限局さるべきでないことは言を俟たない。茲にナチス的な意義を持つ「経営保護」が要求される所以である。労働が賃金報酬を得んが為の苦役に非ずして労働の尊厳、労働の栄誉、労働の歓喜が感得されねばならぬとすれば、経営に於ける本来の意味の労働生活は勿論、労働者の余暇生活、家庭生活、社会生活が其の目的に副ふ如く再編成されねばならない。茲に労務者の生活に「歓喜」を注入し、「慰藉」を編入することによって労働に起因する消耗、疲労の減殺、回復を計り、新たなる創造力を獲得せしむると共に、労働の歓喜、共同の愉楽を通じて民族共同体、経営共同体の結成を強化すべき方策が配慮されねばならない。独逸労働戦線の「歓喜力行団」(Kraft durch Freude, K.d.F.)は此の意味を以て誕生したものである。

二

階級主義に基く従前の労働組合に代り、「精神的及び肉体的に創造的な独逸人」(die schaffenden Deutschen der Stirn und Faust)の労働組織として出現した独逸労働戦線は国民社会主義労働政策実現の為の諸般の方策を講じて居るのであるが其の最も重要なる一としてナチス共同体「歓喜力行団」(NS = Gemeinschaft „Kraft durch Freude“)の経営を掲げてゐる。「歓喜力行団」の事業は労働環境の整備及び美化を計り労働生活自体を快適ならしむると共に其の余暇生活を合目的に且つ有効に構成することを主たる使命とする。其れは更に広い意味に於て政治的、社会的、教育的、文化的観点よりするナチス社会政策の担手として極めて重要なる使命を持つものであるが、茲では主として前者の意味に於て叙述するであらう。「歓喜力行団」はナチス政権獲得の年一九三三年十一月末創設された。(註)

(註)「歓喜力行団」は一九三三年十一月二十七日独逸労働戦線総司令官ドクトル・ロベルト・ライに依り設立された。翌一九三四年一〇月二四日の総統令に依り「独逸労働戦線の本質及び目標」(„Wesen und Ziel der Deutschen Arbeitsfront“)の規定されるに当り、

第八條第一項は「独逸労働戦線ハナチス共同体「歓喜力行団」ノ担当者タリ」と規定して其の独逸労働戦線に於ける地位は確定し、労働環境美化、余暇利用の大施設たる「歓喜力行団」の事業が独逸労働戦線の手に委任せられた。「歓喜力行団」は独逸労働戦線中央事務局の機構中、第七主要事業部門たる生活標準向上部に所属する。

「歓喜力行団」の組織は地域的に見ればナチス党、独逸労働戦線の組織と同じく全国(オーストリヤ及びズデーテンドイツ地方を除く)が三二の大管区、七七一の中管区、一五〇五一の小管区及び小管区監視及び五六八〇六の経営監視部に分れ、細胞細織を採用する。其の職員は総計約七万五千人大部分は名誉職であり独逸労働戦線の役員の兼務の場合が多い。「歓喜力行団」への入会は各人の自由であるが独逸労働戦線に加盟すれば当然「歓喜力行団」の会員となる。其の他賛助会員として商社、協会、団体、都市、個人も之に参加することを得る。「歓喜力行団」自体の会費なるものは存在せず、独逸労働戦線会費の一部、政府補助金、名経営及び個人の寄附金を其の財源とし、経費年額約二千万ライヒスマルクである。

其の内部的組織としては左の五局が存在する。

(1) スポーツ局(Sportamt)
(2) 旅行局(Amt für Reisen, Wandern und Urlaub)
(3) 余暇利用局(Amt Feierabend)
(4) 公民教育事業局(Amt „Deutsches Volksbildungswerk“)
(5) 労働美化局(Amt „Schönheit der Arbeit“)

三、

「歓喜力行団」の実施する事業は多数にある。今其の主なるものを示せば次の如くである

(1) 労働美化
(2) 余暇利用。

(3) スポーツ体育の奨励
(4) 旅行、ハイキングの奨励
(5) 公民教育

以下其の各項に就て分説する。

(1) 労働美化

消極的保護策として「経営保護」が法令の厳格遵守を以てするも充分なる効果を挙げ得ざることは前述した。「歓喜力行団」の労働美化運動に依って右の欠陥は補完される。労働美化運動は先づ職場、工場施設の清潔化及び技術的衛生的諸問題の検討処置から着手される。経営内に於ける採光、換気の状態、騒音、塵芥及び温度湿度の状態等が調査される。同時に労働美化運動は啓蒙宣傳により専門家に止まらず広く輿論を喚起し、労務者の健康増進、能率増進の実現を計らんとする。図書、雑誌の発行、大学に於ける「労働美化」講座の創設が此の運動を助長する。

一九三五年始めて「良い照明は能率増進の基」の運動が取上げられ此の運動の結果、照明の悪い職場が経営数三分の一を減じたと称せられてゐる。一九三七年には商社、研究機関の協力に依り「良好なる照明」委員会が設置せられた。委員会は全国各地に「良い照明」相談所を設け一般人の無料相談に應じて居り、又映画に依る宣傳を行つた。同時に職場に於ける通風換気の問題が取上げられ一九三七年「空気衛生及び換気の為めの全国中央事務局」が設置せられ、全国各地に空気衛生専門委員を配置して居る。又経営内に於ける騒音、暑熱の防止、塵芥、煤煙の除去の為め調査が実施されて居る。又「経営内に於ける暖い食事」の宣傳運動が行はれてゐる。此の運動は労務者の健康食給與と食料統制を目的とし、大経営には労務者の食堂及び炊事場の建設を、中小工場には共同炊事場の建築を勧奨する。又「清潔なる経営の清潔なる人間」の運動があり洗濯場、更衣室、便所等の改造、新設を勧奨して居る。作業室の美化運動は事務用品、更衣戸棚、食堂備品其他準備品の趣味に迄及んで居る。新しい建築材料乃至代用品の奨励、鉄銅の回収、節約も其の課題である。休憩室、洗面所、広場及び緑の庭園の設置、ラヂオ、図書等文化設備の設置、更には災害に対する應急処

置として救急箱の設置、医療室、レントゲン診療器、体育室等労務者に対して可能なる模範的健康衛生施設が勧奨されて居る。労働美化局は又模範工場建築をなし又自ら建築相談に應じ計画の吟味、設計の改善に進出して居る。

以上の事は工場施設に限定されない。船舶労務者の為め船舶美化運動を起し船舶、造船業の専門家を動員する他、農村美化運動にも進出して居る。其の為め各大、中管区に農村美化委員会を設け美化運動の進展を計る他、毎年模範村を表彰して模範農村の増加を計画して居る。各農村にはプール、運動場、集会場等の設置が勧奨されて居る。

労働美化局は自ら模範的建築、模範的用具設備を示す外優良なる職場用具其他器具設備に対し其の(イ)技術的に合目的なること　(ロ)なるべく国産原料を使用すること　(ハ)規格に適応せることを條件として同局優良章を附與することゝなつてゐる。

以上の如き労働美化局に依る労働美化運動は労働環境の整備美化を通じて労務者の健康及び能率の増進に寄與すると共に労働の歓喜を通じて民族、国家共同体の最高福祉を具現せんとするものである。其処には所謂「経営社会政策」としての資本家の恣意的、恩恵的経営福利施設或ひは国家の法令に強制された消極的経営保護施設に於て見られないナチス独自の厚生的施設か設定されるのであつて、斯る事実上の諸経営施設こそが所謂経営共同体といつた抽象的理念の裏付となると共に其の実質的な内容を構成すると云ふことが出来るであらう。

(2) 余暇利用

労務者が労働の後の余暇を如何に有効に費消するかは明日の創造への新しき精力を獲得するといふ観点からのみでなく、労務者の慰安娯楽を健全ならしめ従来彼等に閉されて居た文化的、芸術的価値あるものへの接触を可能ならしめ民族構成分子として彼等の資質、趣味の向上を計る点よりしても極めて重要なる問題である。此の目的の為めの余暇運動は多岐に分れてゐる。映画、演劇、演芸の如き各種興業物の娯楽は勿論、音楽、美術の鑑賞、民謡、民踊、家庭音楽、素人劇、仮装舞踏会等更には個人的趣味としての切手蒐集、写真術、将棋

等に迄及んでゐる。斯くして劇、音楽、美術、娯楽等の文化的、藝術的活動に努力を拂ひ、郷土的醇風美俗の尊重維持に留意すると共に、其の際国自動車道路の労務者等特殊労務者に就ても特別の考慮を拂つて居るのである。

劇に関しては伯林、ミユンヘン始め各大都市に於て劇場、歌劇場及びオペレツト劇場を所有、直営し又他の一般劇場と特別割引の特約を結び入場券の一部又は全部の買入を行つて居る。音楽についてはナチス専属交響管絃楽団を全国各地の一般音楽会及び工場音楽会に派遣し、音楽学校生徒の演奏旅行、各都市に於ける音楽協会の設立、工場楽団の奨励其他各種音楽会の開催等に盡力して居る。美術に就ては労務者自身の製作した絵画、彫刻、図案等の工場美術展覧会が開催される。娯楽中ヴァリエテ、キャバレー等の演藝に就ても藝術的價値の大なるものを選択せしめ特に郷土的醇風美俗の尊重維持運動に意を用ゐ、講習会、強調運動週間の開催を通じて民謡、郷土音楽、民踊、素人芝居、農民風俗等の保護に努力すると共に斯る文化運動を通じて農村と工場との接触を計つて居る。謝肉祭、五月一日祭、収穫感謝祭、クリスマス祭等盛大に行はれて居る。殊に最近はラヂオ放送に進出し国民放送の催しをなし民衆藝術家を組織的に動員して居る。国自動車道路労務者其他特殊労務者に対しては専属劇団の巡回興行の外、探険家、旅行家等の体験談の夕べが催され、其際労働者と隣接住民との接触を計つて居る。又各作業場には遊戯が指導され、スポーツ器具が配給され、文庫が備附けられてゐる。西部国境地方の防備工事労務者に対しても特別の慰安方策が講ぜられて居る。又疾病、負傷に依り労務に従事し能はざる者及び作業中災害に依り死亡したる者の家族等に対しても「歓喜力行団」の各種催しへの参加を認めて居る。

(3)　スポーツ、体育の奨励

体育運動は生活を溌溂たらしめ、人間の肉体的能力及び運動力を高め、之を老年に到る迄維持する手段の一である。更に肉体的強化と共に健全なる精神的発達への基礎を形成する。肉体的、精神的に健全なる民族分子を養成せんとするナチスはスポーツ、体育の奨励に特別の考慮を拂つた。只「歓喜力行団」の

スポーツの場合の特徴は大衆的に楽しませること、技巧の巧拙を問はず、参加の容易、費用の低廉、無駄な時間の節約の点に存する。「歓喜力行団」スポーツの奨励の為めにスポーツ教師を養成し、講習会を開き、スポーツ休暇を設け、冬期スポーツ及びヨツトの講習会、スポーツ合宿、携帯ボート旅行等盛んに行はれ又海水浴場にはスポーツ及び体操の教師が配置され、商工業の経営者は一定の條件の下にスポーツ施設を講じ、又スポーツ医学相談所が設けられて居る。

特に注目すべきは工場スポーツである。「歓喜力行団」は此の目的の為めスポーツ・クラブの結成を奨励し指導員を派遣し、経営共同体内に於ける最も簡易なる基本形式より進んで競技に迄達する各種のスポーツ施設及び運営の指導及び助成に当つて居る。斯くして国民健康の増進、作業年令の引上げと作業能率の増進、経営共同体の助成、有能なるスポーツ後進者の養成に当つて居るのである。同時に各経営に於てもスポーツ熱の高揚に應じて自ら屋内体操場、運動遊戯場、水泳場其他の運動場の建設に着手することゝなつた。産業に従事する青少年には健康の維持増進、能率増進の為め「一週二時間、作業時間中に体育を行ふ義務を有す」とされ、又一般労務者の所謂職業競争の種目中には体力検定が加へられてゐる。スポーツ奨励は同時に農村に於ても其の普及に努力せられ、民族保護の要求に應ずると共に農村労務者の激しき労働に対しスポーツに依り其の均衡を保持せしめんとした。斯くして体育、スポーツに万全の方策が取られてゐるのである(註)。

(註)　一九三六年一二月一六日附「歓喜力行団」スポーツ令第三條はナチス共同体「歓喜力行団」のスポーツ局の任務として

(1)　経営共同体内ニ於ケル最モ簡単ナル基本形式ヨリ競技ニ至ル体育ノ助成、競技ハ除外的ニ独逸体育聯盟ノ範囲内ニテソノ規定ニ準ジテ行ハルベシ。

(2)　一般体操並ニ各個スポーツ種目ノ一切ニ対スル各人ニ許可サルル公開ノ講習或ヒハ教程ノ開催

(3)　本協定ニ基ク編成及ビ其ノ他ノ組織ノ為メノスポーツ講習ノ実施

と規定し、スポーツ講習会の参加者には特に休暇を與ふ可き旨の規定が

ある。即ち一九三五年二月一五日附体育ヲ目的トスル使用人及ビ労務者ノ休暇ニ関スル法律に依れば「独逸国家圏内ニ於テ就業スル独逸人男子労務者又ハ使用人ハ何人モソノ企業者ニ申請認許ヲ受ケタル体育教程ニ参加スル為メ休暇ヲ与ヘラルベシ」（第一條）と規定され「休暇ハ規則ニヨリ使用人及ビ労務者ニ与ヘラルベキ正規ノ休暇ノ外与ヘラルルモノ」（第三條）とせられてゐる。

(4)　旅行、ハイキングの奨励

労務者はその当然の権利として一定の條件の下に休暇を与へられて居る。然し乍ら此の与へられた休暇を最も有意義に過し、正しく休養して、明日の為め新たなる活動力を涵養することは労務者の道徳的義務である。休暇の最も有効なる利用方法として国内旅行、海岸旅行、ハイキング、独伊休暇者交換の種類がある。

国内旅行は都市の労務者を農村殊に国境地方に、又農村の労務者を都会に赴かしめ、独逸国民をして祖国の美、同胞の生活を知らしめ、独逸国民相互の認識、了解を深め、民族共同の精神を強化する一方、氣分の轉換を計つて保健に資し其の活動力を涵養せんとするにある。海洋旅行は傭船に依る他、独特の設計に依る「歓喜力行団」専属船舶に依り（現在二万五千トンのもの二隻、他に四隻計六隻を有して居る）、伊太利、北アフリカ沿海地方、リスボン、マデイラ、ノルエー等が旅行目的地である。ハイキングは旧来のワンダフォーゲルの運動の如き小旅行を体系付け、大規模の組織の下に発展せしめたものである。各大管区、中管区、小管内、経営に監督者を置き、小集団をなして指導者の下に行動する。斯るハイキングを通じて郷土愛と規律に基く訓練を実施せんとするものである。独伊休暇者交換は伊太利との協定に依り独逸休暇者が伊太利へ、伊太利の休暇者が独逸へと交換的に旅行することになつて居る。茲に注意すべきは旅費の問題である。旅行は極めて低廉なる費用に於てなされねばならぬ。此の為め旅費の貯蓄制度が考案され極めて軽少の負担に於て、又特に貧困者に於ては無料で此の旅行に参加出来る様配慮されて居る。

(5)　公民教育

「歓喜力行団」の公民教育は一般の教育事業に協力すると共に、ナチス世界観を労務者に植えつけんとする事業である。之は一面余暇の合目的的利用であると同時に現実に職場の労働に没頭する人に対し現代の問題を認識せしめ又具体的な日常生活の材料に依りその一般的知識を啓発し、其の個人的才能の発達に資し、共同体の一員として恥しからぬ教養を与へんとするものである。活動の中心は夜間学校たる公民教育道場（*Volksbildungsstätte*）である。其の課目に就ては人種学、遺傳学、国民保健、独逸史、郷土史、政治学、経済学、自然科学、音楽、美術、数学、語学等が教授されて居る。又講演会、詩朗読会等が催されて居る。此の他、労務者の逸したる就学を挽回する為め非公開の初等教程がある。独逸語、外国語、速記等之に属する。尚ほ作業科があつて音楽、写眞、絵画、彫刻等独逸人の自己創造力の啓発に資して居る。此の他、工場見学に依り、又博物館、諸種の文化施設の視察等文化視察旅行を通じて職業的、社会的知識の拡大を計つて居る。然し乍ら斯種公民教育は都会の労務者丈けに限定されてはならぬ。広く農村にもその配慮が拂はれて居るのであり、又巡回文庫（*Wanderbücherei*）があり、国自動車道路労務者、労働営舎其他特殊の労務者に文化的恩恵が与へられてゐる。工場文庫、「歓喜力行団」文庫は許多の数にのぼる。

四、

「歓喜力行団」は以上述べたる如き事業を通じて極めて広汎なる活動を展開して居る。其れは労務者の労働環境の整備、美化、余暇の有効なる利用を根基とし労働者の文化的、教育的、社会的、政治的生活に甚大なる充実発展を齎らすと共に労務者の肉体的、精神的能力を涵養し民族、国家共同体の一員として其の使命を完遂せしめんとするものである。

然し乍ら此等の事業を更に奨励、勤務する目的を以て独逸労働戦線が独逸諸経営の「業績競争」（*Leistungskampf*）を行つて居ることに言及する必要がある。「業績」とは即ち社会政策的業績であつて、斯る社会政策的措置の競争が行はれるのである。ナチス労働秩序の実施、真の経営共同体の建設、独逸労働戦線の社会的スローガンの実行、経営指導者の独創的社会政策的措置が此の制度を通じて勧奨される。

独逸諸経営の業績競争は一九三六年八月二九日附総統指令に依り実施され「ナチス模範経営」なる表彰と「金色旗」を創設した。右指令に依れば、国民労働秩序法の精神と独逸労働戦線の精神に於て、国民社会主義的経営共同体の思想が経営指導者及び従者の協力に依り最も完全に実現されて居る経営には「ナチス模範経営」なる名称が与へられる。此の表彰はヒットラー自身又は其の委任者に依り行はれる。此の名称を与へられる期間は一年間である。勿論連続して模範経営たることは差支へない。表彰されるに到った条件が無くなる場合には、其の名称は取消される。表彰は独逸国民祭当日（五月一日）に行はれ、経営指導者に対しては表彰状を授与する。表彰状には表彰さるゝに到つた理由を明記する。「ナチス模範経営」として表彰された経営は金色の歯車と金色の縁飾を附した労働戦線旗を掲ぐる権利を有する。

業績競争は既に一九三四年より実施されて居る全国職業競争（Reichs-berufswettkampf）の例に倣ふものである。後者は斯る職業競争を通じて労働者の職業上の技能、知識の水準を高揚せんとするものである。業績競争に於ける評価標準は極めて高い。従つて「ナチス模範経営」の名称は容易に獲得出来るものではない。然も業績競争の目的自体は「ナチス模範経営」たることにあるのではなく総ての経営が此の最終目標に向つて努力する処に存する。茲に於て中間表彰の制度が設けられた。即ち州を単位として「優秀業績に対する州表彰状」が創設され、次の如き各標準に就き表彰が行はれた。

(1)　模範的職業教育
(2)　国民健康に対する模範的配慮
(3)　模範的住宅
(4)　「歓喜力行」運動の模範的促進
(5)　模範的小経営

右の如き業績の各標準と雖も相当高い程度の条件である。模範的職業教育に就

ては職業教育自体の実質内容が検討される外、教育設備の状況、養成者に対する教育手当、休暇、小使銭給付の有無、授業料、食費の要否、職場の規律、清潔、燈火、暖房、通風の完否が審査される。国民保健に対する模範的配慮に就ては経営附属保健医、運動体育場、水泳場等の保健設備、附属食堂及び其の給養、法律の規定以上の疾病手当、保養休暇、老後扶助金、養老年金等の施設が評価され、又職場の規律、清潔、採光、通風、洗濯室、浴場、休憩室等の設備が考慮される。模範的住宅に於ては健康、美観、用途に適合せる住宅建設の為めの一切の措置を含む。従つて経営所属住宅の建築、労務者の住宅建築資金、建築敷地、材料の供給、労務者の集団移住住宅に関する助成等が考慮される。模範的小経営に於ては資金の潤沢でない小経営に於て如何なる程度迄実際上実現可能な範囲に於てナチス的社会綱領が実施されて居るかゞ判断せられるのである。

五

以上の説明に依つて国民社会主義独逸が其の独自の世界観に基き労務者の厚生施設に対し如何に周到なる配慮を為して居るかを概観した。国民厚生運動の問題は夙に独、伊、英、米、佛、洪等諸国の関心事であり一九三二年以来此の方向に副ふて国際厚生会議（International Recreation Congress）（註一）も数次開催されて居る。然し乍らナチス独逸の其れは其の理論に於て、組織に於て、其の規模に於て遥か群を抜いて傑出せるものといふ可く、此の制度の先駆たる伊太利の厚生運動と之を対照するも此の事は首肯し得られるのである（註二）。我国の現状を顧みる時其の指導精神は別としても参考とすべき点が尠くないであらう。

（註一）国際厚生会議は第一回会議を一九三二年ロスアンゼルスに於て、第二回会議を一九三六年ハムブルグに於て、第三回会議を一九三八年ローマに於て開催した。議題は労務者の余暇利用、休育、住宅及び職場の美化等多彩に渉るも詳細は之を省略する。

（註二）ナチス独逸に於ける厚生運動が民族共同体の建設を目標とする独逸労働戦線の指導下に「歓喜力行団」（K.d.F）に依り組織展開されてる

る如く、ファシスタ伊太利に於ける厚生運動はファッシズム的全体主義を標榜とするファッシスト党指導下の「労働の後」団（Opera Nazionale Dopolavoro, O.N.D.）に依り担当されて居る。ONDは夙に一九二五年五月二十五日創設された。ファッシスト党の書記長が其の最高機関である。其の本部は管理、監査、諮問、宣伝の四委員会を有し組織上は管理部、組織部、スポーツ部、旅行部、教育部、福利部の六部を以て構成され、地域的には十二の地区、九十四の州に分れ、其の支部（縣、郡、市、町、村、植民地支部等）の数二万一千六百九十五、指導員数九万八千、技術員数三千六百八十、全国会員数は三百二十万である。ONDは極めて中央集権的な団体であり、其の経費は国家の公認せる協同組合の負担、国庫の補助及び私人の寄附よりなる。

　ONDの実際的活動は体育、運動、労務者教育、住宅及びセツルメント事業、園藝等極めて多岐である。管理委員会の仕事としては講演、公私邸宅の視察、一般及び職業教育、音楽、合唱、オーケストラ、コンサート及び演劇の開催、民俗舞踊及び素人芝居の保護奨励、映画の製作並に上映ラヂオ等に依る国民慰安が行はれる。体育奨励に就ては総てのスポーツ団体の参加する狭義のスポーツ奨励と労務者大衆の郷土愛鼓吹の為めの広義のハイキングがある。社会的活動としては住宅及びセツルメント事業に及び、家政上、実際上の見地から住宅設備の移動展覧会や定期市の開催がある。婦人会員の為めに家事講習会、育児講習会、園藝講習会等が催され、又保健衛生の為めの病院、サナトリウム、臨海学校、林間学校等が開かれる。

　茲に注目すべきはONDとKdFの比較である。ONDは伊太利の国家組織と同じく組合主義であるが故に各会員は夫々のONDに制拠し、KdFに於けるが如く国家的規模に於ける画一的発展がない。各々のONDは其の発達並に活動の程度を異にするが故に各ONDの事業並に其の効果に就て著しき優劣あるを免れない。然も斯くの如き組合を拠点とするONDは又其の会員数に限度が存するが故に其の財政的基礎が薄弱

であり充分なる活動を為し得ない弊がある。斯くの如き缺陥を克服して厚生運動の組織運用に成功して居るのはKdFの強味である。

其の事業としては

(1) 国民保健衛生施設の拡充
(2) 職業教育
(3) 体育、スポーツの奨励
(4) ハイキング旅行の奨励
(5) 醇風美俗の尊重
(6) 公民教育

があり、独逸の其れと大差はない。

(1) 国民保健衛生施設の拡充

勤労者の住宅を明るく清潔にし衛生に注意して健康の維持増進を図ることが主たる目的である。その為め衛生パンフレットを発行し、入浴を奨励し、工場作業場に於ける浴室、プール等の建設が勧誘されて居る。各支部は衛生講習会を開き、又自ら浴室、診察室、救護室、病院、サナトリウムを建設し、更に貧困患者は無料で鉱泉、療養地へ送つて居る。工場の婦人労務者及び其の乳幼児に対しては一九三四年の法律に依り創設された社会保険に依る特別の保護がある。例へば分娩の前後三箇月間休業し、休業期間中ONDより補助金を交付され、又病院、分娩、衰弱の場合、ファシスト保護院の診療所にて無料検診を受け、「母と子の保護会」の産院に収容される仕組になつて居る。工場の婦人労務者の為め訪問婦、保健婦、保護婦、家事教師が配属される。

(2) 職業教育

ONDの職業教育は「労働後」の教育であり、其の目的は専門即ち既に一定の職業に従事する者の技術的完成であり、就中不断の熟練乃至新たなる発明に関する知識の供給にある。従つてONDは職業教育の領域に於て企業家団体と協定して二重教育の弊を避け主なる事業と

して祝祭及び休日に講習会、講演会の開催、映画の上映、工場図書館の設立、工場施設の見学等を行ひ、各講習会に於ては労働法、労働衛生が講ぜられて居る。各地方の経済地方委員会に一名の代表者を送り、又各地方支部には職業指導員一名を配し職業教育の領域に於て企業家団体と協力して居る。

(3)

体育、スポーツの奨励

伊太利に於けるスポーツはファッシスト党により全国的統一の組織を与へられた。少年を対象とするバリラ少年団（Balilla）と成年労務者大衆を対象とするONDの組織即ち之である。伊太利のスポーツは多分に軍事教練の色彩が濃厚である。スポーツに依り一般国民の体力向上を計りつゝあることは勿論であるが射撃、野営、スキー登山、行軍グライダー等が行はれる。労務者の体育に就てはONDのスポーツ部の斡旋に依りローマ体育大学に於て養成されたスポーツ教師の指導の下に極めて低廉なる費用で訓練を受ける機会を与へられ又僅かの会費で各種スポーツ団体の会員たる資格が与へられて居る。政府、地方官廳、党其他の団体の協力を得てONDの活躍が目覚しい。

(4)

ハイキング、旅行の奨励

郷土愛の鼓吹を目的するハイキング、労務者の見聞を弘め又其の休養を目的とする旅行が組織され厚生列車、厚生船が大規模に準備されて居る。其の他自転車旅行、自動自転車旅行、スキー、行軍等が盛んに行はれて居る。

(5)

醇風美俗の尊重

醇風美俗の維持尊重はOND運動に於て重要なる地位を占めて居る。固有の郷土衣裳祭及び展覧会が開催せられ、郷土衣裳の復活を見て祝祭の場合に用ひられ、又民踊祭、民謡祭等が行はれ、「ナポリの歌の日」の如き地方色豊かな歌祭の他に夫々の地方には「海の日」、「アスパラガスの日」、「葡萄の日」等の一種の收穫祭があり、シシリ島及びエミリヤ地方固有の人形芝居が全国に流行して居る。郷土藝術が奨励

され、講習会が開かれ、学校及び郷土藝術委員会が設立されて居る。

(6)

公民教育

ファッシズム教育の主眼は伊太利国民意識の鼓舞にある。ONDの公民教育は広汎なる労務者大衆の精神教育、文化教育を目的とするもので、然も其の教育方針は生活に必要なる問題を取上げると共に、労務者の余暇利用指導に當つては国民文化、科学、歴史及び藝術の領域に迄及び其れを通じて各自ファシズム的世界観を植付けんとするものである。其の為め農業及び工業に従事する労務者の補習教育、特に技術教育に対して多大の注意が拂はれ、各種の講習会が催されて居る。又最新技術の普及徹底を計り各産業の生産力拡充に協力せんとする。ONDは各地に学校を開設し、図書館を設立してゐる。図書館には小説、演劇、詩歌、美術史、世界史に関する図書、傳記類の他、音楽、ラヂオ、映画、スポーツ、民俗学、職業教育等に関する参考書類が備付けられてゐる。又国語、習字、速記、タイプライター、図画等の補習教育が行はれ、美術史、絵画、彫刻、銅版画、水彩画等の講習会が開かれてゐる。殊に演劇、ラヂオ、映画等に依る情操教育に対しては主力が注がれてゐる。各種の藝術講習会が開かれ、又演劇学校、演劇図書館の設立、素人俳優の養成、「演劇愛好者」の会の設立、又「テスピの車」劇団の結成等其の業績は多大である。「テスピの車」劇団は近代的設備を具へた組立式移動劇団であり、貨物自動車に解体分乗せしめて農山漁村を巡回する。演劇の方面では野外劇場があり、又全国各地に於ける音楽講習会の開催、音楽学校の設立に依る音楽教育の奨励がある。ラヂオ利用は公民教育の重要な手段であり、之に依り藝術教育の実施、保健衛生思想の普及宣傳を計つて居る。又最近は映画会社と協力してニュース映画、文化映画、宣傳映画の製作に進出してゐる。以上要するにOND運動は「労働後」の時間を最も有効適切に利用することに依つて明日の労働に備へ、活動力を一層培養強化して大伊太利の創造、建設に資せんとする国民運動である。

第五節　家内労働法

一

独逸に於ける従来の家内労働保護立法は極めて低調であつた。例へそれが家内労働自体の性質に因由する処ありとは謂へ（註）、一の奇異であると謂はねばならぬ。斯く一九一一年一二月二〇日の家内労働法に依つて経営保護乃至健康保護の規定が設けられ一九二三年六月二七日の同法改正に依り賃金保護に考慮が払はれることとなり、家内労働専門委員會（*Fachausschuss für die Heimarbeit*）により報酬額が決定され、現実の労賃と報酬額との差額が補償さるゝことゝなつた。然も斯る賃金保護は実施手続の煩瑣の為め著しくその機能を減殺されて居たのである。

（註）　家内労働は悲惨なる労働の代名詞として語られて居る。其の経営規

模の複雑多岐にして狭小なる、又労務者自体の人的構成の特異なる点は家内労働保護立法の成立を技術的に困難ならしむると共に、団結に依る自己防衛の困難性は彼等を文字通り窮境に立たしめたのである。

ナチス政権獲得と共に其の中小工業対策の趣旨に従ひ（ナチス綱領第一六條参照）、家内労働は茲に始めて整備されたる保護立法を得た。即ち一九三四年三月二三日附家内労働法（*Gesetz über die Heimarbeit vom 23. März 1934*）一九三四年三月二三日附同施行令、一九三五年一二月一八日附同第三次施行令、一九三五年二月二〇日附同第二次施行令之である。只家内労働保護監督制度に於ける特異性である。茲に於ては従来存在する産業監督官（*Gewerbeaufsichtsbeamte*）の他に、國民労働秩序法に基いて任命された當該管轄区域の國労働管理官（*Reichstreuhänder der Arbeit*）が存し然も尚家内労働の特質よりして、個々の工業部門別に常任の家内労働特別管理官（*ständige Sondertreuhänder der Arbeit*）が存在する。又國労働管理官の補佐としてその下に家内労働補助官（*Sachbearbeiter für Heimarbeit*）が附属されて居る。國労働管理官は家内労働特別管理官と協力し独逸労働戦線及び産業監督官廳（*Gewerbeaufsichtsamt*）の支援を得て賃金保護を計る他、労働時間保護、災害保護を配慮する使命を有して居る。

二

本法に依り保護の対象となる人的範囲は家内労働者（*Heimarbeiter*）と家内工業者（*Hausbetriebende*）である。家内労働者とは事業経営者にあらずして自己の住居又は自ら選擇したる作業場に於て単独に又は其の家族と共に、事業経営者又は仲介者の委託を受けて労働する者を云ひ（第三條第一項）、家内工業者とは事業経営者として自己の住居又は作業場に於て自己の手工労働を以て自ら商品を製造又は加工し出来高賃金労働をなす者を指稱する（第三條第二項）。三名以上の補助者を有する家内工業者、仲介者及びその他の類似労

働者も其の委託者にたいする関係において一般的保護規定並に報酬保護の規定に関し前記の者と同一の取扱を受くることを得る（第二條第二項）。

七七六

三、

本法に於ける一般保護規定は名簿の作成、労働票の制定、第一回の家内労働提供の届出、報酬表の公示及び報酬證明書の作成である。

(1) 名簿の作成

家内労働を提供し又は其の仲介をなす者は其の家内労働又は家内労働の仲介に使用する者を名簿に明示することを要し、此の名簿は家内労働提供場の見易い場所に之を備付け、産業監督官又は労働管理官の請求ある時は其の閲覧に供し、或は之を送付しなければならぬ（第四條）。

(2) 労働票（Arbeitskarte）の制定

國労働大臣は一般的に又は地域を限り當該労働局の発行する労働票を所持する者に對してのみ家内労働の提供をなすべき旨の規定を定めることを得る

(3) 第一回の家内労働提供の届出

國労働大臣は家内労働の為め人を使用せんとする者に対し國労働大臣の指定する官署に届出をなすべき旨の規定を定めることを得る（第六條）。

(4) 報酬表（Entgeltverzeichnis）の公示

家内労働を提供し又は之を引受けんとする者は提供又は引受の場所に於て報酬表を明示し、関係者をして委託された個々の労働に對する報酬の額を明瞭に知らしめねばならない。報酬表には個々の労働に對する報酬を記載すると同時に交付せらるべき原料並に補助材料の價額を明示することを要する。又報酬が賃率規則に依り定められてゐるときは賃率規則を明示せねばならぬ（第七條）。

(5) 報酬證明書（Entgeltbeleg）の作成

家内労働を提供し又は其の仲介をなす者は、自己の費用を以て家内労働を引受けたる者に報酬帳（Entgeltbuch）を交付することを要し、報酬帳

七七七

には労務の提供又は引受の際、其の種類、範囲、報酬額並に提供及び引受の日附を記入せねばならない。報酬證明書は産業監督官並に労働管理官の請求に依り之を提示せねばならぬ。

名簿の作成は家内労働を提供し又は其の仲介をなす者並に家内労働に従事する者を明かにし、労働票の制定は之に依り家内労働従事者を知悉することとなり、第一回労働提供の届出に依り家内労働委託を確認せしめる。報酬表の公示は家内労働従事者に個々の者に対し支拂はるべき報酬を詳細に知らしめ、労働の種類、範囲及び引受引渡の時期並に支拂はれた報酬を明示する報酬證明書の交付は家内労働従事者並に監督官廳の再審査を可能ならしめる。

之等の一般保護規定は従前の法規の適用範囲を拡張して居る。例へば仲介者にも亦名簿作成の義務が加へられ、又報酬票の公示並に報酬證明書の作成に就ても同時に引渡すべき原料並に補助材料の價格が明示されることとなつて居る。労働票の制定及び第一回家内労働提供の届出は本法に於て新設されたものである。

七七八

四、

家内労働に於ける時間保護に就ては従前の家内労働専門委員會は廃止せられ國民労働秩序法に依り國労働管理官が之を監督規律することとなつた。管理官は家内労働の不平等分配より生ずる弊害を除去する為め、個々の部門又は各種家内労働に對し一定期間の労働量を規定することを得る。斯くして若干の例外的場合を除き家内労働従事者に對し所定量を超過する労働量を與へることを禁じた（第十條）。

家内労働に於ける危險防止の為め本法は従事者の生命、健康若くは風紀又は一般の衛生に對する危険なき様経営の種類に應じ作業場の建設設備を命じて居る（第十二條）。本法は従前の立法の如く錯雑した規定を避け一般的原則を掲ぐるに止め、詳細は國労働大臣の命令及び産業監督官の指令に譲つて居る（第十三條、第十五條）。之に基き一九三五年七月一三日附家内労働ニ於ケル　ニ関スル命令（Verordnung über das Krabbenschälen in

七七九

Heimarbeit vom 13. Juli 1935)及び一九三六年六月一八日附野菜並に果実罐詰工業ニ於ケル家内労働ニ関スル命令（Verordnung über die Heimarbeit in der Gemüse= und Obstkonservenindustrie vom 18. Juni 1936）が制定せられた。此の命令は加工さるべき商品運送の場合に於ける小児使用に関する特別規定、家内労働者の作業場の清掃に関する規定及び病気傳染防止に関する特別規定を含んでゐる。

五

家内労働に於ける報酬関係の規制に就ては一九三四年五月一日家内労働専門委員會が國民労働秩序法に依り廃止され、同法に基いて國労働管理官が報酬を規制することゝなつた。本法第二十條に依れば報酬の決定は(1)個々の協定、(2)経営規則、(3)賃率規則を以てなされる。経営規則は主として同一事業の為め單独に又は其の家族と共に労働する家内労働者並に家内工業者が常時二十名以上の使用人、労務者を使用する事業に属する場合に制定される。賃率規則は最も賃率規則に依る報酬の決定は一事業内に於て家内労働が相當広範囲に行はれ、且つ明白に不充分なる報酬支拂がなさるゝ時は特に行ふべきものとされる（第二十一條第一項）。家内労働に對する報酬の種類は出来高拂である。その不可能なる場合には個々の場合に出来高拂の基礎となり得べき時間拂に依り決定さることゝなる（第二十二條）。家内労働従事者と同一の取扱を受くる仲介者には一定の割増歩合に依る報酬が定められる。委託者が仲介者に対し家内労働従事者に対する賃率規則所定報酬に足らない報酬を支拂つた時は委任者自身も仲介者と共同責任を以て家内労働従事者に対し支拂の責に任ずる（第二十三條）。斯くして仲介者の報酬の低下を防ぐと共に、仲介者選択に當り委託者に特別の注意を拂はしめ、家内労働従事者を搾取するが如き仲介者を排除せんとするのである。労働管理官は産業監督官と共に報酬支拂に就き監督する（第二十四條）。

家内労働の特殊性に基き、一般労務者に與へらるゝ保護にして従来、家内労働者に拒否せられて居たものがある。それは休暇（Urlaub）と祭日賃金支

拂（Feiertagsbezahlung）である。然し乍ら近時、家内労働者に對する賃率規則中には多く休暇の規定を保有するに到つた。勿論、通常の労務者の場合とは違つた形態に於てではあるけれども、経済統制の整備した、家内労働者が連続的に依頼者と就業関係に立つが如き部門より逐次各重要なる家内労働部門に普及した。勿論家内労働の複雑多岐なるに應じて、休暇は必ずしも統一的に規定されて居るのではない。同時に一九三七年二月四ケ年計画受託者の命令に依り一般労務者に採用された祭日賃金支拂の制度は、一九三七年一二月一五日附國労働大臣の命令に依り家内労働にも拡張せらるることゝなつたのである。

六

以上はナチス家内労働法の概要である。取残された家内労働の分野に延べられたナチス労働保護法の持つ役割は大きい。此の点、中小工業に依存すること大なる産業機構を有し乍ら、何等夫れに対して保護方策を加へざる我國に取つては以て他山の石たるべきであらう。参考として條文の訳文を附加する。

家内労働法

（Gesetz über die Heimarbeit vom 23. März 1934）

第一章　適用範圍

第一條　法律ノ目的

家内労働ハ國家ノ特別ノ保護ヲ受ク　家内労働ノ受クベキ種々ノ危険ヲ保護シ並ニ家内労働ニ従事スル者ノタメソノ労働給付ニ対スル適正ナル報酬ヲ確保スルコトヲ以テ本法ノ目的トス

第二條　人的適用範囲

(一)　家内労働ニ従事スル者トハ左ノ者ヲ云フ

(1)　家内労働者（Heimarbeiter）　（第三條第一項）

(ロ) 家内工業者（die Hausbetriebenute）（第三條第二項）ニシテ通常單独ニ若クハソノ家族（第三條第五項）若クハ二名以下ノ家族外ノ補助者（補助労働者＝Betriebsarbeiter）トトモニ働ク者

(二) 一般保護規定並ニ報酬保護ノ規定ニ関シ前記ノ者（第二章及第五章）ト同一ノ取扱ヲ受クルコトヲ得ル者左ノ如シ

ソノ他ノ家内工業者仲介者（Zwischenmeister）（第三條第三項）並ニソノ他労働者ニ類似スルモノ　同一取扱ハ之等ノ者ノソノ委託者ニ對スル関係ニ付テ與ヘラルルモノトス

(三) 同一取扱ハ國労働大臣ノ命令ニヨル　國労働大臣ハソノ権限ヲ労働管理官ニ委任スルコトヲ得　同一取扱ヲナスニハ第二項ニ掲ゲタル者ガ特別保護ノ必要アルコトヲ要ス

第三條　概念

(一) 本法ニ於テ家内労働者トハ事業経営者ニアラズシテ自己ノ住居又ハ自ラ選択シタル作業場ニ於テ單独ニ又ハソノ家族トトモニ（第五章）事業経営者若クハ仲介者ノ委託ヲ受ケソノ計算ニ於テ労働スル者ヲ謂フ

(二) 家内工業者トハ事業経営者トシテ自己ノ住居又ハ作業場ニ於テ事業経営者若クハ仲介者ノ委託ヲ受ケソノ計算ニ於テ自己ノ手工労働ヲ以テ自ラ商品ヲ製造シ若クハ加工シ本人ハ全然個数賃銀労働ヲナス者ヲ謂フ　事業経営者ガ原料及ビ補助材料ヲ自ラ製造シ若クハ一時直接ニ販賣市場ノタメ労働スル場合モ亦同ジ

(三) 仲介者トハ事業経営者ヨリ委託セラレタル労働ヲ家内労働者若クハ家内工業者ニ仲介スル者ヲ謂フ

(四) 家内労働者家内工業者並ニ仲介者タル性質ハ委託者ガ営利ノ目的ヲ以テ商品ノ製造若クハ加工ヲナスニアラザル個人私法上又ハ公法上ノ組合若クハ社団タル場合ニモ存ス

(五) 本條第一項及ビ第二條第一項第二段ニ家族ト稱スルハ家内工業者若クハソノ配偶者ノ三親等ノ親族若クハ養子ニシテ同一世帯ノ一員タル者並ニ家内工業者ト同一家内ニ共同シテ生活スル未成年者孤児及ビ被監護少年

ヲ謂フ

第二章　一般的保護規定

第四條　名簿ノ作成

(一) 家内労働ヲ提供シ若クハソノ仲介ヲナス者ハソノ家内労働又ハ家内労働ノ仲介ニ使用スル者ヲ名簿ニ明示スベシ　名簿ハ提供場ノ見易キ場所ニ之ヲ提示スルコトヲ要ス

(二) 名簿ニハ之等ノ者ノ氏名・生年月日・住居・作業場ヲ詳細ニ記載スベシ　名簿ハ産業監督官並ニ労働管理官ノ請求アルトキハソノ閲覧ニ供シ若クハ之ニ送付スルコトヲ要ス

第五條　労働票（Arbeitskarte）ノ制定

國労働大臣ハ個々ノ職業部門ニ対シ一般的ニ若クハ地域ヲ限リ労働局ノ発行セル労働票ヲ所持スル者ニ對シテノミ家内労働ヲ提供スベキ旨ノ規定ヲ定ムルコトヲ得

第六條　第一回ノ家内労働提供ノ届出

國労働大臣ハ個々ノ職業部門ニ對シ一般的ニ若クハ地域ヲ限リ家内労働ノタメ人ヲ使用セントスル者ハ國労働大臣ノ指定スル官署ニ届出ヲナスベキ旨ノ規定ヲ定ムルコトヲ得

第七條　報酬表（Entgeltverzeichnisse）ノ公示

(一) 家内労働ヲ提供シ若クハ受納スル者ハ提供及ビ受納ノ場所ニ報酬表ヲ明示シ関係者ヲシテ委託セラレタル個々ノ労働ニ対スル報酬ノ額ヲ知ラシムベシ　現行見本書ハ之ヲ報酬表ニ添付スベシ　家内労働ニ従事スル者ノ住居若クハ作業場ニ於テ家内労働ヲ提供スルトキハ委託者ハ報酬表ヲ閲覧セシムベシ

(二) 報酬表ニハ個々ノ労働ニ對スル報酬ヲ記載スベシ　同時ニ交付セラルベキ原料並ニ補助材料ノ價格ハ之ヲ特ニ明示スベシ　個々ノ労働ニ對スル報酬ヲ記載スルコト能ハザルトキハ確実ニシテ明カナル計算ノ基礎ヲ記載スルコトヲ要ス

(三) 報酬ガ賃率規則ニヨリ定メラルルトキハ賃率規則ヲ明示スルコトヲ要ス　コノ場合ニ於テ報酬ヲ明ラカナラシムルタメ可能ナル限リ賃率規則ノ當該従事者ニ関係アル部分ノミ明示スルコトヲ要ス

(四) 第一項乃至第三項ノ規定ハ個別品トシテ初メテ製造スル見本ニハ之ヲ適用セズ

第八條　報酬證明書（Entgeltbelege）

(一) 家内労働ヲ提供シ若クハソノ仲介ヲナス者ハ自己ノ費用ヲ以テ家内労働ヲ引受ケタル者ニ各従事者（第二條）ニ對スル報酬帳（Entgeltsbücher）ヲ交付スベシ　従事者ノ所持スル報酬帳ニハ労働ノ提供若クハ受納ノ際ソノ種類・範囲・報酬並ニ提供及ビ引渡ノ日ヲ記入スルコトヲ要ス　本規定ハ個別品トシテ初メテ製造サルル見本ニハ之ヲ適用セズ

(二) 第一項ノ規定カード又ハ労働カード並ニ之ヲ集綴スルニ適當ナル綴込簿ヲ交付スルヲ以テ足ル　報酬カード又ハ労働カードハタイプライター又ハインキニテ複製シ継続番号ヲ附シ綴込簿ニ綴込ムベシ

(三) 家内労働者並ニ家内工業者ハ報酬證明書ヲ適當ニ保存シ産業監督官並ニ労働管理官ノ請求ニヨリ之ヲ提示スベシ　報酬證明書ヲ所持スル委託者ニ付テモ亦同ジ

(四) 國労働大臣ハ報酬證明書ノ形式内容交付ニ関シ細則ヲ定ムルコトヲ得

第三章　労働時間ノ保護

第九條　延滞ニ對スル保護

家内労働ノ提供又ハ受納ガ著シキ延滞ヲ來ス場合ニハ産業監督官ハ迅速ナラシムルニ必要ナル措置ヲ命ズルコトヲ得

第一〇條　労働量ノ分配

(一) 労働管理官ハ家内労働ノ一樣ナラザル分配ヨリ生ズル弊害ノ除去ノタメ個々ノ職業部門若クハ各種家内労働ノタメニ一定ノ時間第八條ニヨル報酬證明書ニ記入サレ得ベキ労働量ニ付キ規定ヲ定ムルコトヲ得

労働量ハ補助者ヲ用ヒズシテ全労働能力ヲ以テ同一労働者ガ普通労働時間内ニ處理シ得ル樣之ヲ定ムルコトヲ要ス

(二) 労働管理官ガ個々ノ職業部門又ハ各種家内労働ニ對シ一報酬證明書ニ對シテ提供スベキ労働量ニ関スル規定ヲ定メタルトキハ家内労働者又ハ家内工業者ニ對シ所定量ヲ超過スル労働量ヲ與フルコトヲ得ズ　補助者（家族又ハ家族ニ非ザル補助者）ヲ使用スルトキハ所定量ヲ超過シテ労働量ヲ與フルコトヲ得　之等ノ補助者ニ對シテハ更ニ第八條ニヨル報酬證明書ヲ交付スルコトヲ要ス

(三) 重大ナル事由アルトキ特ニ労働司ノ定ムル適當ナル未就業家内労働者及ビ家内工業者アラザルカ若クハ足ラザルトキ又ハ家内労働者若クハ家内工業者ノ特別ノ個人的事情アルトキハ産業監督官ハ事業経営者ニ對シ一定ノ期間一報酬證明書ニ對スル所定量ヲ超過シテ労働量ヲ提供スルコトヲ許可スルコトヲ得

第一一條　労働者ノ労働時間

労働時間ニ関スル一般的保護規定ハ之ヲ家内工業者ノ使用スル家族外ノ補助労働者（Betriebsarbeiter）ニ適用ス

第四章　危険防止

第一二條　災害豫防並ニ公共衛生保護ノ一般的原則

(一) 家内労働ヲ行フ作業場ハ経営ノ種類ヲ考慮シ従事者ノ生命健康若クハ風紀又ハ一般ノ衛生ニ對スル危険ナキ樣建設設備スベシ

(二) 家内工業者（第二條第一項及ビ第二項）ガ家族外ノ補助者（補助労働者）ヲ使用スルトキハソノ作業ニ付キソノ他ノ災害豫防ニ関スル規定モ亦之ヲ適用ス

第一三條　國労働大臣ノ命令

(一) 國労働大臣ハ個々ノ職業部門若クハ一定種類ノ作業場ニ対シ災害豫防並ニ公共ノ衛生ノタメ命令ヲ発スルコトヲ得

(二) 國労働大臣ハ児童ノ使用ヲ禁止シ若クハ一九〇三年三月三十日附

「工業ニ於ケル児童労働ニ関スル法律」所定ノ年齢ノ完了ヲ使用ノ條件トナスコトヲ得

㈢ 國労働大臣ハ家内労働者並ニ家内工業者ノ委託者ニ對シテモ義務ヲ課スルコトヲ得

第一四條　家内労働ノ禁止

國労働大臣ハ従事者ノ生命健康若クハ風紀上若クハ公共ノ衛生上著シキ危険アルトキハ家内労働ヲ禁止スルコトヲ得

第一五條　災害豫防

㈠ 産業監督官ハ第一三條ニヨル國労働大臣ノ命令ニ従ヒ個々ノ作業場ニ對シ災害豫防ノ実施ノタメ指令ヲ発スルコトヲ得

㈡ 産業監督官ノ指令ニ對シテハ一週間ノ期間内ニソノ監督官廳ニ抗告ヲナスコトヲ得　監督官廳ノ決定ニ對シテハ不服ノ申立ヲ許サズ　監督官廳ノ決定ハ最終トス

第一六條　公共衛生ノ保護

㈠ 警察官廳ハ第一三條ニヨリ國労働大臣ノ命令ニ従ヒ産業監督官ト協議シ個々ノ作業場ニ對シ特ニ食糧品及ビ嗜好品ノ製造加工並ニ包装ニ際シ生ズベキ一般ノ衛生上ノ危険ヲ除クタメ指令ヲ発スルコトヲ得

㈡ 警察官廳ノ指令ニ対シテハ一週間ノ期間内ニソノ監督官廳ニ抗告ヲナスコトヲ得　監督官廳ノ決定ハ最終トス

第一七條　届出義務

第一三條第一項ニヨリ特別規定ノ定メラレタル作業場ニ於テ家内労働ヲ行フトキハ之ヲ警察官廳ニ届出ヅルコトヲ要ス　届出ハ作業場ノ處分権者之ヲナスベシ

第一八條　災害豫防並ニ公共衛生保護ノ責任

第一三條乃至第一六條ニ基キ発セラレタル指令ノ実施ハ場所若クハ作業場ニ関シテハ處分権者ソノ他ノ場合ニハ第一三條第三項ノ場合ヲ除キ家内労働者若クハ家内工業者ソノ責ニ任ズ

第五章　報酬ノ保護

第一九條　労働管理官ノ監督

労働管理官ハ個々ノ職業部門ニ於ケル家内労働ヲ常時監督シ國労働大臣ニ詳細ナル指示ニヨリ報告ヲナスベシ

第二〇條　報酬ノ規定

家内労働ノ報酬ノ決定ハ國民労働秩序法ノ規定ニヨル報酬ノ決定ハ左ノ方式ニヨルコトヲ得

1. 個々ノ協定

2. 経営規則

主トシテ同一事業ノタメ単独ニ又ハソノ家族トトモニ労働スル家内労働者並ニ家内工業者ガ常時二十名以上ノ使用人及ビ労働者ヲ使用スル事業ニ属スルトキ（國民労働秩序法第五條、第二七條第三項）

3 賃率規則

最低條件ノ決定ガ家内労働ノ規則ノタメ緊要缺クベカラザルトキ（國民労働秩序法第三二條第二項）

第二一條　賃率規則ニヨル報酬ノ規定

㈠ 一事業内ニ於ケル家内労働ノ報酬ノ賃率規則ニヨル決定ハ家内労働ガ相當ノ範囲ニテ行ハレ且ツ明カニ不充分ナル報酬ノ支拂ハルルトキハ特ニ之ヲ行フベキモノトス

㈡ 家内労働者又ハ家内工業者トソノ委託者トノ間ニ於ケル賃率規則ノ人的適用範囲ハ本法第二條並ニ國民労働秩序法第三四條ノ規定ニヨル

第二二條　報酬ノ種類

家内労働ニ對スル報酬ハ出来高ニヨッテ決定スベシ　出来高拂ニヨル決定ヲナスコト能ハザルトキハ個々ノ場合ニ出来高拂ノ計算ノ基礎トナリ得ベキ時間拂ニヨリ決定スベシ

第二三條　仲介者ニ對スル報酬ノ規定並ニ委託者ノ共同責任

㈠ 第二條第二項ニヨル家内労働者並ニ家内工業者ト同一ノ取扱ヲ受ク

ル仲介者ニ對シテハソノ委託者トノ間ニ於ケル賃率規則ニヨツテ家内労働者又ハ家内工業者ノタメニ設ケタル報酬額ニ對スル歩合ニヨル増加分ヲ決定スルコトヲ得

(二)　委託者ガ仲介者ニ對シ家内労働者又ハ家内工業者ニ對スル賃率規則所定ノ報酬支拂ニ不充分ナルコト明カナル報酬ヲ支拂ヒタルトキハ委託者ハ仲介者トトモニ家内労働者若クハ家内工業者ニ對シ賃率規則所定ノ報酬支拂ノ責ニ任ズ

第二四條　報酬ノ監督

労働管理官ハ産業監督官ト協議シ報酬支拂ノ適當ナル監督ヲナスベシ

第二五條　報酬ニ関スル報告義務

(一)　企業者事業經營者仲介者家内工業者並ニ家内労働者ハ報酬規定ニ関スル全テノ問題ニ付キ労働管理官・産業監督官並ニ報酬監督ヲ委任セラレタルソノ代理人ニ報告ヲナスベシ

(二)　前項ノ者ハ請求ニヨリ報酬證明書（第八條）ノ外製品原料見本並ニ報酬決定ノ基礎材料ヲ提示スベシ

第二六條　支拂不足ノ場合ニ於ケル遅延罰金ノ豫告

(一)　企業者事業経営者若クハ仲介者ガ家内労働者若クハ家内工業者若クハ第二條第二項ニヨリ同一ノ取扱ヲ受クル者ニ對シ賃率規則ノ所定ヨリ少額ノ報酬ヲ支拂ヒタルトキハ労働管理官ハ一週間ノ期間内ニ不足額ヲ支拂ヒ支拂證明書ヲ提示スベキ旨ヲ遅延罰金ヲ豫告シテ命令スベキモノトス

(二)　不足報酬ヲ受ケタルトキヨリ三月以上經過シタルトキハ遅延罰金ノ豫告ヲナスコトヲ得ズ

第二七條　遅延罰金ノ決定

(一)　法定期間内ニ不足額ヲ支拂ヒタル旨ノ證明ナキトキハ労働管理官ハ遅延罰金ヲ決定スルコトヲ得

(二)　遅延罰金ハ通常不足支拂額ヨリ多額ナルベキモノトス　但シ最低ニナライヒス・マルク最高三千ライヒス・マルク反覆ノ場合ニハ最高一万ライヒス・マルクトス

第二八條　罰金ノ決定ニ對スル異議

(一)　百ライヒス・マルクヲ超過スル遅延罰金ノ決定ニ對シテハ決定ノ送達アリタル日ヨリ一週間ノ期間内ニ國労働大臣ニ異議ヲ申立ツルコトヲ得

(二)　異議ノ申立ハ支拂不足ノ存セザルコトヲ理由トシテノミ之ヲナスコトヲ得

(三)　異議ノ申立ハ決定ノ效力發生ヲ停止スル效力ヲ有ス

第二九條　遅延罰金ノ減免

(一)　労働管理官ハ遅延罰金ヲ課セラレタル者ガ不足額ヲ家内労働者又ハ家内工業者ニ支拂ヒタルコトヲ證明シタルトキハ不足額ノ限度ニ於テ罰金ノ徴收ヲナサザルコトヲ得

(二)　労働管理官ハ特別ノ事由ニヨリ支拂催告ニ應ゼザルニ已ムヲ得ザル事由アリト認メ且ツ不足額ノ支拂アリタルトキハ遅延罰金ヲ軽減シ又ハ免除スルコトヲ得

第三〇條　罰金ニヨル家内労働者ノ保護

家内工業者又ハ同一ノ取扱ヲ受クル者（第二條第二項）ガ家族外ノ補助者ヲ労働者トシテ使用シ之ニ賃率規則所定ノ報酬ヲ支拂ハザルトキハ遅延罰金ニ関スル第二六條乃至第二九條ノ規定ヲ準用ス　但シ家内工業者又ハ之ト同一ノ取扱ヲ受クル者ノ報酬ガ賃率規則ニヨリ定メラルル場合ニ限ル

第三一條　遅延罰金ノ支拂並ニ使途

(一)　遅延罰金ハ指定セラレタル國庫ニ支拂フベシ　労働管理官ハ公租徴收ニ関スル國ノ法規ニヨリ遅延罰金ヲ徴收ス

(二)　國労働大臣ハ遅延罰金ノ使途ニ関スル細則ヲ定ムルコトヲ得

第三二條　社會的名誉裁判

社會的名誉裁判ニ関スル國民労働秩序ノ規定（第三五條乃至第五五條）ハ遅延罰金ニ関スル本法ノ規定ニ拘ラズ之ヲ適用ス

第三三條　賃銀ノ差押

(一)　家内労働者又ハ家内工業者ニ支拂ハルル報酬ハ賃銀差押法ニ規定セ

ラルル労働若クハ勤務関係ニ基キ給付セラルル労働若クハ勤務ニ對スル報酬トス

(二) 第二條第二項ニヨリ家内労働者又ハ家内工業者ト同一ノ取扱ヲ受クルソノ他ノ家内工業者・仲介者若クハソノ他ノ労働者ニ類似スルモノノ報酬ニ付テモ亦同ジ

第六章　罰　則

第三四條　反　則

故意又ハ過失ニヨリ左ノ行為アリタルトキハ百五十ライヒス・マルク以下ノ罰金ニ處ス

一、名簿作成（第四條）、労働票ノ制定（第五條）、報酬表ノ公示（第七條）、報酬證明書（第八條）若クハ報酬ノ報告（第二五條）ニ関スル規定ニ違反シタルトキ

二、延帯ニ関スル家内労働者ノ保護（第九條）若クハ労働量ノ分配（第一〇條）ノ指令ニ違反シタルトキ

三、届出ヲナスベキ家内労働ノ実施ノ届出ヲナサザルトキ（第六條、第一七條）

四、作業場ガ災害豫防又ハ公共衛生ニ関スル命令（第一三條第一項及ビ第三項）ニ定ムル要件ヲ備ヘザル者ニ家内労働ヲ與ヘタルトキ

五、家内労働若又ハ家内工業者ガソノ共働家族ノ災害豫防並ニ健康保護若クハ公共衛生ニ関スル命令又ハ指令ニ違反スルヲ看過シタルトキ

第三五條　犯　罪

故意又ハ過失ニヨリ左ノ行為アリタルトキハ六ケ月以下ノ禁錮若クハ罰金ニ處ス

一、児童使用ニ関スル指令（第一三條第二項）ニ違反シタルトキ

二、災害豫防又ハ公共ノ衛生ニ関スル命令又ハ指令（第一三條第一項及ビ第三項、第一五條、第一六條）ニ違反シタルトキ

三、禁止セラレタル家内労働ヲ提供シ若クハ之ヲナシタルトキ（第一四條）

第三六條　家内労働提供ノ禁止

(一) 労働管理官ハ本法ノ規定ニ違反シタルニヨリ繰返シ刑ノ宣告ヲウケ又ハ遅延罰金ヲ科セラレタル者ニ家内労働ノ提供若クハソノ仲介ヲ禁止スルコトヲ得

(二) 労働管理官ノナシタル家内労働若クハソノ仲介ノ禁止ニ対シテハ禁止ノ送達アリタル日ヨリ二週間ノ期間内ニ國労働大臣ニ抗告ヲナスコトヲ得　國労働大臣ノ抗告ニ對スル決定ニ對シテ不服ノ申立ヲ許サズ

(三) 抗告ハ決定ノ效力発生ヲ停止スル效力ヲ有セズ

(四) 故意又ハ過失ニヨリ第一項ニヨル禁止ニ違反シタル者ハ六ケ月以下ノ禁錮若クハ罰金ニ處ス

第七章　終結規定並ニ經過規定（略）

附編　俘虜の労働配置

國労働大臣は一九四〇年七月一〇日の訓令(註二)に於て、俘虜の労働配置に関する基準を示してゐる。本訓令に於て示されてゐる俘虜の配置せらるべき作業並に配置條件等の大要は以下の如くである。

州労働廳及び労働局は、俘虜を先づ第一に次の諸作業に配置すべきものとされてゐる。

1. 農業に於ける経営の諸作業
2. 林業及び材木業に於ける諸作業
3. 土地開墾諸作業
4. 全ての鉱山業（鉱山業と同視される経営を含む）に於ける諸作業
5. 鉄道工事——特に地上諸工事並にその他の諸作業（貨物発送、積換場、

工場等）及び独逸國有鉄道の戦時に重要なる建設工事

6　合成ゴム及び直接液化工場、パルプ及びス・フ工場並にその他戦時に重要なる工場に於ける建設及び経営諸作業

7　戦時に重要なる街路、運河、ダム及び住宅建設工事

8　煉瓦工場、採石場及び戦時に重要なる其他の土木経営に於ける諸作業

9　食糧補助事業の建設工事

10　泥炭採取諸作業

11　各種の運送諸作業

右の諸作業だけではない、俘虜は他の戦時に重要なる作業にも配置されるのである。戦時に重要ならざる作業及び補足的な作業に對しては、他の就業可能性がないときにのみ配置される。

1、俘虜の服する労働は、戦闘行為と直接に関係のあるものであってはならない。特に俘虜を武器又は弾薬の製造及び運搬並に戦闘部隊の使用にあてられたる材料の運搬に使役することは禁ぜられてゐる。

2、怠業、間諜行為及び破壊行為の虞れある場合には、俘虜を使用することは出来ぬ。か丶る場合には一般に外國人の就業に對して発せられた規定が準用される。

3、俘虜は能ふる限り経営内に於ては之を分け、且つ特別の部門に就業せしめねばならぬ。他の外國人と共に働くことは出来ない。

4、一般に経営は軍當局の要求に合致せる俘虜及び監視員の宿舎を用意せねばならぬ。宿舎の室は、衛生的に非難の餘地なきものたること及び俘虜の監視可能なるものたることを要する。特別の宿舎を設けずして、俘虜収容所から直接に配置することは稀である。

5、企業者は一般に監視員及び俘虜の食事を用意せねばならない。俘虜収容所側から食事を給することは稀である。

1、俘虜の労働給付に對しては、報酬を俘虜収容所へ（俘虜本人に對してでは

なく）支拂はねばならぬ。俘虜の労働に對する報酬は、原則として時間給の場合は賃率規則により定められたる賃率或は當該地域に慣例たる賃率又は特定賃率の六〇％、出来高給の場合は同種の出来高給労働に對する賃率規則により定められたる出来高給賃率或は當該地域に慣例たる出来高給賃率又は特定の出来高給賃率の八〇％である。基礎にすべき賃率に関して疑義の存するときは、國労働管理官又はその代理者としての労働局長が之を決定する。以上は一般的な配置條件である。

2　個々の経済部門に對しては、國労働大臣によって特別の配置條件が定められた。

(1)　公的建築工事に於ける配置條件

(イ)　補助労働者（地下工事労働者及び建築補助労働者）に對しては、賃金計算の基礎として一時間當り五五ペニツヒなる全國一率的時間給賃率が定められた。専門労働者に對しては、専門労働者の當該地域に於ける賃率規則により定められた時間給賃率を基礎とする。時間給で就業する俘虜一人に付これ等の賃率の六〇％を現金で俘虜収容所へ支拂はねばならない。

(ロ)　出来高給乃至請負給で就業せる各俘虜に對しては、(イ)により計算された時間給賃率に、その三〇％（割増賃金）を加へる。

(ハ)　右の計算方法によると、時間給で働く補助労働者の一時間當りの賃金は五五ペニツヒの六〇％即ち三三ペニツヒとなり、時間給で働く専門労働者のそれは、當該地域の専門労働者の時間給の六〇％となる。補助労働者の一時間當りの出来高給賃率乃至請負給賃率は三三ペニツヒにその三〇％を加へたる四三ペニツヒとなり、専門労働者のそれは當該地域の専門労働者の時間給の六〇％にその三〇％を加へたものとなる。

一九三九年九月一日以後に独逸領に編入された東部地域に於ては、ダンチツヒ自由市を除き、補助労働者に對する五五ペニツヒなる全國一率的時間給賃率の代りに、該業に於ける補助労働者の當該地域の時間給が賃金計算の基礎とされる。悪天候に因る労働喪失に對する報酬は通例問

題にならない。國有自動車道路の工業にあっては、悪天候に因る労働喪失の際國防軍がその初日から宿営費及び食費を負担する。

(2) 泥炭業に於ける配置條件

(イ) 時間給で就業せる俘虜に對しては、企業者は俘虜一人一時間に付二七ペニッヒの割合で俘虜收容所へ納入する。

(ロ) 請負給で就業せる俘虜に對しては、賃率規則によって定められた請負給の八〇%、かゝる規制なき場合は當該地域に慣例たる請負給の八〇%を納入せねばならない。

(ハ) 悪天候のため俘虜が就業出來ない労働日については、企業者は國防軍へ何等報酬を支拂ふ必要がないが、國防軍に對する補償請求権なき無償の宿舎及び食事を支給せねばならない。悪天候に因る労働喪失が全部で二八日以上となるときは、二九日目から宿舎及び食事に對する確定額の五〇%は、國防軍から企業者に補償される。

(3) 農業・林業及び土質改良作業に於ける配置條件（ポーランド人の俘虜は除く）

(イ) 時間給労働の場合は次の如くである。俘虜に對しては無償の宿舎及び食事を支給せねばならない。經営外での宿営及び食事にあっては、その費用は經営指導者が負担する。國防軍が宿舎及び食事を全部又は一部負担したるときは、これに對して經営指導者は國防軍へ次の如き割合で償還せねばならない。食費は一日に付〇・八〇マルク（朝食〇・一五マルク、晝食〇・四〇マルク、夕食〇・二五マルク）、宿舎費は一日に付〇・二〇マルクである。それ以外に、全國に亘って俘虜一人に付労働日一日毎に〇・八〇マルク、労働期間一箇月毎に二〇・八〇マルクの金額を所轄の國防軍の機関へ納入せねばならぬ。

(ロ) 出來高給労働に就業せる俘虜に對しては、賃率規則により定められた出來高給の八〇%、かゝる規制なき場合は當該地域に慣例たる出來高給の八〇%を俘虜收容所へ納入せねばならぬ。俘虜は出來る限り之を出來高給で就業せしめるべきものとされてゐる。

(ハ) この配置條件は一九四〇年九月三〇日迄有效であった。

(4) 砂糖製造業に於ける配置條件（註二）

(イ) 企業者は自己の使傭せる俘虜に對して無償の宿舎及び食事を支給する。俘虜が病気又は經営上の事情のために労働給付を妨げられた場合でも、彼等が俘虜收容所へ送還せしめられ又は衛戍病院へ移されない限り無償の宿舎及び食事を支給する。

(ロ) 宿舎及び食事が例外的に支給されないときは、俘虜一人に付労働日毎に一マルク（食費〇・八〇マルク、宿舎費〇・二〇マルク）を俘虜收容所へ納入せねばならない。

(ハ) 俘虜一人に付——実際の労働時間とは関係なく——労働日毎に二・五〇マルクを俘虜收容所へ支拂はねばならぬ。日々の労働時間が一様に六時間以下なるときは、一・五〇マルクに引下げられる。特に能力ある俘虜に對しては、〇・五〇マルク以下の特別手當を労働日毎に支給することが出來る。

(ニ) 日曜労働、夜間労働又は超過労働に對する割増賃金は支拂はれない。

(ホ) 以上の配置條件は一九四〇年一〇月一日より実施された。

（註一） *Reichsarbeitsblatt*. 1940. I. SS. 384-86

（註二） 「砂糖製造業に於ける配置條件」の項は *Reichsarbeitsblatt*, 1940. I. SS. 472-73 に據る。

東京本郷・台町一五
啓明社印刷

編集復刻版「秋丸機関」関係資料集成
第７回配本（第16巻・第17巻・第18巻）

２０２４年10月25日　第１刷発行

揃定価９２、４００円
（揃本体価格８４、０００円＋税10％）

編　者　牧野邦昭
発行者　船橋竜祐
発行所　不二出版
東京都文京区水道２-10-10
TEL ０３（５９８１）６７０４
印刷所　富士リプロ
製本所　青木製本

乱丁・落丁はお取り替えいたします。

第17巻　ISBN978-4-8350-8728-3
第７回配本（全３冊 分売不可 セットISBN978-4-8350-8726-9）